생각하는 갈대

다자이 오사무 전집 10

생각하는 갈대

もの思う葦

다자이 오사무 지음 — 김재원 옮김

도서출판 b

| 일러두기 |

1. 이 전집은 저본으로서 『太宰治全集』(ちくま文庫[치쿠마문고], 1994, 全10巻)과 『決定版 太宰治全集』(筑摩書房[치쿠마서방], 1999, 全13巻)을 기초로 하고, 新潮文庫[신초문고], 岩波文庫[이와나미문고] 등 가장 널리 읽히는 판본을 참조하여 번역했으며, 전 10권으로 구성했다.
2. 제10권에는 다자이가 '다자이 오사무'라는 필명으로 작가 활동을 시작한 1933년부터 자살로 생을 마감한 1948년까지 남긴 에세이 95편과, 다자이가 '구로키 슌페이'라는 가명을 사용해 발표한 소설 한 편(「낭떠러지의 착각」)을 수록했다. 수록 순서는 발표 시기 순서를 따랐다.
3. 작품소개와 본문의 모든 윗주 및 각주는 옮긴이에 의한 것이다. 원문의 것은 '원문 윗주'라고 별도로 표기했다.
4. 원문에서 강조점이 찍힌 부분은 고딕체로 표기했다.

| 차 례 |

생각하는 갈대

太宰治

1933년[쇼와 8년], 24세

다자이는 이해 처음으로 '다자이 오사무'라는 필명을 사용, 1월 3일에 「촌놈」이라는 짤막한 자기소개글을 발표함으로써, 작가로서의 출발을 알린다. 2월 19일, 『선데이 도오[東奥]』에 단편 「열차」를 발표, 뒤이어 발표한 「어복기」, 「추억」이 호평을 얻으면서 조금씩 주목받기 시작했다.

다자이가 「촌놈」, 「어복기」, 「추억」 등의 글을 발표한 『바다표범』은 다자이의 동향 친구인 곤 간이치[今官一] 외 다수의 작가가 참여한 동인잡지로, 다자이는 곤 간이치의 권유로 그해부터 멤버로 참여했다. 그리고 이를 계기로 단 가즈오[檀一雄], 이마 하루베[伊馬春部], 야마기시 가이시[山岸外史] 등의 지인들과 만나 이후 오랜 시간 절친한 관계를 유지한다.

❝저도 조금씩 공부를 하고 있습니다. 좋은 글을 쓰고 싶습니다. 또 남들이 쓴 좋은 글을 접하고 싶습니다. 좋은 작품을 쓰고 싶고, 또 읽고 싶습니다.❞ (9월 11일, 기야마 쇼헤이[木山捷平]에게 보낸 편지 중에서)

한편, 당시 도쿄대학에 재학 중이던 다자이는 출석률이 매우 저조해 졸업 가능성이 낮은 상태였다. 이번 3월까지 반드시 졸업할 것을 전제 조건으로 형에게 생활비를 송금 받고 있던 다자이는, 경제적인 위기를 느끼고 스스로 돈을 벌기 위해 「낭떠러지의 착각」이라는 대중 소설을 쓰기도 했다.

촌놈田舍者

저는 아오모리현 북쓰가루군에서 태어났습니다. 곤 간이치[1]와는 고향 동문입니다. 그도 상당히 촌놈이지만, 제 고향은 그가 태어난 곳에서 산속으로 백 리는 더 들어가야 하는 곳에 있으니, 솔직히 말해 제가 훨씬 더 지독한 촌놈입니다.

1_ 今官一(1909~1983). 다자이와 같은 고향 출신 소설가. 히로사키고등학교에 재학 당시, 곤 간이치가 다자이에게 잡지 창간에 참여해 줄 것을 부탁한 것을 계기로 절친한 사이가 되었다. 다자이와 관련된 에세이를 다수 남겼으며, 다자이의 기일에 '앵두기'라는 이름을 붙이기도 했다.

어복기에 대하여魚服記に就て

어복기[2]는 중국의 오래된 서적에 실려 있는 짧은 이야기의 제목이라고 합니다. 그것을 일본의 우에다 아키나리가 번역하여 「꿈속 잉어」라는 제목으로 바꾼 후, 『우게쓰 이야기』[3] 2권에 실었습니다.

저는 힘겨운 생활을 하고 있던 시기에 『우게쓰 이야기』를 읽었습니다.

「꿈속 잉어」는 미이데라 절의 고우기라는, 잉어 그림을 잘 그리는 중이 어느 해 큰 병에 걸렸을 때, 그 혼백이 황금 잉어가 되어 비와 호수[4]를 마음껏 헤엄치며 돌아다녔다는 이야기입니다. 저는 이 이야기를 읽고 물고기가 되고 싶다는 생각을 했습니다. 물고기가 되어, 평소 나를 모욕하고 못살게 굴던 사람들을 비웃어주자고 생각했습니다.

제 계획은 아무래도 실패한 것 같습니다. 애당초 비웃어주자는 생각부터가 잘못됐던 것인지도 모릅니다.

2_ 「어복기漁服記」는 다자이가 1933년 동인지 『바다표범』 창간호에 발표한 작품이다(전집 1권 수록).

3_ 에도시대 후기의 전기傳奇소설 작가 우에다 아키나리上田秋成가 중국과 일본의 고전을 바탕으로 번안・창작한 괴담소설집.

4_ 일본 시가현滋賀縣 중앙부에 위치한 일본 최대의 호수로, 시가현 전체 면적의 1/6을 차지한다.

太宰治

1934년 쇼와 9년, 25세

전년에 동인잡지 『바다표범』 소속 신인 작가로 데뷔한 다자이는 이해 본격적으로 작품 활동을 시작한다. 단 가즈오가 중심이 되어 발간한 계간문예지 『쇠물닭鷭』의 4월호(창간호)와 7월호에 단편 「잎」과 「원숭이를 닮은 젊은이」를 발표하고, 7월 말부터 8월 말까지 시즈오카현 미시마시에 머물며 단편 「로마네스크」를 집필한다. 9월부터는 곤 간이치와 합심하여 동인잡지 『푸른 꽃』 창간을 기획, 12월 창간호에 「로마네스크」를 발표한다(『푸른 꽃』은 창간호를 마지막으로 폐간되었다). 이외에도 10월에 잡지 『문예』에 「그는 예전의 그가 아니다」를 발표하고, 11월경에는 첫 창작집 『만년』의 수록 작품 대부분을 완성한 것으로 추정되는 등 실로 왕성한 작품 활동을 펼쳤다. 사토 하루오佐藤春夫, 사카구치 안고坂口安吾 등의 작가들이 다자이의 문학적 재능에 주목하기 시작한 것도 이즈음부터였다.

한편, 4월에 다자이가 전년 집필한 작품인 「낭떠러지의 착각」이 잡지 『문화공론』에 발표되는데, 다자이는 작품 발표 시 '구로키 슌페이黒木舜平'라는 가명을 사용했다. 이 작품이 다자이의 것임을 알고 있었던 사람은, 이 작품을 잡지 『문화공론』의 편집자에게 소개한 지인 구보 다카이치로久保隆一郎가 유일했다. 다자이는 구보에게 원고를 보내면서 다음과 같은 내용의 편지를 동봉했다.

❝(전략) 오늘 예의 그 탐정소설을 별도로 봉하여 귀형 댁으로 보냅니다. 서른일곱 장 분량의 '하찮은 글'입니다. (중략) 귀형은 되도록 이 '하찮은 글'을 읽지 말아 주십시오. 너무 부끄러워 견딜 수가 없습니다. 아마도 게재해주지 않겠지만, 만에 하나 허가를 받는다면, 이름은 반드시 원고에 적힌 '구로키 슌페이'라고 표기해주시기를, 거듭거듭 부탁드립니다. 그렇지 않으면 큰일이 나니까요. 그럼, 잘 부탁드립니다.❞ (1933년, 11월 17일)

낭떠러지의 착각断崖の錯覚 (소설)

1

그즈음 나는 대작가가 되고 싶은 마음에, 대작가가 되기 위해서라면 그 어떤 고통스러운 수련도, 또 그 어떤 큰 희생도 끝까지 견뎌내겠다고 굳게 마음먹은 상태였다. 대작가가 되기 위해서는 문장을 갈고닦기 이전에 인간으로서의 수련을 해두지 않으면 안 된다고 생각했다. 연애는 두말할 것도 없고, 남의 부인을 몰래 빼앗고, 유흥비로 하룻밤에 백 엔을 날리고, 감옥에 들어가고, 또 주식을 사서 천 엔을 벌거나 만 엔을 잃기도 하고, 사람을 죽이고. 그 모든 것들을 경험해두지 않으면 좋은 작가가 될 수 없다고 믿었다. 하지만 천성이 겁쟁이에 부끄럼쟁이인 나는 그런 경험을 전혀 해보지 못했다. 해보자고 결심을 해도, 내게는 정말 무리였다. 나는 십 전짜리 커피를 마시면서 찻집 소녀를 흘끔흘끔 훔쳐볼 때조차 필사적으로 노력해야 했다. 음침한 세계를 보고 싶은 마음에 스미다강 건너의 어느 환락가에 갔을 때, 나는 환락가 두세 골목 앞의 작은 길에서 이미 몸이 꽁꽁 얼어붙고 말았다. 그 세계가 발산하는 악취에 질식할 지경이었다. 나는 몇 번이나 그런 쓸데없는 시도를 반복했고, 매번 실패했다. 나는 절망했다. 대작가가 되기 위한 소질을 갖추지 못한 것이라는 생각이 들었다. 아아, 그러나 그런 내성적인 겁쟁이야말로 무시무시한 범죄자가 될 수 있는 것이었다.

2

스무 살이 되던 해 정초, 나는 도쿄에서 기차로 세 시간 정도면 갈 수 있는 어느 해안가 온천지에 놀러 갔다. 우리 집은 니혼바시에서 포목점을 했고, 지금과는 다르게 그때는 아직 재산이 꽤 많았다. 나는 외동아들이기도 했고, 제1고등학교[1] 문과에 상당히 좋은 성적으로 입학했으며, 또래 아이들에 비해 돈도 자유롭게 마음껏 쓸 수 있었다. 나는 대작가가 될 희망을 잃고 하루 종일 한숨만 내쉬며 지내고 있었다. 이대로는 미쳐버릴지도 모른다는 생각이 들기도 했고, 모처럼의 겨울방학을 아무쪼록 쓸모 있게 보내고픈 마음도 있고 해서 온천에 가기로 결심했다. 그즈음 나는 어려 보이는 것이 부끄러웠기 때문에 교복을 입고 여행을 가는 건 싫었다. 집이 포목점을 했기에 옷에 대한 안목도 높았을뿐더러 무늬를 고르는 취향도 일류였다. 나는 검은색 민무늬 기모노에 헌팅캡 차림으로, 지팡이를 들고 여행에 나섰다. 옷차림만큼은 어엿한 작가였다.

내가 간 온천지는 예전에 오자키 고요가 머물던 곳으로, 그곳에 있는 해안이 『금색야차』[2]라는 걸작의 배경이 되었다. 나는 그 지역에서

1_ 1886년 근대 국가 건설에 필요한 인재 양성을 목표로 하여 창설된 학교. 지금의 도쿄대학 교양학부, 지바대학 의학부 등의 전신이다.

가장 고급스러운 여관인 백화루에 머물기로 했다. 오자키 고요도 거기에 머물렀다고 하는데, 계산대 쪽 기둥 사이에 『금색야차』의 원고를 끼워 넣은 멋진 액자가 걸려 있었다.

내가 안내받은 방은 그 여관에서도 꽤 좋은 축에 속하는 곳처럼 보였고, 마루에는 커다란 참새 족자가 걸려 있었다. 내 옷차림이 효과를 발휘한 모양이었다. 여종업원이 방의 남쪽 장지문을 열고는 보이는 곳들을 설명해주었다.

"저게 하쓰시마섬입니다. 맞은편에 희미하게 보이는 것이 보소 지방의 여러 산이에요. 저게 이즈산. 저게 우오곶. 저건 마나즈루곶."

"저건 뭔가요? 연기가 나고 있는 저 섬이요." 나는 바다에 반사되는 눈 부신 빛에 얼굴을 찌푸리며 최대한 어른스러운 말투로 물었다.

"오지마섬." 여종업원은 짤막하게 대답했다.

"그렇군요. 경치가 좋은 곳이네요. 여기에서라면 차분하게 소설을 쓸 수 있을 것 같습니다."라고 말한 뒤 아차 싶었다. 부끄러워서 얼굴이 새빨개졌다. 말을 바꿀까 말까 망설였다.

"어머, 그렇군요." 젊은 여종업원이 커다란 눈망울을 반짝이며 내 얼굴을 들여다봤다. 운이 나쁘게도 문학소녀인 듯했다. "오미야와 간이치 씨[3]도 저희 여관에 머물렀다고 하더라고요."

그러나 나는 웃을 수 있는 상황이 아니었다. 무심코 내뱉은 거짓말 탓에 정신이 아찔해질 정도로 괴로웠다. 부끄러워서 죽어도 말을 바꿀

2_ 오자키 고요尾崎紅葉(1867~1903)는 메이지시대의 소설가로, 메이지 중기의 시대상을 사실적으로 그려낸 풍속소설의 일인자였다. 『금색야차金色夜叉』는 고요의 미완 장편소설로, 한국에서 <이수일과 심순애>라는 연극으로 제작되어 크게 인기를 끌기도 했다.

3_ 『금색야차』에 등장하는 남녀주인공의 이름.

수는 없었다. 나는 정신없이 중얼거렸다.

"이번 달 말이 마감입니다. 아주 바빠요."

나의 운명은 이때 결정되었다. 어째서 나는 그렇게 쓸데없는 말을 중얼거렸을까. 지금 생각해봐도 참 불가사의한 일이다. 인간은 당황하면 할수록 더 멍청한 말밖에 하지 못하는 존재일까. 아니, 그 때문만은 아니다. 내가 그즈음 작가를 동경하며 품고 있었던 헛된 갈망이야말로, 이 의문을 푸는 중요한 열쇠인 것은 아닐까.

아아, 그 멍청한 말 한마디가 나로 하여금 범죄를 저지르게 했다. 다시 떠올리기도 무서운 살인죄를 범하게 했다. 심지어 아무에게도 들키지 않았고, 또 지금도 여전히 알려지지 않은 살인죄를.

나는 그날 밤 여관 지배인이 들고 온 숙박부에 어느 신인 작가의 이름을 써넣었다. 연령 28세. 직업은 저술.

3

이삼일 빈둥거리다 보니 가까스로 마음이 가라앉았다. 이름을 좀 바꾼 것이 무슨 죄가 되겠는가. 만일 들킨다고 해도 장난이었다며 웃어넘길 수 있는 일이다. 누구나 젊을 때 한 번쯤은 해볼 법한 일임이 틀림없다. 그렇게 생각하니 마음이 놓였다. 하지만 양심은 여전히 근질거렸다. 대작가가 될 소질이 없다는 것에 절망한 청년이 보잘것없는 신인 작가 행세를 하면서 기분전환을 하다니, 그건 정말이지 초라하고 비참한 일이 아닌가, 하는 생각이 들자 조바심이 났다. 하지만 차츰 그런 부끄러운 마음마저 사라졌고, 온천지에 온 지 일주일쯤 되었을 때는 이미 완벽하게 태평한 온천요양객으로 변해 있었다. 신인 작가로서의 나에 대한 대우가 나쁘지 않았기 때문이다. 내 방에 오는 대부분의 여종업원들은 내게 "글은 잘 써지시나요?"라고 조심조심 물었다. 나는 그저 온화한 미소로만 답했다. 아침에 욕탕으로 가다가 마주치는 여종업원 모두 내게 "선생님, 좋은 아침입니다."라고 인사하곤 했다. 선생님 소리를 들어본 것은 이때가 유일했다.

작가로서의 영광을 이토록 간단히 손에 넣었다는 것이 의외였다. 쓴웃음을 지으면서, 궁하면 통한다는 옛말을 중얼거린 적도 있다. 나는 이미 신인 작가였다. 누구 하나 의심하는 사람이 없었다. 때로는, 나 스스로도 의심치 않았다.

나는 방 책상 위에 원고지를 펼쳐 '첫사랑의 기록'이라는 제목을 큼직하게 쓰고, 어느 신인 작가의 이름—지금의 내 이름을 쓰고는, 두세 줄을 썼다 지웠다 해서 고심의 흔적을 남긴 뒤, 여종업원들이 볼 수 있게끔 일부러 책상 위에 놓아둔 채로 인상을 쓰고 밖으로 산책하러 나가곤 했다.

그렇게 기쁨에 가득 찬 상태로 이삼일 정도를 더 보냈다. 하지만 밤에 잠자리에 누우면, 역시나 조금 걱정스러웠다. 진짜 작가가 이곳 백화루에 불쑥 나타난다고 생각하면 등골이 오싹해지는 것이었다. 그땐 내가 선수를 쳐서 저 녀석은 가짜라고 말할까, 하는 생각도 했다. 조금씩 뻔뻔해지는 느낌이었다. 불안과 전율 속의 짜릿한 기쁨이 나를 붕 뜨게 만들었던 것이리라. 신인 작가가 되고 나서는 나무 한 그루 풀 한 포기가 다 새롭게 보였다. 지팡이를 흔들며 해안가를 거닐고 있노라면 바다도, 구름도, 배도 어쩐지 다 특별해 보여서 가슴이 뛰었다. 여관으로 돌아와 원고지를 앞에 두고 낙서를 하고 있으면, 내가 쓴 글자 하나하나를 액자에 넣어도 될 것 같은 기분이 들었다. 문장 하나하나에 불후의 가치가 있는 것처럼 느껴졌다. 들뜬 마음으로 그런 비뚤어진 환희의 나날을 보내던 중, 나는 이제껏 한 번도 경험해본 적 없는 큰 사건과 조우하게 되었다.

4

사랑에 빠진 것이다. 늦은 첫사랑이었다. 내가 장난삼아 쓴 소설의 제목이 정말 현실이 되어 눈앞에 나타났다.

그날 나는 오전 내내 원고지에 낙서를 하다가 초조한 척하며 여관을 나섰다. 잠시 아카네 공원을 어슬렁대다가 점심밥을 먹기 위해 거리로 나갔다. 나는 '이데유'라는 찻집에 들어갔다. 이미 훌륭한 신인 작가였기 때문에 예전처럼 주뼛거리지 않았다. 열흘쯤 전의 도쿄 생활이, 내게는 십 년, 이십 년도 더 지난 옛날 일처럼 느껴졌다. 나는 이제 예전의 그 어린애가 아니었다. '이데유'에는 소녀 둘이 있었다. 하나는 여관 여종업원 출신인지 머리를 커다랗게 일본식으로 묶고 있었는데, 볼이 붉고 통통했다. 나는 그 여자에게는 아무런 흥미를 느끼지 못했지만, 나머지 한 소녀, 아아, 나는 그 여자를 보자마자 순식간에 온몸이 얼어붙는 것을 느꼈다. 지금 생각해 보면 전혀 이상할 것이 없는 일이다. 젊을 때는 누구나 한 번쯤 그런 경험을 하게 되는 법이다. 길에서 스쳐 지나가는 소녀를 보고 깜짝 놀라서는, 어쩐지 타인이 아닌 듯한 기분을 느낀다. 그리고 두 사람은 태어나기 전부터 맺어져 있었고, 몇 월 며칠에 여기서 만나도록 확실히 정해져 있었다고 납득하게 되는 것이다. 청춘의 영감靈感이라고 부를 수도 있겠다. '이데유'의 문을 밀고 들어가서 어스레한 카운터 박스 안에 있는 그 소녀를 발견하자마자 그 청춘의 영감이 나를 덮쳐 왔다. 나는 신인 작가다운 모습으로 거만하게 문 근처 자리에 앉았지만, 무릎이 심하게 부들부들 떨렸다. 눈이 차츰 어둑함에 익숙해지자 그 소녀의 모습이 점점 더 선명하게 보이기 시작했다. 짧게 쳐올린 머리에, 마른 볼은 매끄러웠다.

"어떤 걸로 하시겠어요?"

청아한 목소리라고 생각했다.

"위스키."

다른 손님이 대답한 것이라고 생각했다. 하지만 손님은 나 하나였다. 그 순간, 나는 정말 오싹해졌다. 미친 게 아닐까 생각했다. 나는 얼빠진 눈으로 흘금흘금 주변을 둘러보았다. 그러나 내가 앉은 테이블로 위스키 잔을 가져온 것은 일본식 머리를 한 소녀였다.

나는 당황했다. 여태 위스키 같은 건 한 번도 마셔본 적이 없었기 때문이다. 잔을 잠시 바라보다가, 깊은 한숨을 쉬며 카운터 박스에 있는 소녀 쪽을 슬쩍 올려다봤다. 짧은 머리를 한 소녀는 꽃처럼 웃었다. 나는 사나운 독수리처럼 흥분하여 잔을 움켜쥐었다. 마셨다. 아아, 나는 그때 맛본 술의 씁쓰레한 단맛을 지금까지도 잊지 못한다. 거의 단숨에 끝까지 들이켰다.

"한 잔 더."

정말 어른처럼 뻔뻔스럽게 잔을 카운터 박스 쪽으로 쭉 내밀었다. 일본식 머리를 한 소녀가, 시들어가는 화분 나뭇가지를 젖히며 내가 앉은 테이블로 다가왔다.

"아니, 너 때문에 마시는 게 아니야."

나는 쫓아내듯 왼손을 내저었다. 신인 작가에게 그 정도 결벽은 있어도 된다고 생각했다.

"어머, 다정하기도 하셔라."

여종업원 출신으로 보이는 그 소녀는 품위 없는 말투로 그렇게 소리치고는 내 옆자리에 털썩 앉았다.

"하하하핫."

나는 비범해 보이기 위해 큰 소리로 웃었다. 술에 취하는 마음의 불가사의함을, 나는 그때 처음으로 경험했다.

5

고작 위스키 한 잔에 칠칠치 못하게 그렇게 많이 취해버린 것을, 지금도 부끄럽게 생각한다. 그날 나는 쉬지 않고 껄껄 웃다가 그대로 '이데유'에서 나왔다. 여관으로 돌아와 술이 조금씩 깨기 시작하자, 좀 전의 그 멍청하다고도 바보 같다고도 할 수 없는 미친 짓에 대한 수치심과 후회가 밀려들었다. 어디론가 사라져버리고 싶은 심정이었다. 욕조에 몸을 담그고 철벅철벅 물을 튀겨 보기도 하고, 방 안 다다미 위에서 몸을 뒤척여 봐도 괴로움은 여전했다. 젊은 여자 앞에서 바보천치나 할 법한 무례한 행동을 했다는 것은, 그즈음의 내게는 치명적인 사건이었다.

어떡하지, 어떡하지, 하고 한참 고민한 끝에 조금 기묘한 결심을 했다. '첫사랑의 기록'—내가 어느 신인 작가의 이름으로 두세 줄 정도를 쓰다 만 그 원고를 진지하게 써보기로 한 것이다. 나는 그날 밤 정신없이 글을 썼다. 불행한 남자 하나가 떠돌이 생활을 하다가, 어느 가난한 농가의 정원에서 이 세상 사람이라고 믿기 힘들 정도로 아름다운 소녀와 만나게 되는 이야기였다. 그 남자의 태도는 아주 훌륭하고 영웅적이기까지 했다. 나는 그것으로 은근슬쩍 나 자신의 엄청난 실수를 위로받고 싶었다. 낮에 '이데유'에서 본 소녀에 대한 억누르고 억눌렀던 감정이 농가의 아가씨에게 이입되어서, 스스로 생각해도 멋진 이야기가 완성되었다. 나는 지금도 그렇게 믿는다. 그 사랑 이야기는 필시 내가 이름을 빌린 그 신인 작가도 쓸 수 없을 만큼 훌륭한 작품이었다.

새벽이 밝아올 무렵, 그 청년과 소녀의 조촐한 결혼식 묘사를 다 끝냈다. 나는 야릇한 기쁨을 느끼며 차가운 이불 속으로 기어들어 갔다.

눈을 떴을 때는 이미 오후였다. 해가 높이 떠 있었고, 연 날리는 소리가 몇 번이고 들려왔다. 벌떡 일어나서 전날 밤에 쓴 원고를 다시 읽어보았다. 역시 걸작이었다. 그 원고를 당장이라도 큰 잡지사에 팔 수 있을 것 같았다. 이 작품 하나를 계기로 그 신인 작가의 문운이 트이리라고 생각했다.

이미 내게는 더 이상 무서운 것이 없었다. 나는 빛나는 신인 작가다. 몸속에 뭉게뭉게 자신감이 차오르는 것을 느꼈다.

그날 저녁, 나는 두 번째 '이데유' 방문을 단행했다.

6

'이데유'의 문을 연 순간, 와아 하는 소녀들의 요란한 웃음소리가 들렸다. 나는 당황했다. 가볍게 뛰어와 내 눈앞에 선 사람은 어제의 그 짧은 머리 소녀였다. 소녀는 눈을 동그랗게 뜨고 말했다.

"어서 오세요."

소녀의 눈동자에서 그 어떤 경멸감도 느낄 수 없었다. 그것이 나를 진정시켰다. 그럼 어제의 그 미친 짓도 완전한 실패는 아니었던 것인가? 아니, 실패는커녕 오히려 이 소녀들에게 용감한 남자라는 인상을 남긴 것인지도 모른다. 그렇게 자만한 나는 휴우, 안도의 한숨을 쉬고 옆에 있는 의자에 앉았다.

"오늘은 나 서비스 안 할 거야."

일본식 머리를 한 소녀가 그렇게 말하고는 음흉하게 웃었다.

"좋아." 짧은 머리 소녀가 긴 소매로 일본식 머리를 한 소녀를 때리는 시늉을 했다. "내가 할게. 있죠, 전 안 되나요?"

"둘 다가 좋아."

나는 술을 마시기도 전에 이미 취해 있었다.

"어머! 욕심쟁이시군요."

짧은 머리 소녀가 나를 흘겨보았다.

"아니, 자애로운 거지."

"그럴싸하네."

일본식 머리를 한 소녀가 감탄했다.

나는 그렇게 체면을 세운 뒤, 위스키를 시켰다.

나는 스스로에게 술꾼 기질이 있음을 깨달았다. 한 잔을 마시고 금세 취했다. 두 잔을 마시고 더 취했다. 세 잔을 마시고 진심으로 유쾌해졌다. 전혀 메스껍지 않았다. 그날 밤에는 짧은 머리 소녀가 줄곧 내 옆에 붙어 있었다. 메스꺼울 리가 없는 것이다. 내 불행한 생애를 통틀어 이때만큼 행복했던 적은 단 한 번도 없었다. 하지만 나는 그 소녀와 그렇게 많은 이야기를 나누지는 않았다. 아니, 나눌 수 없었다.

"넌 이름이 뭐지?"

"유키예요."

"유키. 좋은 이름이군."

그 후로 우리는 삼십 분 정도 대화가 없었다. 아아, 말을 하지 않아도 소녀가 내 곁을 떠나지 않는다니. 침묵하는 동안 눈동자로 대화를 나누는 이 기쁨. 내가 전날 밤에 쓴 '첫사랑의 기억'에도 이런 묘사가 몇 번이나 있었다. 밤이 깊어가자 띄엄띄엄 손님이 들어왔다. 유키는 여전히 내 옆을 떠나지 않았지만, 다른 손님에 대한 적개심으로 인해 나는 조금 수다스러워졌다. 아마 그 자리의 왁자지껄한 분위기가 나를 들뜨게 만든 탓이리라.

"어젯밤에 나를 한심하다고 생각했지?"

"아니요." 유키는 양손으로 볼을 감싸며 미소 지었다. "재미있다고 생각했어요."

"재밌다고? 그렇군. 어이, 위스키 한 잔 더 가져와. 같이 마시지 않겠어?"

"전 잘 못 마셔요."

"마셔. 오늘은 있잖아, 내가 기쁜 일이 있거든. 마셔."

"그럼 조금만."

유키는 그렇게 말하고는 카운터 박스 쪽으로 가서 두 잔 가득 위스키를 채워왔다.

"자, 건배. 마셔."

유키는 눈을 감고 쭉 들이켰다.

“잘했어.” 나도 쭉 들이켰다. “내가 있잖아, 오늘은 기분이 참 좋아. 소설을 완성하기도 했고.”

“어머, 소설가세요?”

“이런. 들켰군.”

“멋있어라.”

유키는 술에 취한 모양인지, 흐리멍덩한 눈을 가늘게 떴다. 그러고는 최근에 이 온천지에 온 적이 있는 작가 두세 명의 이름을 댔다. 아아, 그중에 내 이름도 있는 것이 아닌가. 나는 귀를 의심했다. 순식간에 술이 다 깨는 것 같았다. 진짜가 이 마을에 와 있는 것이다.

“그 작가를 알아?”

그런 상황에서도 그렇게 차분함을 유지한 것이, 지금 생각해도 무척 감탄스럽다. 겁쟁이와 용사는 방패의 앞뒷면 정도의 차이밖에 없는 모양이다.

“아뇨. 본 적도 없어요. 그런데 그분이 지금 백화루에 묵고 계신다더군요. 혹시 친구분이세요?”

나는 안심했다. 그건 바로 내 얘기였다. 백화루에 같은 이름의 작가가 둘이나 있을 리 없는 것이다.

“그 사람이 백화루에 묵고 있는 건 어떻게 알았지?”

“당연히 알죠. 저, 소설을 조금 좋아하거든요. 그래서 늘 신경 써요. 여관 여종업원들에게 들었어요. 뭐, 좁은 동네잖아요. 아는 게 당연하죠.”

“그 녀석의 소설을 좋아하나?”

나는 일부러 의미심장하게 히죽히죽 웃었다.

“굉장히 좋아해요. 그분이 쓰신 꽃 이야기라는 소설…….” 유키는 말을 하다 말고 입을 다물었다. “어머! 당신이군요. 어머나, 어떡해. 사진으로 봐서 알아요. 안다고요.”

나는 마치 꿈속에 있는 것 같았다. 내가 그 신인 작가와 닮았을 줄이야! 그러나 주저할 때가 아니었다. 나는 기회를 놓치지 않고 껄껄 큰소리로 웃었다.

“어머, 너무 짓궂으세요.” 소녀는 술기운으로 희미하게 붉어진 볼을 더욱 붉혔다. “저도 참 멍청하네요. 한눈에 알아봤어야 하는데. 그렇지만 사진보다 훨씬 더 젊고 멋있으신걸요. 너무 미남이세요. 멋진 얼굴이에요. 어제 여기 오셨을 때, 저, 바로…….”

“됐어, 됐어, 나한테 아부는 안 통해.”

“어머, 진짜예요. 진짜라니까요.”

“술에 취한 모양이군.”

“네, 취했어요. 더 취할 거예요. 더, 더 많이 취할 거예요. 케이 짱!” 유키는 다른 손님과 장난을 치고 있는 일본식 머리의 소녀를 불렀다. “위스키 두 잔 더. 나, 오늘 밤엔 취할 거야. 기쁜 일이 있거든. 아무렴 취해야지. 죽도록 취할 거야.”

7

그날 밤, 나는 엉망으로 취한 유키를 거의 안다시피 하고서 ‘이데유’를 나섰다. 유키는 나를 여관까지 데려다주겠다고 고집을 부렸다. 온통 서리가 내린 마을은 조용하게 가라앉아 있었다. 사람들 눈에 띌 일이 없어서 오히려 더 좋았다. 밖으로 나가 차가운 바람을 맞자, 금세 술기운이 달아났다. 아니, 바람 때문만은 아니었다. 술에 취한 소녀의 몸 때문이기도 했다. 차분하게 팔을 눌러오는, 물고기처럼 발랄한 그 육체의 압박감에, 나는 취해 있을 겨를이 없었다. 다행히 우리는 아무에게도 들키지 않고 백화루 입구까지 올 수 있었다. 커다란 나무문은 굳게 닫혀 있었다. 나는 당황했다.

"어이, 곤란하게 됐어. 문이 닫혀 있네."

"두드리면 될 거예요."

유키는 내 팔 안에서 쏙 빠져나가 비틀비틀 문 근처로 갔다.

"관둬, 관두라고. 창피하잖아."

술 취한 여자를 데리고 늦은 시간에 여관 문을 두드리면, 훌륭한 신인 작가로서의 명예가 어떻게 되겠는가. 죽어도 그런 천박한 짓은 할 수 없었다.

"어이, 이제 그만 돌아가. 넌 이데유에 살지? 이번엔 내가 데려다주지. 이만 돌아가. 내일 또 놀자고."

"싫어." 유키는 몸을 크게 흔들었다. "싫어, 싫어요."

"이러면 곤란해. 그럼 둘이서 노숙이라도 하자는 거야? 곤란하다고. 여관 사람들 보기 부끄럽잖아."

"아아, 좋은 방법이 있어요. 이리 와보세요."

유키는 소리 나게 박수를 치며 말하더니, 내 옷소매를 잡아끌고 터벅터벅 걷기 시작했다.

"뭐야, 왜 그래."

나도 비틀거리면서 유키 뒤를 따라 걸었다.

"좋은 방법이 있어요. 그런데 조금 부끄럽네. 저기 있잖아요. 백화루에는 가끔 손님이 여자를 데리고 들어올 때 쓰는, 어머, 왜 웃으세요."

"안 웃어."

"그런 입구가 있어요. 이건 비밀이에요. 목욕탕 쪽으로 들어가는 거예요. 여관 사람들도 모른 척하죠. 저도 그냥 그런 이야기를 들은 적이 있을 뿐이에요. 진짜인지는 잘 몰라요. 전 정말 몰라요. 당신, 저를 난잡한 여자라고 생각하는 건 아니죠?"

묘하게 진지한 말투였다.

"그건 나도 모르지."

나는 심술궂게 대답하며 코웃음을 쳤다.

"그래요. 난잡한 여자예요. 난잡한 여자라고요."

유키는 그렇게 나지막이 중얼거리더니, 갑자기 그 자리에 멈춰 서서 울음을 터뜨렸다.

"어차피 저 같은 건. 그렇지만, 그래도, 딱 한 번, 아니, 딱 두 번인걸요."

나는 이성을 잃고 유키를 끌어안았다.

8

나는 여전히 흐느껴 울고 있는 유키를 안고, 소위 그 비밀 입구를 통해 몰래 방으로 들어왔다.

"조용히 하자고. 밖에 들리면 큰일 나."

나는 유키를 자리에 앉히고 달랬다. 술은 완전히 다 깬 상태였다.

울어서 부은 유키의 눈에는 전등의 밝은 불빛이 눈 부신 모양인지, 얼굴에서 손을 살짝 떼자마자 다시 양손으로 얼굴을 바싹 가렸다.

유키가 추워서 빨갛게 곱은 손 너머로 속삭였다.

"저를 경멸하나요?"

"아니야!" 나는 정색하며 대답했다. "존경해. 넌 신 같아."

"거짓말."

"정말이야. 나는 너 같은 여자를 원해서 소설을 쓰는 거야. 어젯밤에 첫사랑의 기록이라는 소설을 썼는데, 그건 널 모델로 해서 쓴 작품이지. 넌 내가 꿈에 그리던 여성이야. 읽어보고 싶어?"

나는 책상 위의 원고를 집어 들어 유키 쪽으로 탁 던져주었다.

유키는 얼굴에서 손을 떼더니 원고를 무릎 위에 펼쳤다. 아아, 거기에는 내 것이 아닌 어느 남자의 이름이, 아니, 사실은 나의 이름이 크게 쓰여 있었다. 유키는 한숨을 쉬고는 조용히 원고를 읽기 시작했다. 나는 책상 옆에 앉아 가만히 책상 위에 턱을 괴고, 내 애독자의 사랑스러운 옆얼굴을 바라보았다. 아아, 내 작품을 탐독하는 모습을 바로 눈앞에서 지켜보는 이 짜릿한 환희!

유키는 두어 장을 읽더니, 무슨 생각을 했는지 갑자기 원고를 무릎에서 밀어냈다.

"안 되겠다. 못 읽겠어요. 아직 술이 덜 깼나 봐요."

나는 몹시 실망했다. 아무리 많이 취했다고 해도, 한 줄 읽기 시작하면 금세 술이 다 깨서 마지막 한 줄까지 가슴이 터질 듯한 기분으로 정신없이 읽어 내려가야 마땅한 걸작이 아닌가. 고작 위스키 한두 잔 마신 것 정도로 무릎에서 밀어내다니!

나는 울고 싶어졌다.

"재미가 없나?"

"아니요. 오히려 괴로워요. 전 그렇게 아름답지 않은걸요."

나는 다시 용기를 얻었다. 그렇다. 걸작에는 그런 부분도 있다. 너무 훌륭해서 읽을 수가 없는 것이다. 있을 수 있는 일이다. 그렇게 안심하고 나니, 유키를 향한 애정이 전보다 더 강렬하고 폭넓어졌다. 연애에 연민의 정이 섞이면, 그 감정은 한층 더 넓고 깊어지는 모양이다.

"아니야, 그렇지 않아. 네가 훨씬 더 아름다워. 얼굴의 아름다움은 곧 마음의 아름다움이지. 마음이 아름다운 사람은 반드시 미인이야. 여성 미용술의 첫 과제는 마음을 단련하는 거라고. 나는 그렇게 생각해."

"하지만 전 더럽혀진걸요."

"말을 못 알아듣는군. 그러니까 내가 말했잖아. 몸의 문제가 아니야. 마음이라고, 마음."

그렇게 말하면서, 나는 두근두근 흥분하기 시작했다. 유키 옆에 놓여 있는 원고를 낚아채서 갈기갈기 찢었다.

"어머나!"

"아냐, 괜찮아. 나는 네게 자신감을 주고 싶어. 이건 걸작이야. 알려지지 않은 걸작. 하지만 한 인간에게 자신감을 불어넣어 구원하기 위해서라면, 그 어떤 걸작도 기꺼이 불 속에 몸을 던지지. 그게 진정한 걸작이야. 나는 너 하나만을 위해 이 소설을 쓴 거야. 하지만 이 글이 너를 구원하지 못하고 오히려 괴롭힌다면, 나는 이걸 찢을 수밖에 없어. 이걸 찢어서 너에게 자신감을 주고 싶어. 너를 구원하고 싶어."

나는 계속해서 원고를 찢었다.

"알겠어요. 알겠다고요." 유키는 소리 내어 울기 시작했다. 울면서 외쳤다. "저 여기서 자고 갈게요. 자고 가게 해주세요. 이야기를 더 들려주세요. 저, 자고 갈게요. 뭐 어때. 뭐 어때요."

9

그렇게 선량한 유키를, 나는 왜 죽였는가! 아아, 변명의 여지가 없다. 모조리 다 내 잘못이다! 허영의 자식은 허영을 위해서 살인까지 해야 한다. 나는 과거에 저지른 대죄를 뻔뻔스럽게 소설로 엮을 만큼, 아직 그 정도로 파렴치한은 아니다. 이하, 나는 기도하는 심정으로, 참회의 마음으로, 모든 것을 거짓 없이 서술하겠다.

내가 유키를 죽인 것은 다 허영심 때문이다. 그날 밤 우리는 결혼 서약을 했다. 나의 알려지지 않은 걸작 '첫사랑의 기록' 속 해피엔딩에 결코 뒤지지 않는 행복한 속삭임을 나눴다. 나는 결혼을 생각하지 않고는 여자를 사랑할 수 없었다.

다음 날 아침, 나는 유키와 함께 다시 목욕탕 뒤 작은 쪽문을 통해 몰래 밖으로 빠져나왔다. 왜 함께 나왔을까. 어렸던 나는, 그렇게 하룻밤을 보낸 다음 매정하게 여자를 혼자 집으로 돌려보내는 일은 용납할 수 없는 무례라고 생각했다. 새벽녘 길거리에는 지나는 사람이 전혀 없었다. 우리는 앞으로 있을 이런저런 행복에 대해 이야기를 나누며 가슴 설레했다. 우리는 언제까지고 그렇게 걷고 싶었다. 유키는 여관 뒤쪽에 있는 산에 가자고 했다. 나는 기꺼이 뒤따라갔다. 구불구불 구부러진 산길을 나란히 오르면서, 유키가 무언가에 대해 이야기를 하던 중에 돌연 어느 신인 작가의 이름으로 나를 크게 불렀다. 심장이 철렁 내려앉았다. 유키가 사랑하는 남자는 내가 아니다. 어느 신인 작가였다. 눈앞의 행복이 와르르 무너져 내리는 것을 느꼈다. 그때 전부 다 고백해버렸다면 좋았을 것을. 그랬다면 적어도 유키를 죽이지 않아도 됐을지 모른다. 하지만 그럴 수가 없었다. 그런 부끄러운 짓은 죽어도 할 수 없었다. 얼굴이 창백해져 가는 것이 또렷하게 느껴졌다.

유키 역시 나의 그런 침울한 모습에 의심을 품은 모양이었다.

"왜 그러세요? 저, 다 알아요. 제가 싫어졌군요. 당신이 쓴 꽃 이야기라는 소설에 이런 말이 있었죠. 처음 본 순간 죽을 것처럼 반하고, 두 번째에는 얼굴을 보기조차 싫어진다, 그런 정열이야말로 진정으로 고상하고 우아한 정열이다, 그렇게 쓰셨죠. 다 알아요."

"아니야. 그건 시시한 말이야."

나는 끝까지 그 신인 작가인 척해야만 했다. 어차피 들킬 것이다. 순전히 가짜임을 들키게 될 것이다. 아아, 그때!

나는 최대한 평정을 유지하며 유키가 기뻐할 만한 말들을 늘어놓았다. 유키는 기분이 나아진 듯 보였다. 우리는 산꼭대기에 도착했다. 발밑은 백 길 낭떠러지였고, 짙은 아침 안개 속 깊숙한 곳에서 바다가 흔들흔들 움직이고 있었다.

"경치가 좋지요?"

유키는 환하게 미소를 지으면서 가슴을 펴고 공기를 들이마셨다.

나는 유키를 밀었다.

"아!"

유키는 입을 작게 벌리고 아기처럼 울상을 지은 채로, 아주 잠시 나를 돌아보았다. 곧 떨어져 내렸다. 발을 아래로 하고 곧게 떨어졌다. 옷자락이 휙 펼쳐졌다.

"뭘 보고 있나?"

나는 차분하게 뒤돌아보았다. 어느 틈엔가 나무꾼이 다가와 있었다.

"여자요. 여자를 보고 있습니다."

늙은 나무꾼은 이상하다는 표정으로 절벽 아래를 내려다보았다.

"아이쿠, 정말이네. 여자가 파도에 떠밀려왔잖아. 진짜네."

나는 그때 방심하고 있는 상태였다. 만약 그 나무꾼이 네 녀석이 밀어뜨린 거지, 라고 말했다면, 나는 틀림없이 그렇다고 대답했을 것이다. 하지만 이건 지금 와서 깨달았는데, 그 나무꾼은 절대로 나를 의심할 수 없었을 것이다. 그것은 백 길 낭떠러지의 높이가 초래한 착각이었다. 방금 직접 사람을 죽인 남자가 이렇게 멀리 떨어진 곳까지 와 있는 건 불가능한 일이다. 내가 산 위를 산책하고 있었다는 건, 나의 알리바이가 되어줄지도 모른다. 그런 우스꽝스러운 착각이 현실에도 존재하는 모양이었다. 나무꾼은 나에 대한 것은 잊고, 다른 나무꾼들에게 이 사실을 알리고 다녔다. 유키의 시체를 바다에서 끌어올리는 데 세 시간 이상이 걸렸다. 절벽 아래 해안까지 가려면 아무리 빨라도 그 정도 시간은 걸리기 때문이었다. 나는 홀로 멍하니 산에서 내려왔다. 아아, 하지만 내심 안심하고 있었다! 이걸로 모든 것이 끝났다. 나는 수치심을 느낄 필요가 없다. 이제 도쿄로 돌아가자. 유키가 어제 내 방에서 묵은 것을 아는 사람은 아무도 없다. 나는 지금 아침 산책을 마치고 돌아가는 길일뿐이다. '이데유'에도 유키를 제외하면 나의 가짜 이름과 묵고 있는 곳을 아는 사람은 없다. 알려지기 전에 도쿄로 돌아가자. 도쿄로 돌아가면 그걸로 다 끝이다. 아아, 내가 본명을 대지 않고 다른 사람의 이름을 빌린 것이 이런 식으로 도움이 될 줄이야.

10

모든 일이 순조로웠다. 나는 일부러 출발을 늦추고 몰래 마을 분위기를 살폈다. 유키가 술에 취해 해안가를 산책하다가 바위에서 발을 헛디뎠을 것이라는 식으로 이야기가 일단락되었다. 수심이 깊은 곳에 떨어진 모양인지 몸에 상처는 별로 없었다더군, 손님을 배웅했다고 하던데 술에 취하면 가리지 않고 아무나 다 배웅했다지, 그런 칠칠치 못한 버릇이 문제였어, 라고 여관 사람들도 수군거렸다. 그 손님은 도쿄 사람이라고 하던데, 라고 대수롭지 않게 말하기도 했다. 더 이상 꾸물거릴 수 없었다. 나는 느긋하고 차분하게 하룻밤을 더 묵은 뒤 도쿄로 돌아왔다.

모든 일이 순조로웠다. 다 절벽 덕분이었다. 절벽이 너무 높았던 것이다. 만약 열 길쯤 되는 절벽이었다면 이렇게 되지 않았을지도 모른다. 그러나 나와 나무꾼이 본 유키는, 기모노의 흐릿하고도 붉은 빛깔뿐이었다. 두 물체가 눈 깜짝할 사이에, 그야말로 안개를 가르며 분리될 수도 있다는 그 별것 아닌 불가사의를 나무꾼은 이해하지 못한 것이리라.

그로부터 오 년이 흘렀다. 하지만 나는 무사하다. 그러나 아아, 법은 기만할 수 있었지만, 내 마음은 무사하지 못했다. 날이 갈수록 겹겹이 쌓여가는 유키에 대한 애절한 사모의 마음을 어쩌면 좋단 말인가. 내가 열흘 정도 이름을 빌린 그 신인 작가는 문운이 제대로 트여서 이제 남부러울 것 없는 대작가가 되었지만, 나는—대작가가 되기에 적합한, 살인이라는 훌륭한 경험까지 한 나는 여전히 단 한 편의 걸작도 쓰지 못한 채, 내 손으로 죽인 소녀에 대한 안타까운 추억에 빠져 헐떡이며 힘겨운 하루하루를 보내고 있다.

太宰治

1935년^쇼와 10년^, 26세

다자이는 신인 작가로 문단에서 조금씩 자리 잡기 시작했지만, 이해에는 건강 악화로 인해 새로운 작품을 집필하지는 못했다. 2월에 잡지 『문예』에 발표한 「역행」을 비롯해 이해 발표한 작품의 대부분이 구작舊作이었다. 새롭게 쓴 글은, 수필을 제외하면 「다스게마이네」가 유일하다. 이해에 발표한 작품으로는 「완구」, 「원숭이 섬」 등이 있다.

3월에 대학 졸업시험에서 낙제한 다자이는 직접 돈을 벌기 위해 미야코 신문사에 입사하고자 하지만 입사시험에서도 보기 좋게 낙방, 가마쿠라에서 목을 매어 자살 미수 사건을 일으킨다. 그 후부터 극도로 건강이 나빠지는데, 4월에는 만성 맹장염과 복막염이 겹쳐 병원 신세를 지기 시작한다. 그리고 수술 시 절개한 복부의 통증이 극심해 매일같이 파비날 주사를 맞기 시작한 것을 계기로 결국 중독되기에 이른다. 5월에는 단 가즈오, 야마기시 가이시를 비롯한 『푸른 꽃』 창간 멤버들과 함께 '일본낭만파'에 참여, 「어릿광대의 꽃」을 발표한다. 다자이가 퇴원한 것은 6월 30일. 지바현 후나바시마치로 이사한 다자이는 곧 「생각하는 갈대」를 집필하기 시작한다. "살고자 마음먹었기 때문"(「생각하는 갈대」 그 첫 번째)이다. 그리고 8월에 소설가 사토 하루오를 처음으로 방문, 사사하기 시작한다. 그러나 같은 달, 「역행」이 아쿠타가와 상 차석에 그친 일로 이른바 '아쿠타가와 상 소동'을 일으키는 등 악재는 끊이지 않았다. 이해 8월부터 이듬해 1월까지 여러 잡지에 나누어 연재된 수필 「생각하는 갈대」는 다자이가 괴로운 현실로부터 도망쳐 '살기 위해' 쓴 글임과 동시에, 그야말로 '패배의 노래'(「생각하는 갈대」 그 첫 번째)이기도 했다.

한편, 11월에 단 가즈오의 추천으로 다자이의 첫 창작집 『만년』의 출판이 기획되는데, 이는 다자이의 언동이 정상이 아님을 눈치챈 단 가즈오가 다자이의 자살을 염려해 마나고야 출판사의 출판 리스트에 반강제로 추가한 것이었다.

생각하는 갈대もの思う葦 (그 첫 번째)

—당연한 이야기를 당연하게 말하다

머리말

생각하는 갈대라는 제목으로 일본낭만파의 기관 잡지에 약 일 년에 걸쳐 글을 쓰기로 결심한 데에는 다음과 같은 이유가 있다.

'살고자 마음먹었기 때문에.' 나는 생업에 힘써야 한다. 간단한 이유다.

나는 최근 사오 년간 공짜 소설 일곱 편을 발표했다. 공짜라는 건 돈을 받지 않았다는 뜻이다. 하지만 이 일곱 편은 제각각 내가 한평생 쓴 소설의 견본 역할을 해주었다. 발표 당시에는 목숨이라도 걸겠다는 열의가 있었지만, 결과적으로는 그저 저널리즘에 견본 일곱 편을 제출한 것에 지나지 않았다. 내가 쓴 소설을 사겠다는 사람이 나타났다. 팔았다. 팔고 나서 생각했다. 이제 슬슬 공짜 소설을 쓰는 것은 그만두자. 욕심이 생겼다.

'사람은 한평생 같은 수준의 작품밖에 쓰지 못한다.' 콕토[1]의 말로 기억하고 있다. 오늘의 나 또한 이 말을 방패막이로 삼겠다. 한 편

1_ 장 콕토Jean Cocteau(1889~1963). 프랑스의 작가. 제1차 세계대전 후에 전위파 시인으로 두각을 드러냈으며, 시 외에도 소설, 연극, 영화, 음악 등의 다양한 분야에서 활약했다.

더 봅시다, 한 편 더 봅시다, 요란한 시장의 외침에 나는 대답한다. '결국 다 똑같아—무대만 줘봐라—내가 마음에 들 것이다—그리워지면 찾아와라[2]. 나는 봉투 속에서 일곱 편의 견본을 다시 한번 꺼내 보일 뿐이다. 그 일곱 편의 글에 쏟아부은 피와 땀에 대해서는 말하지 않겠다. 보면 알 것이다. 이미 내게는 선택받을 자격이 있다.' 사주는 사람이 없으면 어떡한담.

욕심이 생기니 만사에 인색해져서 공짜로 소설을 발표하는 것이 아깝게 느껴졌지만, 만일 글을 사러 오는 사람이 없다면 그사이에 내 이름은 차츰 잊히게 될 것이고, 사람들은 어둑어둑한 어묵 가게 같은 곳에서 '분명히 죽었을 거야.'라고 나에 대해 수군댈 것이다. 그렇게 되면 생업이고 뭐고 없다. 이런저런 고민 끝에, 생각하는 갈대라는 제목으로 매월 혹은 격월로 대여섯 장씩 이것저것 써내려가기로 결심했다. 사람들에게 잊히지 않도록 가끔씩 공부하는 모습을 슬쩍 보여 주겠다는 야비한 속셈인 듯하다.

허영의 도시

데카르트의 『격정론』은 그 명성에 비해 재미는 떨어지는 책인데, 거기에 '숭배란 자신에게 이익이 있기를 바라는 마음을 뜻하는 말이다.'라는 문장이 나온다. 데카르트도 늘 멍청하기만 한 건 아니군, 하는

2_ 일본 전설 속에 나오는 시구절을 인용한 것. 원문은 <그리워지면 찾아 와라. 이즈미(현재의 오사카 남서부) 시노다 숲의 한 맺힌 구즈노하.>이다. 구즈노하는 전설 속 여우의 이름으로, 인간으로 둔갑해 가정을 꾸리고 살던 구즈노하는 정체가 발각되자 이 시를 남기고 사라졌다고 전해진다.

생각이 들었다. 그러나 '수치란 자신에게 이익이 있기를 바라는 마음을 뜻하는 말이다.' 혹은 '경멸이란 자신에게 이익이 있기를 바라는 운운.'과 같은 식으로 아무 감정이나 닥치는 대로 '자신에게 이익이 운운' 하는 구절에 집어넣어도 그렇게 이상한 말이 되지는 않는다. 더 나아가 '어떤 감정이든 다 자신이 사랑스럽기 때문에 생겨난다.'라는 말조차 어쩐지 새로운 이론처럼 들린다. 헌신이나 겸양, 의협심 따위의 미덕이 다 자신을 위한 것이라는 욕심을 마치 거시기라도 되는 듯 꽁꽁 숨겨왔기 때문에, 지금 아무렇게나 '자신을 위해서'라는 말을 해도 아아, 혜안이다 하고 탄복하는 일이 전혀 없다고 할 수 없는 지경에 이른 것이다. 데카르트가 대단히 뛰어난 견해를 펼친 것은 아니다. 사람들은 약점, 조금 세련되게 말하면, 어깨의 약한 부분이라고 생각되는 곳에 쏘아 넣은 화살을 진실이라 부르며 격찬한다. 하지만 그렇게 명백히 눈에 보이는 약점에 쏘기보다는, 알고 있으면서 일부러 그곳을 비켜 쏘아 사람들로 하여금 사실은 알고 있구나 하고 느끼게 만들고, 거기다 자신은 끝까지 모르고 실수한 것이라고 되뇌어서 정말 몰랐던 것 같은 기분을 느껴보는 것도 재미있지 않은가? 허영의 도시의 자긍심도 바로 이런 점에 있는 것이다. 이 도시에 모여드는 자들 모두 음식을 탐하기가 돼지와 같고, 혈기왕성하기가 개코원숭이와 같다. 무릇 자신의 이익을 바라는 마음이 이 도시에 사는 이들보다 강렬한 자는 없다. 그런데 또 헌신과 겸양, 의협심을 과시하고, 봉황이나 극락조처럼 우수하고 화려한 척하려는 마음이 이 도시에 사는 이들보다 극심한 자는 없다. 이렇게 말하는 나 또한 병자인 척하면서 세간의 평가 따위, 하고 태연하게 고개를 저어 보이지만, 속마음은 야차처럼 악하다. 적을 논파하기 위해 십 엔을 내고 사립탐정을 고용해서 논적의 성씨, 성장 과정, 학문, 소행,

병, 실패를 적나라하게 캐내어, 그것을 참고삼아 천천히 논진을 다져나간다. 인과因果.

'나는 덧없고 한심한 이 허영의 도시를 사랑한다. 나는 평생을 이 허영의 도시에 살면서, 죽는 날까지 갖가지 쓸모없는 노력을 계속해나가고자 한다.'

꾸벅꾸벅 졸면서 허영의 자식의 그러한 상념을 정리하던 중에, 나는 훌륭한 동지를 발견했다. 안톤 반 다이크[3]. 그가 스물셋에 그린 자화상이다. 잡지 『아사히 그래프』에 실린 것인데, 고지마 기쿠오라는 사람의 해설이 덧붙여져 있다. '배경은 예의 암갈색. 풍성한 금발을 곱슬곱슬하게 말아서 이마에 치렁치렁 늘어뜨렸다. 시선을 내리깔아 조신하게 감춘, 신경질적이고 날카로운 청록색 눈과 관능적인 앵두 빛 입술이 예사롭지 않다. 여자처럼 촘촘한 살결 아래로 아름다운 혈색이 장밋빛으로 투명하게 비친다. 흑갈색 옷에, 새하얀 옷깃과 소맷부리. 짙은 쪽빛의 비단 망토를 시크하게 걸치고 있다. 이 그림은 이탈리아에서 그려진 것으로, 어깨에 걸친 금사슬은 만토바 후작의 선물이라고 한다.' 또 말하기를, '그의 작품은, 늘 완성 후에 받을 갈채를 목표로 병약한 오체를 채찍질했던 허영심의 결정체였다.' 아마 그럴 것이다. 당당하게 자기 얼굴을 신비스러울 만큼 아름답게 그리고는, 심지어 그것을 어느 귀부인에게 매우 고가에 팔았을 게 분명한 스물셋 애송이의 뻔뻔스러움을 생각하면――참을 수 없을 만큼 밉살스럽다.

3_ Anthony Van Dyck(1599~1641). 벨기에 출신의 화가로, 루벤스와 함께 플랑드르 바로크 미술을 대표하는 화가로 평가받는다.

패배의 노래

끌려가는 자의 노래라는 말이 있다. 여윈 말에 태워져 형장에 끌려가는 사형수가, 그럼에도 불구하고 무너지는 모습을 보이지 않으려고 아주 평온한 듯이 말 위에 앉아 나지막이 부르는 노래를 일컫는다. 어리석은 허세를 비웃는 말이라고 하는데, 문학도 그런 것이 아닐까? 먼저 신변의 윤리 문제부터 이야기해 보겠다. 내가 말하지 않으면 아무도 말하지 않을 테니, 내가 다음과 같이 당연한 말을 하면 자칫 영웅적인 말처럼 들릴지도 모른다. 우선 나는 나의 노모를 미워한다. 생모인데도 좋아할 수가 없다. 무지함. 이것을 견딜 수가 없다. 다음으로 나는 요쓰야 괴담[4]에 등장하는 이에몬을 동정하는 사람이라는 것을 밝혀두겠다. 머리칼이 빠지고 만면이 부어올라 고름이 흐르는 데다 심지어 다리까지 저는 아내가 하루 종일 훌짝훌짝 울면서 매달리면, 이에몬이 아닌 그 누구라도 모기장을 전당 잡히고[5] 밖으로 뛰쳐나가 놀고 싶어지리라고 생각한다. 다음으로 나는 우정과 금전의 상호관계에 대해서, 다음으로 사제 간에 나누는 인사에 대해서, 다음으로 군대에 대해서 얼마든지 말할 수 있지만, 지금 당장 감옥에 들어가기는 싫으니 이쯤에서 그만두도록 하겠다. 즉, 내게는 양심이 없다는 사실을 말하고 싶은 것이다. 애초부터 그런 것은 없었다. 채찍에 대한 공포, 다시 말해 세간으로부터 비난받

4_ 四谷怪談. 가부키 각본 <도카이도요쓰야 괴담>의 약칭. 겐로쿠 연간(1688~1703)에 일어났다고 여겨지는 사건을 바탕으로 창작된 괴담으로, 에도의 요쓰야를 무대로 하고 있다. 주인공 이에몬伊右衛門은 사리사욕에 눈이 멀어 아내인 오이와를 모략하여 죽인 후 그 유골을 강에 떠내려 보내지만, 그 망령 때문에 괴로워하다가 자멸하는 인물이다.

5_ 출산 후 앓아눕게 된 오이와를 못마땅하게 여긴 이에몬은 방탕한 생활을 하게 되는데, 가부키 극중에서 이에몬은 아기가 모기에 물리니 모기장만은 남겨달라고 애원하는 오이와에게서 강제로 모기장을 빼앗는다.

지는 않을까 하는 염려, 감옥에 대한 증오, 그런 것들을 사람들은 양심의 가책이라 부르고 넘어가는 모양이다. 자기보존의 본능은 마차를 끄는 말이나 집을 지키는 개에게도 있다. 하지만 이렇게 뻔한 엉터리 일상 윤리를 모른 척 답습해나가는 것이 세상의 정겨운 점이니 혈기에 못 이겨 멍청한 짓은 하지 말라고, 같은 하숙집 회사원이 내게 충고했다. 아니지, 하고 나는 마음을 다잡으며 중얼거린다. 나는 새로운 윤리를 수립할 것이다. 미와 예지를 기준으로 하는 새로운 윤리를 창조하는 것이다. 아름다운 것, 영리한 것은 모두 옳다. 추함과 우둔함은 사형이다. 그렇게 일어섰지만, 그런 다음 내가 무엇을 해냈나. 살인, 방화, 강간, 전율을 느낄 만큼 그것들을 동경하면서도, 어느 것 하나 해내지 못했다. 일어섰다가 엉덩방아를 찧었다. 회사원이 다시 나타나서, 체념과 나태의 좋은 점에 대해 설명한다. 누나는 어머니가 얼마나 걱정하실지 생각해보라는 어리석기 짝이 없는 내용의 편지를 보내온다. 슬슬 나의 광란이 시작된다. 사람들이 하지 말라는 일을 계산 없이 닥치는 대로 다 한다. 미친 듯이 뛰고 또 뛰다가, 결국에는 자살과 입원이다. 그리고 나의 '노래'도 그 직후부터 시작된다. 끌려가는 자, 몸을 여윈 말에게 맡기고 태평하게 콧노래를 부른다. '나는 신의 의붓자식. 세상사를 미해결인 채로 신의 판가름에 맡기는 것이 싫다. 뭐든지 다 스스로 결론짓고 싶다. 신은 내게 그 어떤 도움도 주지 않았다. 나는 영감을 믿지 않는다. 지성의 장인. 회의懷疑의 명수. 일부러 엉터리 글을 써보기도 하고, 재미없게 써보기도 하고. 신을 겁내지 않는, 의지할 곳 없는 자식. 똑똑히 잘 알고 있다. 아아, 여기에서 내려다보니 모든 것이 한심하고 지저분하다.'라고 명랑하게 떠들지만, 이런, 형장이 이미 코앞이다. 그리고 차라투스트라가 어슬렁거리며 등장해, 이 남자도 '창조하면서, 고통스럽고 용감하게 몰락해갈 것이 분명하다'라고 불필요한 설명을 한마디 덧붙인다.

어느 실험에 대한 보고서

사람은 사람에게 영향을 줄 수 없는가 하면, 또 사람에게 영향을 받을 수도 없다.

노년

누군가에게 추천을 받아 『화전서』[6]를 읽었다. '서른네다섯. 이즈음에 노[7]의 기량이 절정에 달한다. 이해 즈음에 이 화전서의 가르침을 깊이 연구하여 깨달음을 얻어서 무척 훌륭한 예인이 된다면, 필시 천하의 명인으로 인정받고 명성 또한 얻게 되리라. 만약 이 시기에 세상에서 충분히 인정받지 못하고 명망도 기대에 못 미친다면, 설령 아무리 훌륭한 배우라 평가받는 이라 할지라도 아직 참된 꽃을 피우지 못한 배우라고 생각해야 한다. 마흔이 넘은 후에 노의 기량이 퇴보하는 것은, 삼십대 중반까지 참된 꽃을 피우지 못했다는 증거가 후에 뚜렷하게 드러나는

6_ 花伝書. 무로마치시대에 편찬된 노(주석7 참조) 비법서. 총 8권으로 이루어져 있으며, 저자와 편자는 명확히 알려진 바 없다.

7_ 能. 일본의 전통 가면극으로, 익살스러운 흉내를 기본으로 하는 사루가쿠猿樂에서 파생된 것이다. 사루가쿠는 골계성을 특징으로 하는 반면, 노는 진지함과 엄숙함을 추구한다.

것이다. 따라서 발전하는 것은 서른네다섯 즈음까지고, 마흔이 넘으면 내리막길을 걷게 된다. 아무쪼록 이즈음까지 세상의 인정을 받지 못한다면 노를 터득했다고 생각해서는 안 된다 운운.' 또 말한다. '마흔네다섯. 이즈음부터는 노의 방법을 크게 바꾸어야 한다. 설령 천하의 명인이라 인정받고 노의 방법을 터득했다 할지라도 좋은 조연배우를 곁에 두는 것이 좋다. 노의 기량이 퇴보하지 않더라도 어쩔 수 없이 점점 나이를 먹다 보면 몸의 아름다움도, 다른 이의 눈에 비치는 아름다움도 사라지고 만다. 굉장히 빼어난 미남이라면 모를까, 제법 뛰어난 미남이라 할지라도 맨얼굴의 사루가쿠 노[8]는, 나이가 들면 차마 눈 뜨고 보기 힘든 것이 되고 만다. 그러면 이 맨얼굴의 사루가쿠 노는 더 이상 할 수 없게 된다. 이즈음부터는 너무 세세한 흉내는 내지 않는 것이 좋다. 본래 자신에게 잘 어울리는 모습의 노를 편안하고 느긋하게 보여 주고, 젊은 조연배우가 돋보이도록 자신은 보조 배우처럼 다소 소극적으로 연기하는 것이 좋다. 적당한 조연배우를 얻을 수 있다면 다행이지만, 만약 그러지 못한다고 해도 기교가 화려하고 몸짓이 격렬한 연기를 해서는 안 된다 운운.' 또 말한다. '쉰 남짓. 이즈음부터는 쓸데없는 일을 하지 않는 것 외에는 적당한 방법이 없으리라. 빠르고 훌륭한 말 역시 늙으면 짐수레를 끄는 말만도 못하다고들 한다 운운.'

다음은 도손의 말이다. '바쇼[9]는 쉰하나에 죽었다. (중략) 나는 이 사실에 놀랐다. 노인이다, 노인이다, 하고 소년 시절부터 굳게 믿고

8_ 사루가쿠 노는 가면을 쓰지 않고 맨얼굴로 연기하는 것이 일반적이다.

9_ 일본의 근세 하이쿠(5·7·5의 17음 형식으로 이루어진 일본 고유의 단시)를 대표하는 작가. '쇼풍蕉風'이라고 불리는 독자적인 시풍을 확립했으며, '하이쿠의 성인聖人'으로 그 이름이 널리 알려져 있다. 대표작으로 도호쿠, 호쿠리쿠 지방을 여행하고 쓴 기행문 『오쿠노 호소미치』가 있다.

있던 바쇼에 대한 내 사고방식을 바꿀 수밖에 없게 됐다. (중략) '바쇼는 마흔 무렵에 이미 할아버지가 된 기분으로 살았다더군.' 하고 바바 군도 말했었다. (중략) 어쨌거나 그 놀라움으로 인해 이제껏 내 가슴속에 그려온 바쇼의 심상이 십 년, 이십 년이나 더 젊어졌다 운운.'

요즘 로한의 글에 대해 이러쿵저러쿵 시끄럽게 말이 많은데, 그것은 로한의 『오중탑』[10]이나 『일구검』 같은 옛 가작을 읽지 않은 사람들이나 하는 말이 아닐까.

『옥승간』[11]에도 다음과 같은 문장이 있다. '현재 세상 사람들이 신사의 쓸쓸함과 한적함을 존귀하다고 생각하는 것은, 오래전에 신사가 번창했던 시기의 세상 모습은 모르고, 그저 지금의 오래되고 존귀한 신사들이 훌륭하게 쇠퇴한 모습에 익숙해져서, 오래되고 존귀한 신사는 원래 그런 것이리라고 추측하는 것에서 비롯된 잘못된 생각이다.'

하지만 나는 노인을 보며 감탄한 일이 한 번 있다. 해 질 무렵, 대중목욕탕의 몸 씻는 곳 한구석에서 혼자 조용조용 움직이는 노인이 있었다. 봤더니, 허술한 일본식 면도기로 턱수염을 깎고 있었다. 어둠 속에서 거울도 없이 침착하게 면도를 하는 것이었다. 그때만은 정말 신음소리가 새어 나올 정도로 감탄했다. 수천 번, 수만 번이 넘는 경험이, 이 노인에게 거울도 없이 손으로 얼굴을 더듬어 손쉽게 수염을 깎는 법을 가르친 것이다. 이렇게 축적된 경험 앞에서는 물구나무서기를 한다 해도 우리가 질 게 뻔하다. 그런 생각으로 그 후부터 주의 깊게

10_ 고다 로한幸田露伴(1867~1947)은 일본 의고전주의擬古典主義를 대표하는 작가로, 『오중탑』(1892)은 야나카 덴노지를 배경으로 하여, 탑 축조에 모든 것을 바치는 한 목공의 장인정신을 그려낸 로한의 대표작이다.

11_ 玉勝間. 에도시대 국학자 모토오리 노리나가本居宣長(1730~1801)의 수필집으로, 1793년부터 1801년 사이에 집필된 것이다.

봤더니, 예순 남짓의 집주인 할아버지 역시 뭐든 모르는 게 없었다. 정원수를 옮겨 심는 계절로는 장마 때가 제일이라든가, 개미 퇴치는 이렇게 하면 된다든가 등등, 상당히 박식하셨다. 우리보다 마흔 번이나 더 많은 여름을 맞고, 마흔 번이나 더 많은 꽃구경을 하고, 아무튼 마흔 번, 혹은 그보다 더 많은 봄, 여름, 가을, 겨울을 봐온 것이다. 하지만 예술은 그렇지 않다. '점찍기 삼 년, 선긋기 십 년' 따위의 다소 비장한 수련의 규칙은 옛 직공의 무지한 영웅주의에 지나지 않는다. 쇠는 뜨거울 때 두드려야 한다. 꽃은 만개했을 때 감상해야 한다. 나는 만성晩成의 예술이라는 것을 부정한다.

난해함

'태초에 말씀이 계시니라. 이 말씀이 하느님과 함께 계셨으니 이 말씀은 곧 하느님이시니라. 이 말씀이 태초에 하느님과 함께 계셨고 만물이 이로 말미암아 이루어졌으니, 무엇 하나 이것 없이 이루어지지 않은 것이 없느니라. 그 안에 생명 있으니, 생명은 사람들의 빛이라. 빛이 어둠에 비치되 어둠은 이를 깨닫지 못하더라 운운.'[12] 나는 이 문장과 상념이 난해하다고 생각했다. 여기저기 가지고 다니며 요란법석을 떨었다.

하지만 어느 날 문득 다른 각도로 생각해 보니, 웬걸, 이건 정말 평범한 말에 지나지 않았다. 그 뒤로 나는 이렇게 생각했다. 문학에

12_ 요한복음 1:1~5.

'난해함'이란 있을 수 없다. '난해함'은 '자연' 속에만 존재하는 것이다. 문학이란, 난해한 자연을 각기 자기식의 각도로 싹둑 자르(는 척하)고는, 그 절단면의 선명함을 과시하는 것이 아닐까.

먼지 속 인간

한산당나라 시인의 시를 읽었는데, 불경 같아서 재미가 없었다. 그중에 이런 구절이 하나 있다.

유유한 먼지 속 인간,
늘 먼지 속 풍취를 즐긴다.
운운.

'유유한'은 거짓말이겠지만, '먼지 속 인간'이라는 말은 나를 생각에 잠기게 했다.

『옥승간』에도 이런 말이 있다.

'대대로 배웠다고 하는 사람들, 또 현세의 학문하는 자들 모두, 사람 사는 곳에서 멀리 떨어진 조용한 산속이 살기 좋은 거처라 했건만, 우리는 어째서인지 그리 여기지 않고 사람이 많고 번화한 곳만을 좋아하고, 속세에서 멀리 떨어진 곳은 외롭고 마음이 시드는 곳이라 여긴다 운운.'

건강과 금전적인 조건만 허락한다면, 나도 긴자 한복판에 있는 아파트에 살면서, 매일매일 돌이킬 수 없는 말을 하고 돌이킬 수 없는 짓을 하며 살아야 하는 건 아닐까 하는 생각을 하면서, 지금 백사청송白沙青松의 땅에서 등의자에 드러누워 있는 내 몸을 꼬집고 있는 형편이다. 살기 힘든 세상을 남들의 배로 통감한, 수난의 자식이라는 말이 실로 잘 어울리는 사토 하루오, 이부세 마스지, 나카타니 다카오. 이제 와서 새삼 은둔하지도 못하고, 여전히 도시의 먼지 속에서 허덕이며 발버둥 치고 있는 모습을 생각하면──. 아니, 이건 강 건너 불구경 같은 얘기가 아니다.

자기 작품의 좋고 나쁨을 남에게 묻는 일에 대하여

자기 작품의 좋고 나쁨은 자기가 가장 잘 안다. 천에 하나라도 스스로 좋다고 평가한 작품이 있다면, 그보다 행복한 일은 없다. 각자 자기 마음에게 잘 물어보도록.

서간집

어머? 당신은 당신의 창작집보다 서간집에 더 신경을 쓰시는군요── 작가는 힘없이 고개를 숙이고 대답했다. 예, 저는 한심한 내용의 편지를 여기저기에 셀 수 없이 많이 뿌려왔거든요. (깊은 한숨을 쉬며) 대작가는 될 수 없을 겁니다.

이건 우스개 이야기가 아니다. 너무 이상한 일이다. 일본에서는, 훌륭한 작가가 죽은 후에 출판되는 전집에 반드시 서간집 한두 권이

딸려 있다. 작품보다 서간의 양이 더 많은 전집도 있었던 듯한데, 거기에는 특수한 사정이 있을지도 모른다.

작가의 서간, 수첩의 파편, 그리고 작가가 열 살 때 쓴 글, 어린 시절에 그린 그림. 내게는 모두 시시하게 느껴진다. 죽은 작가와 생전에 특별히 친분이 있어 그 작가를 깊이 추모하는 마음에, 그가 취미로 그린 그림을 화집 한 권으로 출판하여 가까운 친구와 친척에게 나누어주는 일 같은 것은 별개다. 생판 모르는 남이 이러쿵저러쿵 말참견할 일이 아니다.

나는 독자의 입장에서, 예를 들어 체호프의 독자로서, 그의 서간집에서 무엇 하나 발견한 것이 없다. 그의 작품『갈매기』속 등장인물인 뜨리고린의 독백이 서간집 여기저기에서 들려왔을 뿐이다.

독자들은 작가의 서간집을 읽고 꾸밈없이 자연스러운 작가의 모습을 발견했다며 우쭐해할지도 모르지만, 그들이 거기에서 훌륭하게 손에 넣은 것은, 이 작가도 하루 세 끼 식사를 한다, 저 작가도 잠자리를 즐긴다 등등의 평범하고 속된 생활기록에 지나지 않는다. 다 뻔한 것들이다. 그야말로 입에 담기도 촌스러운 이야기이다. 그럼에도 불구하고 독자들은 한 번 손에 넣은 도깨비 머리를 놓으려 들지 않는다. 괴테는 매독이었다고 하더군, 프루스트도 출판사 앞에서는 쩔쩔맸다고 하지 않나, 고요와 이치요[13]는 어떤 관계였을까? 그러고는 작가가 사력을 다해서 쓴 작품집은 문학 초보자들이나 읽는 것으로 치부하여 경시하고, 오로지 일기나 서간집만을 찾아 헤매는 것이다. 옛말에, 장수를 쏘려면 먼저 그가 타고 있는 말을 쏘라고 했다. 문학론은 전혀 들리지 않고,

13_ 고요는 메이지시대 풍속소설의 일인자였던 오자키 고요를, 이치요는 일본 근대소설을 개척한 작가 중 하나로 평가받는 여류소설가 히구치 이치요樋口一葉(1872~1896)를 가리킨다.

가는 곳마다 모두 인물평만 한창이다.

작가들 또한 이러한 현상을 묵시하지 못하고, 작품은 뒷전으로 미루고 오직 서간집 쓰기에만 바쁘다. 십년지기에게 보내는 서간을 쓸 때도 하카마[14] 차림에 부채를 들고는, 한 글자 한 구절, 활자가 되었을 때 글자 모양이 낼 효과를 고려하고, 모르는 사람이 봐도 다 이해할 수 있도록 불필요한 설명을 덧붙인다. 그 번거로움 때문에, 작품다운 작품은 하나도 쓰지 못하고 편지의 달인이라는 쓸데없는 명성만 자자한 사람까지 등장하는 것이 아닐까.

서간집에 쓸 돈이 있다면 차라리 작품집을 훌륭하게 꾸미는 게 낫다. 공개되리라고 예상한 듯 못한 듯 애매한 서간과 일기. 손에 개구리를 쥔 느낌이라 썩 유쾌하지 않다. 차라리 한 쪽을 고르는 편이 그나마 낫다.

예전에 나는 서간이나 일기 없이, 시 열 편과 번역시 열 편 정도만 실린 아주 훌륭한 유고집을 즐겨 읽었던 적이 있다. 도미나가 다로다이쇼시대의 시인라는 사람의 것인데, 거기에 실린 시 두 편과 번역시 한 편은 지금도 어두운 내 마음속에 불을 밝혀준다. 유일무이한 것. 불후의 것. 서간집 속에는 절대로 없는 것.

병법兵法

글 속에 지워버려야 할지 아니면 이대로 두는 게 나을지 심하게

14_ 품이 넓은 하의로, 격식을 차려야 하는 자리에서 주로 입는다.

고민되는 부분이 있다면, 반드시 그 부분은 지워버려야 한다. 하물며 거기에 무언가를 덧붙여 쓰는 것은 당치도 않은 짓이다.

한 마디로 말해서In a word

구보타 만타로인가 고지마 마사지로인가, 누군가의 글 속에서 분명 읽은 적이 있는 듯한데, 어쩌면 내 착각일지도 모른다. 아쿠타가와 류노스케[15]가 논쟁 중에 '요점이?'라는 질문을 연발하여 논적을 괴롭혔다는 내용의 회고담이다. 구보타인지 고지마 씨인지는 전혀 생각나지 않지만, 어쨌든 무척 느긋한 분위기였다. 이 말에는 저희도 정말 애를 먹었지요, 같은 느낌의 말투였다. 그 누가 알았겠는가, 아쿠타가와는 이 '요점'을 파악하는 일에 혈안이 되어 이것을 좇고 또 좇다가, 결국에는 간호사나 유모 같은 사람들도 쉽게 할 수 있는 음독자살을 하고 말았다. 나도 예전에는 이 '요점' 추구에만 급급했다. 결심이 필요했다. 옆길로 빠져 시간을 허비하는 일의 즐거움을 몰랐다. 순환소수의 기묘함을 몰랐다. 만고불변의 진리를 당장 손안에 넣고 싶었다.

'요점은 더 공부해야만 한다는 거지.' '피차 말이야.' 밤새워 의논한 끝에, 벌렁 드러누워 그렇게 말하며 두 사람이 함께 큰소리를 치는 것. 그것이 결론이다. 그걸로 충분하다고, 요즘 들어 생각한다.

15_ 芥川龍之介(1892~1927). 다이쇼시대의 소설가로, 나쓰메 소세키에게 사사했다. 합리주의와 예술지상주의를 바탕으로 쓴 작품이 주를 이루며, 대표작으로 『라쇼몽羅生門』, 『지옥변地獄變』 등이 있다. 예술과 생활의 이율배반, 작가로서의 막연한 불안감과 허무감을 이기지 못하고 수면제를 먹고 자살해 일본 사회에 큰 충격을 안겼다. 다자이는 학창 시절부터 아쿠타가와를 무척 동경했으며, 문학적으로도 지대한 영향을 받았다.

나는 매우 어려운 문제를 건드린 듯하다. 원래는 이런 말을 할 생각이 아니었다.

「한 마디로 말해서」라는 소제목으로, 세인世人 셰스토프는 가짜라고 딱 잘라 말하고, 요코미쓰 리이치[16]를 노마駑馬라는 두 글자로 요약하고, 회의설의 모순을 말 몇 마디로 다 지적하고, 앙드레 지드의 소설은 이류라고 단칼에 잘라버리고, 일본낭만파는 고생을 모르는 철부지라고 일축하고, 심하게는 요미우리신문의 고집불통 평론가 씨처럼 이야기 한 편을(나의 「원숭이 섬」) 한 줄의 풍자와 격언으로 압축하려 애쓰는 등 갖가지 살벌한 이야기를 쓸 생각이었지만, 가을 하늘 때문인지 갑자기 마음이 변해서 스스로 생각해도 이상한 말만 쓰고 말았다. 이것은 명백한 실패다.

환자의 글과 그 핸디캡에 대하여

분명 나는 지금 어리광을 부리고 있다. 가족들은 나를 아직 환자 취급하고 있고, 이 실없는 글을 읽는 사람들 또한 내 병에 대해 알 것이다. 내가 환자이기 때문에 모두 쓴웃음을 지으며 나를 용서해준다.

자네, 항상 몸 건강에 유의하게. 작가는 자기의 전기傳記 속에 그 어떤 사회면 기사도 만들어서는 안 되네.

추기追記. 문예책자 『산문』 10월호에 실린 야마기시 가이시[17]의 「데카

16_ 横光利一(1898~1947). 소설가. 가와바타 야스나리, 나카가와 요이치 등과 함께 잡지 『문예시대』를 창간, 신감각파 문학운동을 일으켰다. 대표작으로 「기계」(1930)가 있다.

당론」은 아주 세심하게 다듬어진 글로, 좋은 글을 읽고 싶은 사람은 이것을 읽도록.

「쇠운衰運」에 보내는 말

싸늘하게 물이 가득 채워져 있으니
때문에 사람들은 모를 것이다
불을 내뿜은 산의 흔적이라는 것을

위는 이쿠타 조코다이쇼~쇼와시대의 소설가 겸 평론가의 시다. 「쇠운」[18]의 독자 여러분께 좋은 암시를 주는 말이 되기를 바란다.

자네도 이제 한 달만 더 지나면 스물다섯, 자신을 소중히 돌보며 슬슬 길 없는 길로 나가는 게 좋을걸세. 그리하여 견고하고 높은 탑을 세우고, 그 탑으로 하여금 길 가는 나그네들에게 백 년 뒤까지 '여기에 한 사내가 있었으니—'라고 반드시, 반드시 이야기하게 해야 하네. 내가 오늘 밤 한 말을, 자네, 이대로 순순히 받아들이도록 하게.

17_ 山岸外史(1904~1977). 평론가. 1934년, 다자이가 도쿄대학에 재학 중이던 시절(당시 야마기시는 30세)에 동인지 『푸른 꽃』 창간을 계기로 절친한 사이가 되었다. 1962년에 평전 『인간 다자이 오사무』를 출판하기도 했다.

18_ 소설가이자 다자이 오사무의 절친한 친구였던 단 가즈오檀一雄가 1935년에 발표한 소설.

다스 게마이네에 대하여

지금으로부터 이 년쯤 전에 쾨베르[19] 선생의 「실러론」을 읽었, 아니, 읽도록 강요받았는데, 거기에서 '실러는 그의 작품 속에서, 사람의 성性으로부터 다스 게마이네(비속)를 구축하여 울 스탠드(본연의 상태)로 돌려보냈다. 그럼으로써 진정한 자유가 태어났다.'라는 소론所論을 발견했다. 쾨베르 선생은 그 기품 있는 얼굴로, '우리들은 좀처럼 이 다스 게마이네라고 하는 진흙탕에서 발을 뺄 수가 없는데—'라며 한탄했다. 나 역시 가볍게 한숨을 내쉬었다. 다스 게마이네, 다스 게마이네, 이 상념에서 느껴지는 슬픔이 내 머릿속 한구석에 들러붙어 사라지질 않았다.

현재 일본의 문사들 중 조금이라도 울 스탠드에 가까운 이로는, 시라카바파[20]의 귀공자들, 가사이 젠조[21], 사토 하루오[22]가 있다. 하루오, 가사이 씨는 자유라기보다는 희대의 심술쟁이라고 하는 편이 자유의 의미에 대한 보다 절묘한 표현이 될 것이다. 다스 게마이네는 기쿠치 간[23]이다. 게다가 울 스탠드이건 다스 게마이네이건, 그 우열을 지금 바로 가리려는 것은 터무니없는 짓이다. 기쿠치 간 씨의 다스 게마이네

19_ 라파엘 쾨베르Raphael Koeber(1848~1923). 독일계 러시아인으로, 철학가 겸 음악가이다. 1893년 일본으로 건너가 도쿄대학에서 서양철학과 독일문학 등을 가르친 바 있다.

20_ 白樺派. 1910년에 창간된 동인지 『시라카바』를 중심으로 하여 일어난 문예사조의 하나. 이상주의, 인도주의, 개인주의적 작품이 많았으며, 상류계급 출신의 작가들이 주를 이루었다.

21_ 葛西善藏(1887~1928). 다자이와 같은 아오모리현 출신의 소설가. 경제적 곤란과 가정의 불화 등, 자신의 경험을 소재로 한 사소설을 다수 집필했다.

22_ 佐藤春生(1892~1964). 시인, 소설가, 평론가. 전통적이고 고전적인 서정시로 이름을 알리기 시작해, 후에 소설가로 전환한다. 환상적이고 탐미적인 작풍의 소설을 다수 남겼다.

23_ 菊地寬(1888~1948). 소설가 겸 극작가로 다수의 장편 통속 소설을 남겼다. 1923년에 잡지 『문예춘추文藝春秋』를 창간, 뒤이어 일본의 권위 있는 문학상인 아쿠타가와상, 나오키상 등을 제정했다.

속의 슬픔을 정면으로 직시하고 논하려는 이가 아무도 없는 것을, 나는 안타깝게 생각한다. 어쨌든 내 소설 「다스 게마이네」[24]가 발표되고 그 며칠 후에 발신인을 전혀 알 수 없는, 다음과 같은 엽서 한 장이 날아들었다.

현세의 몸에
당신이 그린
소녀 그림을
속으로 가장하고 있으니
마음이 쓸쓸하구나

이상, 봄꽃과 가을 단풍은 모두 아름답다, 라는 제목으로.

—작자 미상

이름을 밝혀라! 나는 이 시 하나 때문에 일고여덟 날을 가슴이 타들어 갈 정도로 흥분하며 날뛰었다. 울 스탠드도, 쾨베르 선생도 내 알 바 아니다. 결국 나는 일개 감상感傷가에 지나지 않는 것은 아닐까.

금전에 대하여

결국 금전은 최상의 것이 아니었다. 지금 내가 천 엔을 받는다고

24_ 1935년 7월에 잡지 『문예춘추』에 발표된 작품(전집 1권 수록).

해도, 만약 자네가 원한다면 자네에게 주겠다. 남아 있는 것은, 마치 푸른 하늘처럼 태곳적 모습을 간직한 더럽혀지지 않은 애정과—그리고 가장 무자비하고, 가장 느긋한 복수심.

방심에 대하여

삼라만상의 아름다움에 베이고 밟혀 혀를 데이고 가슴을 태우던 남자 하나, 비틀거리던 어느 날 밤 문득 '희미하게 빛나는 길 하나를 발견했다!'라고 착각하고는 자리에서 벌떡 일어난다. 달린다. 쉼 없이 달리고 또 달린다. 순식간에 일어난 일이다. 나는 이 순간을 방심의 미라고 부르겠다. 단언컨대, 다스 데모니슈악마적 · 초자연적의 탓은 아니다. 인력의 극치다. 나는 신이나 귀신을 믿지 않는다. 인간만을 믿는다. 게곤 폭포[25]가 다 마른다고 해도, 나는 그다지 통탄치 않을 것이다. 하지만 배우 우자에몬[26]의 건강은 기원하지 않을 수가 없다. 가키에몬[27]의 그 어떤 작품에도 흠집을 내지 않도록. 오늘 이후로 '인공의 미'라는 말을 사용하는 편이 좋을 것이다. 제아무리 천의天衣라 해도 꿰매지 않으면 지저분해서 볼 수가 없다.

한마디 덧붙이겠다. 이렇게 완벽한 방심 후에 찾아오는 무시무시한 권태를, 자네는 아는가 모르는가.

25_ 도치기현 닛코시에 위치한 폭포. 높이는 약 97m, 너비는 약 7m에 이른다.

26_ 이치무라 우자에몬市村羽左衛門(1874~1945). 다이쇼시대에서 쇼와시대 초반에 걸쳐 활동한 당시의 대표적인 가부키 배우.

27_ 사카이다 가키에몬酒井田柿衛門(1596~1666). 에도시대의 도예가. 가키에몬의 이야기를 다룬 희곡 <메이코가키에몬>(1912)에서 우자에몬이 가키에몬의 제자 구리사토의 역할을 맡았다.

처세의 비결

절도를 지킬 것. 절도를 지킬 것.

료쿠우綠雨

야스다[28] 군이 말하기를, '요즘 료쿠우[29]를 읽고 있습니다.' 일찍이 료쿠우는 스스로를 정직 정대한 남자라 칭했다고 한다. 야스다 군. 이 과감한 용기에 끌린 것인가.

다시, 서간에 대하여

친구도 만나지 않고 혼자 이렇게 시골에 있다 보면, 수치스러운 편지를 쓰는 횟수가 점점 늘어난다. 하지만 얼마 전에 나는 작가의 서간집, 일기, 짧은 글이 다 시시하다고 말해버렸다. 지금도 그렇게 생각한다. 이건 괜찮군, 하고 허가한 서간은 내 손으로 발표하겠다.

28_ 야스다 요주로保田与重郎(1910~1981). 문예평론가. 잡지 『일본낭만파』의 창간인 중 한 사람으로, 후에 다자이 오사무도 이 잡지에 동인으로 참가했다.

29_ 사이토 료쿠우齋藤綠雨(1868~1904). 풍자와 조롱이 담긴 독설 평론으로 유명했던 메이지시대의 평론가 겸 소설가.

이하, 두 통(글 속에 잘못 기억하고 있는 조사가 있다면 양해 바란다).

야스다 군.

나도 이제 이십 대라네. 혀를 데이고 가슴을 태우면서, 하늘 높이 날고 있는 기러기 소리를 듣고 있네. 오늘 밤, 바람은 차갑고 의지할 곳 없군. 이만 줄이네.

또 한 통.

(잠 못 이루던 어느 날 밤, 연장자인 지인에게 씀.)

슬프게도 그것마저 정신 나간 소리에 불과했어. 스스로 벽에 이마를 박으며, 이 생명이 다하길 바랐네. 아아, 이것 역시 '문장'에 지나지 않아. 이보게, 나는 각오하고 있다네. 내 예술의 아름다움은 장난감이 지닌 그것과 전혀 다를 바 없다는 것을. 장난감 북이 지닌 아름다움과 말일세. (한 줄 띄우고) 두견새, 임종 때 남긴 한 마디는, '죽더라도 교언영색 하라!'

이 외에도 신경 쓰이는 서간이 세 통 있는데, 그것들에 대해서는 나중에 다시 쓸 기회가 있을 것이다(없을지도 모른다).

추기. 문예책자 『비망』 제6호에 실린 데카타나 히데미쓰[30]의 「하늘에 부는 바람」은 읽을 만한 작품이다. 문장을 구사함에 있어 조금만 더 엄하고 독한 구석이 있었더라면 더할 나위 없었을 텐데.

30_ 出方名英光(1913~1949). 무뢰파 작가 다나카 히데미쓰의 필명.

생각하는 갈대 (그 두 번째)

제멋대로라는 것

문학을 위해 제멋대로 구는 것은 좋은 일이다. 사회에서는 이삼십 엔도 멋대로 어쩌지 못하면서 새삼스레 무슨 문학이란 말인가.

백화요란주의百花擾亂主義[31]

후쿠모토 가즈오[32], 대지진, 수상 암살, 그 외 엉망진창인 일들 수천 가지. 나는 소년기와 청년기에, 말하자면 '봐서는 안 될 것'만을 내 눈으로 보고, 내 귀로 들었다. 스물일고여덟을 경계로 하여 그보다 더 젊은 청년들 모두 입 밖으로 꺼내어 말할 수 없는 남모를 고통을 겪고 있다. 이 몸을 어디에 의지해야 할 것인가. 그것조차 알 수 없다.

31_ 백화요란이란 온갖 꽃이 불타오르듯 매우 화려하게 피어 있음을 의미하는 말이다.

32_ 福本和夫(1894~1983). 마르크스주의 사상가, 경제학자, 사회운동가. 1924년 이후, 후쿠모토이즘이라고 불리는 이론을 내세워 일본공산당의 지도자로 활약했으나 1927년에 실각하고 이듬해부터 14년간 수감생활을 했다.

여기에 넘어서는 안 되는 굵고 새까만 선이 있다. 제너레이션이, 무대가, 조금씩 돌고 있다. 서로 통하지 않는 엄숙한 슬픔, 아니, 오열까지도, 나는 느낄 수 있다. 우리들은 긴 여행을 했다. 궁지에 몰려, 여행 중 잠자리의 베개맡에 놓인 꽃 한 송이에 일본낭만파라는 이름을 붙여보았다. 이 일편단심. 죽림칠현[33]도 가까스로 아사를 면한 상태로 덤불 속에서 나와, 좋구나, 스스로 칭하여 말한다. "우리는 꽃이면서 꽃을 가꾼다. 우리는 아직 적당한 시기를 모른다. Alles oder Nichts[34]."

또 말한다. "책략의 꽃, 좋다. 수사修辭의 꽃, 좋다. 침묵의 꽃, 좋다. 이해의 꽃, 좋다. 흉내의 꽃, 좋다. 방화放火의 꽃, 좋다. 우리는 항상 스스로의 말 한마디 한마디에 반드시 책임을 진다."

아아, 이 화원의 신비스러움이여.

이 화원의 야릇한 아름다움의 비결을 물으니, 예의 그 꽃을 가꾸는 꽃 중 한 사람이 한차례 가을바람을 일으키며 답한다. '우리는 언제든 죽습니다.' 한 마디. 두 마디는 추잡하다.

꽃은 여기저기 흐드러져 한 송이 한 송이 탐스럽게 피어 있다. '살아 있는 것을 사랑하자', '나는 새롭지 않다. 그러나 절대 낡지는 않는다', '목숨을 걸고 하는 일은 모두 고귀하다', '결국 인간은 이야기할 가치가 없는 존재이다', '이해할 수 없는 것은 도손[35]의 표정', '아니, 그 일에

33_ 중국 진나라 때, 부패한 정치권력에 등을 돌리고 죽림에 모여 청담淸談으로 세월을 보낸 일곱 명의 선비.

34_ 출전은 헨리크 입센의 희곡 「브랑Brand」. 독일어로 '전부냐, 전무냐'라는 뜻이다.

35_ 시마자키 도손島崎藤村(1872~1943). 일본 자연주의 문학의 선구자로 평가받는 소설가. 1906년에 소설 『파계』를 발표하면서 문단에서 크게 주목받았으며, 대표작으로 『봄』(1908), 『동트기 전』(1929~1935) 등이 있다.

대해서는 내가 ……', '아니, 내가, 내가 ……', '사람은 사람을 비웃어서는 안 된다' 등등.

일본낭만파여, 단결하자, 라는 말이 아니다. 일본낭만파, 그리고 그 지지자들 각각의 개성을 훌륭히 여기어 그 어떤 모욕도 용납하는 일 없이, 또 각자의 삶의 방식과 작품의 특수성에 대해 죽어도 양보하지 않을 자긍심을 가지고, 각국의 구석구석에 이르기까지 흐드러지게 피어 보이자, 라는 말이다.

솔로몬 왕과 천민

나는 태어났을 때 가장 출세한 상태였다. 돌아가신 아버지는 귀족원 의원이었다. 아버지는 우유로 세수를 했다. 아버지를 여읜 자식은 점점 추락했다. 글을 써서 돈을 벌어야 할 필요가 생겼다.

나는 솔로몬 왕의 끝 모를 우수憂愁도, 천민의 더러움도, 모두 알고 있을 터다.

문장文章

문장에는 좋고 나쁨의 구별이 분명 존재한다. 외모나 자태 같은 것일까. 숙명이다. 어쩔 수 없다.

감사의 문학

일본에는 방심이 가장 큰 적이라는 말이 있는데, 이 말이 늘 인간을 볼품없고 작아지게 만든다. 예술의 기량은 일정 레벨에 도달하면 결코 더 이상 늘지도, 또 그다지 줄지도 않는 듯하다. 의심스러운 이들은 시가 나오야[36]나 사토 하루오 등등을 생각해 보도록. 그냥 그걸로 괜찮다는 생각도 든다(도손에 대해서는 따로 항목을 만들어서 쓸 생각이다). 유럽의 대작가들은 쉰이 넘고 예순이 넘어도 그저 양으로만 승부한다. 매너리즘의 퇴적이다. 메밀국수나 도토리묵도 산처럼 쌓아 놓으면 아주 훌륭해 보이리라고 생각한다. 도손은 유럽인일지도 모른다.

하지만 나는 감사하기 위해, 혹은 돈을 위해, 혹은 자식을 위해, 혹은 유서를 위해 고생스럽게 글을 쓰는 것에 지나지 않는다. 남을 비웃지 못하고, 간혹 자신만을 비웃는다. 나쁜 문학은 얼마 못 가 단칼에 외면받게 된다. 민중이라는 혼돈스러운 괴물은 그런 점에서는 정확하다. 눈에 띄게 훌륭한 작품을 쓰고 난 후, 내 할 일은 끝났다며 청경우독하면서 그날그날을 살아가는 좋은 작가도 있다. 일찍이 축복받은 인간. 단테의 지옥편을 지나 천국편까지 맛볼 수 있었던 인간. 또, 파우스트 속 메피스토펠레스 행세만 하면서, 그레첸의 존재조차 잊은 복수復讐의 작가도 있다. 나는 어느 쪽도 심판할 수 없지만, 이것만은 말할 수 있다. 창이 열리다. 사람 좋은 부부. 출세. 귤. 봄. 결혼까지. 잉어. 나한백나무[37] 등등. 살아 있는 것에 감사하는 마음으로 가득 찬 소설이야말로

36_ 志賀直哉(1883~1971). 메이지시대와 쇼와시대에 걸쳐 활동한 소설가. 간결하고 빈틈없는 이상적인 문체로 당시의 문학청년들과 신인 작가들에게 '소설의 신'이라 불리며 존경받았다. 대표작으로 『암야행로暗夜行路』(1921~1937)가 있다.

불멸의 힘을 지닌다.

심판

인간을 심판하는 경우. 그것은 자신에게서 송장을, 신을 느낄 때다.

무간나락無間奈落

밀어도 당겨도 꼼짝하지 않는 문이, 이 세상에 있다. 지옥문마저 냉담하게 빠져나간 단테도 이 문에 대해서는 말하기를 꺼렸다.

여담余談

여기에는 '오가이[38]와 소세키'라는 제목으로, 오가이의 작품이 좀처럼 정당한 평가를 받지 못하는 반면, 속되기 그지없는 나쓰메 소세키[39]

37_ 작품명. 순서대로 사토 하루오, 시가 나오야, 기쿠치 간, 아쿠타가와 류노스케, 시마자키 도손, 다키이 고사쿠, 이부세 마스지, 후카다 규야의 작품이다.

38_ 모리 오가이森鷗外(1862~1922). 메이지시대의 대표적인 문인. 소설가와 번역가, 육군 군의관 등을 겸했다. 문학 · 철학 · 미학을 두루 섭렵했으며, 로맨티시즘과 반자연주의의 입장에 근거하여 소설 · 희곡 · 에세이 등 다방면에 걸쳐 방대한 양의 저서를 남겼다.

39_ 夏目漱石(1867~1916). 일본 근대문학을 대표하는 소설가. 대표작으로 『나는 고양이로소이다』(1905~1906), 『그 후』(1909), 『마음』(1914) 등이 있으며, 마지막 장편소설 『명암』(1916)을 연재하던 중 위궤양 악화로 사망했다.

의 전집이 점점 더 각광받는 세태가 눈물 나게 분한 마음에, 그것에 대해 쓸 생각이었다. 참고 노트와 책을 뒤져보았지만, '이 몸'[40]이 좌절하여 쓸 수가 없었다. 그날 밤, 한숨도 자지 못했다. 아침이 되어 마침내 해결책을 얻었다. 해결책인 즉, 시간문제인 것이다. 그들의 스물일곱 겨울은 운운. 쓸데없이 너무 깊이 생각하면 항상 이런 해결책만 나온다.

차라리 지금은 기자 여러분과 난로를 둘러싸고 앉아, 저녁이라는 것의 슬픔에 대해 이야기해볼까.

나는 매일 아침 신문에 실리는 여러분의 서명 없는 문장과 사진을 보면 무척 슬퍼진다(가끔 불쾌해질 때도 있다). 읽은 다음 버리고 잊으면 그걸로 끝인, 참으로 허무한 존재라는 생각이 들기 때문이다. 하지만 '이것이 세상이다'라고 누군가 속삭인다면, 나는 과연 그렇군 하고 수긍할지도 모른다. 흘러간 물은 두 번 다시 돌아오지 않는다고 한다. 생생유전[41]이라는 말도 있다. 애초에 이 세상에 태어난 것이 잘못의 발단임을 알아야 한다.

전부냐, 전무냐 Alles Oder Nichts

입센의 희곡에 등장하여 조금씩 유럽인의 입에 오르게 된 이 말이, 이리저리 흐르고 흘러 지금은 신문에 당선된 별 볼 일 없는 장편소설에까

40_ 원문은 僕輩(보쿠하이). 나쓰메 소세키의 대표적 장편소설 『나는 고양이로소이다我輩は猫である』의 我輩(와가하이, 자신을 예스럽게 이르는 말)를 비꼬아서 쓴 것이다.

41_ 生生流轉. 만물이 끊이지 않고 변화한다는 뜻.

지 아무렇지도 않게 등장하는 것을 보고, 나는 스스로가 조롱당한 기분이 들어 발끈했다. 내 사념의 밑바닥을 흐르는 시냇물 한줄기 역시 이 말이었기 때문이다.

나는 소학교 때도, 중학교 때도 늘 반의 수석이었다. 고등학교에 들어가서는 3등으로 떨어졌다. 나는 일부러 방법을 강구하여 반에서 꼴찌를 했다. 대학에 들어가서는, 프랑스어가 서툴다는 이유로 굴욕을 당할 듯한 예감이 들어 거의 학교에 나가지 않았다. 문학에 있어서도, 나는 그 누구의 업신여김도 용납할 수 없었다. 내가 완벽히 패배했음을 의식하게 된다면, 나는 문학마저도 그만둘 수 있다.

그러나 나는 어느 문학상의 후보자임을, 그리고 내가 이미 떨어진 상태라는 사실까지 덧붙여, 통보 한마디 받지 못한 채로 세상에 공개당했다. 사람이 저마다 지닌 자존심이 얼마나 굳건한지 알아야 할 것이다. 하지만 수상자의 작품을 읽고 나서, 고백건대 나는 남몰래 안도했다. 나는 패배하지 않았다. 계속 글을 쓸 수 있다. 그 누구도 손댈 수 없는 나만의 길을 걸어갈 수 있다는 확신.

나는 어릴 적에 가혹하리만치 엄격하셨던 선친과 큰형에게 엄한 교육을 받았는데, 나 역시 인간으로서 조금 완고한 구석이 있어서, 문학에 있어서는 절대적으로 이기적인 댄디즘만을 신봉하여 십년지기 친구에게도 함부로 마음을 열지 않았다. 죽은 후에도 여전히 오른손에 깃발을 들고 이를 갈며 비틀비틀 거리를 걷게 될 스스로의 집요한 업을 느낀다. 하루아침에 현실 생활에 완패하여 궁지에 몰리다가 결국 고막이 찢길 듯한 소리와 함께, 나는 사카이 마사토[42]처럼

42_ 1921년에 가와바타 야스나리 무리(도쿄제국대학 영문과 학생 중심)와 함께 동인지 『신사조新思潮』(제6차)를 창간한 인물 중 한 사람. 글 속에서 언급되는 잡지 『문예방담』의 경영자 겸

『문예방담文藝放談』은커녕 『문예똥담』밖에 안 되는 잡지를 생업삼아 어떻게든 아득바득 살아나갈지도 모른다. 수재였던 하자마 간이치.[43] 학업을 중단하고 부유한 고리대금업자를 지향한다는 그 테마는, 요즘 나오는 수많은 신문소설보다 훨씬 더 절실한 형태로 세상의 단면을 보여준다.

나는 지금 자진하여, 자네의 서글픈 갱지[44]에 내 심장을 끄집어낸 시를 쓰겠다. 누구에게도 함부로 보인 적 없는 미발표의 소중한 시 한 편.

덧붙이겠다. 내가 갱지라는 이유 하나만으로 쓰는 것으로 생각지 말도록. 원고지 두 장에 갈겨 쓴 자네의 편지에서, 이른바 쓰레기통 속에 핀 연꽃을 확실히 느꼈기 때문이다. 자네 역시 예수의 괴로움에 고통스러워하고, 시들어버린 보들레르의 자태에 가슴을 태우고, 분명 나와 우열을 가리기 힘든 좋은 작품을 한두 편쯤 썼으리라고 짐작하기 때문이다. 그러나 내가 글을 쓰는 것은 이번 한 번뿐이다. 나는 그 누구와도 친해지고 싶지 않다.

인과因果
사적射的[45]을
좋아하는
머리가 큰

• •

편집자로, 다자이에게 이 글을 의뢰한 장본인이다.

43_ 오자키 고요의 미완 장편소설 『금색야차』의 남주인공.

44_ 사카이 마사토의 원고 의뢰를 비유적으로 표현한 말.

45_ 목표물을 향해 활이나 총을 쏘는 것.

동생.

형은 언제라도 생명을 주겠다[46].

46_ 여기서 동생은 다자이 자신, 형은 사카이 마사토를 의미한다. 당시 다자이는 약물중독으로 인해 극도로 불안정한 시기를 보내고 있었고, 문단에서도 이미 문제아로 낙인찍혀 설 곳을 잃은 상태였다. 그런 다자이에게 호의를 담아 원고 의뢰를 해준 것이 사카이 마사토였고, 다자이는 사카이 마사토의 그런 호의로 인해 자신이 '생명을 받았다'라고 표현하고 있다.

가와바타 야스나리 씨에게 川端康成へ

당신은 『문예춘추』 9월호에 나에 대한 악담을 썼다.[47] '(전략) 과연 어릿광대의 꽃에 작가의 생활과 문학관이 더 많이 담겨 있는데, 사견에 의하면, 작가의 현재 생활에 불쾌한 구름이 끼어 재능을 온전히 다 발휘하지 못한 듯한 아쉬움이 남는다.'

서로 어설픈 거짓말은 하지 말기로 하자. 나는 서점 앞에서 당신이 쓴 글을 읽고 무척 불쾌했다. 이걸 보면, 마치 당신이 혼자 아쿠타가와 상을 결정한 듯한 느낌이 든다. 이것은 당신이 쓴 글이 아니다. 다른 누군가의 강요로 쓴 것이 틀림없다. 게다가 당신은 그것을 일부러 드러내 보이려고 애쓰기까지 했다. 「어릿광대의 꽃」은 삼 년 전, 내가 스물넷이 되던 해 여름에 쓴 것이다. 「바다」라는 제목이었다. 친구인 곤 간이치, 이마 우헤이[48]에게 보였었는데, 지금의 글과 비교하면 훨씬 더 소박한 형식으로, 작품 속에 '나'라는 남자의 독백 같은 것은 전혀 없었다.

47_ 다자이 오사무는 제1회 아쿠타가와 상 최종 후보 다섯 명에 들어가지만 수상에는 실패한다. 당시 아쿠타가와 상의 심사 위원이자 문단에서 존경받는 작가였던 가와바타 야스나리가 쓴 심사평에 불만을 품은 다자이 오사무는 이와 같은 항의문을 작성하게 되고, 이는 『문예통신 文芸通信』 10월호에 게재된다.

48_ 伊馬鵜平(1908~1984). 일본의 소설가 겸 극작가인 이마 하루베伊馬春部가 사용하던 필명. 이마 하루베는 콩트와 라디오 소설 분야에서 활약했다.

이야기만을 깔끔하게 써 내려간 것이었다. 그해 가을, 이웃인 아카마쓰 겟센 씨에게 지드의 도스토옙스키론을 빌려 읽고 생각한 바가 있어, 나의 그 원시적이고 심지어 단정하기까지 한 「바다」라는 작품을 갈기갈기 찢어버리고는, '나'라는 남자의 얼굴을 작품 여기저기에 출몰시켰다. 그러고는 일본에서는 아직 찾아볼 수 없는 소설이라며 친구들에게 으스댔다. 친구인 나카무라 지헤이, 구보 류이치로, 그리고 이웃인 이부세 씨[49]도 읽어주었는데 평이 좋았다. 그에 힘입어, 지우거나 덧붙여 쓰면서 손을 더 보고 다섯 번 정도 깨끗이 고쳐 쓴 다음, 서랍 속 종이봉투 안에 소중히 넣어두었다. 올해 정월 즈음에 친구인 단 가즈오[50]가 그것을 읽고는, '여보게, 이건 걸작이야. 어디 잡지사에 들고 가봐. 나는 가와바타 야스나리 씨에게 부탁하러 가볼 테니. 가와바타 씨라면 반드시 이 작품을 알아봐 줄 거네.'라고 했다.

그사이에 나는 소설을 쓰다 막혀서, 이를테면 들판에서 죽을 각오로 여행을 떠났다. 그로 인해 작은 소동이 있었다.

심한 욕을 들어도 좋으니 형에게 오백 엔만 빌리고, 그런 다음 다시 한번 해보자, 하는 마음으로 도쿄로 돌아왔다. 친구들이 수고해준 덕분에 형에게 이삼 년 동안 한 달에 오십 엔씩 받을 수 있게 되었다. 곧바로 셋집을 구하러 돌아다니던 중에 맹장염에 걸려 아사가야에 있는 시노하라 병원에 입원하게 되었다. 고름이 복막까지 번져서 조금 늦은 상태였

49_ 井伏鱒二(1898~1993). 소설가. 향토색과 지방성이 강한 소설을 다수 남겼으며, 특유의 페이소스로 높은 평가를 받았다. 다자이는 이부세 마스지의 「산초어」(1929)를 읽고 감동하여, 1930년에 상경하자마자 이부세를 찾아가 사사하게 된다. 이부세 마스지는 다자이의 문학 스승이자 인생의 조력자이기도 했다.

50_ 檀一雄(1912~1976). 소설가. 1951년에 나오키상을 수상하며 본격적으로 문단의 주목을 받기 시작했으며, 사소설, 역사소설 등 다양한 장르의 작품을 남겼다. 다자이와는 도쿄대학 재학 시절에 처음 만나, 이후 절친한 관계를 유지했다.

다. 입원한 것은 올해 4월 4일이었다. 나카타니 다카오가 문병을 왔다. 일본낭만파[51]에 들어가자. 그 선물로 「어릿광대의 꽃」을 발표하자. 그런 이야기를 나눴다. 「어릿광대의 꽃」은 단 가즈오가 가지고 있었다. 단 가즈오는 여전히 가와바타 씨에게 들고 가는 게 좋을 거라고 했다. 나는 절개한 복부의 통증으로 꼼짝달싹할 수 없었다. 그러는 중에 폐가 나빠졌다. 의식불명의 날들이 이어졌다. 의사가 이제 책임을 못 진다는 소리를 했다는 것을, 나중에 아내에게 들었다. 한 달 내내 그 외과병원에 누워 있기만 했는데, 고개도 간신히 들 정도였다. 나는 5월에 세타가야구 교도에 있는 내과병원으로 옮겨졌다. 거기서 두 달을 있었다. 7월 1일, 병원 조직이 바뀌어 직원을 모두 교체한다는 이유로 환자들도 다 쫓겨나는 형편이 되었다. 양장점을 하는 형의 친구 기타요시 시로와 형이 함께 의논하여 나를 지바현 후나바시로 옮겼다. 하루 종일 등의자에 엎드려 누워 지내면서, 아침저녁으로 가벼운 산책을 했다. 일주일에 한 번씩 도쿄에서 의사가 왔다. 두 달 정도 그런 생활을 계속하다가, 8월 말에 서점 앞에서 『문예춘추文芸春秋』를 보게 되었는데, 거기 당신 글이 있었다. '작가의 현재 생활에 불쾌한 구름이 끼어 운운.' 나는 분노했다. 며칠간 밤에 잠도 자지 못했다.

새를 기르고 춤을 보러 돌아다니는 것이 그렇게 훌륭한 생활인가? 죽여 버리겠어. 그런 생각도 했다. 악당 중 악당이라고 생각했다. 그러는 사이에 나를 향한 당신의, 마치 넬리[52]의 그것처럼 조숙하고 뜨겁고

51_ 1935년에 문예평론가인 야스다 요주로와 가메이 가쓰이치로를 중심으로 하여 형성된 문예사상으로, 기관지명은 『일본낭만파』. '일본 전통으로의 회귀'를 제창했으며, 좌익운동에서 좌절을 맛본 젊은 작가들이 주를 이루었다. 나카타니 다카오(1901~1995)는 일본낭만파의 창간 멤버 중 한 사람이다.

52_ 1861년에 발표된 도스토옙스키의 소설 『상처받은 사람들』 속에 등장하는 소녀의 이름.

강렬한 애정을 마음속 깊이 느끼게 되었다. 아니야. 부정하며 고개를 저었다. 그러나 차가운 척 하지만 사실은 도스토옙스키 풍으로 격렬하게 뒤엉킨 당신의 애정이 내 몸을 확 달아오르게 했다. 그리고 당신은 그걸 전혀 깨닫지 못했을 것이다.

나는 지금 당신과 지혜 겨루기를 하려는 것이 아니다. 나는 당신의 글 속에서 '세간'을 느끼고, '금전 관계'의 서글픔을 읽었다. 나는 그것을 몇몇 외골수 독자들에게 전하고 싶을 뿐이다. 이건 꼭 알려야만 한다. 우리는 이미 인종忍從의 덕이 가지는 아름다움을 의심하기 시작했기 때문이다.

기쿠치 간 씨가 '뭐, 그래도 괜찮았어. 무난해서 좋았어.'라며 싱글벙글 웃으면서 손수건으로 이마의 땀을 닦고 있는 광경을 떠올리면, 나는 순수하게 미소 짓게 된다. 정말 좋게 평가해준 것처럼 느껴진다. 아쿠타가와 류노스케가 조금 가엾기는 하지만, 뭐 이것도 '세간'이다. 이시카와[53] 씨는 훌륭한 생활인이다. 그런 점에서 그는 정말 성실하게 노력하고 있다.

단지 나는 유감스러운 것이다. 가와바타 야스나리의, 태연한 척하지만 결국엔 들통나고 만 그 거짓말이 유감스러워 견딜 수가 없다. 이렇게 될 일이 아니었다. 분명 이렇게 될 일이 아니었다. 작가란 '한심함' 속에서 살아가고 있는 존재임을, 당신은 조금 더 명확히 의식해야만 한다.

• •
넬리는 불행한 유년기를 보내면서 세상의 악과 폭력에 학대받다가, 사랑하는 남자에 대한 마음을 끝끝내 비밀로 간직한 채 병으로 숨을 거두는 비극적 인물이다.

53_ 이시카와 다쓰조石川達三(1905~1985). 소설가. 「창맹蒼氓」이라는 작품으로 다자이 오사무를 제치고 제1회 아쿠타가와 상을 수상했다.

太宰治

1936년쇼와 11년, 27세

2・26사건이 발발했다. 육군 황도파의 영향을 받은 20대 청년 장교들이 1,483명의 장병을 이끌고, '쇼와 유신단행, 존황토간尊皇討奸(간신배를 척살하고 천황 중심의 정치가 이루어져야 한다는 뜻)'이라는 슬로건 아래 쿠데타를 일으켰다. 수상관저와 의사당을 점령한 반란군은 나흘 만에 진압되었지만, 시국은 어수선했다. 다자이가 이 사건을 어떤 시선으로 바라보고 있었는지는, 1946년에 발표된 수필 「고뇌의 연감」에서 확인할 수 있다.

이때 다자이는 파비날에 취해 불안정한 하루하루를 보내고 있었다. 1월부터 3월에 걸쳐 연재한 수필 「벽안탁발」은 당시 참담한 생활을 하고 있던 다자이가 품고 있던 인생과 문학에 대한 고뇌가 고스란히 반영되어 있는 글이라고 할 수 있다. 다자이의 파비날 중독 증세는 날이 갈수록 심각해졌고, 결국 지켜보다 못한 사토 하루오의 권유로 2월에 시바구현 미나토구 아카바네초에 위치한 사이세이카이 병원에 입원하지만, 잦은 무단 외박이 문제가 되어 곧 강제 퇴원 조치를 당하게 된다. 그 후, 파비날을 구입하기 위해 지인들에게 돈을 빌리고 다니기 시작하는데, 이해에 다자이가 쓴 편지는 돈을 빌려달라고 간곡히 애원하는 내용이 대부분이었다.

"많은 말은 하지 않겠습니다. 살아가기 위해서 꼭 필요합니다. 5월 중에는 반드시, 반드시 돌려드리겠습니다. 5월에는 돈이 꽤 들어올 겁니다.
저를 믿어주십시오.
거절하지 말아주십시오." (4월 17일, 요도노 류조淀野隆三에게 보낸 편지 중에서)

이처럼 혼란스러운 시기를 보내던 다자이는 결국 10월 13일, 스승 이부세 마스지井伏鱒二의 강력한 권유로 도쿄무사시노 병원에 입원하고, 금단 증상이 극심해 입원 사흘 후에 개방 병동에서 폐쇄

병동으로 옮겨진다. 그러나 입원 중에도 글은 계속 써 내려갔다. 다자이의 주치의였던 나카노 가이치中野嘉一에 의하면, 다자이는 병실에서 "연필로 약 봉투에 이런저런 캐치프레이즈 비슷한 것을 쓰기도 하고, 모놀로그 같은 것을 쓰기도 했다"라고 한다. 전년에 「역행」이 아쿠타가와 상 차석으로 뽑힌 것을 계기로 원고 주문이 늘어난 이유도 한몫해서, 이해에 다자이는 극도로 불안정한 생활을 하면서도 상당수의 작품을 집필한다. 대표적인 발표 작품으로는 「허구의 봄」(7월), 「창생기」(10월)가 있으며, 6월에는 첫 창작집 『만년』이 출판되기도 했다.

생각하는 갈대 (그 세 번째)

갈대의 자계自戒

그 첫 번째. 오직 세상 쪽으로만 눈을 돌릴 것. 스스로가 자연 풍경에 빠져 있음을 자각했을 때는 '내가 늙어서 쇠약해졌구나.'라고 솔직하게 패배를 고백하자.

그 두 번째. 같은 말을 절대 두 번 되풀이해서 입 밖에 내지 말 것.

그 세 번째. '아직 멀었다.'

감상에 대하여

감상 따위! 둥근 달걀도 자르기에 따라서는 훌륭한 사각형이 되기도 하지 않는가. 눈을 내리깔고 입을 작게 오므려 수줍은 척할 수도 있고, 다카마가하라[1]에서 이제 막 내려온 원시인의 소박한 모습을 흉내 낼

1_ 高天原. 일본 건국 신화에 등장하는 건국 신들의 고향.

수도 있다. 내게 있어 유일하게 확실한 것 하나는 스스로의 육체다. 자리에 누워서 열 손가락을 본다. 움직인다. 오른손 검지. 움직인다. 왼손 약지. 이것도 움직인다. 이것을 잠시 들여다보고 있으면, '아아, 나는 진짜다.' 하는 생각이 든다. 다른 것은 모두 조각조각으로 찢겨 흩날리는 구름 같아서, 살아 있는 것인지 죽은 것인지 그것조차 불분명하다. 감히, 감히! 감상이라니.

멀리서 이 모습을 바라보던 남자 하나가 말하기를, '무척 간단하다. 자존심. 이것 하나다.'

마저도

『금괴집』[2]을 읽은 사람은 알겠지만, 사네토모의 시 중에 '마저도'라는 구절이 있다. 전후는 정확히 기억나지 않지만, 아아, 짐승마저도[3], 어쩌고 하는 시였다.

이십 대의 심정으로는, 반드시 '마저도'라고 말해야 함을 느낀다. 이렇게 노력해서……마저도, 라고 말하고 싶어지는 것이다. 사네모토를 누구보다 잘 이해했던 마부치에도시대 중기 국학자는 국어를 지키겠다는 의도로 이 구절을 높이 평가하지 않았다. 지금은 결국 올바른 일을 한 것이라고 생각할 뿐, 그다지 마부치를 원망하지 않는다.

• •

2_ 金槐集. 일본 가마쿠라 막부의 제3대 쇼군 미나모토노 사네토모의 와카(일본 전통시)집인 『금괴와카집』의 약칭.

3_ 전문은 "부모가 자식을 사랑하는 마음은 말 못 하는 흔한 짐승들마저도 감동시키는구나."

자안慈眼

'자안'이란 죽은 형[4]의 유작(이상한 불상)에 형이 직접 붙인 이름으로, 그 2척약 60cm 높이의 청색 불상은 지금 내 방 구석에 놓여 있는데, 죽은 형이 스물일곱에 남긴 마지막 작품이다. 형은 스물여덟 여름에 죽었다.

그러고 보니 내가 지금 스물일곱. 게다가 죽은 형의 유품인 쥐색 줄무늬 기모노를 입고 누워 있다. 이삼 년 전, 죄 없는 사람을 때리고 발로 걷어차면서 말처럼 미쳐 날뛰며 거리를 돌아다니고는 했는데, 지금도 간혹 그때 남은 기운이 폭발하여 돌이킬 수 없는 짓을 하고 만다. 될 대로 되라지, 하고 하루 종일 거만하게 누워 있다 보면, 내 몸 안에 자안의 물결이 넘실대기 시작하고, 어느새 말없이 온화한 미소를 띠고 있는 일이 많다. 스스로도 도무지 종잡을 수가 없다.

이 글은 그저 이 내용이 전부이니, 독자들은 불필요한 논리를 덧붙이지 말도록.

중요한 것

아는 것이 최고는 아니다. 인간의 지혜에는 한계가 있어서, 위의

4_ 자안은 자비스러운 눈 혹은 중생을 자비롭게 보는 관음보살의 눈을 의미한다. 여기에서 죽은 형은 결핵으로 사망한 다자이의 셋째 형 쓰시마 게이지津島圭治를 가리킨다. 다자이는 실제로 셋째 형의 유작을 애지중지 아꼈으며, 게이지와의 추억담을 단편소설로 쓰기도 했다(「형」, 전집 3권 수록).

아무개 씨부터 아래의 아무개 씨에 이르기까지, 모두 대동소이하다.

중요한 것은 힘이리라. 미켈란젤로는 그런 일을 할 필요가 없는 풍족한 신분이었음에도 불구하고 남의 힘을 일절 빌리지 않고 모든 일을 혼자 다 했는데, 대리석 조각을 산에서 마을 작업장까지 끌어서 옮겨오다가 몸이 망가지고 말았다.

덧붙인다. 미켈란젤로는 사람을 미워했기 때문에 사람들에게 그토록 미움받은 것이라고 한다.

적敵

나를 진심으로 부정할 수 있는 사람은(나는 11월의 바다를 바라보며 생각한다) 농민이다. 10대째 이어져 내려오는 소작농뿐이다.

니와 후미오[5], 가와바타 야스나리, 이치무라 우자에몬[6], 그 외. 나는 그들이 감기에 걸리기만 해도 염려하게 된다.

추기. 본지에 연재 중에 같은 고향 친구인 곤 간이치 군의 『바다갈매기의 장章』을 읽었는데, 시원시원한 문장에 가슴이 뛰었다. 이 훌륭한 문장의 앞날을 주시하는 이가 결코 나 하나만은 아니리라고 확신한다.

5_ 丹羽文雄(1904~2005). 소설가. 리얼리즘 수법으로 인간 풍속을 생생하게 그려낸 작품을 주로 썼다.

6_ 가부키 배우인 제15대 이치무라 우자에몬을 가리킨다. 다이쇼시대부터 쇼와 초기에 걸쳐 크게 활약한 배우로, 시대를 대표하는 미남으로 손꼽히기도 했다.

건강

아무것도 하기 싫은 무기력한 상태에 빠지는 것은 그 사람이 건강하기 때문이다. 적어도 고통스러운 상태는 아닌 것이다. 그렇다면 위로는 나폴레옹, 미켈란젤로, 아래로는 이토 히로부미, 오자키 고요에 이르기까지, 그 모든 업적은 모두 제정신이 아닌 상태에서 탄생한 것인가? 그렇다. 건강이란, 만족한 돼지. 눈뿐인 개.

K군

마치 대단한 비밀을 몰래 캐내기라도 하는 사람처럼 과장된 표정으로 쭈뼛쭈뼛 내게 물었다. '당신은 문학을 좋아합니까?' 나는 잠자코 대답하지 않았다. 외모는 늠름해 보이지만, 아무런 지식도 없는 열여덟 소년인 것이다. 내가 거북함을 느낀 유일무이한 젊은이였다.

포즈

처음부터 공허한 주제에 히죽히죽 웃는다. '공허한 척.'

그림엽서

나와 야마기시 가이시는 이 부분에 대해서는 의견이 조금 다르다. 깊은 산속 꽃밭, 첫눈이 내린 후지산 영봉靈峰. 백사장에 펼쳐진 소나무숲, 혹은 단풍 사이에 숨은 기요히메 폭포. 나는 그런 그림엽서보다 아사쿠사 상점가 그림엽서를 더 좋아한다. 인파. 떠들썩함. 전생의 연으로 이곳에 모여 때마침 같은 사진에 찍혔는데, 짊어지고 태어난 숙명에 휘둘리며 살면서도 자신의 운명을 개척할 방법에 대해 이것저것 궁리하며 걷고 있다. 나는 이 수많은 사람 중 누구 하나도 비웃을 수 없다. 저마다 애를 쓰고 있음이 틀림없다. 그들 각자의 집. 아버지, 어머니. 아내와 아이들. 나는 한 사람 한 사람의 표정과 골격을 들여다보면서, 두 시간 정도 시간을 잊는다.

거짓 없는 신고

말없이 잠자코 있던 피고가 돌연 일어서서 말했다.

"저는 모든 것을 잘 알고 있습니다. 더 알고자 합니다. 저는 솔직합니다. 솔직하게 이야기하려고 합니다."

재판장, 방청인, 심지어 변호사들까지 아주 요란스럽게 웃었다. 피고는 자리에 앉은 채로 그날 내내 자기 얼굴을 양손으로 감싸고 있었다. 밤이 되자 혀를 깨물어, 싸늘한 주검이 되었다.

엉킨 실을 태워서 끊다

소설론이 요즘처럼 엉망이 되면 이걸 한마디로 정리하고 싶어진다. 프랑스는 시인의 나라. 19세기의 러시아는 소설가의 나라. 일본은 고사기古事記, 일본서기日本書紀, 만엽万葉[7]의 나라. 장편소설의 나라가 아니다. 이보게, 소설가라면 먼저 이국인이 되도록 하게. 자기 편한 대로 이것도 하고 저것도 하겠다는 식으로는 절대 안 되네. 너의 형이자 친구가 되어줄 자, 푸시킨, 레르몬토프, 고골, 톨스토이, 도스토옙스키, 안드레예프, 체호프, 금세 열 손가락이 넘어갈 기세가 아닌가.

최후의 스탠드플레이

다빈치의 평전을 훑어보는데, 문득 삽화 한 장이 눈에 들어왔다. 최후의 만찬 그림이었다. 눈이 번쩍 뜨였다. 이것은 마치 지옥도와도 같다. 들끓듯 천지가 진동하는 난장판. 아니. 세상에서 가장 애처로운 아수라장의 모습이다.

틀림없이 19세기의 유럽 문호들도 어릴 적에 이 그림을 보며 무서운 설명을 들었을 것이다.

'너희 중 하나가 나를 팔리라.' 예수가 그렇게 중얼거리며 말끔히 모든 희망을 버리는 찰나의 모습을 교묘하게 포착했다. 다빈치는 예수의

7_ 『고사기』와 『일본서기』는 일본 최고最古의 역사서로 각각 712년, 720년에 편찬되었다. 여기에서의 만엽은 일본 최고最古의 시가집인 『만엽집』을 가리키며, 전 20권 구성에 약 45,000여 수의 작품이 수록되어 있다.

끝없이 깊은 우수와, 스스로 자신의 몸을 조용히 내던진 뒤의 끝없는 자애의 마음을 알고 있었다. 그리고 열두 제자들 제각각이 가진 이기적인 숭경崇敬의 마음 또한 알고 있었다. 좋아. 이걸 일본낭만파 동인분들에게 부탁해서 연극으로 만들자. 사납기 그지없는 표정으로 참인참마斬人斬馬의 몸짓을 보이고 있는 베드로는 누가? 자신의 떳떳함을 증명하기에만 급급한 모습의 빌립은 누가? 줄곧 당황해 허둥거리기만 하는 야곱은 누가? 예수의 가슴 앞에서 마치 잠든 듯 고개를 숙인, 이 작은 비둘기처럼 우아하고 아름다운 요한은 누가? 그리고 마지막으로, 슬픔의 절정에 이르러 오히려 희미하게 밝은 얼굴을 하고 있는 예수는 누가?

어쩌면 야마기시가 예수 역을 자청할 것 같기도 한데, 과연 어떨지. 나카타니 다카오라는 훌륭한 청년의 존재도 결코 잊어서는 안 되고, 거기다 '일본낭만파'라는, 눈과 귀가 없는 혼돈의 괴물도 기다리고 있다. 유다. 왼손으로 무시무시한 무언가를 가로막고, 오른손에는 돈주머니를 꽉 쥐고 있다. 이보게, 모쪼록 그 역할을 내게 양보해주게나. 나는 '일본낭만파'를 그 누구보다 깊이 사랑하지만, 증오하는 마음 또한 가장 깊기 때문이라네.

냉혹함에 대하여

엄격함과 냉혹함은 그 근원부터 다른 것이다. 엄격함의 밑바닥에는 인간 본연의 따뜻한 배려가 가득하다. 그러나 냉혹함은 값싼 유리그릇 같은 것으로, 여기에서는 그 어떤 꽃 한 송이도 피어나지 않으니, 나와는 전혀 연이 없다.

나의 슬픔

밤길을 걷고 있는데 풀숲에서 바스락 소리가 났다. 살모사가 도망치는 소리.

문장에 대하여

문사文士라고 하려면 문장이 훌륭해야 한다. 좋은 문장은 '인정이 담기고, 느긋하고, 느끼는 그대로 진심을 노래하는' 상태를 일컫는 것이다. 인정이 담기고 운운하는 문장은 우에다 빈[8]이 젊었을 적에 쓴 것이다.

문득 생각하다

뭐야, 다들 똑같은 말만 지껄이잖아.

Y양

그 속삭임에는 진지한 울림이 담겨 있었다. 딱 두 번. 그 여운이

8_ 上田敏(1874~1916). 평론가, 번역가. 일본에 유럽의 문예사조를 활발하게 소개한 인물로, 다개국어에 능통하여 수많은 번역서를 남겼다.

나를 당혹스럽게 했다.

“나, 왠지 바보 같은 말을 해버린 것 같네.”

“나한테도 개성이 있어. 하지만 그런 말을 들으면 잠자코 있는 수밖에 없잖아.”

말의 기묘함

‘혀가 꼬이다.’ ‘혀뿌리가 파들거리다.’ ‘혀를 내두르다.’ ‘혀가 살랑거리다.’

만담

내가 생각하는 만담 주고받기는 예컨대 다음과 같은 것을 일컫는다.

문. “너는 도대체 누구에게 보여 주려고 연지를 바르고 이를 검게 칠한 것인가?”

답. “모두, 님을 위해서. 너를 위해서.”

실실 웃음으로 때울 문답이 아니다. 때릴 가치조차 없다. 네 안에도!

나의 신화

인슈 이나바현재의 돗토리 현의 작은 토끼[9]. 털을 다 뽑히고 바닷물에 몸을 담갔다가 햇볕 아래서 말렸다. 이것은 고통의 시작이다.

인슈 이나바의 작은 토끼. 담수로 몸을 씻은 다음, 부들 잎을 빼곡히 깔고 푹신푹신한 그 속에 파묻혀 잠들었다. 이것은 안락함의 시작이리라.

일상다반사

'나는 남성이다'라는 발견. 그는 아내의 '여성'을 깨닫고 난 후에야 비로소 그의 '남성'을 깨달았다. 함께 산 지 칠 년 만에.

게에 대하여

아베 지로의 에세이 속에, '우리 집 부엌에서 작은 게 한 마리가 옆으로 뛰어올랐다. 게도 뛰어오를 수 있군 하고 생각했더니 눈물이 났다.'라는 문장이 나온다. 그 부분만은 마음에 들었다.

우리 집 정원에도 간혹 게가 들어온다. 당신은 양귀비씨만 한 게를 본 적이 있는가? 양귀비씨만 한 게와 양귀비씨만 한 게가 목숨을 걸고 싸우고 있었다. 나는 그때 그 자리에서 꼼짝도 할 수 없었다.

• •

9_ 일본 고사기에 등장하는 이야기. 어느 날 가죽이 벗겨져 고통스러워하고 있는 토끼 한 마리를 발견한 대국주신大國主神 형제들은 장난삼아 토끼에게 엉뚱한 충고를 하는데, 이로 인해 토끼는 피부가 다 갈라져 만신창이가 된다. 토끼는 마음씨 착한 막내 신이 뒤늦게 일러준 치료법 덕에 상처가 다 낫게 되고, 후에 막내 신에게 은혜를 갚는다.

나의 댄디즘

'브루투스, 너마저.'

이 고통을 맛본 적 없는 인간이 이제껏 단 한 명이라도 있었을까. 내가 가장 신뢰하는 자가 반드시 인생의 중대한 순간에 내 얼굴에 더러운 돌을 던진다. 힘껏 던진다.

일전에 친구인 야스다 요주로가 쓴 글 속에서 바쇼의 좋은 시 하나를 발견했다. '나팔꽃이여, 낮에는 굳게 걸어 잠그는 울타리 문[10].' 과연, 이게 최고다. 그렇지만—역시—아니. 이게 최고다. 이게 최고다!

『만년』에 대하여

나는 이 단편집 한 권을 위해 십 년을 헛되이 살았다. 십 년 내내, 시민들이 먹는 산뜻한 아침을 먹지 않았다. 나는 이 책 한 권을 위해, 몸을 의지할 곳을 잃고 끊임없이 자존심에 상처를 입어가며, 세상의 찬바람에 휩쓸리면서 어슬렁어슬렁 거리를 배회했다. 수만 엔을 낭비했다. 큰형의 고생에 머리가 숙어진다. 혀를 데고, 가슴을 태우고, 일부러 내 몸을 회복이 불가능할 지경까지 망가뜨렸다. 백 편이 넘는 소설을 찢어버렸다. 원고지 오만 장. 그리하여 남은 것은 겨우 이것뿐이다. 이것뿐. 원고지 육백 장에 가까운 분량이지만, 원고료는 통틀어 육십

10_ 마쓰오 바쇼가 쉰 살이 된 해(원록 6년)에 쓴 「폐관지설閉關之說」에 수록된 하이쿠. 친구와의 왕래를 끊고 울타리에 핀 나팔꽃만을 벗 삼아 낮에도 문을 굳게 걸어 잠그고 지낸다는 뜻으로, 바쇼가 실제 은둔 생활 중에 지은 것이다.

엔 남짓이다.

그러나 나는 믿는다. 이 단편집 『만년』이 분명 해가 갈수록 점점 더 농후한 빛깔로 당신의 눈에, 당신의 가슴에 스며들 것을. 나는 이 한 권의 책을 만들기 위해 태어났다. 오늘 이후로 나는 완벽한 송장이다. 나는 여생을 보낼 것이다. 그리고 내가 앞으로 오래 살아남아 다시 단편집을 내야 하는 일이 생긴다면, 나는 거기에 '가루타[카드놀이의 한 종류]'라는 제목을 붙이려고 한다. 가루타, 물론 이것은 유희다. 게다가 돈을 거는 유희다. 우스꽝스럽게도 그 후로 더, 더 오래 살아남아 세 번째 단편집을 내게 된다면, 나는 거기에 '심판'이라는 제목을 붙여야 할 듯하다. 모든 유희가 불가능해진 내게는, 생기 없는 자서전을 힘없이 써내려가는 것 외에는 남은 길이 없으리라. '여행자여, 이 길을 피해서 지나가도록. 여기는 분명 공허한 길이니' 하고, 심판이라는 이름의 등대는 죽은 듯 엄숙하게 말하리라. 그러나 오늘 밤 나는 그렇게 오래 살고 싶은 기분이 아니다. 스스로의 엄격함을 더럽히느니 몸에 돛을 휘감고 물속에 뛰어들고 싶다는 생각까지 든다.

어찌 되었든, 『만년』이 그대의 손때로 검게 윤이 날 때까지 거듭 애독될 것을 생각하면, 아아, 나는 행복하다. ―한순간. 사람이 그 생애에서 진정한 행복을 맛볼 수 있는 순간은 백 미터를 십 초에 달리는 그 순간보다 더 짧은 것이다. 들려오는 목소리 있으니. '거짓말이다! 불행하다고 느끼는 출판이라면 그만두도록!' 대답하기를, '우리는 현세에 다시없을 아름다운 존재. 메디치의 비너스 상. 현세의 참된 아름다움의 증거를 이 세상에 남기기 위한 출판이다.

보라! 얼굴색에 드러날 정도로 수치스러워하는 비너스 상의 모습. 이것이 내 불행의 시작. 또한 사계절 내내 나체인 채로 영원히 말이 없는 서늘한 얼굴이야말로, (미인박명), 하늘의 냉혹하기 그지없는 질투의 채찍에 대해, 그 고아한 눈으로 당신에게 조용히 가르친다.'

염려에 대하여

염려에는 확실히 흑과 백 두 종류가 있다는 사실을 깨달았다. 나니와부시[11] 속 한 구절. '내일이 기다려지는 보물선[12]'과 푸시킨의 시구절 '나는 내일 살해될 것이다'라는 가슴이 두근거린다는 점에서는 같은 것처럼 느껴질 수도 있다. 하지만 반나절에 걸친 숙려 끝에, 흑과 백처럼 확연히 다르다는 사실을 깨달았다.

숙제

'지퍼 체크에 대하여', '책략에 대하여', '말의 절대성에 대하여', '침묵은 금이라는 것에 대하여', '야성과 폭력에 대하여', '댄디즘 소론', '사치에 대하여', '출세에 대하여', '선망에 대하여', '원시의 센티멘털리티에 대하여', 그 외, 너무 인색해 보이지만 제목을 말할 수 없는 것이 열일고여덟 항목 정도. 노트에 조금씩 쓰고 있는 중에 『문예잡지』 창간호에 글을

11_ 샤미센 반주에 맞춰 서사적인 내용의 이야기를 가창과 말로 전달하는 일본 고유의 창.
12_ 겐로쿠시대 무사인 오타카 다다오大高源吾와 다카라이 기카쿠室井其角가 주군의 복수를 앞두고 주고받듯 읊은 시. 복수에 성공해도, 혹은 실패해 할복자살을 하게 되어도 결국엔 모두 주군을 위함이니 더 바랄 것이 없다는 마음을 '보물선'이라는 단어로 표현한 것이다.

써달라는 부탁을 받고, 노트를 두세 권 꺼내 뒤져보며 무엇을 쓸지 고민하느라 밤을 샜다. 이것저것 다 뒤얽혀서 글이 제대로 써지지 않았다. 우유를 마시며 조간신문을 읽던 중에 깨달았다.

내 마음은 천리만리 떨어진 물가에서 파도에 뱅글뱅글 휩쓸리고 있었다. 나의 첫 책 출판. 이것으로 다 납득했다. 숙제. 공교롭게도 마나고야 출판사 사장님인 야마자키 고헤이 씨에게 바통을 넘기게 됐다. 내 책이 얼마나 팔릴까. 장정은 잘 나올까. 물때와 갈매기와 파도의 관계.

부기附記. 이건 반 이상 내 책 홍보를 위해 쓴 글이다. 나는 쇼와 11년1936년부터는 원고료를 아예 받지 않든지, 아니면 소설은 한 장에 오 엔, 그 외의 잡다한 글은 한 장에 삼 엔을 받기로 결정했다.

올해 신년호에는, 나와 피가 한 방울 섞인 게 아닐까 의심스러울 정도인 편집자의 편지 때문에. 혹은 쓰겠다고 작년 정월에 약속하고, 그 후 일 년간 자진하여 더 확고한 약속의 말을 해버리고는 결국 제정신이 아닌 상태에까지 이르렀기 때문에. 항상 나를 따뜻하게 위로해주는 데다 문장 역시 매우 깔끔한 편집부의 편지 때문에, 그 외에도 일단 한 번은 꼭 써야 하는 사정이 있어서, 스무 장 정도 되는 짧은 글을 썼다. 원고료는 내가 먼저 사양하며 다음과 같이 썼다. '사람은 다 제각각. 자기 업무에 힘쓰는 것이 제일이지만, 가끔은 이웃의 슬픔 정도로 강한 자존심을, 모르는 척 따뜻하게 품어주도록 해.'

벽안탁발碧眼托鉢

— 말馬까지 바라보게 만드는 눈 내린 아침이구나 —[13]

보들레르에 대하여

'보들레르에 대해 두세 장 쓰겠다.'

라고 태연하게 사람들에게 말하고 다녔다. 내게 있어 그것은 보들레르를 향한 무언의, 죽는 날까지의 집요한 저항인 셈이었다. 이러한 마지막 고백까지 내뱉었으니, 내가 더 이상 그에 대해 쓸 것이 뭐가 있겠는가. 나는 문학 생활을 시작했을 때부터 어쩌면 마지막까지, 보들레르에게만, 오직 그에게만 들리는 독백을 하고 있었던 건 아닐까.

'지금 일본에 스물일고여덟의 보들레르가 살아 있다면.'

나를 살아 있게 하는 유일한 말이다.

더 깊이 알고자 하는 독자는 먼저 내 작품을 전부 읽어야 한다. 다시 절대적 침묵을 지킬 것이다. 도망치지 않겠다.

13_ 바쇼의 시를 인용한 것으로, 눈 내린 아침 풍경이 세상 만물을 다 아름다워 보이게 만든다는 의미이다.

부르주아 예술의 운명

농민과 직공의 예술. 나는 그것을 본 적이 없다. 샤를 루이 필리프[14]. 그만이 나를 놀라게 했다. 나는, 아니 사람들은 모든 계급의 예술을 한데 묶어 예술이라 칭하는 듯하다. 다음과 같은 말이 성립한다. '그것을 만드는 예술가에게 돈이 많으면 많을수록 좋다. 그게 아니라면 뛰어난 상술을 발휘하여(부끄러운 일이 아니다) 그림값과 원고료를 남들보다 훨씬 비싸게 받아서 풍요롭게 정진할지어다. 그러나 이는 타고난 부자의 그것과 비교하면 반드시 이류이리라.'

불변의 진리[定理]

고통이 많으면, 그만큼 보답이 적다.

내 평생의 소원

하늘까지 울려 퍼질 정도로 명랑하기 그지없는 출세 미담을 한 편만 쓰는 것.

14_ Charles Louis Philippe(1874~1909). 프랑스의 민중 작가. 도스토옙스키와 톨스토이의 영향을 받았다. 가난한 목화공의 아들로 태어나, 파리 시청 공무원으로 근무하면서 소설 창작에도 힘썼다. 자신의 유년기 경험을 바탕으로 하층 계급 사람들의 가난한 삶을 소박하게 그려냈다.

나의 친구

한마디 무심코 잘못 지껄이면 이 세상에서 완전히 매장되고 만다. 가슴속 깊숙한 곳에 숨겨둔 그런 비밀을, 너는 서너 개쯤—아마 그럴 것이다.

뻐꾸기여, 울적한 나를 더 외롭게 만들어다오[15]

『일본낭만파』 11월호에 게재된 기타무라 겐지로쇼와시대의 소설가 겸 평론가의 글 「종일終日」. 절대적 침묵. 움직이지 않는 정원석. 새빨갛게 타는 야속한 햇빛에 부는 가을바람[16]. 아아, 홀로 간다. 이상, 내 말속에 얽혀 있는 어떠한 상념 한 줄기에 마음이 움직인 자는 반드시 「종일」을 읽도록. 나는 그의 책이 출판되기를 애타게 기다린다.

필리프의 골격에 대하여

요도노 류조가 자신이 번역한 필리프의 단편집 『작은 마을에서』 한 권을 보내주었다. 지난달에 나는 그 누구의 소설집도 읽고 싶지

15_ 바쇼가 1691년에 읊은 시. 외로움과 쓸쓸함을 상징하는 뻐꾸기 울음소리를 들으며 자신의 울적한 마음을 표현한 시다.

16_ 바쇼의 하이카이俳諧 기행문 『오쿠노호소미치』에 수록된 시. 오랜 여름 여행 중에 문득 불어온 바람이 가을을 느끼게 함을 표현한 것이다.

않은 상태였다. 다나카 간지의 『인간과 유인원Man and Apes』. 『진종재가근행집真宗在家勤行集』. 바보라고 매도할 수밖에 없는 남자인 엘리엇[17]의 문학론집을 겨우 다 읽고, 야스다 요주로가 보내준 이토 시즈오의 시집 『내 사람에게 보내는 애가』를, 내 사람은 나를 말하는 것이라고 생각하며 재독. 그 외, 다빈치와 미켈란젤로의 평전 각각 한 권, 미켈란젤로는 재독, 이쿠다 조코의 에세이집. 이상이 지난달에 제대로 읽은 책의 전부다. 그 외에 순문예 책자를 열 권 정도 읽었다. 이번 달에는 얼마 전부터 보쿠스이[18] 전집에 실린 기행문을 읽기 시작한 참이었다. 그때 필리프의 『작은 마을에서』를 선물 받았다. 읽어보기로 했다. 다 읽고 나서, 재독하기로 했다. 요도노 류조의 문장은 아주 아름다운 데다 의젓한 기품이 배어 나오기까지 한다.

필리프. 결코 귀염성이 있는 작가는 아니다. 프랑스의 옛 소설가 중에 내가 존경하는 이는 메리메, 그리고 필리프는 그럭저럭. 그 외에는 아예 없어도 된다고 생각한다. 요도노 류조는 스스로 엄격하게 자제하는 성격 때문인지, 이 책을 쓰기 전에도, 후에도 원작자 필리프에 대해 언급하는 일이 거의 없었다. 그래서 내가 바보의 굼뜬 용기를 발휘하여 그의 진짜 사람됨을 이야기해 볼까 한다. 지금부터 내가 말하는 건 그의 골격에 대한 것이다. 절대 그의 소설과 혼동치 말도록. 그의 그 치밀한 문장과.

샤를 루이 필리프가 친구에게 한 말 이것저것. 그의 나이 스물다섯.

• •

17_ 토머스 엘리엇(1888~1965). 20세기 현대시의 선구자라고 평가받는 영국의 시인 겸 극작가. 대표작 『황무지』로 1948년에 노벨문학상을 수상했다.

18_ 와카야마 보쿠스이若山牧水(1885~1928). 1900년대 초에 활동한 시인. 전국 각지를 여행하며 다수의 시를 남겼으며, 일본 여러 지역에 그의 시를 기념하기 위한 기념비가 세워져 있다.

"어제 나는 짐승처럼 울었네." "우리가 대작가가 될 수 있을지는 모르겠지만, 적어도 이것만은 단언할 수 있어. 우리들은 이제 막 태동을 시작한 새로운 시대에 속해 있다는 걸. 예수의 탄생에 앞서 그의 출현을 알아맞힌 예언자." "이건 자네에게만 하는 말인데, 나는 미켈란젤로와 늙은 단테를 생각하면 몸이 떨린다네. 그리고 니체." "도스토옙스키의 『백치』를 읽었네. 이것이야말로 진정한 야만인의 작품이야. 나도 쓸 생각이네." 그는 『뷔뷔드몽파르나스』[19]를 완성했다. "자네가 뷔뷔에 대해 쓴 기사를 읽고 무척 기뻤다네. 그런데 자네는 나의 강인함을 잊고 있더군. 내겐 집요한 저항력과 용기가 있어. 아마 우리 중 가장 강한 남자일 거야. 친구들도 모두 그렇게 말하거든. 내게는 맹렬한 의지까지 있다고." "나는 도스토옙스키보다는 니체에 더 가까울지도 몰라." "나는 스물여덟의 나이에 이미 나의 반면半面을 다 보였다. 나머지 반면이 있다는 걸 잊지 말도록 해. 내가 지금 명확히 보인 반면은, 내가 의도한 것. 내 스스로 움직인 나의 용수철. 이것이야말로 용기고 힘이라는 것을 기억해주면 좋겠군." "대단할 것도 없어. 나는 서민사회의 정의파였지." 어리고 미숙한 문학청년 앙드레 지드에게 말한다. "어서 남자다워지도록 해. 어느 쪽인지 입장을 분명히 해달라고."

앙드레 지드는 연설했다. "신사 숙녀 여러분. 샤를 루이 필리프는 뛰어난 힘과 미래를 약속하면서, 작년 12월, 서른넷의 나이로 세상을 떠났습니다."

19_ 1901년에 발표된 필리프의 출세작. 남주인공 피에르 알디는 동부 프랑스에서 막 파리로 나와 창부 베르트와 사랑에 빠지지만, 뷔뷔드몽파르나스라는 별명을 가진 그녀의 포주에게 그녀를 빼앗기고 만다.

필리프야말로 엄숙한 반면의 대문호. 속세를 벗어나 조용히 풍류를 즐기는 은둔자 부류는 아니었다. 서른넷에 세상을 떠난 그에게는 쉰, 예순 정도 된 대작가의 그 방약무인한 매너리즘이 없었기 때문에, 사람들은 위고나 발자크에 뒤지지 않는 그의 거장다운 관록을 보지 못하고, 용맹하고 과감한 어느 일본 남자는 그를 카나리아라고 부르기까지 했다.

요도노 류조가 번역한 『작은 마을에서』가 출판되어 너무 기쁜 나머지 필요 이상으로 나댄 듯하다. 용서 바란다. 나쁜 뜻으로 한 일은 아니니까. 용서 못 한다고 하시면, 그에 관해 다음번에 다시 해명하겠습니다.

어느 한 남자의 정진에 대하여

'저는 혈안이 되어 진실만을 좇았습니다. 저는 지금 진실에 따라붙었습니다. 저는 진실을 추월했습니다. 그리고 저는 여전히 달리고 있습니다. 진실은 지금 제 등 뒤에서 달리고 있는 듯합니다. 우스갯소리도 못 됩니다.'

살아가는 힘

싫증 난 활동사진을 끝까지 보고 있는 용기.

나의 유일한 전율

생각해 보면, 우리는 이렇게 글을 쓸 수 있는 것만으로도 그럭저럭 행복한 것이었다. 까딱 잘못하면—.

매너리즘マンネリズム

나는 예지叡智의 공허함에 대해 말했다. 바꿔 말하자면, 작가가 계속 이 같은 감상感想을 쓰는 것의 난센스에 대해 말했다. 「생각하는 갈대」와 「벽안탁발」은 모두 도망치기 위한 방편에 지나지 않는 글로, 작가라는 남자가 매달 이렇게 단편적인 말만 뱉어 모으는 것은 칭찬할 만한 일이 아니다.

'절묘한 표현이다.'

'그는 공부하고 있다.'

'과연, 괴로워하고 있군.'

'광적인 번뜩임.'

'열 받는다.'

'아픈 델 찌르는군.'

이상의 찬사는 각각 그 사람에게 그대로 돌려주고 싶다. 정말이지 소름 끼치는 말들이다.

나는 천성적으로 떠들썩한 것을 좋아하는 남자여서, 지금까지 매달 무리를 해서라도 대여섯 장씩, 소위 감상을 담은 짧은 글을 써서 이 잡지에 실어 왔다. 그러나 세상에는 수치를 모르는 청개구리 같은 남자가 많아서(이것은 내게 새로운 발견이었다), 최근에 '광적인 번뜩임'을 보이는 감상문이 내 주위에도 두셋 어지럽게 피어나기 시작했다. 마치 그것이 훌륭한 작가의 조건 중 하나라도 되는 것처럼.

분명하게 말할 수 있는 것은 아무리 분명히 말해도 지나친 법이 없으므로, 딱히 '광적인 번뜩임'을 보여 주지 않아도 좋으리라. 혹 이것이 나의 「생각하는 갈대」가 뿌린 씨에서 비롯된 것이라면, 나는 씁쓸하게 웃으며 이것을 베어야만 한다. 바람직하지 않은 일임이 틀림없기 때문이다. 하얀 꽃, 빨간 꽃, 푸른 꽃, 그 어떤 꽃 한 송이도 피우지 못하는 가여운 잡초임이 분명하다.

나는 누군가와 결탁해 이 글을 쓰는 게 아니다. 나는 늘 혼자다. 그리고 혼자 있을 때의 내 모습이 가장 아름답다고 믿는다.

"저는 모든 것을 다 알고 있습니다."라고 말하고 싶어 하는 듯한, 예지에 대한 자부심으로 가득 찬 말馬 같은 면상을 향해 나는 말한다. "그래서 당신은 뭘 했습니까?"

작가는 소설을 써야만 한다

맞는 말이다. 그렇게 생각하면 그것을 실행에 옮겨야 한다. 성서를 읽었다고 해서 꼭 그 연구 결과를 발표할 필요는 없다. 오늘 일은 오늘, 내일 일은 내일. 그대로 실행해야 한다. 알기만 해서는 소용이 없다. 이미 모두가 알고 있는 것이니까.

인사

인사를 잘하는 남자가 있다. 혀가 살랑거리는 느낌이다. 거기에 온 정력을 쏟아붓고 있는 것처럼 보인다. 부끄럽지도 않은가. 가키에몬에도시대의 도예가이 아궁이 앞에 웅크리고 앉아 담 너머를 지나는 농사꾼과 아침 인사를 나누고 있다. 농사꾼이 생각하기를, '가키에몬의 인사는 정중해서 좋다.' 가키에몬은 농사꾼이 지나간 것조차 기억하지 못한다. 그저, '좋은 작품이 완성되기를.'

가키에몬의 무례는 용서받아야 할 것이다. 도손의 말투를 따라해 보자면, '예술의 길은 그처럼 어려운 것이다. 젊은이들이여. 이에 대한 두려움에 지나침이란 없다.'

훌륭함에 대하여

이제 소설 외의 글은 절대 쓰지 않겠다고 다짐했는데, 어느 날 밤, 잠시만, 하는 생각이 들었다. 그건 지나치게 훌륭하다. 모두와 보조를 맞추기 위해서라도, 나는 일부러 삐뚤어지고, 호색 기질을 보여 주고, 우습지도 않은 일에 배를 잡고 웃어 보여야 한다. 제약이라는 것이 존재한다. 괴롭지만 역시 사람답게 계속 써나가는 것이 올바른 길이라고 생각했다.

그렇게 마음을 고쳐먹고 펜을 쥐었다. 작가라면 이런 감상문은 그야말로 조끼 단추 두세 개를 잠그는 사이에 후딱 완성해야지, 너무 오래 붙잡고 있으면 안 된다. 감상문 따위, 쓰려고 마음먹으면 얼마든지 재밌게, 또 얼마든지 많이 쓸 수 있으니 그렇게 대단한 것도 아니다. 일전에 몽테뉴의 『수상록』[20]을 읽었는데, 정말 시시했다. 뻔한 말 모음집. 일본의 강담[21]과 비슷하다고 느낀 것은 나 뿐일까. 몽테뉴 어르신. 나름대로 배짱은 두둑하시다고 하는데, 그만큼 문학과는 거리가 멀다. 공자가 말하기를, '군자는 다른 이를 즐겁게 하더라도 자신을 팔지는 않는다. 소인배는 자신을 팔아도 다른 이를 즐겁게 하지 못한다.' 문학의 묘미는 이 소인배의 슬픔에 다름 아닌 것이다. 보들레르를 보라. 가사이 젠조[22]의 생애를 떠올려보라. 배짱 두둑한 군자는 강담 모음집을 읽는 것만으로도 충분히 즐겁고, 또 구원을 받는 모양이다. 내게는 인연 없는 중생[23]이다. 배짱 두둑한 훌륭한 인격을 가지고, 누가 봐도 명백히 감상문인 글을 즐겁게 써 내려갈 수 있게 되면, 작가고 뭐고 없다. 세상의 명사名士 중 하나가 되고 만다. 부지런히 도처를 돌아다니며 꼴사나운 바보짓을 하던, 정말 돼먹지 못한 악령 같은 작가가 어쩐지 그리워진다. 경박재자輕薄才子가 좋다. 터무니없는 실패의 고마움이여. 추한 욕심의 고귀함이여(훌륭해지고 싶으면 언제든 될 수 있으니까 말이야).

20_ 隨想錄. 프랑스의 사상가 몽테뉴의 유일한 저서로, 최초의 수필집이라고 평가받는다. 작자 자신의 견문과 독서에 관한 감상 등을 자유로운 형식으로 써 내려간 산문 수상집이다.

21_ 講談. 일본 전통 예능 중 하나. 고단시講談師라고 불리는 남자가 책상 앞에 앉아 부채로 박자를 맞추면서 무용담, 복수담, 남녀의 연애에 관한 이야기 등을 낭송하는 것이다.

22_ 56쪽 각주 21 참조.

23_ '불교와 인연이 없는 중생은 아무리 부처라도 제도濟度하기 힘들다'라는 속담의 일부분. 충고를 들으려 하지 않는 사람은 구제할 도리가 없다는 뜻이다.

고해의 기도Confiteor

작년 말, 견디기 힘든 일이 한꺼번에 세 가지나 겹쳐서, 나는 말 그대로 엉덩이에 불이 붙은 듯 집에서 뛰쳐나와 유가와라와 하코네를 돌아다녔다. 하코네의 산에서 내려올 때는 여비가 부족해 오다와라시까지 터벅터벅 걷기로 결심했다. 길 양쪽은 귤밭, 수십 대의 자동차가 나를 추월해 지나갔다. 나는 사방을 둘러싼 산들을 올려다볼 수도 없었다. 짐승처럼 고개를 숙이고 걸었다. '자연'의 준엄함이 숨 막힐 정도로 나를 괴롭혔다. 나는 휴지 조각처럼 엉망으로 구겨지고 똘똘 뭉쳐져 휙 던져진 상태였다.

이 여행은 내게 좋은 약이 되었다. 나는 사람의 힘이 이뤄낸 아름다운 성과를 보고 싶은 마음에, 여행 이후 한 달간 내가 가지고 있는 책을 닥치는 대로 다시 읽었다. 과장이 아니라, 정말 그 어느 책도 열 페이지 이상 읽지 못했다. 나는 난생처음으로 기도하는 기분을 체험했다. '좋은 책이 있기를. 좋은 책이 있기를.' 좋은 책은 없었다. 소설 두세 편은 나를 격노케 했다. 오직 우치무라 간조[24]의 수필집만이 내 베갯머리를 떠나지 않았다. 나는 그 수필집에서 두세 문장을 인용하려고 했지만 실패했다. 전부를 인용해야 할 듯한 기분이 들었기 때문이다. 이것은 '자연'과 견줄 만큼 훌륭한 책이다.

나는 내가 이 책에 휘둘렸음을 고백한다. 『톨스토이의 성서』에 대한 반감도 한몫해서, 우치무라 간조의 신앙서에 더욱 마음을 빼앗겼다.

24_ 内村鑑三(1861~1930). 메이지 · 다이쇼시대에 걸쳐 활동한 종교가. 도쿄에서 고등학교 교사로 재직했으나, 일본 천황의 절대 권력을 상징하는 '교육칙어'에 대한 불경죄로 해고되었다. 무교회주의를 표방했으며, 러일전쟁 중에는 신앙적 입장에서 대담한 반전론을 전개하기도 했다.

지금의 내게는 벌레 같은 침묵이 있을 뿐이다. 나는 신앙 세계에 한 걸음 발을 들인 듯하다. 딱 이 정도의 남자인 것이다. 이보다 아름답지도 않은가 하면 이보다 비열하지도 않다. 아아, 말의 공허함. 수다의 곤혹스러움. 네 말이 다 맞다. 입 다물고 있어 주게. 아무렴, 하늘의 배려를 믿는다. 천국이 도래할 것을(거짓말에서 나온 진실. 자포자기에서 나온 신앙).

일본낭만파의 1주년 기념호에, 나는 이상과 같이 거짓 없는 아슬아슬한 고백을 기록한다. 이것으로 안 되면, 죽는 수밖에 없다.

퇴폐의 자식, 자연의 자식

다자이는 간단하다. 칭찬하면 된다. '다자이 오사무는 '자연' 그 자체다.'라고 칭찬해 주어라. 이상 세 항목, 입원 전날 밤에 적었다. 이번 입원은 내 생애를 결정지었다.

인물에 대하여人物に就いて

요즘 내가 흥미를 느끼는 역사적 인물은 역시 노기 대장[25]이다. 얼마 전까지는 오시오 헤이하치로[26]를 읽었다. 그가 제자 하나와 논쟁하면서 밥상에 놓인 생선 대가리를 으득으득 씹어 먹었다는 이야기는, 그의 사람됨을 가장 잘 보여 주는 에피소드일 것이다. 하지만 요즘에는 노기 장군이 되살아나고 있다. 끝없이 드넓은 만주의 적토평원, 새빨간 저녁놀을 받으며 홀로 말을 타는 등 굽은 노기 장군의 모습이 눈에 선하다. 개선한 후 폐하 앞에 서서, '이 무슨! 이것이 어찌 개선이라는 말입니까. 저는 부하 만 명을 죽인 남자입니다. 부디 사형을 내려주십시오.'라고 말하며 남자답게 눈물을 흘렸다. 울고 있는 한쪽 눈은 의안이었다. 그는 끝까지 그것을 숨겼다. 얼마 전, 그 사실이 처음으로 신문을 통해 세상에 알려져 사람들을 놀라게 했다. 그가 살아 있을 적에는 오직 두세 사람만이 그 사실을 알고 있었다. 그는 평소 집 안에 금단의 방을

25_ 노기 마레스케乃木希典(1849~1912). 메이지시대의 육군 대장. 러일전쟁 중의 전투에서 자신의 아들 두 명을 포함, 휘하병력의 절반 가까이가 전사하는 고전 끝에 승리를 거두었으나, 퇴역 후에도 많은 부하를 죽음으로 내몬 죄책감에서 벗어나지 못하다가 1912년 메이지 천황 무쓰히토가 죽자 부인과 함께 자살했다.

26_ 大塩平八郎(1793~1837). 에도시대의 유학자. 기근에 시달리는 민중구제를 위해 막부를 상대로 일으킨 오시오 헤이하치로의 난(1837년)으로 잘 알려져 있다.

만들어두고, 거기에는 아무도 들이지 않았다. 그는 종종 그곳에 틀어박혀 있었다. 가족들은 필시 공부를 하고 계시리라고 생각하며 긴장했다. 어찌 알았겠는가. 그 방은 그가 낮잠을 자는 방이었다. 또 이런 것도 있다. 도고 대장과 둘이서 외국 여행을 가면, 노기 장군은 반드시 그 나라 제일가는 호텔에 묵으면서, 장갑, 담배 모두 일류 제품만을 고집했다. 그렇게 검소하신 분이! 하고 부하들이 모두 눈을 동그랗게 뜨며 놀라워했지만, 그는 '나는 일본을 대표하는 장군이다. 외국인들은 분명 내 일거수일투족을 보고 일본을 평가할 것이다.'라고 생각한 것이다(그 나머지는 다음 기회에).

내 친형은 이 현의 현회의원이다. 다자이라는 현회의원은 없다고 볼멘 얼굴을 하는 사람도 있겠지만, 나는 거짓말은 하지 않는다. 매일 아침 받아보는 <도오일보東奥日報>에 의하면, 형은 지금 현회에서 무척 손해를 보는 역할을 맡고 있는 모양이다. 형에게 질타받을 각오를 하고 하는 말인데, 간페이[27] 역할을 맡은 배우가 구로코[28]로 밀려난 느낌이라 기분이 좋지 않다. 그러나 낙엽 떨어지는 가을이 있으면, 꽃 피는 봄도 있는 법. 스가 공[29]이 살던 그 옛날부터 정해져 있는 법칙이다. 이것은 약간 다른 이야기인데, 형은 이 지방에서 가장 주목받아 마땅한 인물

• •

27_ 에도시대 무사 가야노 산페이萱野三平를 모델로 하여 만들어낸 가공인물로, 가부키나 영화 등에 자주 등장한다.

28_ 가부키 공연 시 검은 옷을 입고 배우 뒤에서 시중을 드는 사람을 일컬음.

29_ 학문의 신으로 유명한 헤이안시대의 귀족이자 학자, 한시인, 정치가였던 스가와라노 미치자네菅原道眞의 경칭. 충신으로 이름이 높아 우다 천황과 다이고 천황의 우대신이 되지만 모략에 의해 다자이후로 좌천되어 그곳에서 쓸쓸하게 생을 마감하게 된다. 조정은 그의 사후에 잇따라 발생한 천재지변을 그의 저주에 의한 것으로 여겨 미치자네의 명예를 급히 회복시켰다.

중 하나일지도 모른다. 솔로몬 왕의 끝없는 우수를 이해할 수 있는 유일한 사람이다. 백만 엔을 버는 것보다 백만 엔을 지키는 것이 더 어려운 법이다. 지키려는 힘은, 외부에서는 절대 보이지 않는다. 쓸모없는 인간인 나를 말없이 엄하게 이끌어주는 것도 모두 형의 힘이다. 형이 가진 준엄함과 다케우치 슌키치아오모리현 출신 정치가 씨가 가진 부드러움은 현회에서 분명 훌륭한 콘트라스트대조를 이루었을 텐데. 아까운 일이다.

아오모리통 세 사람. 한 사람은 고다테 야스지로 씨, 또 한 사람은 데라마치에 사는 도요타 다자에몬 씨, 마지막으로 서예 실력이 빼어난 사이토 쓰네지로 씨일 것이다.

고다테 씨는 고호孤芳라는 호로 하이쿠[30]를 쓰신다. 칠팔 년 전에 소슈 가마쿠라에 있는 별가에서, '정월에는 술도 안주도 나라의 것'이라는 하이쿠를 내게 보여 주셨다. 덕망 높은 어르신다운 온화한 성품이 그대로 자연스럽게 묻어난 느낌이어서, 우리 같은 사람들과는 비교도 할 수 없다고 생각했다.

도요타 다자에몬 씨는 유서 깊은 가게의 주인이신데, 마찬가지로 덕망 높은 어르신의 분위기를 풍기시는 분으로, 세상 물정과 사리에 밝은 것으로는 견줄 사람이 없을 정도다. 삼사 년 전, 그분과 함께 긴자 뒷골목을 느긋하게 거닌 적이 있는데, 마치 교카나 가후 같은 나이 든 작가와 함께 있는 듯한 느낌이었다.

사이토 쓰네지로 씨는 현재 취미 삼아 서화 골동품 장사를 하고

30_ 5·7·5의 17음 형식으로 이루어진 일본 고유의 단시.

계시는데, 그 성품과 살아오신 반생이, 메이지 초기에 돌아가신 대통[31] 중의 대통인 사이키 고이를 연상시킬 만큼 소탈하다. 사이키 고이에 대해서는 모리 오가이가 자세히 쓴 바 있으므로 내가 어설픈 문장으로 이러쿵저러쿵 말할 것은 못 되지만, 통인通人이란 세상 사람들이 생각하는 것처럼 양쪽에 게이샤들을 거느리고, 자기를 아무개 주인님이라고 칭하면서 속요俗謠 연습이나 하고, 그 거리에서 오라버니, 오라버니 하고 불리는 그런 가벼운 존재가 아니다. 그 속에서 인간 본연의 모습이 보이거나, 혹은 엄격한 댄디즘이 느껴지는 사람만을 가리켜 말하는 것일 터다. 그런 점에서는 천하의 촌뜨기 노기 장군 역시 훌륭한 통인의 자격이 있다. 어찌 되었건, 요즘 날씨가 추운데 세 분 모두 건강에 유의하시라는 당부 말씀을 드리고 싶다.

31_ 大通. 세상 물정이나 유흥에 아주 밝은 사람을 일컬음.

고전 용두사미古典竜頭蛇尾

어제오늘 미칠 듯이 괴로운 일이 있어서 아무것도 못 하고 이마에 난 진땀만 닦고 있었는데, 그러나 그 괴로움은 제쳐두고 시치미를 뚝 떼고서 일본 문학에 대한 글을 써야만 했다. 펜을 쥔 채로 눈을 감고 있으면 몸이 지옥으로 쭉쭉 빨려 들어가는 듯한 느낌이 드는데, 이래서는 안 된다고 허둥지둥 휘갈겨 쓴 글이 아래와 같다.

일본 문학에 대한 거짓 없는 감상을 쓰려고 했는데, 쓸 수 있을까 하는 생각이 들어 망설여졌다. 추잡하고 추잡한 감상의 감상의 감상의 감상이 좁은 해협에 휘몰아치는 소용돌이처럼 차례차례 끓어올라 마구 범람하여, 도무지 손쓸 도리가 없게 되었다. 책상 주위의 요란한 홍수를 잠잠하게 만들어 응결시킨 다음, 지요가미[32]를 세공하듯 오리고 붙여 하나의 글로 완성해내는 것이 이제까지 내가 써온 방법이었다. 그러나 오늘은 이 서재 가득 범람하고 있는 것을, 범람하고 있는 그대로 건져 올려 흐리멍덩하게 옮겨 쓰기로 했다. 분명 순조로울 것이다.

'전통'이라는 말을 정의하기란 어렵다. 이건 불가사의한 힘이다. 어느

32_ 꽃무늬 등의 여러 가지 색 무늬를 인쇄한 일본 종이로, 여자아이들이 종이접기를 하는 데 주로 사용되어 왔다.

대학에서 탁구 실력이 뛰어난 선수가 하나 배출되면, 그 대학에서는 매년 잇달아 탁구의 명수가 나타난다. 세상 사람들은 전통의 힘이라고 말한다. 탁구 대학 학생이라는 긍지가 그 불가사의한 힘의 원인 중 하나인 것이다. 전통이란 자신감의 역사이고, 하루하루의 자부심이 쌓인 것이다. 일본의 자랑은 천황이다. 일본 문학의 전통은 천황의 글 속에 가장 뿌리 깊게 존재한다.

5·7·5조[33]는 육화肉化되기까지 했다. 길을 걸으면서 흥얼거리는 문장, 문득 정신을 차리고 손을 접어 세어보면 분명 5·7·5조다. —배가 고플 때는, 전투를 할 수 없다. 형태도 제대로 갖추고 있다.

사색의 형식이 일원적이다. 즉, 늘 득도한 표정을 짓고 있다는 말이다. 자진하여 흐트러지는 일은 절대 없다. 일방적 관찰만을 고집하고, 죽어도 의심하지 않는다. 진리를 추구하는 학자가 아니라, 늘 달관한 스승이다. 반드시 설교를 한다. 가장 사실寫實적인 작가 사이카쿠[34]마저도, 이야기 말미에 안이한 인생관에 대해 쓰는 것을 잊지 않았다. 노마 세이지[35] 씨의 글 역시 이 전통을 이어받은 것처럼 보인다. 소설가로는 사토미 돈 씨. 나카자토 가이잔 씨. 모두 교훈적이라는 점에서 순수 일본작가라

33_ 와카의 기본 음률. 5·7·5는 와카의 상구上句에 해당하고, 여기서 다자이가 읊고 있는 7·7은 하구下句에 해당한다.

34_ 이하라 사이카쿠井原西鶴(1642~1693). 에도시대 전기의 시인 겸 소설가로 일본 최초의 현실주의적 시민 문학을 확립시켰다고 평가받는다. 대표작으로 『호색일대남』, 『호색오인녀』 등이 있다.

35_ 野間清治(1878~1938). 다이쇼·쇼와시대의 출판 경영자. 고단샤講談社의 설립자이며, 『고단구락부』, 『킹』 등의 잡지를 창간, 쇼와시대의 출판업계를 이끌었다.

고 불러야 한다.

일본 문학은 매우 실용적이다. 문장보국文章報國. 기우가祈雨歌라는 것이 있다. 유머레스크와는 거리가 멀다. 국체를 위한 것이다. 일본도를 달구고 두드리는 기분으로 쓴 글이다. 일필삼배一筆三拜.

문장을 있는 그대로 즐길 줄 모른다. 쓸데없이 심각한 것을 즐긴다. 난센스의 아름다움을 모른다. 같잖은 논리로 넘쳐나서 재미가 없다. 달님에 있는 토끼가 아니라, 타닥타닥산[36]속에 나오는 토끼를 사랑한다. 타닥타닥산은 원수를 갚는 이야기다.

도깨비는 일본 고전 문학의 진수다. 여우 시집가는 날. 배 두드리는 너구리. 오직 이 같은 종류의 전통만이 지금도 여전히 생기를 띤다. 전혀 낡지 않았다. 여자 귀신은 일본 문학의 심벌이다. 식물적이다.

일본 문학의 전통은 미술이나 음악의 그것과 비교하면 현재 가장 미약한 상태다. 우리 세대의 문학에 어떤 영향을 미치고 있을까. 생각나는 대로 적어보겠다.

답. 전혀.

우리들 세대에 이르러서는, 매우 가늘던 그 전통의 실이 툭 끊어져 버린 느낌이다. 시가의 형식은 여전히 5・7・5조로 완벽한 형태를 자부하지만, 산문은 그렇지 않다.

36_ 일본 옛날이야기 중 하나. 너구리에게 아내를 잃은 할아버지를 위해 토끼가 원수를 갚아 준다는 내용으로, 권선징악의 교훈이 담긴 복수담이다.

투명할 정도로 희다, 혹은 가루가 펄펄 날릴 듯이 분을 발랐다 등등의 일본어는, 우리에게 외국어처럼 느껴질 만큼 생경하게 들린다. 일본어 하나하나가 완전히 다른 생명을 가지게 된 것이 틀림없다. 분명 일본어인데도 국어가 아니다. 말 한마디 한마디의 관념이 어느새 다 바뀐 것이다. 유감이다, 라는 별것 아닌 말에서조차 외국어의 울림이 느껴진다. 관용구 하나에서도 이미 이러한 질적 변화가 일어나고 있다.

병에 걸린 트로츠키[37]가 죽음의 도시 폼페이를 돌아보며 걷고 있는 뉴스영화를 본 적이 있다. 눈물 날 정도로 가여웠다. 이는 우리가 고전을 대하는 광경과 무척 비슷하다. 『겐지 이야기』[38] 그 자체가 질적으로 우수하다고는 생각지 않는다. 『겐지 이야기』와 우리 사이에 있는 수백 년에 걸친 비바람을 생각하고, 서리와 이끼로 뒤덮인 『겐지 이야기』와 이십 세기를 살고 있는 우리 사이의 공명共鳴을 발견하고는 감사히 여기게 되는 것이리라. 지금 『겐지 이야기』를 써본들, 칭찬해 줄 사람은 아무도 없다.

일본의 고전에서 훔쳐 온 적이 없다. 나는 친구들보다 일본 고전을 많이 읽은 편이라고 내심 자부하는데, 고전 속 문장을 빌려온 적은 아직 한 번도 없다. 서양 고전에서는 아주 많이 훔쳐 왔는데, 일본

37_ 레온 트로츠키Leon Trotsky(1879~1940). 러시아의 혁명가. 유럽의 혁명을 지원하여 세계 혁명을 이룩해야 한다는 이른바 '세계혁명론'을 주장, 스탈린과 대립했다.

38_ 源氏物語. 여류작가 무라사키 시키부紫式部가 쓴 일본 최초의 장편소설. 당시의 화려한 귀족 사회를 배경으로, 남자 주인공 히카루 겐지와 그 일족들의 생애를 서술한 54권의 대작이다.

고전은 그런 점에서는 전혀 쓸모가 없다. 그야말로 죽음의 도시인 것이다. 옛날에는 여기서 녹주를 마셨다. 국화를 감상했다. 그것을 지금의 문예에 들여오자는 둥 어쩌자는 둥 할 것이 아니라, 고전은 고전으로서의 독자적인 즐거움이 있다는 것, 그뿐이다. 가구야 공주를 연극으로 만들었다고 하는데, 분명 실패작일 것이다.

일본 고전 문학의 전통이 가장 향기롭게 배어 나오는 것은 명사名詞다. 수백 년의 긴 세월과 일본 남녀 수백만 명의 삶을 흡수하여 반들반들 까맣게 빛난다. 이것만은 훔칠 가치가 있다. 들판은 검붉은 빛 비치는 자색 들판. 섬은 우키시마, 야소시마. 해안은 나가하마. 해변은 오노우라, 와카노우라. 절은 쓰보사카, 가사키, 호린. 숲은 시노비노모리, 우타타네노모리, 다치기키노모리. 관문은 나코소, 시라카와. 고전은 아니지만, 기노모의 명칭 등등. 기하치조, 가가스리, 아이미진, 아사노하, 나루미시보리. 이제껏 실물을 본 적이 없는데도 그 모양이 선연히 눈앞에 떠오르니 불가사의한 일이다. 이것이야말로 전통의 힘이라 할 수 있을 것이다.

조금씩 탄력이 붙나 했더니 벌써 여덟 장이다. 정해진 분량이다. 다시금 현실의 답답함이 나를 덮쳐 온다. 글을 다시 읽어보니, 의미 불명의 말들이 가득하다. 횡설수설, 갈팡질팡. 이런 걸로 괜찮을까? 뭔가 세련된 말로 끝맺고 싶은데, 생각할 시간을 좀 주세요.

점점 더 엉망이다. 이걸로 끝이다. 양해 부탁드립니다. 저는 소설을 쓰고 싶습니다.

번민 일기悶悶日記

월 일.

누가 우편함에 살아 있는 뱀을 던져 넣고 갔다. 분노. 하루에 스무 번씩 집 우편함을 들여다보는 인기 없는 작가를 비웃고 있는 사람의 소행이 틀림없다. 기분이 언짢아져서 종일 누워 있었다.

월 일.

고뇌를 자랑거리 삼지 마라, 하고 지인에게서 편지가 옴.

월 일.

몸 상태가 좋지 않음. 계속되는 혈담. 고향에 전했지만 믿지 않는 눈치다. 정원 한구석에 복숭아꽃이 피었다.

월 일.

유산이 백오십만 있었다고 한다. 지금은 어느 정도 있는지 전혀 모른다. 팔년 전에 호적에서 제명되었다. 친형의 인정에 기대어 지금까지 살아왔다. 앞으로 어떡한담? 스스로 생활비를 벌겠다는 생각은 꿈에서도 해본 적이 없다. 이대로라면 죽는 수밖에 없다. 이날 정신이 흐려서,

꼴좋구나, 문장이 추잡하고 어설프기 그지없다.

단 가즈오 씨가 방문. 단 씨에게 사십 엔을 빌렸다.

월 일.

단편집 『만년』 교정. 이 단편집으로 끝이 아닐까 하고 문득 생각했다. 분명 그럴 것이다.

월 일.

지난 일 년간 나에 대해 악담을 하지 않은 사람은 세 명? 그것보다 적은가? 설마.

월 일.

누나의 편지.

'방금 이십 엔을 보냈으니 받도록 하세요. 늘 돈을 재촉하니 저도 정말 난처하군요. 어머니에게도 말할 수 없어 늘 제 돈을 보내야 하기 때문에 정말 난감하다고요. 어머니도 그리 넉넉한 형편이 아닙니다. (중략) 돈은 함부로 하지 말고 절제하며 써야 합니다. 요즘에는 잡지사에서 조금씩이라도 받고 있겠지요. 너무 사람들에게 의지하려고만 하지 말고, 열심히 참고 견디세요. 모든 일에 늘 조심하세요. 건강도 조심하고, 친구들과 너무 많이 어울리지 않는 게 좋을 거예요. 모두를 조금이라도 안심시킬 수 있게끔 행동하세요. (후략)'

월 일.

하루 종일 꾸벅꾸벅. 불면증이 시작됐다. 이틀째. 오늘도 잠들지 못하면 사흘째.

월 일

동틀 무렵, 병원으로 향하는 골목길. 갑자기 다나카 씨의 시가 떠올랐다. 내가 울면서 이 길을 걸었던 것을, 내가 잊으면 누가 알겠는가. 의사를 억지로 졸라 모르핀을 맞았다.

정오가 지난 무렵 눈을 떴더니, 신록이 불안하고 슬펐다. 건강해지자고 마음먹었다.

월 일.

너무나도 부끄러워서 견딜 수 없는 곳의 그 한가운데를, 아내가 태연한 말로 푹 찔렀다. 펄쩍 뛰었다. 신발 신고 선로로! 순간 우뚝 멈춰 섰다. 화로를 찼다. 양동이를 걷어찼다. 방으로 들어가 쇠 주전자를 장지문에. 장지문 유리에서 소리가 났다. 밥상을 걷어찼다. 벽에는 간장. 밥그릇과 접시. 내 몸 대신이었다. 그렇게 부수지 않고서는, 나는 살아있을 수 없었다. 후회 없음.

월 일.

5척 7촌[약 170cm]의 털북숭이. 부끄러워서 죽다. 그런 구절을 떠올리고는 혼자서 킥킥 웃었다.

월 일.

야마기시 가이시 씨 방문. 사면초가로군, 하고 내가 말했더니, 아니, 이면초가 정도야, 라고 정정해주었다. 아름답게 웃고 있었다.

월 일.

아무 말도 하지 않으면 근심이 없어 보인다고 하던가. 꼭 들어줬으면 하는 이야기가 있습니다. 아니, 괜찮습니다. 그저—어젯밤에 일 엔 오십 전 때문에 아내와 세 시간이나 말다툼을 했습니다. 무척 유감스럽습니다.

월 일.

밤에 혼자서 화장실에 갈 수가 없다. 뒤에 머리가 작고 하얀 유카타를 입은, 열대여섯 정도의 호리호리한 남자아이가 서 있다. 요즘 나는 뒤를 돌아볼 때마다 목숨을 걸어야 한다. 분명 머리가 작은 남자가 있다. 야마기시 가이시 씨가 말하기를, 그건 오륙 대 전의 내 선조가 입에 담을 수 없는 잔인한 짓을 했기 때문이라고. 그럴지도 모르겠다.

월 일.

소설을 완성했다. 이렇게 기쁜 일이었던가. 다시 읽어봤더니 좋은 글이었다. 친구 두셋에 통지. 이걸로 빌린 돈을 다 갚을 수 있다. 소설 제목, 「백원광란白猿狂乱」.

달리지 않는 명마走ラヌ名馬

무엇을 쓸지 목적도 없이, 오이나리 님[39]의 경내에 멍하니 선 채로 재미도 없는 에마[40]를 바라보다가, 어떻게 할지 마음의 결정을 내리지 못하고, 아무것도 정하지 못한 채로 비틀비틀 걷기 시작했다. 썩어들어가기 시작한 커다란 삼나무에 달라붙어, 나무에 붙은 시든 덩굴 한 줄기를 지팡이로 박박 벗겨내고, 그런 다음에는 별 의미도 없이 에잇, 크게 소리를 지르며 여우 석상에 덤벼들었는데, 이것 역시 딱히 무슨 생각이 있어서 한 짓은 아니다. 예로부터 예술이라고 하는 건 이런 거지, 우화도 아니고, 수양의 씨앗도 아니고, 같잖고 기개 없는 매명한[41]이나 하는 일임이 틀림없어, 라는 말을 듣고, 돌려줄 말이 없어 순순히 수긍하고는, 살짝 발뒤꿈치를 들고 저녁노을 속 구름을 바라본다.

친구에게 잡지를 빌려 당신이 쓴 소설을 읽었는데, 그건 그러니까, 한마디로 말해 뭐라는 것인가? 라고 힐문 당하기를 여러 번, 그럴 때마다 매번 슬퍼져서, 한마디로 말할 수 있는 거면 한마디로 말하겠지요,

39_ 이나리 신을 모시는 이나리 신사稲荷神社의 속칭. 이나리 신은 상업 번창의 신, 집을 지키는 신으로, 서민들에게 '오이나리 님' 혹은 '오이나리 씨'라는 친근한 호칭으로 불리기도 한다.
40_ 소원을 빌면서 신사나 절에 바치는 말 그림의 액자.
41_ 買名漢. 재물이나 권력을 얻기 위해 자신의 이름과 명예를 파는 사람을 일컫는 말.

그건 그걸로 끝인 거지 더 이상 뭐라고 말할 수가 없습니다, 앞으로는 제가 쓴 글을 읽지 마십시오.

지요가미를 섞어 붙인 예쁘고 작은 상자. 이걸로 뭐 하려고? 아무것도 안 해, 그냥 이걸로 끝이야. 예쁘지?

불꽃놀이 하나에 천 엔이 넘는다. 굳이 강에서 쏘아 올려서 뭐 하려고?

기모노, 맨몸을 감쌀 수 있으면 그걸로 된 거지, 무늬, 직물, 색감 모두 아무 의미 없다. 스물다섯 먹은 남자가 어느 날 밤, 새빨간 꽃무늬에, 심지어 지리멘[42]으로 된 겹옷을 입었다. 어차피 다 같은 기모노인데 이상할 게 뭐람.

아아, 훌륭하다! 지붕이 떠나갈 듯한 열렬한 갈채, 하지만 그것 역시 금세 사라지고 마는 갈채, 그것을 원하고 또 원해서, 만 엔, 이만 엔, 그것보다 더 많이 투자했다. 옛날 옛적의 그리스 시인들, 그리고 보들레르, 베를렌, 그 교활한 할아버지 괴테 각하도, 아아, 어찌 잊겠는가, 아쿠타가와 류노스케 선생은 목숨까지 바쳤다.

그러나 장담컨대, 어차피 유한有閑문학은 쓸데없이 길기만 한 이야기일 뿐이다. 포식난의飽食暖衣 끝에 핀 꽃, 이 꽃잎은 처치 곤란이다. 날지 않는 비행기, 달리지 않는 명마, 반질반질 결 좋은 털에 포동포동 살이 쪄서는 항상 자는 척만 하고, 곁에는 참고서 한 권도 없는 데다 사전 그림자도 찾아볼 수 없는 모양인데, 이것이 자랑거리, 있는 것은 펜 한 자루뿐, 그리고 화려한 특제 원고지, 이제 슬슬 약속한 세 장, 세 장, 아무 의미도 없는 무척 훌륭한 글이지만, 이해 못 하는 녀석들은 죽을 때까지 모를 것이다. 어쩔 수 없는 일.

42_ 작은 주름이나 선이 두드러져 있어 표면이 오돌토돌한, 얇고 가벼운 직물.

스승 세 사람先生三人

예부터 이어져 오는 문단 사제 간의 스파르타식 채찍 훈련을 담 너머로 슬쩍 엿본 여류작가 주조 유리코[43] 씨. 그렇게 하면 제자가 가엾다고 순수하게 의분, 무참하다는 말 외에는 표현할 길이 없는 일종의 장엄한 감각에 찔려 아 하고 작게 외친 유리코 씨의 하나하나 때 묻지 않은 항의의 문자, '문학에 이 무슨 봉건적인 사제기질—' 어쩌고 하는 글[44]을 오늘 아침 신문에서 읽고는, 지금은 주저할 때가 아니다, 좋은 스승을 가진 이 몸의 행복을 조금이라도 더 빨리, 일말의 오차 없이 정확히 알리지 않으면 안 된다, 하는 즐거운 의무감까지 느꼈습니다.

지금 제게는 자랑스러운 스승님 세 분이 계십니다. 이부세 씨에게는 특히 문장에 대해, 사토 선생님에게는 특히 문인문객글을 쓰거나 그림을 그리는 사람의 정신에 대해, 그리고 기쿠치 씨에게는 가정에 대해 가르침을 받습니다. 이 세 분을 동시에 모시면서도 부자연스럽거나 구애를 받는

43_ 中條百合子(1899~1951). 프롤레타리아 문학 여류작가 미야모토 유리코宮本百合子를 가리킨다.

44_ 미야모토 유리코가 1936년 9월 27일자 <동경일일신문>에 발표한 글 「봉건적인 사제기질」을 가리킨다. 미야모토는 본 글에서 다자이 오사무의 「창생기」(아쿠타가와상과 관련해 다자이가 스승인 사토 하루오의 실명을 언급한 글. 전집 2권 수록)를 언급하며 '고통스러운 산성酸性의 자극을 느꼈다. 옛날 사람들은 산비酸鼻(무참함)라는 말로 이 감각을 표현했다.'라고 봉건적 사제 관계를 비판하는 한편, 더 확실히 분노하지 못하는 다자이의 태도가 비굴하다고 지적하기도 했다.

일은 전혀 없습니다. 어제는 사토 선생님께, '벌떡 일어나서, 선생님, 깨달았습니다! 오백 엔[45]은 한순간이지만, 앞으로 남은 시간은 깁니다. 약하고 아름다운 수많은 청년들을 위해, 나를 위해, 선생님을 위해, 할 일이 산처럼 많았던 것입니다. 감사하게 생각합니다. 이 답안, 분명 백 점 만점일 것입니다.' 하는 내용의 편지를 써서 우체통에 넣고 돌아오는 길에, 친구 야마기시 가이시와 우연히 마주쳤습니다. 7월에 세이요켄 도쿄 우에노에 위치한 레스토랑에서 본 이후로 처음 만나는 것이었습니다. 야마기시는 빙그레 웃으며 말했습니다. "오늘은 사토 하루오 선생님의 심부름꾼으로 왔네. 자네 상태를 보고 오라고, 부모 같은 마음으로 보내셨지." 이런! 편지에 '심부름꾼 야마기시에게 깊은 이야기를 듣고, 저의 철없음이 부끄러워졌습니다.'라고 썼더라면 백 점 만점의 수준을 넘어 그야말로 사토 가문의 보물이 됐을 텐데 하는 생각에 분하고 원통하고 후회스러웠습니다. 그것을 그대로 야마기시에게 말했더니, 야마기시는 심각한 표정으로 팔짱을 끼고 말했습니다.

"자네는 그런 점이 틀려먹었어. 그렇게까지 해서 자기 공을 양보할 필요는 없지 않나. 굉장히 나쁜 버릇이야. 어쨌든 자네, 용케도 거기까지 깨달았군. 우리에게는 무척 기쁜 일이네—내가 그 편지를 보낸 뒤에 와서, 아아, 정말 다행이야."

올해 11월에 입원하기로 했습니다. 이 년간 성실하게 치료를 받아서, 혈선血線, 사계절 발열, 하룻밤 사이에 잠옷을 세 번이나 갈아입어야 할 정도로 심한 식은땀을 모두 퇴치하고 안정적인 사람이 되어 찾아뵙겠습니다, 하고 전언을 부탁했습니다. 입원 전에 용돈을 조금 벌고 싶은

45_ 당시 아쿠타가와상의 1등 상금이 오백 엔이었다.

마음에 단편소설집을 내기로 했습니다. 이 일은 이부세 씨가 아는 아주 좋은 출판사에 부탁해주시기로 했는데, 장정은 꼭 이부세 씨에게 부탁드릴 생각입니다. 아아, 저는 어리광을 부리는 것과 때리는 것, 이 두 가지 삶의 방식밖에 모르는 남자입니다. 좀 전에 기쿠치 간 씨에게도 제가 살아가는 방식이 얼마나 조잡하고 보잘것없는지 고백했는데, '지금은 무척 중요한 때다. 훌쩍훌쩍 울면서 돌아다녀 봐야 소용없어. 지쿠라지바현 남부에 위치한 소도시 별장이든 뭐든 빌려줄 테니, 꼭 병을 고쳐야 하네. 지인에게 빌린 돈이야 병이 완쾌된 다음에 조금씩 갚으면 되니 그렇게 끙끙대며 걱정할 것 없어. 다 떨어지면 또 빌리러 오게. 멍청한 녀석이군.' 하고 크게 질책하시고는 묵직한 돈을 주셨습니다.

사제 간에 무참함의 흔적 전혀 없음. 무참한 것은 오히려, 스승에게 버림받고 울타리를 잃은 박꽃.

太宰治

1937년(쇼와 12년), 28세

7월 7일 발생한 노구교사건(북경 남서쪽 교외에 있는 소도시 노구교에서 중일 양국의 군대가 충돌한 사건)이 전면전으로 번졌다. 일본이 이 사건을 빌미로 북경 · 천진에 대해 총공격을 개시함으로써 중일전쟁이 시작된다. 한편, 다자이는 이해에 매우 충격적인 일을 겪는다. 부인 오야마 하쓰요(小山初代)의 간통 사실을 알게 된 것이다. 극도로 분노한 다자이는, 3월 다니가와다케산에 위치한 미나카미 온천에서 하쓰요와 칼모틴(수면제·최면제의 일종)을 먹고 동반자살을 시도하나 미수에 그치고, 결혼 생활은 파경을 맞는다. 이해 다자이가 발표한 소설로는 「이십세기 기수」(1월), 「한심한 사람들」(3월), 「HUMAN LOST」(4월), 「등롱」(10월)이 있으나, 「이십세기 기수」와 「HUMAN LOST」는 전년에 집필한 작품으로, 이해에는 거의 글을 쓰지 않았다. 글을 쓸 의욕마저 모조리 상실한 다자이는 싸구려 하숙집을 전전하며 퇴폐한 생활을 이어나간다.

그러나 겨울 무렵부터 다시 마음을 다잡고자 노력하기 시작하는데, 당시 다자이가 지인들에게 보낸 편지에서 다자이의 그러한 의지를 엿볼 수 있다.

“내년이 되면 저도 신변을 정리하고, 청결한 생활을 하며 정진해나갈 생각입니다.” (12월 21일, 나라사키 쓰토무(楢崎勤)에게 보낸 편지 중에서)

“내년부터는 조금씩 신변을 정리해나갈 생각입니다. 이대로 지내면 행려병자가 될 뿐입니다.” (동월 동일, 오자키 가즈오(尾崎一雄)에게 보낸 편지 중에서)

소리에 대하여 音に就いて

글자를 읽으면서 그 글자가 표현하는 음향이 귓전에 들러붙어 계속 떠나지 않은 적이 있을 것이다. 고등학교 시절에 다음과 같은 것을 배웠다. 맥베스인지 아니면 다른 연극인지, 조사해보면 금방 알겠지만 지금은 마음이 내키지 않으니, 일단 셰익스피어의 희곡 중 하나였다는 정도만 말해두겠다. 그 연극에 나오는 살해 장면, 침실에서 몰래 목을 조른 뒤, 남주인공도 우리도 순간 휴 하고 무거운 한숨. 이마에 난 땀을 닦으려고 경직된 손가락을 꿈틀대는 순간, 똑, 똑, 방 밖에서 누군가 문을 두드린다. 남주인공은 겁에 질린 나머지 그 자리에서 펄쩍 뛰어올랐다. 노크는 무심하게 계속된다. 똑, 똑, 똑. 남주인공이 그 자리에서 미쳐버렸는지 어쨌는지, 그다음 줄거리는 잊어버렸다.

<기름지옥>[1]에도 요헤에인가 하는 젊은 남자 불량배가 어쩌다가 그만 여자 하나를 잔혹하게 죽이고는 망연자실한 상태로 그 자리에서 있는 장면이 나오는데, 계절은 때마침 5월, 마을은 단오절을 맞아, 그 집 처마 끝 노보리[2]가 펄럭펄럭, 펄럭펄럭, 강풍에 나부끼는 소리가

1_ 油地獄. 지카마쓰 몬자에몬近松門左衛門의 닌교조루리(에도시대에 발생해 오늘날까지 약 300년간 전승되고 있는 전통 인형극)로, 1721년에 초연되었다.

2_ 매년 5월, 남자 어린이들의 건강과 출세를 기원하기 위해 장대에 매다는 잉어 모양의 헝겊.

들려오자, 외롭고 쓸쓸하여 요헤에가 가엾기 그지없었다. 『호색오인녀』[3] 속에도, 오시치가 결심을 굳히고 늦은 밤에 몰래 기치사가 있는 곳으로 찾아가는데, 갑자기 딸랑딸랑 방울 소리, 그 순간 어린 중이 아니, 아가씨 이 늦은 시간에, 하고 외치자 오시치가 두 손 모아 어린 중에게 애원하는 장면이 있었던 것으로 기억한다. 그 예상치 못한 방울 소리에는 분명 읽는 사람 모두가 깜짝 놀랐을 것이다.

아직 번역되지 않은 듯한데, 프로페서라는 소설이 있다. 작가는 여성, 어느 문고에서 다른 장편소설이 출판되어 일본에 그 이름이 소개되었는데, 작가의 이름도 장편소설의 제목도 그 문고의 이름도 지금 당장은 기억나지 않는다. 이것도 물론 찾아보면 알 수 있겠지만, 지금은 그럴 필요를 느끼지 못한다. 프로페서라는 소설은 어느 시골 여학교에서 일어난 일을 쓴 것이다. 방과 후 사람 하나 없이 텅 빈 교사, 해 질 무렵의 어슴푸레한 음악 교실에서 남교사와 슬프도록 아름다운 여주인공이 단둘이 소곤소곤 세상 돌아가는 얘기를 나누는데, 가을바람이 텅 빈 복도를 스르륵 쓸고 지나가고, 어딘가 먼 곳에 있는 문이 쾅 소리를 낸다. 이윽고 주위가 고요해지면 독자는 문득 이 세상을 살아간다는 것의 외로움에 몸서리를 치게 된다는 그런 구성이다.

같은 문소리라도 전혀 다른 효과를 내는 경우가 있다. 이것도 작가 이름은 잊었다. 영국의 블루스타킹[4]이라는 것만은 확실하다. 랜턴이라는 제목의 단편소설이다. 문장이 상당히 어려워서 끝까지 읽지 못했다.

• •

3_ 好色五人女. 이하라 사이카쿠井原西鶴의 대표적인 우키요조시(교토와 오사카를 본거지로 하는 풍속 소설류의 통칭). 총 다섯 가지 이야기로 구성되어 있으며, 모두 당시 세간에 널리 알려져 있던 실제 사건을 바탕으로 한 것이다.

4_ 18세기 영국 사교계에서 문학을 좋아하는 여성이나 여성 문학가를 자처하는 여성들을 얕잡아 이르던 말.

온 마음을 다해 써 내려간 문장일 것이다. 빈민가의 낡은 아파트, 누런 흙먼지로 뒤덮인 대낮, 아이들의 소란스러움, 양동이 안의 물도 금방 미지근해지는 폭염, 그 아파트에서 가여운 여주인공이 극심한 초조함에 정신이 나간 채 괴로워하며 몸부림치고 있다. 옆방에는 회전이 너무 빠른 싸구려 축음기가 새된 쇳소리를 내며 삐걱거리고 있다. 나는 거기까지 읽고 숨이 끊어질 것만 같았다.

여주인공은 비틀거리며 일어나 창살 문을 연다. 후끈 쏟아지는 강렬한 햇살, 우르르 밀려드는 흙먼지. 세차게 부는 북풍이 쾅 하고 입구 문을 열어젖힌다. 계속해서 가까이에 있는 문이 쾅쾅, 쾅쾅, 열 번, 스무 번 끝도 없이 여닫힌다. 나는 더러운 걸레가 얼굴을 거꾸로 쓸고 지나간 듯한 느낌이 들었다. 모두 잠들어 조용해지고 난 후, 서른 살 정도 되는 여주인공이 랜턴을 들고 낡아 빠진 복도 바닥 위를 쿵쾅쿵쾅 걸어 다니는데, 당장이라도 또 어딘가의 문이 콰앙 하고 터무니없을 만큼 큰 소리를 내며 닫히는 건 아닌가 싶어 마음을 졸이며 읽어야 했다.

율리시스에도 여러 가지 소리가 가득 담겨 있었던 것으로 기억한다.

소리를 효과적으로 적용시킨 예는 시정市井문학, 즉 서민문학에서 많이 찾아볼 수 있는 듯하다. 본디 상스러운 것임이 분명하다. 그렇기 때문에 오히려 더 부끄럽고 슬픈 것이리라. 성서나 겐지 이야기 속에 소리는 없다. 완벽한 침묵이다.

단 군의 근업에 대하여壇君の近業について

단 군[5]이 하는 작업의 성격을 사람들은 그다지 이해하지 못한다. 희미하게나마 대충 알아채게 돼도, 사람들은 무언가 이유를 내세워 신중을 기하면서 결단 내리기를 쓸데없이 주저하고, 웃음으로 얼버무리면서 확언을 피하려고 한다. 이런 식이면 단 군도 견디기 힘들 것이다.

단 군의 작업이 출중한 이유는 아주 명료하다. 과거와 미래 사이의 인과의 실을 끊고, 순수하게 찰나의 사랑과 아름다움만을 빈틈없이 정확하게 붙들고자 하는 전대미문의 아수라장이다.

단 군의 작업이 지닌 강인함과 성실함에 대해, 곧 사람들은 통쾌할 정도로 정확히 이해하게 될 것이다. 그 참된 영광의 순간까지는, 자네도 죽으면 안 돼.

단 군의 작업은 지금 모습만으로도 이미 당당한 것이다. 구태여 앞날에 대해 묻지 않는다.

5_ 단 가즈오壇一雄(1912~1976). 소설가. 이 책의 71쪽 각주 50 참조.

사안의 패배思案の敗北

진실은 저세상에서 말하라는 말이 있다. 참된 사랑의 실증은 이 세상 사람 사이에서는 끝내 찾을 수 없을지도 모른다. 사람이 사람을 사랑하는 일 따위 절대 불가능하지 않은가? 신만이 제대로 사랑할 수 있다. 정말일까?

다 알고 있어. 자네의 외로움, 다 잘 알고 있어. 이것도 나의 거만함에서 비롯된 것인가? 아무 말도 할 수 없다.

나카타니 다카오 씨의 『하루노에마키』 출판기념회 연회 석상에서 이부세 씨가 낮은 목소리로 축사를 했다. '성실한 작가가 성실한 작가로 인정받는 것은 매우 대단한 일로……' 말끝이 떨리고 있었다.

가끔 조금씩 쓰는 글이니, 충분히 생각하고 또 생각한 후에 써야만 한다. 난센스.

칸트는 내게 생각하는 일의 난센스에 대해 가르쳐주었다. 말하자면, 순수 난센스를.

방금 불현듯 댄디즘이라는 말을 떠올리고는, 이 말의 어원이 단테가 아닐까 하는 생각이 들어 조금 두근거리는 마음으로 책상 위 사전을 뒤져봤는데, 내 초라한 영일사전은 아무것도 가르쳐주지 않았다. 아아, 단테의 강인함을 가지고 싶다. 아니, 가져야만 한다. 자네도, 나도.

단테는 지옥의 여러 골짜기에 있는 셀 수 없이 많은 망자들을, 보고도 그냥 지나쳤다.

사람은 사람을 구원할 수 없다. 정말일까?

뭘 쓸까. 이런 말은 어떨까. '사랑은 이 세상에 존재한다. 분명 존재한다. 찾을 수 없는 것은 사랑의 표현이다. 그 작법이다.'

X광선은 울며불며 말했습니다. '제게는 당신의 위나 뼈대만 보이고, 당신의 새하얀 피부가 보이지 않아요. 저는 슬픈 장님입니다.'라느니 하는 건 독자에게 주는 서비스. 작가는 무척이나 바쁘다.

루소의 참회록이 주는 불쾌함은, 그 참회록의 상대가(누구인지 전에 썼던가?) 신이 아닌 이웃 사람이라는 점에 기인한다. 세간이 그 상대이다. 오거스틴의 그것과 견주어 생각하면, 루소의 추잡함은 한층 명료해진다. 그러나 인간이 행할 수 있는 가장 순결한 참회의 형식이 겟세마네 동산에서 예수가 말없이 무릎을 꿇고 배례하는 모습이라고 한다면, 오거스틴의 참회록 역시 속된 느낌으로 가득 찬 것이 되고 말리라. 전부 틀려먹었다. 여기에 말의 운명이 존재한다.

안심해도 좋다. 루소와 오거스틴 모두 따뜻한 사람들이다. 사람이 할 수 있는 최대한의 일을 해냈다.

나는 지금 얼버무리려 하고 있다. 왜 루소의 참회록이 오거스틴의 그것보다 세상 사람들에게 더 널리 읽히는가, 또 그렇게 읽히는 게 어째서 당연한 일인가.

대답하기를, 어차피 모두가 아는 사실을 말하는 건 바보 같은 짓이야. 진짜라고, 자네.

숙제 하나. '사소설과 참회.'

이렇게 쓰면서, 나는 이상한 느낌이 들어 견딜 수가 없었다. 채소가게 어린 점원이 방금 전 큰 도련님에게 들어 어설프게 기억하고 있는 새로운 지식을, 점잖은 체 팔짱을 끼고 단골인 전골 가게 종업원에게 진지하게 들려주는 장면이 눈앞에 떠오르는 것이다. 그러나 하고 또다시 생각한다. 그 장면, 제법 좋지 않은가?

아무래도 있잖아. 한 번 웃기 시작하면 쉽게 진지한 얼굴로 돌아갈 수가 없는 모양이야. 말하자면, 손바닥 두 개를 나란히 붙이고 물 한 움큼을 담았는데, 그 손바닥 속 작은 연못에서 수많은 올챙이들이 첨벙첨벙 헤엄쳐서 너무 간지러운 나머지 그 자리에 우뚝 선 채로 그 감촉에 당황스러워하고 있는 그런 꼴이다.

지금까지 쓴 것을 다시 읽어보려고 하다가 그건 관뒀다(더 이상 웃고 있지는 않다). 내 지인 하나가 네댓새 전에 갑자기 죽었는데, 그 일에 대해 아주 조금만 써보겠다. 나는 그 지인을 소중히, 무척 소중히 여겼었다. 자신 있게 말하기는 힘들지만, '바람 한 점 닿지 않도록' 돌보며 길러왔다. 그랬는데, 내게 한마디 말도 남기지 않고 급사한 것이다. 나는 부끄럽다. 내 애정이 부족했던 것이 부끄럽다. 스스로의 사랑에 대해 자만했던 것이 부끄럽다. 그 지인은 부모님에게조차 아무 말도 하지 않았다. 나부터가 이렇게 부끄러운데, 그 부모님의 부끄러움과 괴로움은 이루 말로 다 할 수 없으리라.

권위를 가지고 명한다. 죽을 것처럼 괴로울 때는 네 어머니에게 말하라. 열 번 말하라. 천 번 말하라.

천 번을 말했는데도 어머니가 바위처럼 꿈쩍도 안 한다면—멍청하긴. 그런 일은 있을 수 없어. 왜 그렇게 허세를 부리는 거지? 부모 자식은 사이좋게 지내야 하는 거야. 당연한 얘기잖아. 인력의 한계를 알도록. 스스로가 가진 힘의 한계에 대해 말하도록.

나는 지금 자네를 조금 기만하고 있다. 다름이 아니라, 자네가 죽길 바라지 않기 때문이다. 자네, 부탁하네, 죽으면 안 돼. 스스로 칭하기를, 맹목적 애정. 자네가 죽으면, 언제까지고 내 옆에 자네의 빈자리가 있을 거네. 자네가 생전에 앉았던 모양 그대로 부드럽게 패어 있을 쿠션이, 언제까지고 내 옆에 남겠지. 비어 있는 이 차가운 의자는, 영원히 자네의 의자로, 빈자리인 채로 존재할 것이네. 신 역시 이 빈자리를 채워주지는 못해. 아아, 나의 애정은, 나의 맹목적이고 하찮은 애정은, 어찌 된 일인지 아집의 형태와 꼭 닮았다.

길을 걸으면, 말하기를, '마음이 끌리지 않을 수 없다.' 모두의 상냥함, 모두의 괴로움, 모두의 쓸쓸함이 다 느껴져서, 내 사전에는 '타인'이라는 글자는 없는 상태. 누구든지 좋다. 당신과 함께라면 언제든 죽을 수 있습니다. 아아, 이 한심한 연정의 범람. 도대체 나는 누구인가. '센티멘털리스트.' 이상할 것도 없다.

올봄에 아내와 헤어지고 난 후, 나는 한 번 사랑에 빠졌다. 상대 여자가 나를 거부하며 말하기를, '당신은 저 혼자 차지하기에는 너무 좋은 사람이에요.' 나는 서둘러 실연의 노래를 썼다. 앞으로 여자는 만나지 말자는 생각을 했다.

아무것도 없다. 잃을 만한 것이 아무것도 없다. 진정한 출발은 여기서부터? (쓴웃음)

웃음. 이것은 강하다. 문화의 끝에 피어난 불꽃이다. 이지理智, 사색, 수학, 이 모든 교양의 절정은 어차피 포복절도 큰 웃음으로 끝난다고 하면, 아아, 교양은—하면서 또 그것에 집착하기 때문에 큰 웃음거리가 되는 것이다.

속세에 가장 신경을 많이 쓰는 사람은 예술가다.

약속한 분량을 다 채웠으므로 펜을 놓고 배 껍질을 깎으면서 언짢은 얼굴로 생각하기를, '이래서야 답이 없다.'

창작 여담創作余談

편집자가 창작 여담의 느낌이 나는 그런 글을 써달라는 편지를 보내왔다. 조금 멋쩍어하는 듯한 말투였다. 그런 말을 들으면 작가는 더 멋쩍어진다. 이 작가는 아직 거의 무명인 데다 창작여담 비슷한 것은 고사하고 창작 그 자체도 못 하고 있는 형편인지라, 좇아가고, 궁리하고, 등을 돌리고, 더러는 다시 일어나서 독서하고, 금세 격분하여 거리를 방황하다가, 거닐면서 시 한 편을 읊는, 그런 터무니없는 어리광쟁이 문학서생이다. 그래서 창작 여담, 아 그렇군요, 하고 선생다운 느낌이 나는 고심담을 그럴싸하게 써 내려가는 재주를 흉내 내지는 못한다.

쓸 수 있을 것 같기도 하지만, 나는 일부러 쓸 수 없다고 말한다. 억지로라도 그렇게 말한다. 문단 상식을 깨부숴야 한다고 굳건히 믿기 때문이다. 상식은 좋은 것이다. 따르지 않으면 안 된다. 그러나 상식은 십 년 단위로 비약한다. 나는 세상의 모든 현상을 파악하는 데 있어서는 헤겔 선생을 지지한다.

사실은 마르크스와 엥겔스 이 두 선생님을, 이라고 말하고 싶기도 하고, 아니 레닌 선생을, 이라고 말하고 싶기도 하지만, 이 작가는 원래 언행일치에 이상할 정도로 집착하는 남자로, 아니 그렇게 말할 수도 없고, 이 작가는 원래 비참함을 사랑하는 호사가로 안심입명[6]의 경지를 목격하고, 모든 것을 붕괴의 전제로 여기고, 아아, 그다음 말은 여러분 중 분별력 있는 자가 이어서 하도록.

이렇듯 작가는 게으름뱅이다. 약삭빠르다. 이러지도 저러지도 못하는 경지에 이른 듯하다. 얄미운가?

얄미울 건 없겠지. 나는 지금 이 세상에 가장 적합한 표현으로 여러분에게 말을 걸고 있을 뿐이다. 나는 지금의 이 표현을 사랑한다. 농담이 진짜가 되는 현실을.

알아들었나? 불쾌한가?

자네는 스스로가 불쾌한 존재라는 사실을 깨달아야만 한다. 자네는 무력해.

비난은 자신의 약함에서. 따뜻한 위로는 자신의 강함에서. 부끄러운 줄 알라고.

자기변명이 아닌 글을 읽고 싶다.

작가라는 이들은 허세 부리기를 좋아해서, 자신이 남몰래 고심해서 쓴 작품도 고심하지 않은 척하며 과시하고 싶어 한다.

나는 내 최초 단편집 『만년』의 241페이지를 단 삼 일 밤 만에 다 써냈다, 라고 말하면 여러분은 어떤 얼굴을 할까. 또 그걸 쓰는 데 십 년이 걸렸습니다, 라고 눈을 내리깔고 점잖게 말하면 여러분은 어떤 얼굴을 할까. 그 부분에 대한 태도를 확실히 해주었으면 한다. 천재의 기적인지, 아니면 견마지로인지.

공교롭게도 내 경우에는 견마지로고 뭐고, 흥을 깨는 말이라 죄송하지만, 인분人糞지로로 땀을 뻘뻘 흘려가며 겨우 완성한 200페이지였다.

6_ 安心立命. 그 어떤 것에 의해서도 흐트러지지 않는, 완벽한 편안함에 이른 상태.

그것도 결코 혼자만의 힘이었다고는 말하지 않겠다. 지혜로운 선현 수십 명의 가르침을 받아 거의 이로하[7]부터 새로 배우고, 와들와들 떨어가며 겨우 한 권을 완성한 것이다.

재미있는가?

농담이 너무 지나쳤던 것 같다. 나는 지금 책상 앞에 똑바로 앉아 소위 무서운 얼굴을 하고 이 글을 쓰고 있다. 이 글에 착수하기 위해, 나는 삼일 밤을 숙고했다. 세간의 상식에 대해 생각했다. 우리는 완전히 새로운 시대의 작가이다. 그것을 믿어야 한다. 그렇게 되기 위해 노력해야만 한다. 진심이 어느 정도는 여러분에게도 전해졌으리라고 생각한다.

나는 요즘 알렉상드르 뒤마의 작품을 읽고 있다.

7_ 47자의 '가나[かな]'를 이르는 말로, 한글의 '가나다'에 해당한다.

太宰治

1938년쇼와 13년, 29세

전년도 말부터 퇴폐한 일상에서 벗어나 새 삶을 살고자 하는 의지를 불태운 다자이지만, 실행에 옮기는 것은 쉽지 않았다. 다자이의 이른바 공백기, 침묵기는 「만원」을 발표한 9월까지 이어졌다.

이부세 마스지의 권유로, 다자이는 9월에 지내던 하숙집을 정리하고 야마나시현 미사카 고개에 위치한 천하찻집으로 거처를 옮긴다. 8월부터 그곳에 머물고 있던 이부세 마스지는 다자이가 글을 쓰게 만들기 위해, 그리고 이시하라 미치코石原美知子를 소개하기 위해 다자이를 부른 것이었다. 다자이는 결혼 성사를 위한 보증인이 되어줄 것을 이부세 마스지에게 요청했고, 이부세는 그것을 허락하는 대신 '앞으로 그 어떤 일이 있어도 파혼은 하지 않겠다는 서약서'를 한 장 쓸 것을 요구한다. 다자이는 서약서에 다음과 같이 쓰고 실명 날인까지 남겼다.

❝저는 저 자신을 가정적인 남자라고 생각합니다. 좋은 의미든 나쁜 의미든, 저는 더 이상의 방랑을 견딜 수가 없습니다. (중략) 결혼과 가정은 노력이라고 생각합니다. 엄숙한 노력이라고 믿습니다. (중략) 제가 다시 파혼을 반복하게 된다면, 그때는 저를 완벽한 미치광이라 여기시고, 버려주십시오.❞

그 후, 천하찻집의 혹독한 추위를 견디지 못한 다자이는 고후시의 하숙집으로 거처를 옮겼다. 약혼자 이시하라 미치코의 어머니가 구해 준 집이었다. 다자이는 하숙집에서 십오 분 거리에 있는 약혼자의 집에 거의 매일같이 찾아가 술을 마시며, 기분 좋게 자신의 포부에 대해 말하곤 했다. 다자이가 막 안정기에 접어들기 시작한 때였다.

『만년』에 대하여「晩年」に就いて

『만년』은 저의 첫 소설집입니다. 이것이 제 하나뿐인 유작이 되리라고 생각해서 제목도 『만년』이라고 지었습니다.

읽어보면 재미있는 소설도 두어 편 있으니 한가할 때 읽어봐 주세요.

제 소설을 읽는다고 해서 당신의 생활이 편해지는 건 절대 아닙니다. 전혀 좋아지지 않습니다. 아무런 도움도 안 됩니다. 그래서 자신 있게 추천해드리지는 못합니다.

「추억」 같은 작품은 읽어보면 재미있지 않을까 싶습니다. 분명 당신은 크게 웃을 것입니다. 그걸로 충분합니다. 「로마네스크」 같은 작품도 우스꽝스러운 엉터리로 가득 차 있기는 하지만, 이건 조금 거칠어서 별로 추천은 하고 싶지 않군요.

다음에 그저 아무 의미 없이 재미있는 장편소설을 하나 써드리겠습니다. 요즘 소설들은 다 재미가 없지요?

다정하고, 슬프고, 우습고, 품위 있는 것 외에 또 뭐가 필요할까요.

저기요, 읽어서 재미가 없는 소설은 말이죠, 그건 형편없는 소설이에요. 무서워할 것 없어요. 재미없는 소설은 단호하게 거부하는 게 좋습니다.

하나같이 다 재미라곤 없으니. 재밌게 하려고 애쓰지만 재미고 뭐고 전혀 느껴지지 않는 소설을 읽으면, 당신, 왠지 죽고 싶어지지 않나요?

이런 말투가 얼마나 불쾌하게 들릴지 저도 잘 알고 있습니다. 그야말로 사람을 업신여기는 말투인지도 모르지요.

그렇지만 저는 스스로의 감각을 속이지 못합니다. 시시한 것입니다. 새삼스럽게 당신에게 아무것도 말하고 싶지 않은 겁니다.

격정이 극에 달하면 사람은 어떤 표정을 지을까요? 무표정. 저는 미소 짓는 가면이 되었습니다. 아니, 잔인한 수리부엉이가 되었습니다. 무서운 것 따위 없어요. 저도 겨우 세상을 알게 된 것뿐입니다.

『만년』을 읽으시겠습니까? 아름다움은 남이 정해준 대로 느끼는 게 아니라, 혼자서, 자기 혼자 불현듯 발견하는 것입니다. 당신이 『만년』 속에서 아름다움을 발견할 수 있을지 어떨지, 그것은 당신의 자유입니다. 독자의 황금권입니다. 그래서 별로 추천하고 싶지 않은 것입니다. 이해하지 못하는 녀석은 아무리 두들겨 패줘도 절대 모를 테니까요.

그럼 이만 실례하겠습니다. 저는 지금 무척 재미있는 소설을 쓰는 중이어서 거의 반쯤은 건성으로 이야기했습니다. 양해 부탁드립니다.

하루의 노고一日の労苦

1월 22일

하루하루의 고백이라는 제목을 붙일 생각이었는데, 문득 하루의 노고는 그날로 족하니라[1], 하는 말이 떠올라서 그대로 하루의 노고라고 썼다.

평범한 생활을 하고 있다. 특별히 말하고 싶은 일도 없다.

무대 없는 배우는 존재하지 않는다. 그건 우스꽝스럽다.

요즘 점점 내 고뇌에 대해 자부심을 가지게 되었다. 자조할 수만은 없는 무언가를 느끼기 시작했다. 난생처음 있는 일이다. 스스로의 재능에 대해 명확하고 객관적인 판단을 할 수 있게 되었다. 스스로의 지식을 너무 함부로 여겼다는 것을 깨달았다. 이런 남자를 계속 뒹굴거리게 두는 건 아까운 일이라고 진지하게 생각하기 시작했다. 난생처음으로 자애라는 말의 진의를 알게 되었다. 에고이즘은 흔적도 없이 사라졌다.

상냥함만 남았다. 이 상냥함은 예사로운 것이 아니다. 우직함만 남았다. 이것도 예사로운 것이 아니다. 이런 말을 하고 있는 이 어수룩함, 이것 역시 예사롭지 않다.

1_ 마태복음 6장 34절.

그 예사롭지 않은 남자가 자, 하고 일어서서는 아무것도 하지 않는다. 해야 할 일이 아무것도 없다. 실마리 하나 없다. 쓴웃음만 나온다.

발표를 포기하고 글을 쓴다는 것은 작가가 좋은 사람이라는 뜻이 아니다. 이건 악마 이상이다. 아주 무시무시한 일이다.

시시한 말만 늘어놓는다. 방문객이 질려서 돌아갈 채비를 시작한다. 딱히 붙잡지는 않는다. 고독에 대한 각오도 되어 있을 터다.

더욱 극심한 고독이 찾아올 것이다. 어쩔 수 없다. 전부터 계획하던 장편소설에 슬슬 착수한다.

추잡한 남자다. 이 추잡함을 겁내서는 안 된다. 나는 스스로의 꼴사나움에 꽃을 피울 수 있다. 일찍이 배제와 반항은 작가 수행의 첫걸음이었다. 엄격한 결벽을 감사히 여겼다. 완성과 질서를 동경했다. 그리하여 예술은 시들고 말았다. 심벌리즘은 시들어 죽기 직전에 핀 아름다운 꽃이었다. 멍청이들은 이 신붕[2] 아래에서 순사했다. 나 역시 뒤늦게 이 신붕 아래에서 동사했다. 죽었다고 생각했지만, 목숨 줄 질긴 이 북방 시골뜨기는 무언가 중얼대며 부스스 다시 일어났다. 큰 웃음거리가 되었다. 시골뜨기는 부끄러웠다.

시골뜨기는 무척 난처했다. 당황해서 잠시 죽은 척도 해보았지만, 모두 실패했다.

시골뜨기는 괴로웠다. 누구에게도 말할 수 없는 괴로움이었다. 번민이여, 고맙구나.

나는 내가 젊다는 사실을 깨달았다. 그것을 깨달았을 때, 나는 혼자 눈물을 흘리며 크게 웃었다.

2_ 神棚. 집 안에 신위神位를 모셔 두고 제사를 지내는 선반.

배제 대신 친화가, 반성 대신 자기 긍정이, 절망 대신 혁명이. 모든 것이 휙 급회전했다. 나는 단순한 남자다.

낭만적 완성 혹은 낭만적 질서라는 개념은 우리를 구원한다. 불쾌한 것, 싫은 것을 정성껏 정리해 하나하나 배제하려고 애쓰는 사이에 날이 저물고 말았다. 그리스를 동경하면 안 된다. 이건 이제 두 번 다시 이 세상에 오지 않는다. 포기해야 한다. 버려야만 한다. 아아, 고전적 완성, 고전적 질서, 나는 너에게 죽을 만큼 괴로운 애착을 담아 경례한다. 그리고 말한다. 안녕히.

옛날 고사기시대에는, 작가는 모두 작중 인물이기도 했다. 거기에 그 어떤 구애도 받지 않았다. 일기는 그대로 소설이었고, 평론이었고, 시였다.

로맨스의 홍수 속에서 자란 우리는 그냥 그대로 나아가면 된다. 하루의 노고는 그대로 하루의 수확이다. '근심하지 말라. 공중의 새를 보라. 심지도 않고 거두지도 않고 창고에 모아들이지도 아니하느니라.'[3]

뼛속까지 소설적이다. 이것에 난처해하면 안 된다. 특징 없는 성격, 좋다. 비굴함, 훌륭하다. 여성적, 그런가? 복수심, 좋다. 경박한 사람, 이 또한 좋다. 나태함, 좋다. 연인, 좋다. 괴물, 좋다. 고전적 질서에 대한 동경이든 결별이든, 그 모든 것을 받아들여 한데 묶어 짊어지고 그대로 걷겠다. 여기에 성장이 있다. 여기에 발전의 길이 있다. 칭하기를, 낭만적 완성, 낭만적 질서. 이건 아주 새로운 것이다. 쇠사슬에 묶인다면 묶인 채로 걷겠다. 십자가에 매달린다면 매달린 채로 걷겠다. 감옥에 갇힌다면, 감옥을 부수지 않고 갇힌 채로 걷겠다. 웃을 일이 아니다.

3_ 마태복음 6장 26절.

우리는 이것 말고는 살아갈 방도가 없다. 지금은 그렇게 웃어도, 언젠가 자네는 수긍할 것이다. 남은 것은 패배의 노예냐, 사멸이냐, 둘 중 하나다.

말하는 것을 잊었다. 이것은 관념이다. 각오다. 일상생활은 아주 총명하고 신중하게 행해야 한다.

자네가 내 말을 잘 들어주는 바람에 무심코 중요한 사실을 발설하고 말았다. 이래서는 안 된다. 조금 불쾌하다.

자네에게 묻겠는데, 심벌이 아니면 아무 말도 할 수 없는 인간이 가진 애정의 섬세함을 자네는 아는가?

정말 불쾌하다. 자네를 조금이라도 이해시켜 보려고 애쓴 내 초조함을 깨닫고 이렇게 기분이 상했다. 내 고독의 파탄이 불쾌한 것이다. 이렇게 되니, 내가 한 말이지만 낭만적 질서라는 것도 아주 의심스럽다. 순간 소리가 들리니, 그 의심스러움까지 통틀어서 낭만적 완성이라 한다.

나는 딜레탕트다. 호기심 많은 사람이다. 생활이 작품이다. 횡설수설하고 있다. 내가 쓴 작품은, 그것이 어떤 형식이든 분명 내 존재 전부에 솔직한 것이었으리라. 이 안도감은 대단한 것이다. 갑자기 태도를 싹 바꾼 꼴이 됐다. 스스로도 어이가 없다. 도무지 손쓸 도리가 없다.

자네를 한 번 웃겨주지. 이건 비밀인데, 아무래도 요즘 나는 살이 너무 많이 찐 것 같아.

너무 커지고 말았다. 덩치가 너무 커져서 내심 난처해하고 있다. 대기만성형인지도 모른다. 어느 친구로부터 '동상 연기원문 윗주: statue play'라는 찬사를 받았다. 알맞은 무대가 없다. 무대를 밟아 부숴버리고 만다. 야외극장은 어떨까?

배우로 치자면 히코사부로[4]라느니 어쩌니 하면서 방문객을 실컷 웃기고, 그러고는 다시 조용히 중얼거리기를, '사탄은 혼자 흐느껴 운다.'

이 남자, 보통이 아니다.

작가는 로맨스를 써야 하는 법이다.

• •

4_ 반도 히코사부로坂東彦三郎. 저명한 가부키 배우 가문의 가호家戶. 에도시대 중기의 초대부터 8대 반도 히코사부로(1943~)까지 이어지고 있다.

메두사 철학多頭蛇哲学

사태가 매우 복잡해졌다. 게슈탈트 심리학이 나오고, 전체주의라는 슬로건이 생겨나고, 새로운 세계관이 슬슬 그 등장을 위한 몸단장을 시작했다.

오래된 노트만으로는 뒤처지게 되었다. 문화 가이드들은 다시 도서관에 다녀야 한다. 성실하게.

전체주의 철학의 인식론에서 금세 부딪히게 되는 난관은, 그 인식 확증의 양식일 것이다. 무엇으로 나타낼 것인가. 언어인가? 팡세사고 · 사상는 영원히 언어에 의지할 수밖에 없는 것일까. 소리는 어떨까? 악센트는 어떨까? 색채는 어떨까? 모양은 어떨까? 몸짓은 어떨까? 얼굴 표정으로는 불가능할까? 눈의 움직임에만 의지하는 방법은 어떨까? 채용 가능한 다른 요소는 없는가. 조사해주게.

불가능한가? 하나하나 꼼꼼히 조사했나? 아니, 그 연구 발표를 지금 여기서 일일이 할 필요는 없네. 어차피 분명 대단한 논문이겠지. 그래서 역시 말이 아니면 안 되는 것인가. 소리로는 불가능한가? 악센트로는 불가능한가? 색채로는 불가능한가? 모두 다 불가능한 것인가. 말에 의지하는 것 외에, 전체 인식의 확증을 나타낼 수 있는 방법은 없는 것인가. 말 외에 다른 것이 없다면, 이 전체주의 철학은 그 인식론 때문에 무척 애를 먹게 될 것이다. 일단 먼저 전체주의 그 자체를 어떤 형식으로 설명하는 게 최선일 것인가. 역시 종전의 사상체계 설명처럼, 번거로움을 감수하고 조목조목 일일이 설명해야 하나? 그렇다면 모처럼의 게슈탈트도 다 쓸모없어질 것이다. 의외로 이런 부분에 전체주의의 곤혹스러운 점이 존재하지 않을까.

자, 뭐라고 말하면 좋을까. 모르겠는가? 그건데 말이야. 그거라고. 모르겠어? 뭐라고 말하면 좋을까, 내게도 조금, 하면서 혼자 난처해하는 모습을 보면 듣는 사람도 어지간히 답답할 것이다. 고노에 공[5]이 의회에서 일본주의라는 건 무엇입니까? 라는 질문을 받고, 글쎄요, 그건 한마디로 딱 이거라고 설명하기는, 아무래도, 그…… 하면서 곤란해했다고 하는데, 충분히 있을 법한 이야기라고 생각했다.

상징으로 가. 상징으로.

그렇게 되면 재밌을 것이다.

"일본주의라는 건 무엇입니까?"

"감柿입니다." 이 감에는 의미가 없다.

"감이라니. 그거 놀랍군요. 적어도 창문 정도는 되면 좋겠는데요."

설마하니 이런 바보 같은 문답이 오가는 일은 없겠지만, 적어도 이 경우의 감이나 창문은 이러이러하기 때문에 이것이다, 하는 이른바 이단 논법적인 억지 이유 붙이기는 아니다. 비꼬기나 풍자가 아닌 것이다. 그런 추잡한 숨은 의미 따위는 털끝만큼도 없다. 감은 크기가 이만하고, 색은 이렇고, 거기다 가을에 열매를 맺으므로 이러이러한 의미라느니 하는 것은, 아아, 죽도록 추잡스럽다. 상징과 비유를 제대로 구분하지

5_ 고노에 후미마로近衛文麿(1891~1945). 1920~40년대에 활동한 정치가. 제34·38·39대 내각총리대신을 역임했으며, 패전 후 A급 전범 혐의로 형무소 출두를 명령받자 음독자살했다.

조차 못하는 사람이 간혹 있기 때문에 설명하기가 정말 힘들다.

이 인식론은 틀림없이 많은 시인들을 기쁘게 할 것이다. 일단은 번거롭지 않다. 이성이나 지성의 순수성은 이미 다 잃고, 그저 해파리처럼 자신의 피부 감촉만을 믿고 살아가는 인간들에게는 상당히 고마운 인식론이다. 연구회라도 하나 만들어볼까. 저도 들어가겠습니다.

자신만의 또렷한 세계관 없이도 살 수 있는 사람은 논외다. 반대로, 자신의 철학적 사상체계를 명확히 마음속에 지니지 않고서는 그 어떤 행동도 할 수 없는 부류의 인간도 많을 것이다. 안티테제의 성립이, 그 성립의 앞날이 몹시 복잡하고 애매해져서, 자기가 전부터 숨기고 있던 유물론적 변증법의 날카로움도 왠지 못 미더워져 어쩔 줄 몰라 하고 있는 지식인 한 무리를 위해서라도, 전체주의 철학은 그 세계관과 인식론을 주저 없이 활발하게 전개해나가야 한다. 미완성이라고 생각한다. 그만큼 노력한 보람이 있을 것이다.

일본에는 독립된 철학으로 체계화된 사상이 적다. 이로하가루타[6]나 센류[7], 논어 등에 드러나 있는 일상 윤리의 계율만으로는 살아나가기가 무척 힘들다. 학술의 권위를 위해서라도 마르크시즘을 대신하는 새로운 인식론이 제시되어야 한다. 얼렁뚱땅 넘어가서는 안 된다.

앞으로 문화인은 바빠지리라고 생각한다. 케케묵은 노트에 쌓인 먼지를 털고, 칸트나 헤겔, 마르크스를 다시 한번 읽고, 술을 삼가고 새 책도 사고 싶다. 역시 변증법밖에 없군, 하고 다시 심취하게 될지도

6_ 전통 카드놀이의 한 종류. 읽는 카드와 그림 카드로 이루어져 있으며, 한 사람이 읽는 카드에 적힌 속담이나 시를 읽으면, 나머지 사람들이 그 내용과 맞는 그림 카드를 찾아내는 방식의 놀이다.

7_ 5·7·5의 17자로 된 짧은 정형시. 비교적 자유로운 형식으로 인간의 진실과 세속의 이면을 지적하고 풍자한다.

모른다. 그렇지 않을지도 모른다. 더 공부해보지 않고서는 알 수 없다. 어쨌든 스스로가 가진 인식론에 확신을 더하고 싶은 것이리라.

장난기 없이 진지하게 써보고 싶은 마음은 있다. 하지만 조금 쑥스럽다. 이 감촉은 속일 수 없다. 게슈탈트 심리학이나 전체주의 철학에 대해, 아는 것만이라도 써야 했다. 이것만으로는 독자들도 무슨 소린지 알 수 없을 것이다. 내 잘못이다.

답안 낙제答案落第

'소설 수업修業에 대해 이야기하라.'라는 문제는 나를 당황시켰다. 취직 시험을 치러갔는데 소학교 산수 문제가 나와서 크게 당황하는 모습과 비슷하다. 원 면적을 구하는 공식도, 쓰루가메잔[8] 응용문제의 식도 다 가물가물해서, 차라리 대수식이라면 할 수 있는데 하고 한숨을 내쉬는 꼴과 흡사하다.

이것저것 복잡하게 겸연쩍어서, 나는 부끄러운 기분이다.

스타트 라인에 서 있다가 출발신호인 총성이 채 울리기도 전에 먼저 뛰쳐나가서는, 심판이 제지하는 목소리도 듣지 못하고 열심히 달리고 또 달려서 마침내 백 미터를 완주, 득의만면 결승선으로 뛰어든 다음 사진반의 플래시를 기다리며 씩 웃어보지만, 분위기가 조금 이상하다. 박수 소리도 들리지 않고, 사람들이 다 불쌍하다는 표정으로 그 선수를 바라보고 있다. 선수는 그제야 퍼뜩 자신의 실수를 깨닫는데, 부끄럽다고도, 괴롭다고도, 그 어떤 말로도 표현할 수 없다.

나는 다시 풀죽은 채로 출발점에 돌아가, 기진맥진 지친 몸으로 쌕쌕 거친 숨을 내뱉으며 스타트 라인에 섰다. 부정 출발에 대한 벌로

8_ 학과 거북의 합계 마릿수와 그 다리의 합계를 제시하고 각각의 수를 구하게 하는 문제.

다른 선수보다 일 미터 뒤에서 출발해야 한다. '준비!' 심판의 냉혹한 목소리가 다시 울려 퍼진다.

나는 착각하고 있었다. 이 레이스는 백 미터 경주가 아니었다. 천 미터, 오천 미터, 아니, 그보다 더 긴 마라톤 경기였다.

이기고 싶다. 추하게 조바심을 내어 모든 기력을 다 써버리고 이렇게 지쳤지만, 그래도 나는 선수다. 이기지 않고서는 살아나갈 수 없는 단순한 선수다. 누군가 이 가망 없는 선수를 위해 성원을 보내줄 고매한 이는 없는가?

재작년 즈음에 나는 내 생애에 마침표를 찍었다. 죽을 생각이었다. 믿었다. 그렇게 해야만 하는 나의 숙명을 믿고 있었다. 내 생애를 스스로 예언했다. 신을 모독한 것이다.

죽을 것이라고 생각한 건 나뿐만이 아니었다. 의사도 그렇게 생각했다. 아내도 그렇게 생각했다. 친구들도 그렇게 생각했다.

하지만 나는 죽지 않았다. 나는 어지간한 신의 총아임이 분명하다. 바랐던 죽음은 주어지지 않고, 그 대신 현세의 엄숙한 괴로움이 주어졌다. 나는 눈에 띄게 살이 쪘다. 애교고 뭐고 없이 무뚝뚝한, 그저 땅딸막하게 살찌고 못생긴 삼십 대 남자에 지나지 않게 되었다. 신은 이 남자를 세상의 조소와 지탄과 경멸과 경계, 비난과 유린과 묵살의 불꽃 속에 내던졌다. 남자는 그 불꽃 속에서 한동안 꿈틀댔다. 고통에 찬 비명을 지르면 세상은 더 크게 비웃을 뿐이므로, 남자는 모든 표정과 말을 억누르고 그저 애벌레처럼 꿈틀대기만 했다. 끔찍하게도, 남자는 더 튼튼해지고 귀염성이 다 사라졌다.

진지함. 묘하게 진지해진 것이다. 그리하여 다시 출발점에 섰다. 이 선수에게는 희망이 있다. 경쟁은 마라톤이다. 백 미터, 이백 미터의 단거리 레이스에서는 이 선수, 전혀 가망이 없다. 발이 너무 무겁다. 보라, 마치 소와도 같은 저 둔중한 풍모를.

사람은 얼마든지 변한다. 금세기에 오십 미터 레이스에서 그의 기록을 깰 자는 없으리라고 팬들이 수군거리고, 선수 자신도 내심 그렇게 믿고 있던, 그 민첩한 매와도 같던 다자이 오사무인지 뭔지 하는 젊은 작가가 되살아난 모습이 바로 이런 것인가. 머리는 나쁘고, 글은 엉망이고, 무식하고, 뭐든 다 어설픈 곰손인 데다 거기에 덤으로 추한 외모, 장점이라고는 튼튼한 몸 하나뿐이다.

의외로 장수하는 건 아닐까?

이렇게 한심한 이야기를 하자면 끝이 없다. 뭔가 알맹이가 있는 이야기를 하나 해볼까. 알맹이가 있고 없고 하는 것도 이상한 이야기다. 옛날에 발전기를 발명하고 득의양양하던 한 박사가 어느 귀부인에게, '그런데 박사님, 그 전기라고 하는 게 발생한다고 해서 그게 뭐 어떻다는 거지요?'라는 질문을 받고 매우 난처해하며, '사모님, 갓 태어난 아기에게 넌 무엇을 건설할 거냐고 질문해 보십시오.'라고 대답하고는 도망쳐버렸다는 이야기가 있다. 그러나 몇천만 년 전의 세계에 어떤 동물이 살았는지, 일 억 년 후에 이 세계가 어떻게 될지, 하는 그런 이야기가 과연 알맹이가 있는 이야기일지 어떨지. 나는 그렇다고 생각하지만.

베니티[허영]. 이 강인함을 얕봐서는 안 된다. 허영은 어디에나 있다. 승방에도 있다. 감옥에도 있다. 심지어는 무덤에도 있다. 이것을 보고도 못 본 척해서는 안 된다. 자신의 베니티와 똑바로 마주 보고 앉아 이야기를 나누는 것이 좋다. 나는 사람의 허영을 비난할 생각은 없다. 그저 거울 앞에 서서 자신의 베니티를 제대로 들여다보라는 말을 하는 것이다.

본 후의 결과를 무리해서 남에게 말하지 않아도 좋다. 말할 필요는 없다. 그러나 한 번쯤 앞뒤에 거울을 두고 확실히 봐둘 필요는 있다. 한 번 본 사람은 생각이 깊어질 것이다. 겸손해질 것이다. 신의 문제에 대해 생각하게 될 것이다.

거듭 말하겠다. 나는 베니티가 나쁘다고 말하는 게 아니다. 어떤 경우에는 생활 의욕과 연결된다. 강렬한 리얼리티와 연결된다. 심지어 애정과 연결되기도 한다. 나는 많은 사상가들이 신앙이나 종교에 대해 설명하면서, 그 바로 한 발 앞에 있는 현세의 베니티에 대해 솔직하게 말하지 않는 것을 이상하게 여길 뿐이다. 파스칼은 그럭저럭.

베니티는 가여운 것이다. 정겨운 것이다. 그만큼 난처한 것이다.

길다. 긴 마라톤이다. 지금 당장 모든 문제를 한꺼번에 해결하려 들지 마라. 마음을 느긋하게 먹고, 적어도 후회는 남지 않을 하루하루를 보내도록. 행복은 삼 년 늦게 찾아온다고 하던가.

오가타 씨를 죽인 자緒方氏を殺した者

오가타 씨[9]의 임종은 결코 평화롭지 않았다고 들었다. 이를 갈며 죽어갔다고 한다. 나와 오가타 씨는 두세 번 이야기를 나눠본 게 고작이지만, 좋은 소설가를, 열심히 노력한 인간을 그토록 불행한 곳에 방치하여 죽어가게 만들었다는 사실이 무척 고통스럽다.

추도문은 정말 어렵다. 조화弔花 한 다발을 관에 넣은 뒤 손수건으로 얼굴을 가리고 울면서 무너지는 모습은 매우 고상하지만, 그것은 젊은 여자에게나 어울리는 것이니 나이를 먹을 만큼 먹은 남자가 그럴 수는 없다. 흉내 낼 수 있는 것이 아니다. 쓸데없이 뻔뻔스럽게 진지해질 뿐이다.

누가 오가타 씨를 죽인 것인가. 난폭한 말이다. 숨 막힐 정도로 불쾌한 말이다. 하지만 나는 이 불쾌하기 그지없는 의문에서 벗어날 수 없었다. 도저히 견딜 수가 없어서 정면으로 덤벼들었다.

어떤 사람이 어두운 상황에 내몰린 경우, 육친 중 성격이 소심한 사람, 혹은 친구 중 어수룩한 사람이 그 책임을 떠안게 되고, 짓지도 않은 죄로 세상 사람들에게 사죄를 하며 어쩐지 떳떳하지 못한 기분을

9_ 오가타 다카시緒方隆士(1905~1938). 소설가. 『일본낭만파』의 창간 멤버 중 하나이며, 서른셋에 폐결핵으로 사망했다.

느끼게 된다. 그래서는 안 된다.

답답한 일이다. 작가가 나쁘다. 작가 정신이 나쁘다. 불행이 그토록 무섭다면 작가를 관둬야 한다. 작가 정신을 버려야 한다. 불행을 동경한 적 없는가? 병약함을 아름답다 생각한 적은 없는가? 패배를 즐거이 여겨본 적은 없는가? 불운을 존경한 적은 없는가? 멍청함을 사랑한 적은 없는가?

작가는 모두 불행하다. 모두 괴로움에 몸부림치며 살아가고 있다. 오가타 씨를 불행하게 만든 것은 오가타 씨 속의 작가다. 오가타 씨 자신의 작가 정신이다. 강인한, 일류의 작가 정신이다.

사람이 죽었는데 아무런 준비도 없이 떡하니 자리에 앉아, 무뚝뚝한 얼굴로 중얼중얼 억지소리를 늘어놓는 남자의 모습은 분명 보기 흉하다. 바보 같다. 멋진 조의의 말 한마디 하지 못한다. 용서해주게. 이 남자는 슬픈 것이다. 자신의 무력함이 분한 것이다. 아들의 전사 소식을 듣자마자 갑자기 부엌으로 가서 쓱쓱 쌀을 씻었다는 어머니의 보기 불편한 모습처럼, 이 남자가 슬픔을 반대로 표현한 것 또한 쓴웃음을 지으며 용서해주길 바란다.

쓸 말을 아주 많이 준비했는데, 이상하게 경직된 탓에 쓸 수가 없었다. 추도문이 싫다. 죽은 사람은 말이 없기 때문에, 더욱더 싫다.

일보전진 이보퇴각一步前進二步退却

일본만의 문제가 아닌 모양이다. 그리고 문학에 국한된 문제도 아닌 듯하다. 작품의 재미보다 그 작가의 태도를 먼저 문제시한다. 그 작가의 인간성과 약한 부분을 파헤치지 않고서는 수긍하지 않는다. 작품을 작가와 동떨어진, 서명署名 없는 하나의 생물로 독립시켜주지 않는다. 「세 자매」를 읽으면서도, 그 젊은 여자 세 사람 뒤에서 씁쓸하게 웃고 있는 체호프의 얼굴을 의식한다. 이러한 감상 방법을 똑똑함과 예리함의 반증이라 여기고, 통찰력으로 숨은 뜻을 꿰뚫어 보는 것이라고 하니 큰일이다. 잘난 척하긴. 예리함이나 청렴함 같은 것들이 얼마나 안이하고 통속적인 개념인지 알아야 할 것이다.

가여운 것은 작가다. 마음 놓고 큰 소리로 웃을 수도 없게 됐다. 작품이 정신 수양을 위한 교과서 같은 취급을 받게 된다니 참을 수 없는 일이다. 추잡한 이야기라도 그 화자가 진지한 얼굴을 하고 있으면, 진지한 얼굴을 하고 있다는 이유로 그건 진지한 이야기다. 웃으면서 엄숙한 이야기를 하면, 그건 웃으면서 이야기하고 있기 때문에 한심한 허언이다. 이상한 일이다. 늦은 밤, 지나는 길에 있는 파출소에서 나를 불러 세워 이것저것 묻기에 조금 상기된 목소리로, 저는, 저는 아무개입니다, 라고 군대식 말투로 대답했더니 태도가 좋다고 칭찬을 받았다.

작가는 점점 부자유스러워진다. 워낙 통찰력이 뛰어난 독자만을 상대하기 때문에 마음 놓고 행동할 수가 없다. 너무 긴장한 나머지, 종국에는 책상 앞에 정좌한 채 침묵은 금이라는 격언을 한없이 긍정하는, 그런 불쌍한 작가가 나타나지 않으리라는 법도 없다.

작가에게만 겸손을 요구하니, 작가는 송구스러워하며 비굴하게 자기를 낮추고, 그리고 독자는 주인님이다. 작가의 사생활을 바닥의 바닥까지 파헤치려고 한다. 무례하다. 헐값에 판매하고 있는 것은 작품이다. 작가의 인간성까지 파는 게 아니다. 독자에게야 말로 겸손을 요구하고 싶다.

작가와 독자는 다시 한번 완전히 새롭게 영역 분할 협정을 맺을 필요가 있다.

가장 고급스러운 독서 방법은, 오가이건 지드건 오자키 가즈오건 상관없이, 그저 순수하게 읽으며 능력껏 즐기고, 다 읽고 난 후에는 미련 없이 헌책방에 들고 가 루이코의 『사미인』[10]과 바꿔 와서 또 가슴 설레하며 탐독하는 것이다. 무엇을 읽을지 결정하는 것은 독자의 권리다. 의무가 아니다. 그것은 자유롭게 행해야 한다.

10_『사미인』은 탐정소설 번안으로 유명했던 소설가 겸 번역가 구로이와 루이코(1862~1920)가 번안한 소설로, 원작은 프랑스 소설가 포르츄네 듀 보아고베(1824~1891)의 탐정소설 「르콕 씨의 만년」이다.

후지산에 대하여富士に就いて

고후의 미사카 고개 정상에 천하찻집[11]이라는 이름의 아담한 찻집이 있다. 나는 9월 13일부터 이 찻집의 이 층을 빌려 변변치 않은 글을 조금씩 쓰고 있다. 이 찻집 사람들은 친절하다. 나는 당분간 이곳에서 열심히 일할 생각이다.

천하찻집, 정확하게는 천하일찻집이라고 한다. 근처 터널 입구에도 '천하제일'이라고 크게 새겨져 있고, 아다치 겐조다이쇼~쇼와시대의 정치가의 서명이 있다. 이 주변의 풍경은 천하제일이라는 의미일 것이다. 이곳에 찻집을 세울 때도 극심한 경쟁이 있었다고 한다. 도쿄에서 온 관광객도 반드시 이곳에서 한 번 쉬어간다. 버스에서 내려 일단 벼랑에 서서 소변을 본 다음, 아아, 경치가 좋군, 하고 감탄사를 내뱉는 것이다.

관광객들의 그런 탄성 소리를 들으면, 나는 이 층에서 일 때문에 괴로워하며 벌렁 드러누운 채로 그 천하제일이라는 풍경을 곁눈질한다. 후지산이 손에 잡힐 듯 가까이 보이고, 가와구치 호수가 그 발치에

11_ 덴카자야天下茶屋. 다자이의 소설 「후지산 백경」(1939, 전집 2권 수록)의 무대가 된 찻집으로, 대를 이어 80여 년째 영업 중이다. 다자이가 약 3개월간 머물렀던 2층 방은 다자이가 죽은 후 '다자이 문학기념실'로 복원되었는데, 다자이가 당시 실제로 사용했던 물건들이 전시되어 있다.

차갑고 새하얗게 펼쳐져 있다. 별로 대단하지도 않다. 나는 고개를 내저으며 한숨을 쉰다. 이것도 내가 풍류를 모르기 때문인가?

나는 이 풍경을 거부하고 있다. 코앞의 가을 산 풍경이 양 끝을 에워싸고, 그 깊숙한 곳에는 호수, 그리고 푸른 하늘에는 후지산의 아름다운 산봉우리. 이 풍경의 깔끔함에서 무언가 견디기 힘든 부끄러움이 느껴지지 않는가? 이래서야 마치 목욕탕의 페인트 그림 같다. 연극 무대의 배경 같다. 너무 희망하는 그대로다. 후지산이 있고, 그 아래에는 새하얀 호수, 뭐가 천하제일이냐고 말하고 싶어진다. 너무 절묘한 끝마무리다. 지나치게 완성된 것에서 느껴지는 추잡함. 그렇게 느끼는 것 또한 나의 괴로움 때문일까?

이른바 '천하제일'의 풍경에는 항상 놀라움이 동반되어야 한다. 그런 의미에서 나는 화엄華嚴 폭포[12]를 추천한다. '화엄'이라니, 참 잘 지은 이름이라고 생각한다. 쓸데없이 격렬함이나 강함을 추구하지 않는다. 나는 동북 출신인데, 지척 분간이 힘든 눈보라 속 황야를 절경이라 말하지는 않는다. 인간에게 무관심한 자연의 정신, 자연의 종교, 그러한 것들이 아름다운 풍경에도 절대적으로 필요하다고 생각할 뿐이다.

후지산을 **거꾸로 뒤집은** 하얀 부채[13]라고 형용하며, 마치 술자리 우스갯소리처럼 말하는 건 납득할 수 없다. 후지산은 용암이 흐르는 산이다.

12_ 도치기현 닛코시에 위치한 폭포. 빼어난 경관으로 일본의 3대 폭포로 손꼽히며, 자살 장소로도 유명하다.

13_ 시인 이시카와 조잔石川丈山이 눈 내린 후지산 풍경을 "하얀 부채가 거꾸로 걸려 있구나"라는 시로 표현한 것에서 비롯된 말이다.

동틀 무렵의 후지산을 보도록. 흑투성이 산맥이 아침 햇빛을 받아 구리색으로 빛난다. 나는 오히려 그런 후지산의 모습에서 숭고함을 느끼고 천하제일을 느낀다. 찻집에서 양갱을 먹으며 거꾸로 뒤집은 하얀 부채라느니 어쩌니, 참 가엾다고 생각한다. 덧붙여, 이 글을 찻집 사람들이 읽지 않기를 바란다. 무척 친절하게 나를 보살펴주었기 때문이다.

교장삼대校長三代

내가 히로사키고등학교에 들어갔던 해 입학식에서 훈사를 한 교장의 이름은 분명 구로가네였던 것으로 기억한다. 금테안경을 쓰고 마른 몸에, 조금 점잔을 빼는 사람이었다. 다카타 사나에메이지~쇼와시대의 정치가 겸 교육가와 닮았었다. 정원수를 좋아해서 학교 외곽에 갖가지 정원수를 우아하게 배치하여 심어두고는, 가끔 혼자 뒷짐을 지고 그 정원수 사이를 느릿느릿 거닐곤 했다.

얼마 안 되어 그 선생님이 돌아가시고, 그 대신 온 사람이 스즈키 신타로 씨였다. 이 사람의 이름은 또렷이 기억한다. 이 사람은 학교 운영에 다소 실패했다. 지금은 어떻게 지내고 계실는지. 정치가 기질이 있는 사람으로, 정당과도 조금 관계가 있었던 모양이다. 취임하자마자, 한 주를 5일로 잡아 6일째마다 쉬는 날을 주고 수업도 매일 오전 중에만 하고 싶다, 그로 인해 학생들이 게을러지리라고는 생각하지 않는다, 나는 학생들을 믿는다, 라는 말을 늘어놓아 학생들을 뛸 듯이 기쁘게 했지만, 그건 실현되지 않았다. 결국 감상적인 생각에 지나지 않았던 것이다. 하지만 다른 일을 실행했다.

학교를 하나의 국가로 간주하여 각 학급당 국회의원 두 명을 선출하고, 학교 직원과 교우회 위원이 정부위원이 되어서 간혹 의회를 열어

교내 정치를 심의하는 형태의, 말하자면 유신을 단행한 것이다.

교장 자신은 결국 일국의 재상 같은 존재나 다름없었다. 국회의원 선거는 매우 성행했다. 학교 복도에는 추천 전단지가 덕지덕지 붙었고, 선거 사무소는 삼엄했다. 어떤 학생은 교문 앞에 서서 등교하는 학생에게 일일이 명함을 나누어주며 잘 부탁드립니다, 하고 고개 숙여 인사를 했고, 또 어떤 학생은 중학교 선배라는 인맥을 빌미로 후배를 위협하고, 접대나 뇌물 따위를 제공한다는 한심한 소문이 돌기까지 했다.

이 의회제도는 후에 재상을 추방했다. 그 당시 큰 소란이 일었다. 학생들이 모아둔 교우 회비 몇만 엔을 교장이 몰래 써버린 것이다. 어디에 썼는지는, 지금은 가볍게 말할 수 없다. 교장 자신이 알고 있을 것이다. 그즈음 정치권에서는 대수롭지 않은 일이겠지만, '교육계에서 그런 짓을 하다니 멍청하다.'라고 당시 현회의원이었던 형이 말했다. 처음부터 정상이 아니었다. 학문에 대해 전혀 모르는 듯한 느낌이었다. 무늬가 주르르 수 놓인 기모노가 무척 잘 어울렸고, 모치즈키 게이스케메이지~쇼와시대의 정당정치가와 닮았었다. 그것만으로도 다 짐작할 수 있을 것이다. 양복을 입을 때는 골프 팬츠를 입었다. 당당한 풍채에 얼굴도 아름다웠다. 가끔 인력거를 타고 학교에 와서는, 비서를 거느리고 교내를 한 바퀴 돌았다. 기모노 차림에 비단으로 된 하얀 장갑을 끼고, 은 손잡이 지팡이를 들고 있었다. 한 바퀴를 돌고 난 뒤에 직원들의 배웅을 받으며 인력거에 올라타 유유히 귀가했다. 훌륭했다. 그야말로, 형이 한 말을 흉내 내려는 건 아니지만, 교육계에 몸담고 그런 짓을 했기 때문에 실패한 것일 뿐, 만약 당시의 정당에서 일했다면 성공했을지도 모른다. 불행한 사람이었다.

교장에게는 아들이 있었다. 역시 히로사키고등학교 이과에 재학 중이었다. 나는 그 사람과 말을 나눈 적은 없지만, 교장 관사와 내가 살던 하숙집이 무척 가까워서 등교 중에 서로 가벼운 미소를 주고받은 적은 있다. 그는 교장 추방 소란이 있었을 때 무척 딱한 처지가 됐다.

교장은 전교생을 강당에 모아두고 사죄했다. 이번 일은 정말 미안하게 됐다, 부디 용서해주길 바란다, 라고 당당하게 연설하듯이 말해서 학생들의 비웃음을 샀다. 도둑! 하고 소리친 열혈아도 있었다. 교장은 연단 위에서 잠시 얼어붙어 있었다. 내 근처에 교장 아들이 서 있었다. 고개를 숙이고서 자기 신발 끝 언저리만 가만히 바라보고 있었다. 공부를 아주 잘해서 반에서 톱이었다고 하는데, 지금은 뭘 하고 있을까.

스즈키 교장이 검사국에 끌려간 다음에 온 것이 도자와인가 하는 사람이었다. 나는 사람 이름을 잘 까먹는데, 이 교장의 이름도 정확히는 기억나지 않는다. 틀렸을지도 모른다. 기쿠치 유호[14]의 친동생이다. 사진으로 본 그 기쿠치 유호 씨와 무척 닮아 있었다. 몸집이 작고 살찐 분이었다. 영문학자 출신이었다. 군사교련 검열 때, 교장 선생님께 경례! 하는 구호가 떨어지자 우리는 모두 받들어총 자세를 취했지만, 교장은 정면으로 가을 햇살을 받으며 부끄러움 가득한 얼굴로 무척 안절부절못했다. 아아, 역시 유호의 동생이군, 하는 반가운 마음이 들었다. 이분이 교장일 때 우리는 졸업했다. 그 후의 일에 대해서는 전혀 모른다.

14_ 菊池幽芳(1870~1947). 일본 가정 소설의 선구자라고 평가받는 소설가로, 신문 기자로 활동하기도 했다.

여인창조 女人創造

남자와 여자는 다르다. 당연한 얘기라며 비웃을지도 모르지만, 그러면서 괴로울 때면 여자 입장이 되어 갖가지 여자의 마음을 추측해보려고 하니, 그저 웃을 수만은 없는 일이다. 남자와 여자는 다르다. 그야말로 말馬과 화로火鉢만큼이나 다르다. 생각이 많은 이들은 이 사실을 매우 늦게 깨닫는다. 나 역시 최근 들어 깨달았다. 이름은 기억나지 않지만, 어느 외국인이 쓴 쇼팽 평전 속에 고이즈미 야쿠모[15]의 '남자는 평생에 걸쳐 적어도 만 번은 여자가 된다.'라는 기괴한 말이 인용되어 있었는데, 그런 일은 없다고 생각한다. 그 부분에 대해서는 안심해도 좋다.

일본 작가 중에서 진짜 여자를 그려낸 이로는 슈코[16]를 들 수 있을 것이다. 슈코의 작품 속에 나오는 여자는 무척 별 볼 일 없다. '어머'라든가 '그러네요' 같은 말만 중얼댈 뿐, 전혀 사색적이지 않다. 하지만 그건 정확하다. 말하자면 친근한 현실인 것이다.

에도의 짧은 이야기에도 있지 않은가. 아침에 울타리 너머로 옆집

15_ 小泉八雲(1850~1904). 그리스 출신의 수필가, 소설가 겸 일본 연구가로 본명은 라프카디오 한이다. 1890년 미국 출판사의 통신원 자격으로 일본에 건너와 일본 국적을 취득했다.

16_ 지카마쓰 슈코近松秋江(1876~1944). 사소설로 잘 알려진 소설가. 대표작으로, 「헤어진 아내에게 보내는 편지」, 「의혹」, 「자식의 사랑을 위하여」 등이 있다.

정원을 훔쳐봤더니, 잠옷 차림의 새댁이 나와서 정원에 핀 화초를 바라보다가 팔을 쭉 뻗어 나팔꽃 한 송이를 꺾었다. 아아, 우아하구나, 하고 감탄하고 있는데, 곧 새댁은 그 나팔꽃으로 새침하게 코를 풀었다.

모파상은 여자가 읽는 것이다. 우리가 전혀 재미를 못 느끼는 건, 그 속에 종종 현실적인 여자가 그대로 불쑥 얼굴을 내밀기 때문이다. 전혀 고매하지 않다. 모파상은 대단한 남자여서, 그것을 의식하고 있었다. 자신의 재능과 인격 전부를 혐오했다. 작품 이면에 존재하는 모파상의 우울과 번민은 일류다. 미쳤다. 거기에 모파상의 의연한 남성성이 존재한다. 남자는 여자가 될 수 없다. 여장은 할 수 있다. 이건 모두들 하고 있다. 도스토옙스키는 털로 뒤덮인 정강이를 그대로 드러낸 여장을 했지만, 매우 진지했다. 스트린드베리[17] 역시 가끔 너무 열연한 나머지 가발을 떨어트리곤 했는데, 그래도 태연하게 고군분투했다.

여자를 제대로 그리지 못했다는 것이 그 작품의 결정적인 불명예는 아니다. 여자를 그리지 못하는 것이 아니라, 여자를 그리지 않는 것이다. 거기에 이상주의의 사자 같은 분투가 존재한다. 아름다운 무지가 존재한다. 나도 당분간 이런 태도를 취하려고 한다. 이 태도는 종종 맹목과 비슷하다. 간혹 우스꽝스럽기까지 하다. 하지만 나는 '어머, 오랜만이에요' 따위의 인사로 시작되는 여인의 실체를 생생하게 그려본들 아무런 감격과 기쁨을 느끼지 못하기 때문에 어쩔 수 없다. 나는 혼자가 되어도 역시 관념적인 여자를 그려나갈 것이다. 5척 7촌[약 170cm]의 털북숭이 남자가 땀을 뻘뻘 흘리며 그려내는 여성이라니, 웃음이 헤픈 사람 두어

17_ 아우구스트 스트린드베리Johan August Strindberg(1849~1912). 스웨덴의 극작가 겸 소설가. 단편집 『결혼』에서 여성해방운동을 냉소한 바 있으며, 신을 모독했다는 죄목으로 고발당하기도 했다.

명은 분명 배를 잡고 박장대소하리라. 내가 생각해도 조금 우습다. 남성 독자 대부분이 자기가 여성적이라고 반성하며 괴로워해 본 경험이 있을 것이다. 하지만 그럴 때는 다시 한번 여자를 봐야 한다. 여자의 움직임을 자세히 들여다보다 보면 여러분은 안심하게 될 것이다. 아아, 나는 여자가 아니야. 여자는 명상하지 않는다. 여자는 호령하지 않는다. 여자는 창조하지 않는다. 하지만 그런 현실적인 여자를 노골적으로 경멸하는 건 잘못된 일이다. 이런 말을 쓰려니 얼굴이 화끈거려 견딜 수가 없다. 뭐, 다정하게 대해주도록 해.

절망은 우아함을 낳는다. 그 속에는 아무래도 아름다운 사탄 한 마리가 살고 있는 듯하다. 하지만 그 부분은 여기서 가볍게 단정 지어 말할 수 있는 것이 아니다.

이렇게 두서없는 이야기를 줄줄 늘어놓을 작정이 아니었다. 요즘 다시 소설을 쓰기 시작하면서, 여성을 그리는 비법을 조금 터득했다. 내게는 아직 꼭 집어 내세울 만한 작품이 없어서 거창한 말은 할 수 없지만, 그건 조금 이상한 작법이다. 말을 하려다가도 다시 입을 다물게 된다. 말하면 안 되는지도 모른다. 이상한 방법이다. 뭐, 전부터 무의식중에 해오던 것을, 요즘 겨우 어른이 되어 깨달았을 뿐인지도 모른다. 입 밖에 꺼내면, 너무 당연한 방법이라 별것 아니라고 생각할지도 모른다. 섣불리 말해서 그 말이 곡해되고 손해를 보는 것은 싫다. 역시 입 다물고 있자.

'예지叡智는 악덕이다. 하지만 작가는 이것을 잃어서는 안 된다.'

9월, 10월, 11월九月十月十一月

(상) 미사카 고개에서 고심한 일

고후 미사카 고개 정상에 있는 찻집의 2층을 빌려 장편소설을 조금씩 쓰기 시작했는데, 9월, 10월, 11월, 석 달 만에 겨우 찻집 아주머니나 젊은 여종업원들과 편하게 세상 돌아가는 이야기를 나눌 수 있을 정도로 적응했다. 나는 숙소에 도착하자마자 곧바로 여종업원에게 가벼운 농담을 던질 수 있는, 그런 요령 좋은 남자가 아니다. 게다가 나는 여태껏 형편없는 남자라고 평가받아 왔고, 남들과 똑같이 서서 소변을 봐도 곧바로 '아아, 역시 저 녀석은 무례하다.'라고 유독 지탄받는 터라, 여행 중에도 남들 두 배로 행동에 주의해야 한다.

나는 매일 얌전히 책상 앞에 앉아 있었다. 아주머니와 여종업원 모두 처음에는 내가 너무 얌전해서 오히려 오싹하게 느껴졌는지 저 손님은 여자 같다는 험담을 하기도 했는데, 그것을 슬쩍 엿듣고는 아아, 너무 얌전해도 문제인가 하고 분한 마음이 들었다. 그 후로는 말을 해보려고 노력했다. 밤에 밥상을 들고 오는 여종업원에게도 뭐라고 말을 걸어보려 애썼지만, 도무지 가볍게 툭 나오질 않았다. 입을 열면 연설이라도 하듯이 인생 문제에 대해 말하며 크게 호통을 치게 될 것만 같고, 아무리 애를 써도 가벼운 이야기는 할 수가 없었다. 퍽이나 의욕 충만한 남자다. 결국 어느 날 밤, 밥상을 들고 오는 여종업원을 보자마자 웃음이 터지고 말았다. 스스로의 고민이, 털북숭이 남자가 상냥한 목소리를 내려고 하는 필사적인 노력이 우스웠던 것이다. 여종업원은 얼굴을 붉혔다.

나는 여종업원이 불쌍하게 느껴져서, '아니, 당신 때문에 웃은 것이 아니에요. 저는 제가 너무 굼뜨게 구는 걸 보고 오히려 당신들이 저를 기분 나쁜 사람이라고 여기지는 않을까 걱정이 됐거든요. 그래서 매일 밤 당신이 밥상을 들고 올 때만이라도 가벼운 잡담을 해보려고 이래저래 고민했는데, 생각하면 할수록 더 할 얘기가 없어지는 게 스스로 기가 막혀서 웃은 겁니다.'라고 우물우물 변명했다. 그러자 여종업원이 내 옆에 차분히 앉더니, '저도 뭔가 이야기를 하고 싶은데, 손님이 너무 조용하시니 덩달아 저까지 생각이 많아져서 아무 말도 할 수 없게 돼요. 생각을 많이 하면 이야깃거리가 없어지는 법이에요.'라고 대답했다. 나는 미소를 지었다. 그것을 끝으로 또 이야기가 끊겼다. 난감한데. 또 할 얘기가 없어. 내가 그렇게 말하면서 웃었더니, 여종업원은 내가 거북해하는 것을 알아채고는 남자는 과묵한 게 좋다는 말을 하고 재빨리 방에서 나가주었다.

점차 찻집 사람들도 저 손님은 그저 과묵한 것일 뿐 특별히 나쁜 생각을 하고 있는 사람은 아니라는 것을 알게 된 모양이었다. '손님 부인이 될 아가씨는 행복하겠어요. 챙겨줄 필요가 없으니.'라는 아주머니의 농담에 쓴웃음을 지으며 겨우 마음을 트게 됐을 즈음에는 어느덧

11월, 고개 위의 한기를 견디기가 힘들어졌다.

(중) 미사카에서 퇴각한 일

슬슬 나는 게을러지기 시작했다. 어떻게든 삼백 장 정도 분량의 장편소설을 쓰고 싶었다. 그런데 반도 쓰지 못한 상태였다. 아주 중요한 시점이었다. 하루 종일 멍하게 책상 앞에 앉아 담배만 피워댔다. 찻집 아주머니가 제일 먼저 걱정하기 시작하셨다. 일은 잘되어가세요? 내가 복도에 난롯불을 쬐러 나갈 때마다 그렇게 물었다. 잘 안 돼요. 추워서 견딜 수가 없어요. 나는 그렇게 스스로의 태만을 계절 탓으로 돌렸다. 아주머니는 버스를 타고 고개 아래 요시다로 가서 고타쓰[18] 하나를 사 왔다.

그때 우아한 무늬의 슬리퍼도 같이 사 왔다. 복도를 걸을 때 발바닥이 시릴 것에 대한 배려인 듯했다. 나는 그 슬리퍼를 신고 팔짱을 낀 채 2층 복도를 어슬렁대며 언짢은 기분으로 후지산을 바라보다가, 곧 방으로 돌아와 고타쓰 안에 파고들어서는 아무것도 하지 않았다. 여종업원도 질린 모양인지, 내 방을 걸레질하면서 손님, 적응하시더니 상태가 나빠졌네요, 하고 진심으로 정색하며 중얼거렸다. 나는 돌아보지도 않고, 그런가? 나빠졌나? 하고 대답했다. 여종업원은 내 등 뒤에서 장식대를 닦으면서 말했다. 예, 나빠졌어요. 요즘엔 담배도 하루에 일곱 개씩

18_ 실내 난방 장치의 하나로 나무틀에 화로를 넣고 그 위에 이불이나 포대기 등을 씌운 것.

피고, 일은 하나도 안 하고, 어젯밤에 제가 2층에 잠시 살피러 왔더니 벌써 쿨쿨 주무시더군요. 오늘은 일을 하도록 하세요. 손님이 쓴 원고를 번호순대로 정리하는 게 매일 아침의 큰 즐거움이라, 많이 쓰시면 저도 기뻐요.

고마운 마음이 들었다. 그 여종업원의 감정에는 '이성異性'의식이 눈곱만큼도 없었다. 조금 과장을 보태어 말하자면, 끝까지 살아보고자 하는 인간의 노력에 대한 성원인 것이다.

그러나 그 어떤 인정도 추위를 이기지는 못한다. 나는 동북 출신인 주제에 추위에 약해서 곧 콜록콜록 수상한 기침까지 나기 시작했고, 결국 하산을 결심했다. 도쿄에 돌아가면 또 일은 하나도 안 하고 어슬렁대며 놀기만 할 것을 알고 있었지만, 일단 이 소설의 윤곽이 대충 잡힐 때까지 만이라도 있어 보자, 하는 마음으로 우선은 고개 아랫마을 고후로 내려왔다. 상황이 괜찮으면 고후에서 일을 계속해나갈 생각이었다.

고후에 있는 지인에게 부탁해 하숙집을 구했다. 고토부키 관. 2식 포함. 22엔. 남향에, 다다미 6장 크기다. 이불과 도테라방한용 솜옷 모두 지인 집에서 빌려왔다. 이로써 숙소는 결정됐다. 방에 딸린 책상 앞에 앉아서 오른쪽 서랍에는 완성한 원고지를, 왼쪽 서랍에는 아직 깨끗한 원고지를 넣어두었다. 왠지 일이 잘될 것 같았다. 여기에서도 처음에는 기분 나쁠 정도로 얌전히 지내다가 석 달쯤 지나 겨우 적응한 뒤에, 적응하자마자 상태가 나빠져 일을 게을리하다가 또 다른 곳으로 가겠지. 아아, 그때까지 좋은 걸 쓸 수 있으면 된다. 그 외에는 아무것도 필요 없다.

나는 G펜을 사러 마을로 나갔다.

(하) 고후를 정찰한 일

반짝반짝 빛나는 G펜을 지갑 속에 잔뜩 넣고 품에 안은 채로 걷다 보니, 왠지 스스로가 청결하고 젊게 느껴져서 기분이 좋았다. 나는 G펜을 산 뒤 고후 길거리를 어슬렁어슬렁 거닐었다.

고후는 분지다. 비유하자면, 절구의 밑바닥에 위치한 지역이다. 사방이 모두 산이다. 길을 걷다가 문득 고개를 들면 산이다. 긴자도오리라는 번화하고 아름다운 곳이 있다. 멋진 백화점도 있다. 마치 도겐 언덕[19]을 걷고 있는 기분이다. 그러나 문득 고개를 들면 산이다. 묘하게 슬프다. 오른쪽으로 가도, 왼쪽으로 가도, 동쪽으로 가도, 서쪽으로 가도, 문득 고개를 들면 마치 기다리고 있던 것처럼 산맥. 절구 바닥에 아주 작은 깃발을 세운 것이 고후라고 생각하면 정확할 것이다.

뒷골목을 걸어 집에 돌아왔다. 고후는 햇볕이 뜨거운 곳이다. 집집 처마에서 도로로 떨어지는 햇볕의 색이 아주 또렷하게 검다. 처마가 다 낮아서 성 아랫마을[20]의 차분함이 느껴진다. 나는 큰 거리에 있는 백화점보다 이런 뒷골목에서 고후의 문화를 더 깊이 느낀다. 이 차분함은 평범한 것이 아니다. 무르익고, 퇴폐하고, 녹슬어간 결과물이 이런 한적함을 만들어낸 것이기에, 오히려 이 좁은 뒷골목이 대도시의 중심처럼

19_ 도쿄 시부야구 남서부에 위치한 언덕.

20_ 城下町. 무로마치시대 이후 영주의 거점인 성을 중심으로 형성된 도시로, 성의 방위시설이자 행정도시, 상업 도시의 역할을 했다.

느껴진다. 문득 두부 가게 유리문에 비친 내 모습이 무려 유신지사維新志士처럼 보였다. 분명 지사가 맞긴 하다. 궁지에 몰린 지사, 지금은 고후에 있는 싼 하숙집에 머물며 남몰래 재거再擧를 꾀하고 있다.

공부할 곳으로 고후를 소개해 준 사람은 이부세 마스지 씨다. 이부세 씨는 일찍부터 고후를 사랑해서, 이곳에 대한 기행문과 소개문도 많이 쓴 것으로 알고 있다. 새삼스레 내 악문으로 이러쿵저러쿵 더 쓸 필요가 없는 것이다. 그걸 생각하면 고후에 대한 글은 쓰고 싶지 않다. 나는 이부세 씨의 문장을 존경하기 때문에 더더욱 쓰기 힘들다.

과연 고후는 숨어서 공부하기에 좋은 곳인 듯하다. 아주 평범한 곳이기 때문이다. 강렬한 지방색이 없다. 사투리도 도쿄 말과 크게 다르지 않다. 묘하게 마음이 놓이는 곳이다. 그러나 하숙집 방안에 혼자 오도카니 앉아 있으면, 역시 도쿄에 있는 듯한 느낌은 들지 않는다. 햇볕이 강하기 때문일까? 때때로 기차의 기적소리가 희미하게 들려오기 때문일지도 모른다. 어쩐지 여기는 유신지사의 요양지 같은 느낌이다.

이부세 씨는 고후 거리를 걸으면서 어떤 것을 발견했을까. 언젠가 느긋하게 여쭤봐야겠다. 이부세 씨라면 분명 나 같은 건 모르고 지나치는, 아주 세세한 것들을 발견하셨으리라. 내가 발견한 것들은 부끄러울 정도로 조잡하다. 고후는 사방이 산. 햇볕이 강하다. 마음에 들지 않는 것은 수정을 파는 가게. 나는 옛날부터 수정으로 된 장식품을 좋아하지 않았다.

昭和 十四年
1939년

太宰治

1939년쇼와 14년, 30세

1월에 이시하라 미치코와 정식으로 식을 올린 다자이는 고후에 신혼집을 차리고 본격적인 안정기에 접어든다. 다자이는 이 시기를 회상하며, "아주 희미하게나마 휴양의 여유를 느낀 한때"(「15년간」)라고 표현하기도 했다. 도쿄 미타카로 이사하기까지 고후에서 보낸 약 8개월의 시간 동안 다자이는 완전히 새로운 삶을 살기 위해 노력했고, 이러한 노력은 다작으로 이어졌다. 5월에는 단편집 『사랑과 미에 대하여』가 출판되고, 7월에는 국민신문 단편 콩쿠르 수상작인 「황금풍경」이 수록된 단편집 『여학생』이 출간된다. 이해 발표한 소설은 14편. 2월에 발표한 「I can speak」를 시작으로, 4월에는 「여학생」을, 8월에는 「팔십팔야」, 12월에는 「피부와 마음」 등의 작품을 발표, 그에 더해 수필도 다수 발표했다. 잡지사로부터의 원고 의뢰도 점점 늘어나, 스케줄 표를 만들어 일정을 조정해야 할 정도로 바빠졌다. 이른바 다자이의 '중기'가 시작된 것이다. 다양한 소재로 새로운 시도를 거듭하며 왕성한 창작 활동을 펼치기 시작한 이 무렵부터 다자이의 작풍은 크게 변했다

"(전략) 앞으로 이삼 년 정도만 지나면 그럭저럭 좋은 작품을 쓸 수 있을 듯한 기분이 듭니다.

지금 열심히 새 출발을 위한 준비를 하고 있습니다.

무욕, 예지, 의지, 이 세 가지에 대해 조금은 깨달은 바가 있습니다.

느긋하게 해보겠습니다.

귀형의 다정하고 성실한 친구가 될 생각입니다." (4월 20일, 가메이 가쓰이치로亀井勝一郎에게 보낸 편지 중에서)

봄날 대낮春昼

4월 11일.

고후 변두리에 임시 거처를 마련해 지내면서 하루빨리 도쿄로 돌아가기 위해 애써봤지만 마음대로 되지 않았다. 그런 채로 벌써 반년 가까이 흘렀다. 오늘 아침에는 날씨가 좋아 아내와 처제를 데리고 다케다 신사에 벚꽃 구경을 가기로 했다. 장모님께도 권했지만, 장모님은 속이 좋지 않아 집에 남기로 했다. 다케다 신사는 다케다 신겐[1]을 모신 곳으로 매년 4월 12일에 큰제사가 있는데, 그즈음에 맞춰 경내에 벚꽃이 만개한다. 4월 12일은 신겐이 태어난 날이라든가 죽은 날이라든가, 아내와 처제가 우쭐대며 설명해줬지만 영 의심쩍었다. 벚꽃이 만개하는 때와 태어난 날이 이렇게 꼭 들어맞다니, 어쩐지 의심스럽다. 너무 그럴싸한 느낌이다. 신주神主 분의 계략이 아닐까 하는 의심마저 들었다.

벚꽃은 쏟아져 내릴 것처럼 피어 있었다.

"떨어지다가, 떨어지다가."

"아니지. 떨어지다가, 떨어지지 않다가."

"틀렸어요. 떨어지고, 떨어지지 않고."

1_ 武田信玄(1521~1573). 전국시대의 무장. 전국 통일의 길을 다진 인물로, 소설이나 연극의 주인공으로 자주 등장한다.

모두 함께 웃었다.

축제 전날은 청결하고 활기찬 느낌인 데다 조용한 긴장감이 흘러넘쳐서 좋다. 경내는 먼지 하나 없이 깨끗하게 청소된 상태였다.

“전람회 초대일 같군. 오늘 오길 잘했어.”

“전 벚꽃을 보고 있으면 개구리알 덩어리가 떠올라서…….” 아내는 풍류를 모른다.

“그건 좋지 않은데. 괴롭겠어.”

“예. 무척 이요. 너무 곤혹스러워요. 되도록 떠올리지 않으려고 하는데, 이미 그 덩어리를 한 번 봐버려서…… 머릿속에서 떠나질 않아요.”

“나는 산처럼 쌓여 있는 소금이 떠올라.” 이것 역시 풍류와는 거리가 멀다.

“개구리알보다는 낫네요.” 처제가 말한다. “저는 새하얀 종이가 생각나요. 벚꽃은 향이 전혀 없으니까요.”

향이 있는지 없는지 확인해보려고 잠시 멈춰 서서 조용히 있었더니, 향기가 느껴지기 전에 먼저 등에의 날갯짓 소리가 들려왔다.

벌의 날갯짓 소리였는지도 모른다.

4월 11일의 봄날 대낮.

당선 날当選の日

(1) 가난한 작가에 대하여

이번에 국민신문 단편소설 콩쿠르에 당선되었는데, 그날 일에 대해 정직하게 써보려고 한다. 나는 올해 정월에 고후 사람과 평범하게 중매결혼을 했는데, 내게는 저축한 돈이 한 푼도 없었기 때문에 곧바로 도쿄에 집을 구할 수 없었다. 집 보증금으로 백 엔 정도 준비해야 하고 그 외의 가재도구 일체도 마련해야 하는데, 그러려면 아무리 해도 백 엔은 더 필요했다. 결혼 당시 내게는 입고 있는 옷과 책상, 그리고 침구밖에 없었기 때문에 힘든 일이 많았다. 처음에 우리는 어딘가 산속 깊숙한 곳에 싼 거처를 마련해 거기 숨어 지내면서, 일단 내가 일을 해 집을 구할 수 있을 만한 돈을 마련하자는 얘기도 했는데, 다행히 고후 친정집 근처에서 육 엔 오 전에 다다미 8장, 3장, 1장 크기의 방이 있는 작은 집을 발견했다. 당분간 여기서 지내도 괜찮지 않을까, 산속 집보다 싸게 먹힐지도 모른다, 하는 생각으로 주방 기구와 빗자루, 양동이를 들고 들어가 그 집에 정착했다. 여기는 보증금도 필요 없었다.

고후 변두리라서 가만히 앉아서도 방 창문으로 후지산을 또렷하게 볼 수 있고, 포도 재배 선반도 있고, 사립짝도 있고, 무엇보다 집세가 육 엔 오 전으로 아주 쌌기 때문에 그것이 기뻤다. 기차 지나가는 소리가 어렴풋이 들려오긴 하지만, 밤 여덟 시가 지나면 조용해진다.

"잘 들어. 쓸쓸함에 지면 안 돼. 그게 가장 중요한 마음가짐이라고 생각해."

나는 사뭇 진지한 말투로 아내에게 그렇게 가르쳤다. 나 자신이 쓸쓸함에 질 듯해서 불안했기 때문이기도 하다.

이 집에서 가장 먼저 쓴 소설은 황금풍경[2]이라는, 열 장이 채 안 되는 단편이었다. 그 단편이 이번 콩쿠르에 당선됐다. 나는 당선 같은 건 정말 꿈도 꿔본 적이 없다. 이제껏 내 성격이나 체질에 관한 이야기가 세상에 무척 과장되게 알려져 왔는데, 내가 부주의하고 미숙했던 탓도 분명 있긴 하지만, 일부 사람들이 그 거짓 소문을 정말 믿는 바람에 내 평판이 무척 나빠졌다. 당선은 상상도 할 수 없어서 언젠가 아내와 아내의 가족들에게, "이번에 국민신문에서 단편소설 콩쿠르가 있어서 저도 써볼 생각인데, 뭐 뒤에서 이삼 등 정도라고 생각하면 될 것 같아요. 아니, 정말, 그 정도입니다."라고 웃으며 말했었다. 그때 장모님은 혼자 웃지도 않고 정말 안타깝다는 듯한 얼굴을 했고, 나는 그것을 보고 굉장히 풀이 죽었었다.

2_ 1939년에 발표된 작품. 그해 3월 2일 자 국민신문의 <단편소설 콩쿠르(17)>에 「황금풍경(上)」이, 동월 3일 자에 「황금풍경(下)」가 실렸다

(2) 네 사람을 존경하다

4월 22일 아침, 나는 이번에 출판할 예정인 『사랑과 미에 대하여』라는 새로운 단편집의 교정쇄를 이부자리 안에서 받아들었다. 그 교정쇄와 함께 속달 엽서가 왔는데, 거기에 간바야시 씨와 다자이가 콩쿠르에 당선됐다, 라고 적혀 있는 것을 보고 처음에는 그저 멍했다. 아무 생각도 안 들었다. 그저 보고만 있었다. 점점 상황이 파악되자,

"어이, 어이." 하고 부엌에 있는 아내를 불러서 그 엽서를 보여 주었다.

"이상한 일이네요." 아내도 순간 이상하다는 표정을 지었다.

"일단 역에 가서 신문을 사 와야겠어." 그 엽서에, 자세한 사항은 20일 자 신문에 발표되어 있습니다, 라고 적혀 있었다.

역까지는 걸어서 15분 정도가 걸린다. 아침 여덟 시가 조금 안 된 시간이라, 등교를 서두르는 중학생 행렬이 시커멓게 줄지어 늘어서 있었다. 걷다 보니 점점 기뻐졌다. 당선되었다는 사실이 또렷하게 실감 나기 시작한 것이다. 문득 중학교에 합격했을 때의 기분이 생각났다. 그때의 기쁨도 이런 것이었다. 순식간에 주위 풍경이 활짝 갠 듯한, 갑자기 키가 한 척 자라서 다른 인종이 된 듯한, 그런 영광스러운 기분이었다. 장모님에게 제일 먼저 그 신문을 보여 주고 싶었다. 역에서 신문을 사서 그걸 처갓집 우편함에 몰래 던져놓고 올까도 생각했다. 장모님은 나처럼 가진 것 없는 가난한 서생에게 딸을 주고 내심 무척 서운했을 것이다. 큰 결심을 하셨던 게 틀림없다. 나는 장모님이 조금이라도 기뻐하는 모습을 보고 싶었다. 날 낳아주신 어머니도 계시지만, 이런저런 사정으로 지금은 연락이 두절되어 효도를 하고 싶어도 할 수 없는

처지여서, 최소한 장모님께만이라도 자식으로서의 의무를, 무력한 내가 할 수 있는 범위 내의 일이라면 뭐든 조금이라도 하고 싶다고 늘 생각했었다.

역내 매점에는 국민신문이 한 부 남아 있었다. 나는 오 전을 넣고 그것을 샀다. 역 대합실 벤치에 앉아 신문을 펼쳐보았다. 내 사진이 간바야시 씨 사진 옆에 나란히 실려 있었다. 얼굴이 조금 수정되어 피부색이 하얗게 인쇄되어 있었다. 하지만 역시 울상처럼 보이는 얼굴이었다. 나는 네 표를 받았다. 네 명. 나는 갑자기 진지해졌다. 마음이 든든해진 것이다. 네 명. 네 사람이 이제까지의 나를 향한 악평을 무시하고 과감하게 투표한 것이다. 아름답다고 생각했다. 엄숙함을 느꼈다. 옷깃을 바로 여미고 싶은 기분이었다. 네 사람. 곧바로 그들 중 두 사람의 얼굴이 떠올랐다. 나머지 두 사람은 내가 모르는 사람일지도 모른다. 나는 이 네 사람을 잊어서는 안 된다. 솔직하게 말하겠습니다. 저는 이 네 사람을 영원히 존경할 것입니다.

(3) 무사한 날이 곧 좋은 날

그 신문을 품에 넣고 집으로 돌아왔다. 차마 처갓집 우편함에 넣지는 못했다. 아내에게도 보여 주고 싶었기 때문이다.

아내는 그 신문을 읽고 말했다.

"그래도 다행이에요. 간바야시 씨와 함께여서 정말 안심했어요. 당신 혼자였다면 당신도 무척 괴로웠을 거예요."

나는 아내를 칭찬해 주고 싶은 기분이었다. 나도 간바야시 씨와 함께여서 특히 마음 든든했고, 거기다—기명투표였으니 공표해도 상관없으리라고 생각한다—내 신중한 한 표를 간바야시 씨의 「간부나 寒鮒」에 던졌기 때문에, 내 기쁨도 두 배로 컸다. 아침 식사 전에 교정 일을 끝내두려고 책상 앞에 앉았는데, 장모님이 불쑥 찾아왔다. 장모님은 고후의 란도라인가 하는 하이킹 모임에서 야마타카의 진다이사쿠라 일본의 천연기념물 벚나무에 갈 사람을 모집하고 있으니 가보는 게 어떻겠느냐, 단체로 가면 여러 가지 설명도 들을 수 있고 거기다 참가비도 일 엔 정도로 무척 저렴하니 이 기회에 가보는 것도 좋을 것이다, 매일 그렇게 일만 하지 말고 기분전환을 해보는 게 어떻겠느냐, 하고 우리 부부에게 하루 놀다 오도록 권하려고 온 것이었다.

"아, 그리고 이 책 고마웠네." 하고 일전에 빌려 간 심농의 탐정소설을 보자기에서 꺼냈다.

"잘 쓰더군, 심농인가 하는 이 사람." 장모님은 올해 예순다섯인데도 뒤마나 코난 도일의 전기 탐정소설 종류를 좋아한다. 영어도 조금 읽을 줄 아신다.

"이 사람 책은 더 없나?"

"저기, 그것보다." 나는 국민신문을 꺼내며 말했다. "여기에 좋은 게 나와 있어요."

나와 아내가 웃자, 장모님도 덩달아 자연스럽게 웃기 시작했다.

"뭘까? 안경이 없으면 잘 읽을 수가 없어서. 어머, 어머, 사진이 실려 있네."

"제가 언젠가 말씀드렸었죠? 국민신문에서 콩쿠르가 있는데 저는 평판이 나빠서 뒤에서 이삼 등쯤 할 거라고."

"그랬었나?" 장모님은 멍한 얼굴을 했다. 완전히 잊고 있었던 모양이었다.

장모님은 조용히 신문을 읽으셨다. 다 읽고 나서 말씀하셨다.

"황금풍경은 어떤 소설인가? 난 아직 못 읽었는데." 작품을 보지 않고서는 장모님도 당선 사실을 믿지 못하는 듯했다. 어쩐지 불안한 모양이었다.

"그게 말이죠, 별로 자신이 없어요. 절대 못 보여드리겠어요. 그냥 인정으로 당선된 겁니다." 그렇게 말하고 나니, 그래도 인정이라고 딱 잘라 말해버리면 진지하게 투표해주신 네 분께 실례라는 생각이 들었다. 그 부분을 말로 설명하기가 어려웠다.

진다이사쿠라에는 군이 단체로 갈 필요 없이 우리끼리 느긋하게 가요, 상금을 받으면 그 돈으로 갑시다, 그렇게 해요, 하고 셋이서 결정했다.

장모님이 돌아가시고 나서 다시 교정 일을 시작했고, 점심 무렵까지 일을 마무리하고 늦은 아침밥을 먹었다. 그런 다음 마감일이 다가오는 소설을 조금씩 쓰기 시작했는데, 그러는 사이에 자꾸만 마음이 쓸쓸해졌다.

"어이, 이거 뭐 대단한 일도 아니군."

"아니요. 저는 이 정도의 기쁨이 가장 행복한걸요. 오백 엔, 천 엔 받는 것보다 간바야시 씨와 오십 엔씩 나눠 받는 게 훨씬 아름다워요."

나는 해 질 무렵까지 계속 일을 했다. 아내의 여동생이 겹옷을 한 벌 가지고 왔다.

"이거 어머니가 언니에게 주라고 했어." 상으로 준 것인지도 모른다.

밤에는 속달로 또 교정쇄가 와서, 열두 시 가까이까지 거기에 매달렸다.

정직 노트正直ノオト

정직하게 말씀드리겠습니다. 저는 앞으로 쓸 소설, 또 과거에 쓴 소설의 의도, 소망, 그 고뇌에 대해 별로 말하고 싶지 않습니다. 이것은 저의 거만함 때문은 아니라고 생각합니다. 글을 써서 그것이 상대방에게 받아들여지지 않으면 더 이상 어쩔 도리가 없을 것이고, 앞으로 쓸 소설에 대해 아무리 큰 열정을 가지고 말한다 한들, 어차피 지금의 저는 그렇게 훌륭한 걸작은 쓰지 못한다는 것을 잘 알고 있습니다. 현재 작가로서의 제 역량도 대충 파악하고 있고, 무엇보다 저는 지금 조금 더 정직해져야만 합니다. 많은 작가들이 자기 분에 넘치는 포부에 대해 천진난만하게 이야기하는 것을 보면, 저는 그 사람들이 부러워서 살아 있는 것이 몹시 괴롭게 느껴집니다. 아시겠습니까? 그러나 저는 그런 작가들을 결코 부정하지 못합니다.

저 역시 약을 먹을 때는 먼저 그 약에 딸린 효능서를 꼼꼼하게 읽고, 미덥지 않은 어학 실력으로 영어로 적혀 있는 부분까지 다 읽은 다음 흐뭇한 미소를 지으며 그 우수(하다고 적혀 있는) 약품을 복용하고는 그 자리에서 약효가 나타나는 듯한 착각에 빠지는 것으로 만족하곤 하니까요. 효능서가 없는 약은 마치 현이 없는 바이올린처럼 한없이 불완전한 느낌이 듭니다. 효능서는 꼭 필요한 것이겠지요.

그러나 예술이 약인가 아닌가 하는 문제를 생각하면 조금 의문이 생깁니다. 효능서가 딸려 있는 소다수를 생각해봅시다. 위장에 좋은 교향악을 생각해봅시다. 벚꽃을 보러 가는 건 축농증을 고치기 위해서가 아니겠지요. 저는 이런 생각까지 합니다. 예술에 의의나 이익이 적힌 효능서가 딸려 있기를 바라는 사람은 도리어 자기 삶에 자신이 없는 병약자다, 강인하게 살아가는 직공이나 군인들은 지금 예술을, 아름다움을, 마음 가는 대로 순수하게 즐기고 있지 않은가, 라고요.

"대大뒤마 같은 것도 재밌더군요. 보들레르의 시도 상당히 특이했습니다. 일전에, 이름이 뭐였더라. 슈니츨러인가 하는 사람의 단편을 읽어보았는데, 그 사람도 굉장히 잘 쓰더군요." 이렇듯 밝게 문학을 즐기고 있는 것입니다. 이런 사람들에게는 효능서가 별로 필요치 않겠지요. 마음이 놓입니다. 효능서를 필요로 하는 것은 당신들(양해 바랍니다) 병약자뿐입니다. 정신 똑바로 차리세요.

저는 불친절한 의사일지도 모릅니다. 저는 제 작품에 대해, 이건 걸작이다 같은 식의 말은 한 적이 없습니다. 졸작이라는 말도 한 적이 없습니다. 그건 걸작도 아니지만 졸작도 아니라는 것을 알기 때문입니다. 그럭저럭 괜찮은 편일지도 모릅니다. 하지만 이제껏 저는 걸작을 단 한 편도 못 썼습니다. 이것은 확실합니다. 얼마 전에 어느 선배분과 이야기를 나눴습니다. 정말 스스로 완벽하게 납득할 수 있는 작품을 하나라도 썼다면, 혹은 지금 당장 쓸 자신이 있다면 이렇게 시궁쥐처럼 헤매고 있을 이유도 없어요. 긴자든 의사당 앞이든 도쿄제국대학 안이든 말쑥한 옷차림으로 보란 듯이 걸어 다닐 수 있는데, 지금은 도저히 그럴 수가 없어요. 당분간 저는 안 되겠지요. 그렇게 말했더니 그 선배분이, 그렇지, 누군가에게 귀하의 대표작이 무엇이냐는 질문을 받았을 때, 글쎄요, 벚꽃 동산과 세 자매 정도는 어떨까요, 라고 조심스럽게 대답할 수 있게 된다면 좋겠군, 하고 조용히 대답하더군요.

라 로슈푸코 ラロシフコー

나는 다카하시 고로라는 사람이 달리 어떤 일을 했는지는 모른다. 이 사람은 다이쇼 2년1913년에 라 로슈푸코[3]를 번역했다. 『존철』이라는 제목으로 출판했다. 다이쇼 2년이면 나는 아직 서너 살 즈음이었기 때문에 이 책의 출판이 어떤 반향을 일으켰는지는 알 턱이 없지만, 일단 서문을 보면 굉장한 패기가 느껴진다.

'프랑스 문학의 전성기였던 루이 14세 왕조 시절, 돌연 세상의 이목을 집중시킨 책 하나가 있어, 그 간결하고 통쾌하면서, 사람들 마음에 잘 와닿고 기발한 속세비평은 온 세상 사람들에게 경외를 받았는데, 이 책이 바로 그것이다. 그 저자가 누구인가 하니, 당시에 조정 신하이자 군인이자 정치가로 명성을 떨치던, 아직 문필가로는 그다지 알려진 바 없던 라 로슈푸코 공작이었다 운운.' 같은 말이 잔뜩 적혀 있다. 글 말미에, '우리 국민들에게 이 책을 소개할 필요가 없다고 어찌 말할 수 있으랴. 이 책의 번역서가 반드시 유익하리라고 믿는다.'라고 자신 있게 말하는 부분으로 미루어 짐작건대, 이 번역서가 일본에 최초로

3_ 라 로슈푸코La Rochefoucauld(1613~1680). 17세기 프랑스 귀족 출신의 고전 작가로, 군복무를 마친 후 루이 13세와 왕비의 신임을 받아 궁정에 들어갔다. 전투 중에 중상을 입고 한때 실명했으며, 그 후 정치적 야심을 버리고 『회고록』, 『잠언집』, 『성찰』 등을 집필했다.

라 로슈푸코를 소개한 것이 아닐까 싶다. 다카하시 고로라는 이름은 어디선가 들어본 것도 같지만 확실하지 않다.

이 책에는 『존철』이라는 제목이 박혀 있고, 그 부제로(다른 제목) 인생이면관人生裏面觀이라고 인쇄되어 있다. 번역문은 시원시원하다. 예컨대,

'총신寵臣을 증오하는 이유는 스스로 총애를 원하기 때문이다. 총애를 얻은 자를 모욕함으로써, 이를 얻지 못한 분노를 위로하는 것이다. 우리는 그들이 세상으로부터 존경받는 점을 그들에게서 빼앗아 올 수 없기 때문에, 그들을 존경하기를 거부하는 것이다.' 과연, '조정 신하이자 군인이자 정치가로 명성을 떨치던' 라 로슈푸코 공작의 숨결이 느껴지는, 존엄하고 기운 넘치는 문장이다. 나는 이 번역문을 읽으면서 문득, 라 로슈푸코라는 사람은 이렇듯 존엄하고 기운이 넘치지만 다소 **벽창호**였던 게 아닐까 하는 생각이 들었다. 이 문장은 그런 의미에서 아주 적절한 번역일지도 모른다고 생각했다.

노골적인 말투. 그런 말투를 터득하여, 약하고 횡설수설하는 이들을 마구 공격하면서 즐거움을 느끼는 이가 일본에도 아주 많다. 아니, 일본인은 그런 철학 속에서 자랐다. 개도 걷다 보면 몽둥이에 부딪힌다[4]. 논리보다 증거. 금강산도 식후경. 그것이 일본인이 자랑삼는 철학이다. 라 로슈푸코 같은 것을 읽지 않아도, 소위 '인생이면관'은 진즉에 다 꿰고 있다. 진리는 이면에 있다고 여긴다. 로맨틱함을 머리가 나쁜 것으로 해석한다. 하지만 조금씩 무대가 바뀌어 '성전聖戰'이라는 거대한 로맨티시즘을 이해해야 할 필요가 생기자, 그렇게 계속 '사람으로 하여금

4_ 나다니다 보면 뜻하지 않게 행운을 만나는 수도 있다는 뜻의 속담.

미덕과 악덕을 행하게 하는 것은 이해利害를 따지는 마음뿐이다.' 같은 식의 말로 남을 꾸짖으며 점잖은 척할 수 없게 됐다. 낭만파 철학이 조금씩 현실 생활에 뿌리를 내려 행위의 원천이 되기 시작했음을 말하고 싶다. 라 로슈푸코는 이미 낡아빠졌다.

『인간 예수기』 그 외「人間キリスト記」その他

야마기시 가이시 씨가 쓴 『인간 예수기』를 더 많은 사람들이 읽었으면 한다. 그리고 나는, 읽은 후의 거짓 없는 감상을 많이, 아주 많이 들어보고 싶다. 야마기시를 위해서라기보다는, 오히려 나 자신의 깨달음을 위해서다. 생각한 바를 기탄없이 말해줬으면 한다. 야마기시 역시 나와 마찬가지로, 무언가를 표현할 때 현재의 고뇌를 순식간에 절단해서 먼저 그것을 핀셋으로 집어 시간의 흐름 밖에 끄집어낸 다음, 그 단면도를 또렷하게 확대하여 선명하게 색을 입힌 후 벽에 붙여 고정시키기 위해 노력한다. 거울 두 개를 마주 보게 세우면 거울 속에 또 거울, 그보다 더 안쪽에 다시 거울, 무한히 이어지다가, 결국 그 가장 깊은 곳에는 물이끼가, 마치 심연의 밑바닥처럼 희미하게 흔들흔들 움직이고 있다. 그것을, 그 물이끼를 꽉 붙들어 헤아린 후, 있는 그대로의 모습을 극명하게 묘사하고 흑백을 확실히 표현해서 아름다운 액자 틀에 넣어 나타내고자 하는 것. 나는 야마기시가 그것을 위해 긴 세월에 걸쳐 고뇌해왔다고 생각한다. 이른바 착란을 향한 응시이고, 위태천[5]을 계량하고자 함이고, 격분과 절규에 대한 척도이고, 현기증을 정착시키고자 함이다. 그는

5_ 불법을 지키는 신장神將 중 하나로, 발이 무척 빨랐다는 설화가 전해진다.

침묵 속의 언어와 빛깔까지 백발백중 명확하게 집어내고자 한다. 순수 리얼리즘. 혹은 절대적 휴머니즘. 그때, 야마기시는 『인간 예수기』를 썼다. 읽어보길 바란다. 그리고 그 감상과 충고를 되도록 많이 들어보고 싶다. 야마기시는 거만하지 않다. 독자의 목소리에 순수하게 귀 기울이고, 별것 아닌 자신의 글을 그토록 정성껏 읽고 생각해 주었다는 사실에 더없이 기뻐할 것이다. 이 책이, 야마기시의 작업이 과연 아름다운 것일지 어떨지, 그것조차 아직 판가름 나지 않았다. 전혀 평가받지 못한 상태다. 그것을 결정하는 것은 바로 여러분 독자들이다. 출판사인 다이이치서방第一書房 역시 책 홍보에 더 힘써야 한다. 이것은 문제작이다. 많은 사람들이 읽었으면 한다. 일단 나는 그것을 부탁하고 싶다.

세상 사람들이 많이 읽지 않은 책 중에, 저자가 스스로의 결벽 때문에 책을 출판하고 나서도 모른 척 자기선전도 일절 하지 않고, 또 서점에서도 그다지 광고하지 않은 그런 수수한 책을 우연히 읽었는데 그게 아주 훌륭하면 독자로서 이보다 큰 기쁨은 없을 것이다. 야마기시 씨의 훌륭한 저서 또한 그와 비슷한데, 이 책은 훗날 분명 독자들에게 널리 열렬하게 지지받게 될 요소를 지니고 있기 때문에 절대 묻히지 않을 것이다. 그러나 여기 아주 수수한, 자칫하면 묻혀버리는 게 아닐까 하는 생각까지 하게 만드는, 지나치게 겸손한 양서 한 권이 있다. 야마자키 고헤이 씨의 수필집 『수향기水鄕記』다. 이건 틀림없이 수작이다. 나는 이 책을 읽으면서 얼마나 배를 잡고 뒹굴며 웃었는지 모른다. 우스꽝스러움이 아니다. 즐거운 것이다. 나는 고로극[6]을 보고 한 번도 웃은 적이 없다.

6_ 일본의 근대 희극을 대표하는 배우 소가노야 고로曾我廼家五郎(1877~1944)가 출연한 극을 의미한다.

보고 있으면 진지해질 뿐이다. 분노에 가까운 감정까지 느낀다. 하지만 우자에몬의 거드름 섞인 미에[7]를 보면서는 가끔 진심으로 크게 웃을 때가 있다. 저급한 만화를 보면서는 웃고 싶어도 웃을 수 없는데, 가끔 오가와 우센[8]의 산수화에 웃음을 터뜨리게 되는 것과 같은 이치다. 그 책을 꼭 읽기를. 먼저 「등별登別」, 그런 다음 반드시 「산음풍경山陰風景」을 읽도록.

7_ 가부키 극 중에서 이야기가 가장 정점에 이르렀을 때나 등장인물의 감정이 고조되었을 때, 순간적으로 동작을 멈추고 포즈를 취해 관객의 이목을 끄는 것.

8_ 小川芋錢(1868~1938). 19세기와 20세기 전반에 걸쳐 활약한 화가. 초반에는 삽화나 만화를 주로 그렸으나, 후에는 본격적인 정통 일본화를 그렸다.

시정 논쟁市井喧争

9월 초순, 고후에서 이곳 미타카로 이사 온 지 나흘째 되던 날 낮에 농사꾼 차림의 이상한 여자가 와서 이 근처에 사는 농사꾼이라고 거짓말을 하고는 내게 억지로 장미 일곱 송이를 강매했는데, 가짜라는 것을 알면서도 비굴하고 나약한 성격 때문에 거절하지 못하고 사 엔을 갈취당해 굉장히 불쾌했던 일이 있다. 그로부터 한 달이 지난 10월 초, 그 가짜 농사꾼 이야기를 소설로 쓰고[9] 문장을 다듬고 있는데, 마흔 정도 되어 보이는 남자가 느닷없이 정원에 나타나서는, "실례합니다. 저는 이 근처 온실에서 온 사람인데 혹시 화초 알뿌리라도……." 하면서 툇마루 끝에서 쭈뼛쭈뼛 웃었다. 지난번의 가짜 농사꾼과는 다른 사람이었지만 같은 부류의 사람이겠거니 생각해서, "안 됩니다. 요전에도 장미 여덟 송이를 억지로 심었거든요."라고 여유롭게 웃으며 말하자 남자의 얼굴이 조금 창백해지더니,

"뭡니까? 억지로 심었다는 건 무슨 뜻입니까?" 하고 갑자기 정색하며 내게 시비를 걸어왔다.

나는 무서워서 몸이 부들부들 떨렸다. 침착한 척하기 위해 책상에

9_ 1940년 4월에 잡지 『문예』에 발표된 단편 「젠조를 그리며」를 가리킨다(전집 3권 수록).

턱을 괴고 억지로 웃으면서 말했다.

"아니 그게 아니라, 저기요, 저기 정원 구석에 장미가 심겨 있지요? 그게 속아서 산 거라고요."

"그게 저랑 무슨 상관이 있습니까? 이상한 말을 하는군요. 제 얼굴을 보자마자 대뜸 억지로 심었다니, 참 이상한 말을 하는군요."

나도 이번에는 웃음기 없는 얼굴로 대답했다.

"당신 얘기를 하는 게 아닙니다. 얼마 전에 사기를 당한 게 기분이 나빠서 그 얘기를 하고 있는 겁니다. 당신, 그런 말투는 좋지 않아요."

"흥. 잔소리를 들으러 온 느낌이군요. 어차피 서로 일대일이지 않습니까? 나야 장사꾼이니 한 푼이라도 벌게 해준다면 얼마든지 헤헤거려 주겠지만, 그게 아니라면 그 쪽에게 잔소리를 들을 이유가 전혀 없다고요."

"그건 억지 논리예요. 그럼 나도 억지를 하나 말해보자면, 당신이 먼저 나를 찾아오지 않았습니까?" 누구 허락을 받고 뻔뻔스럽게 남의 정원에 들어온 겁니까? 라고 말하려다가 그건 너무 치사스러운 억지 논리라 관뒀다.

"찾아온 게 뭐 어떻다는 겁니까?" 장사꾼은 내가 머뭇거리는 틈을 이용했다. "나도 한집안의 가장입니다. 잔소리 같은 건 듣기 싫다고요. 사기를 당했다느니 어쩌니 하지만, 이렇게 심어두고 즐기고 있지 않습니까?" 정곡을 찔렀다. 패색이 짙었다.

"그야 물론 즐기지요. 난 사 엔이나 뺏겼다고요."

"헐값 아닙니까?" 말이 끝나기 무섭게 반박한다. 투지가 넘친다. "술집에서 쓰는 술값을 생각하시죠." 무례한 말까지 지껄인다.

"술집 같은 덴 안 갑니다. 가고 싶어도 못 간다고요. 사 엔이면 나한테는 엄청 뼈아픈 돈입니다." 실상을 털어놓을 수밖에 없었다.

"뼈아프든 말든 그건 내 알 바 아닙니다." 장사꾼은 점점 더 기세등등하게 헤헤거리며 나를 비웃었다. "그렇게 뼈아프다면 솔직하게 자백하고 거절했으면 될 일 아닙니까?"

"그게 내 약점입니다. 거절할 수 없었지요."

"그렇게 약해 빠져서 어떡합니까?" 점점 더 나를 깔본다. "사내대장부가 그렇게 약해 빠져서 잘도 이 세상을 헤쳐나가겠군요." 건방진 녀석이다.

"나도 그렇게 생각합니다. 그래서 앞으로는 필요 없는 건 확실히 거절하자고 결심했지요. 그런 중에 당신이 찾아온 겁니다."

"하하하하." 장사꾼은 내 말을 듣고 크게 웃었다. "아, 그렇습니까? 과연, 그런 거군요." 여전히 불쾌한 말투였다. "잘 알겠습니다. 그럼 저는 이만 물러가지요. 잔소리를 들으러 온 게 아니니까요. 어차피 일대일입니다. 잘난 척할 것 없다고요." 이 말만 툭 내뱉듯이 남기고 사라졌다. 나는 내심 안도했다.

다시 일전의 그 가짜 농사꾼 묘사에 이것저것 가필을 하면서, 나는 시정에서 산다는 것의 어려움에 대해 생각했다.

옆방에서 바느질하고 있던 아내가 잠시 후에 나오더니, 내 대응 방식의 졸렬함을 비웃었다. 장사꾼 앞에서는 부자인 척하지 않으면 바로 저렇게 무시한다고요, 사 엔이 뼈아팠다느니 어쩌니 하는 그런 품위 없는 말은 앞으로 하지 마세요, 라고 아내는 말했다.

太宰治

1940년^쇼와 15년^, 31세

본격적으로 시국이 어수선해지기 시작했다. 중일전쟁은 일본의 당초 계획과 달리 장기화되어 진흙탕 싸움이나 다름없는 소모전으로 변했고, 대미 · 대영 관계는 악화일로에 있었다. 사상과 언론 통제가 차츰 강화되어, 7월에는 좌익적 성향을 띠는 출판물 전부가 발매금지 처분을 받았다. 검열 · 압수의 대상 속에는 헌책방의 재고 창고까지 포함되어 있었고, 12월에는 내각에 정보국이 설치되어 언론 통제를 총괄하기에 이른다. 길거리 곳곳에는 '일본어 사전에서 사치라는 단어를 지웁시다!', '사치는 적이다!'라는 문구가 적힌 포스터가 나붙었다.

그런 분위기 속에서, 다자이는 그 어느 해보다 많은 작품을 집필하며 왕성한 창작 활동을 펼친다. 소설 18편(방송 대본 포함), 수필과 그 외의 글이 23편에 이른다. 그러나 작품 속에서도, 사적인 편지 속에서도 시국에 대해 언급하는 일은 많지 않았다. 당시 상황에 대한 직접적 감개를 남긴 글은 수필 「3월 30일」이 유일하다고 할 수 있다.

한편 다자이는 이해에 짧은 여행을 다녀오는 일이 많았는데, 7월에는 이즈로 여행을 다녀와 「동경팔경」을 집필, 11월에는 니가타와 사도에서 하루씩 머무른 후 「사도」라는 작품을 집필하기도 했다. 이해 발표한 대표작으로는 「유다의 고백」, 「달려라 메로스」, 「여자의 결투」 등이 있다.

난처한 자의 변困惑の弁

솔직히 말하면, 나는 이 잡지(『현상계』)로부터 원고 요청을 받고 조금 난처했다. 곧바로 수락의 답장을 쓰지 못했다. 내가 거만하기 때문은 아니다. 그것과는 정반대다. 나는 이 잡지가 유독 비속하다고 생각지는 않는다. 비속하다고 하면 모든 잡지가 다 비속하다. 거기에 발표된 작품도 다 비속하다. 나 또한 두말할 것 없이 비속한 작가다. 나는 다른 비속한 것들을 비웃을 자격이 없다. 사람들에게는 제각각 필사적인 삶의 방식이 있다. 그것을 존중해야만 한다.

내가 난처한 것은 다른 이유 때문이다. 바로 내가 대가의 발끝에도 미치지 못한다는 한 가지 사실이다. 편집자 분이 이 잡지의 8월 상순 호와 10월 하순 호 두 권을 보내주셨는데, 쭉 훑어보니 이 잡지의 독자는 모두 앞으로 '문학이라는 것'을 시도해보려고 마음먹기 시작한 사람들인 듯했다. 그러한 마음 상태일 때, 사람은 하늘을 우러르는 듯한, 전혀 때 묻지 않은 큰 희망을 품고 있기 마련이다. 그리고 그 희망은, 타인과 자신을 기만하지 않는 작품을 쓰자는 식의 구체적인 마음이 아니라, 그저 막연하게 세상에 이름을 알리고자 하는 야망과 비슷한 것이다. 그것은 당연한 일이니 전혀 비난받을 이유가 없다. 평소에 동료들에게 경멸받고, 부모 형제에게 걱정을 끼치고, 아내와 연인에게까지 신용을 잃고는, '좋아. 그렇다면 나도 분발하자. 옛날에 바이런이라는 사람은 어느 날 아침 눈을 떠보니 자기 이름이 세상에 알려져 있었다고 하지 않는가. 해보자.' 하고 결심하는 과정은 누구나 겪는 것으로, 극히 자연스러운 감정이다. 그때 그 사람이 흥분한 상태로 서점에 달려가 이 잡지(『현상계』)를 집어 든다. 잡지를 펼쳐봤더니 다자이라는, 들어본 적도 없는 이상한 이름의 인간이 선생이라도 되는 양 글을 써놓았다. 정말 맥이 빠지리라고 생각한다. 그 사람의 뇌리에 있는 것은 나쓰메 소세키, 모리 오가이, 오자키 고요, 도쿠토미 로카, 그리고 얼마 전에 문화 훈장을 받은 고다 로한. 그들 문호 외의 인간은 다 시시한 것이다. 하지만 그건 당연한 일이다. 문호 외에는 신경 쓰지 않겠다는 그 사람의 태도는 아주 올바르다. 계속 그런 태도를 유지해주었으면 한다. 비참한 것은, 그 잡지에 선생이라도 되는 양 이런저런 중얼거림을 써놓은 다자이라는 남자다.

전혀 유명하지 않다. 이 잡지의 모든 독자는 앞으로 문학에 도전해 세상에 이름을 알리려는, 이른바 청운의 뜻을 품고 있다. 비굴함이 티끌만큼도 없다. 어깨를 펴고 창공을 우러르고 있다. 상처 한 번 받은 적 없다. 물들지 않았다. 다자이라는 형편없는 작가가 기괴하게 쉬어빠진 목소리로 중얼대는 혼잣말이 과연 그 사람에게 들릴 것인가? 나의 난처함은 여기에 기인한다.

나는 여태껏 좋은 소설을 하나도 쓰지 못했다. 모두 남 흉내다. 배운 것도 없다. 아직 서른한 살이다. 풋내기다. 아직 세상을 모른다는 소리를 들어도 어쩔 수 없다. 아무것도 없다. 자랑할 만한 게 전혀 없는 것이다. 딱 하나, 아주 조그마한 프라이드는 있다. 바로 내가 바보라는 사실이다. 자진하여 십 년간 아무짝에 쓸모없는 길거리 고생만 하면서 여기저기를 전전해왔다. 하지만 다시 생각해 보니, 그건 독자 여러분이 앞으로 문호가 되는 데 전혀 필요치 않은 것이다. 쓸데없는 고생은 피할 수 있다면 그거야 피하는 게 좋다고 생각한다. 무슨 일이건 총명해서 해될 것은 없다. 그렇지만 나는 머리가 무척 나쁜 데다 주제 모르는 자만심도 있어서, 남들이 말려도 무시하고 괜찮아, 괜찮아 하고 만용을 부려, 수영도 못하면서 깊은 연못에 뛰어들어 금세 어푸어푸, 차마 눈 뜨고 볼 수 없는 꼴이 됐다. 그런 멍청한 작가가 미래의 오가이, 소세키를 지망하는 이 잡지의 독자에게 도대체 무슨 말을 하면 좋단 말인가. 무척 난처하다.

나는 오히려 악명이 더 높은 작가다. 가지각색으로 곡해되고 있는 모양이다. 하지만 그건 역시 내가 부족하기 때문일 것이다. 참으로 어렵다. 지금은, 마음을 느긋하게 먹고 살아나가자고 생각하고 있다. 나는 머리가 나빠서 한꺼번에 모든 일을 해결하지 못한다. 손으로 더듬어 가며 천천히 들어가서 나아가는 수밖에 없다. 오래 살고 싶다는 생각을 하고 있다.

그런 상태인 관계로, 나는 여러분에게 할 만한 이야기가 하나도 없다. 딱 하나 아주 조그마한 프라이드가 있다고 방금 썼는데, 이제는 그것도 지워버리고픈 심정이다. 쓸모없는 고생은 자랑거리가 못 된다. 하지만 나는 지푸라기 하나라도 붙잡고 싶은 심정으로, 이제껏 해온 미련한 고생에 집착하고 있다는 것을 고백해야만 한다. 만약 이야깃거리가 있다고 한다면, 딱 하나 그것뿐이다. 나는 이런 어리석은 고생을 하고도 이룬 것이 전혀 없으니, 적어도 여러분만이라도 자중하여 이런 어리석은 짓은 하지 말라는, 아주 소극적이고 무력한 충고 정도는 나도 할 수 있다고 생각한다. 등대가 환하게 밝은 빛을 비추는 것은 등대 자신을 뽐내기 위해서가 아니라, 여기는 위험한 곳이니 가까이 오지 말라는 충고의 의미다.

내게도 학생 두어 명이 찾아오기도 한다. 그럴 때도 나는 지금 같은 난처함을 느낀다. 그들은 물론 내 소설을 읽은 적이 없다. 그들 역시 청운의 뜻을 품고 있기 때문에, 내 소설을 경멸한다. 그래야 마땅하다고 생각한다. 내 소설 같은 것을 읽을 시간에 외국의 일류 작가나 일본 고전을 더 읽어야 한다. 꿈은 크면 클수록 좋은 법이다. 그렇게 내 소설을 경멸하면서 왜 나를 찾아오는 것일까. 쉽게 올 수 있기 때문이다. 그 외의 이유는 없는 듯하다. 현관문을 활짝 열면, 바로 코앞에 내가 앉아 있다. 집이 좁기 때문이다.

모처럼 찾아와준 사람들이다. 설마하니 악의를 품고 이렇게 먼 시골까지 찾아오는 사람은 없을 것이다. 나는 그 후한 대접에 보답해야만 한다. 들어와 앉게, 잘 왔어, 라고 말한다. 나는 전혀 대단할 것이 없는 사람이라, 손님을 현관에서 내쫓아 돌려보내는 건 상상도 할 수 없다. 나는 그렇게 바쁜 남자도 아니다. '바쁠 땐 손님 사절' 같은 멋진 일은 영원히 불가능하리라고 생각한다.

일본에는 나보다 훌륭한 작가가 많이 있으니까 그 사람들을 찾아가도록 해. 분명 얻을 게 아주 많을 거야. 어느 날 학생 하나에게 진지하게 그런 말을 한 적이 있는데, 그 학생은 히죽 웃으며, 찾아가 봐야 만나주지도 않겠지요, 라고 솔직하게 대답했다. 그런 일은 없을 거네. 만나주지 않는다면, 주먹밥을 싸 들고 문 앞에 버티고 서서 하룻밤이든 이틀 밤이든 매달리면 돼. 정말 그 사람을 존경하다면 그런 불온한 행동도 꼭 나쁜 짓이라고 할 수는 없어. 또 진지하게 말했더니 그 학생이 이번에는 껄껄 웃으며, 일본 작가 중에 그 정도로 존경하는 사람은 없어요,

괴테나 다빈치의 제자가 될 수 있다면 그 정도 고생도 감수하겠지만, 하고 큰소리를 치고는 테이블 위에 놓인 만두를 한입 가득 밀어 넣었다. 젊고 때 묻지 않은 시절에는 모두 이렇게 큰 꿈을 가져야 한다. 나는 그 학생에게 아무 말도 할 수 없었다. 나는 경멸받고 있었다. 그러나 그 경멸은 올바른 것이다. 나는 가난하고, 게으르고, 배운 것도 없는데다 무척 형편없는 소설만 쓰고 있다. 경멸받아 마땅하다.

자네는 괴로운가? 나는 순진한 방문객에게 묻는다. 그야 괴롭지요. 만두를 꿀꺽 삼키고서 대답한다. 분명 괴로운 것이다. 청춘은 인생의 꽃이라고들 하지만, 한편으로는 초조와 고독으로 가득한 지옥이기도 하다. 어찌하면 좋을지 알 수가 없는 것이다. 틀림없이 괴로우리라.

그렇군, 하고 나는 수긍한다. 그 괴로움을 어찌하지 못해서 이렇게 나를 찾아온 건가? 어쩌면 다자이가 의외로 좋은 말을 해줄지도 몰라, 아니, 역시 그 녀석은 안 되려나? 하는 그런 마음으로 무심결에 여기에 온 건가? 만약 그런 거라면 잘못 찾아왔어. 나는 자네에게 좋은 걸 하나도 가르쳐 줄 수가 없네. 일단은 당장 나부터가 위험하니까 말이야. 나는 머리가 나빠서 아무것도 몰라. 나는 이제껏 한심한 실수만 저질러왔기 때문에, 그저 나처럼 멍청한 짓은 하지 말라는 말만 몇 번이고 반복해서 해주고 싶을 뿐이네. 학교 다니는 걸 게을리하면 안 돼. 낙제해서도 안 돼. 커닝을 해도 좋으니 학교는 꼭 제대로 졸업하게. 책을 최대한 많이 읽도록 해. 술집에서 돈을 낭비하면 안 되네. 술을 마시고 싶다면 친구나 선배와 함께 쇠고기 전골을 먹으면서 비분강개하도록 해. 그것도 일주일에 한 번 이상은 하지 말게. 쓸쓸함을 견뎌내야 해. 사흘 견뎌보고 그래도 쓸쓸하다면 그건 병이네. 냉수마찰을 시작하도록 해. 하라마키[1]는 꼭 두르는 게 좋아. 남에게 돈을 빌리지 말게. 굶어 죽는 한이 있어도 돈은 빌리면 안 돼. 이 세상은 사람이 굶어 죽지 않게끔 만들어져 있다네. 안심해도 좋아. 사랑은 반드시 짝사랑인 채로 숨겨두도록 해. 여자에게 사랑을 고백하는 건 남자의 수치야. 간절히 생각하다 보면 언젠가 알아줄 거네. 그걸 믿고 느긋하게 지내야 해. 무슨 일이든 서두르면 안 돼. 소세키는 마흔 살에 소설을 쓰기 시작했다네.

이상과 같이 전혀 고상하지 못한 충고가 내가 할 수 있는 최선이었고, 그 학생은 배를 잡고 크게 웃었다. 이 잡지의 독자들 또한 미래의 오가이, 소세키, 나아가 괴테까지 지망하고 있을 것이 분명하니, 전혀 유명하지도, 훌륭하지도 않은 작가의 무척이나 질 낮은 외침에는 필시 실소를 금치 못하리라. 그것으로 됐다. 꿈은 크면 클수록 좋은 법이다.

• •

1_ 배를 따뜻하게 하기 위해 두르는 넓은 천.

마음의 왕자心の王者

얼마 전, 게이오대학에 다니는 어린 학생 두 사람이 집에 찾아왔습니다. 저는 공교롭게도 몸 상태가 좋지 않아 누워 있던 참이어서, 잠깐이라도 괜찮을까요, 하고 미리 양해를 구한 뒤 이불 속에서 나와 도테라 위에 겉옷을 걸치고서 이야기를 나눴습니다. 두 사람 다 상당히 예의가 발라서, 용건만 재빨리 이야기하고는 곧장 돌아가 주었습니다.

용건인즉슨, 이 신문에 수필을 써달라는 것이었습니다. 제 눈에는 둘 다 열예닐곱 정도밖에 안 되어 보이는 온화한 소년이었지만, 역시 스무 살이 넘었겠지요. 요즘 어쩐지 사람 나이를 구분하기가 힘들어졌습니다. 열다섯인 사람도, 서른인 사람도, 마흔인 사람도, 혹은 쉰인 사람도 같은 일에 화를 내고, 같은 일에 웃으며 즐거워하고, 서로 똑같이 조금 비겁하고, 또 똑같이 약하고 비굴해서, 사람의 마음속만 보고 있으면 나이 차이 같은 건 헷갈려서 알 수가 없고, 결국 나이라는 건 대수롭지 않은 것이 되고 맙니다. 일전의 두 학생도 열예닐곱 정도로 보였지만, 이야기하는 태도에는 약간의 홍정술 같은 것이 섞여 있어서 제법 조숙해 보였습니다. 말하자면, 신문 편집자로서의 권위가 있었습니다. 두 사람이 돌아가고 난 후, 저는 겉옷을 벗고 다시 이불 속에 파고 들어가 잠시 생각했습니다. 요즘의 학생 여러분의 처지가 왠지 딱하게 여겨지기 시작했지요.

학생은 사회의 그 어디에도 속해 있지 않습니다. 또한, 속해서는 안 된다고 생각합니다. 학생이라는 건 본디 푸른 망토를 걸친 차일드 해럴드[2] 같은 존재여야 한다고, 저는 굳게 믿고 있습니다. 학생은 사색의 산책을 하는 사람입니다. 창공의 구름입니다. 완벽한 편집자가 되어서는 안 됩니다. 완벽한 관리가 되어서는 안 됩니다. 완벽한 학자가 되는 것도 안 됩니다. 노련한 사회인이 된다는 건, 학생에게는 무시무시한 타락을 의미합니다. 학생들의 죄는 아닐 것입니다. 분명 누군가에게 그렇게 하도록 강요받았겠지요. 그래서 저는 가엾다고 말하는 것입니다.

그렇다면 학생 본연의 모습은 어떠한 것인가. 그것에 대한 답으로, 여러분에게 실러의 서사시 한 편을 들려주겠습니다. 실러를 많이 읽어야 합니다.

지금 같은 시국에는 특히 더 많이 읽어야 합니다. 대범하고 강인한 의지와, 가능한 한 밝고 큰 희망을 계속 품어나가기 위해서도, 여러분은 지금에야말로 실러를 떠올리고 즐겨 읽는 것이 좋습니다. 실러의 작품 중에 「지구의 분배」라는 재미있는 시 한 편이 있는데, 대강의 내용은 다음과 같습니다.

"받아다오, 이 세계를!" 신의 아버지 제우스가 천상에서 인간에게 호령했다.

"받아라. 이것은 너희의 것이다. 나는 너희에게 이것을 유산으로써, 영원한 영지로서 선물하겠다. 자, 사이좋게 나눠 갖도록." 그 목소리를

2_ 바이런의 장편 서사시 『차일드 해럴드의 순례』(1812~1818)의 주인공. 차일드 해럴드는 방종한 생활로 인한 고독감을 이기지 못하고 크게 뉘우치며 여행길에 오르는 인물이다.

들고, 곧 손을 가진 모든 이들이 우왕좌왕 앞다투어 서로 자기 몫을 챙기기 위해 싸웠다. 농민이 들판에 경계의 말뚝을 박고 그곳을 경작하여 논밭으로 만들자, 지주가 팔짱을 끼고 나타나 큰소리를 쳤다. “그곳의 7할은 내 것이다.” 또, 상인은 창고 가득 물건을 모으고, 장로는 오래되고 귀중한 포도주를 찾아 모으고, 귀족들은 곧장 푸른 숲 외곽에 줄을 둘러 그곳을 사냥과 밀회를 즐기는 장소로 만들었다. 시장市長은 번화한 거리를 빼앗고, 어부는 물가에 살 곳을 마련했다. 모든 분할이 다 끝나고 한참이 지난 후에 시인이 어슬렁거리며 찾아왔다. 그는 아주 먼 곳에서 왔다. 아아, 그때는 이미 그 어디에도 남은 것이 없고, 모든 땅에는 지주의 명패가 붙어 있었다. “에잇, 한심하다! 왜 나 하나만 모두에게 소외된 것인가. 이 내가, 당신의 가장 충실한 아들이?” 그는 큰 소리로 불평하며 제우스의 왕좌 앞에 몸을 던졌다. “네 멋대로 꿈의 나라에서 꾸물대고 있었으면서.” 하고 신은 말을 가로막았다. “나를 원망할 이유가 전혀 없다. 네 녀석은 도대체 어디에 있었던 것이냐. 모두가 지구를 나눠 가지고 있을 때.” 시인은 대답했다. “저는 당신 곁에 있었습니다. 눈은 당신의 얼굴만 바라보고 있었고, 귀는 천상의 음악에 홀려 있었습니다. 부디 이 마음을 헤아려주십시오. 당신의 빛에 도취해 지상의 일을 잊고 있었던 것을.” 그때, 제우스가 다정하게 말했다. “어떻게 하면 좋겠느냐? 지구는 남김없이 다 주고 말았다. 가을도, 수렵도, 시장市場도 이제 더 이상 내 것이 아니다. 하지만 네 녀석이 나와 함께 천상에 있고 싶다면, 가끔 찾아오너라. 이곳은 널 위해 비워두마!”

어떻습니까? 학생 본연의 모습은, 즉 신의 총아인 이 시인의 모습 같은 것입니다. 지상에는 자랑스러워할 만한 것이 하나도 없지만, 그 자유롭고 고귀한 동경심으로 간혹 신과 함께 살 수도 있는 것입니다.

이 특권을 자각하도록 하십시오. 이 특권을 자랑스러워하십시오. 여러분이 언제까지고 소유할 수 있는 특권이 아닙니다. 아아, 그건 정말로 짧은 기간입니다. 그 기간을 소중히 여기십시오. 절대 자신을 더럽히면 안 됩니다. 지상 분배에 참여하는 건, 학교를 졸업하면 싫어도 하게 됩니다. 장사꾼도 될 수 있습니다. 편집자도 될 수 있습니다. 관리도 될 수 있습니다. 그렇지만 신의 옥좌에 신과 나란히 앉는 건 학생 시절 이후에는 절대 불가능한 일입니다. 두 번 다시 돌아오지 않습니다.

게이오 학생 여러분. 여러분은 항상 '육지의 왕자'[3]를 노래함과 동시에, 마음속으로 '마음의 왕자'임을 자부해야 합니다. 신과 함께하는 시기는, 여러분의 생애 중 딱 이번 한 번뿐입니다.

3_ 게이오대학을 대표하는 응원가 <젊은 피>의 가사 중 한 구절. 도쿄 6대학 야구연맹에 소속되어 있는 대학을 의미하는 '도쿄 6대학'(로쿠 다이가쿠)의 로쿠가 육지를 의미하는 리쿠陸로 변형된 것으로, 본래 뜻은 '6대학의 왕자'이다.

요즈음このごろ

(1)

남태평양 팔라우섬의 기선 회사에서 일하는 사촌이 있습니다. 이름을 말하면 알 수도 있지만, 일부러 쓰지 않겠습니다. 이 사촌은 십 년 전에 어떤 정치운동에 투신했다가 체포되었고, 거의 십 년에 가까운 시간 동안 세상에서 격리되었다가 얼마 전에 풀려나, 지금은 남태평양 팔라우섬에서 열심히 일하고 있습니다. 얼마 전 남태평양에서 편지가 왔습니다. '너의 유일한 이모인 내 어머니, 내 여동생과 아내가 도쿄 집에서 외롭게 지내고 있으니 한 번 찾아뵙도록 해.' 저는 답장에, '나는 갈 수 없어. 이제껏 이런저런 멍청한 짓을 많이 해서 친척들과는 당분간 왕래할 수 없게 됐거든. 고향 집에 연락조차 하면 안 되는 상태인데, 그런 내가 뻔뻔스럽게 친척 집에 얼굴을 내밀면 고향에 계신 어머니와 형이 그 얘기를 전해 듣고 그 멍청한 녀석이, 하면서 부끄러워하시겠지. 망신살이 뻗쳤다고 한탄할지도 몰라. 나는 그 어떤 친척과도 만날 수 없어. 이모님 집에 못 가.'라고 적었습니다.

남태평양에서 다시 온 편지에는, '편지 잘 받아보았다. 네가 지금까지 해온 일에 대해서는 친척들 모두가 걱정하고 있는 모양이더군. 하지만 과거 얘기는 하지 말도록 해. 과거 애기를 하면, 나는 하늘 아래 숨을 곳이 없잖아. 그런 일은 신경 쓰지 말도록 하자. 꼭 한 번 도쿄에 계신 우리 어머니를 찾아가도록 해. 어머니도 병약한 상태라, 네 아버지처럼 일찍 돌아가실지도 몰라. 우리 집에서 네 고향 집에 뭐라고 말을 전할 일도 없고 누구에게 알려질 염려는 없으니, 안심하고 한 번 찾아뵈어 주면 좋겠다. 어머니가 얼마나 기뻐하실지. 나는 요즘 보들레르를 다시 읽으면서 반성과 회한의 강렬함에 대해 배우고 있어.'라고 적혀 있었습니다. 그걸 보고, 더 이상 우물쭈물하고 있는 건 오히려 꼴사나운 자기 비하라는 생각이 들어서 이모님을 찾아뵙기로 했습니다.

국철 요쓰야역에서 내려 날이 어둑해질 무렵 이모님 집에 도착했고, 거의 이십 년 만에 이모님과 만날 수 있었습니다. 이모님은 푸근한 할머니가 되어 있었습니다. 마지막으로 봤을 때는 젖먹이였던 사촌 여동생은 벌써 어른이 되어 있더군요. 그날 밤, 이모님께 이런저런 이야기를 들었습니다. 돌아오는 길에는 왠지 가슴이 먹먹해졌습니다. 육친이라는 건 어째서 이토록 슬픈 존재인지요. 전차에 오르고 난 후에도 이런저런 생각을 하며, 남태평양에 있는 사촌 형의 건투를 진심으로 빌었습니다.

(2)

T라는 지인이 있습니다. 지금 중국 북부에 있습니다. 병사입니다. 아직 한 번도 만난 적은 없지만, 오륙 년 전쯤부터 편지를 주고받고 있습니다. T군은 오륙 년 전에 작은 동인잡지에 좋은 소설을 한 편 발표했습니다. 저는 어느 잡지에 그 소설에 대한 글을 조금 썼습니다. 그때부터 편지를 주고받았습니다. T군은 조선에 있는 어느 회사에서 일했습니다. 재작년에 징집되어 이곳저곳을 전전하면서, 전쟁을 소재로

한 소설을 써서 제게 보내왔습니다. 읽어보니 그다지 훌륭한 글은 아니더군요. T군 정도 되는 사람이 이렇게 될 대로 되라 식의 문장을 써서야 곤란하다는 생각이 들어서, '정말 서투르다. 문장이 엉성하다.'라고, 매번 지나치게 정직한 감상을 써서 보냈습니다. T군도 인격을 갖춘 사람이어서, 심한 말속에 감춰진 저의 성실함을 알아주었습니다. '당분간 소설을 쓰지 않고 천천히 심경을 정리해볼 생각이다.'라는 편지를 보내왔는데, 그 후로 격전에 몇 번 참가한 모양이었습니다. 두 달 정도 후에 보내온 소설은 훨씬 의욕적인 것이었기에, 저는 곧바로 어느 잡지사에 그것을 실어달라고 부탁했습니다. 그 잡지와, 잡지의 신문광고를 잘라낸 것을 전쟁터에 보냈더니 T군이, '이거 정말 부끄럽군. 내 글이 그런 중견 작가들의 작품 옆에 나란히 실려 있는 것을 보고 처음으로 내가 얼마나 형편없는지 깨달았다네. 분명 내가 전쟁터에 있는 병사라 그 핸디캡도 있고 해서 실어줬겠지만, 그래도 정말 부끄럽네. H・A가 쓴 전쟁 소설을 읽고 이 정도는 나도 쓸 수 있다고 생각했었는데, 정말 말도 안 되는 생각이었어. 나는 다시 당분간 소설을 좀 멀리하고 싶어. 정말 지금은 그냥 쥐구멍에라도 들어가 숨고 싶은 심정이네.'라고 적어서 보냈더군요. 저는 T군에게 초라한 위문대[4]를 보냈습니다. 타월과 속옷, 그리고 당시선唐詩選 상하 두 권을 넣었습니다.

당시선은 성공적인 듯했습니다. T군은, '각지에서 싸우면서 이곳은 이태백이 취했던 곳, 이곳은 두보가 울었던 곳, 하면서 당시선과 비교해 보았더니 풍요로운 마음으로 싸울 수 있게 됐다네. 마치 성인들과 함께 취하고, 또 함께 울고 있는 기분이야.'라는 편지를 보내주었습니다.

4_ 일선 군인이나 이재민에게 위문품을 넣어서 보내는 주머니.

분명 T군은 곧 훌륭한 소설을 쓸 수 있게 되리라는 생각에 무척 기뻤습니다. 그와 동시에 T군의 무운이 오래도록 이어지기를 빌었습니다. 뭐든 책을 또 보내 달라고 전쟁터에서 부탁해 왔기에, 저는 신주쿠에 가서 화려한 나체의 여자들이 잔뜩 실려 있는 서양 화집 세 권을 샀습니다. 이 아름다운 화집 또한 분명 전쟁터를 조금이나마 밝게 빛내줄 것이라고 용기를 내며 집으로 돌아왔더니, 전쟁터에서 보내온 그림엽서 한 장이 책상 위에 놓여 있었습니다. T군에게서 온 소식이었습니다. '앞으로 편지를 보내지 마세요. 위문대도 보내지 마세요. 보내도 반송될 겁니다. 제 주소가 전혀 다른 곳으로 바뀔지도 모릅니다. 당분간 아무것도 보내면 안 됩니다.'라는 내용이었는데, 저는 너무 불길한 느낌이 들어 가슴이 철렁했습니다. 하지만 그 엽서 한구석에 자그마하게 'to see you 조만간 함께 술을 마실 수 있겠어요.'라고 적혀 있더군요. T군 만세. 곧 개선하는 것입니다.

(3)

Y라는 지인이 있습니다. 저도 이러쿵저러쿵 이치 따지기를 좋아하는 남자지만, Y군 정도는 아닙니다. Y군은 논쟁을 무척 좋아하는 남자입니다. 얼마 전, 인력거를 타고 미타카에 있는 우리 집까지 논쟁을 하러 왔습니다. 새벽 세 시까지 이런저런 논쟁을 벌였지만, 승패를 가리기도 전에 이불에 쓰러져 잠들고 말았습니다. 다음날 일어나서 둘이 함께 세수하러 우물가로 나갔는데, 거기서도 논쟁이 시작되어 한 시간 가까이 우물가를 빙글빙글 거닐며 요즘 느낀 것에 대해 이야기를 나누었습니다. 아침밥을 먹고 집 근처 이노카시라 공원으로 산책하러 나갔는데, 가는 길에도 줄곧 논쟁만 했습니다.

"그렇다면 대체."하고 Y군은 한층 더 목소리를 높여, "자네가 가장 쓰고 싶은 건 뭔가? 자네는 열정을 어디에 두고 있는 거지? 그것부터 먼저 결정하자고."라며 저를 다그쳤습니다. 저는 조금 생각한 후,

"그건 바로 나약함이지." 도스토, 하고 말을 이으려는 찰나에 갑자기 오른쪽 울타리에서 갈색 개 한 마리가 멍, 짖으며 나타났습니다. 저는 앗 하고 비명을 지르며 피했지만, 그 개는 아주 집요하게 저만 보고 짖어대며 허연 이빨을 드러내고 덤벼들었습니다. 저는 순간 체면이고 뭐고 생각할 겨를도 없이 Y군의 등 뒤에 딱 달라붙어 숨어서는,

"안 돼, 안 되겠어, 이건 안 된다고, 와아, 미치겠군."하고 이상한 말만 연발했습니다.

Y군이 들고 있던 지팡이를 휘둘러 침착하게 그 개를 쫓아주었는데, 저는 정말이지 그때 죽을 뻔했습니다.

"과연. 나약함, 이라는 거지." Y군에게 비웃음을 샀지만 항변하지 못했습니다. 그 갈색 개가 나타난 후로 부쩍 기가 팍 죽어서 그때부터는 모든 논쟁에서 졌습니다. 무슨 말을 해도 말투에는 힘이 들어가지 않았고, 저만의 장점도 다 사라졌습니다. 그날은 정말 엉망진창이었습니다. 개는 저의 적입니다. 작년 가을, 어느 잡지에 개에 대한 글[5]을 썼더니 지인 두어 명이 무척 재밌었다고 칭찬해 주었습니다. 무척 조잡한 작품이라 저는 너무 부끄러웠고, 그 후로 개에 대한 이야기는 되도록 피했습니다. 지금 또 개 이야기를 꺼내어 혼자 신나 있는 느낌이라 정말 꼴사납지만, 우리 집 작은 정원에는 볕이 잘 드는 탓인지 매일 다양한 개가 모여들어서는, 부탁도 안 했는데 멍멍 컹컹 짖으며 갖가지 격투 연습을

5_ 1939년 10월, 잡지 『문학자』에 발표된 단편소설 「개 이야기」를 가리킨다(전집 3권 수록).

해서 저를 난처하게 합니다. 어쩔 수 없이 툇마루로 나가서,

"마에다 씨, 좀 조용히 해주세요. 사이고 씨도 그만 좀 하세요. 아라키 씨도 시끄럽군요. 모두 저리로 좀 가세요. 과자를 줄 테니." 하면서, 맞은편 밭으로 센베 하나를 휙 던져줍니다. 모두 앞다투어 날아갑니다. 마에다 씨, 사이고 씨, 아라키 씨는 각각 그 개를 기르는 주인의 이름입니다. 모두 훌륭한 저택을 가지고 있습니다. 요즘 어느 개가 어느 집에서 기르는 것인지 대충 알게 되어서 일부러 그 주인 이름으로 부르고 있습니다. 개는 제각각 그 주인의 기질을 여과 없이 보여 주지만, 이웃 험담은 하지 않겠습니다. 어쩌면 이 신문을 읽는 집이 있을지도 모르니까요.

요즘 제가 얌전히 지내서 고향 집에서도 조금씩 저를 신용하기 시작한 듯합니다. 기쁘기 그지없습니다. 오늘은 고향에 있는 누님이 몰래 떡을 보내주셨습니다. 올해에는 분명 좋은 일이 있겠지요.

울적함이 부른 재앙鬱屈禍

이 신문(<제국신문>)의 편집자는, 내 소설이 다 실패작인 데다 아직 부족한 점이 많다는 사실을 영리하게 간파한 것이 틀림없다. 그리고 이 주눅 들고 인기 없는 나쁜 작가에게 동정심을 느껴, '문학의 적이라고 하면 조금 과장된 말이지만, 최근의 문학에 독이 된다고 생각하는 것, 뭐 그 비슷한 것'을 써달라고 한 것이다.

편집자의 동정심에 보답하기 위해서라도, 나는 생각하는 바를 솔직하게 써야 한다.

이런 말이 있다. '나는 내 원수를 꼭 끌어안습니다. 숨통을 끊어서 죽이려는 계략.' 이건 유명한 시 구절이라고 하는데, 학식이 부족한 나는 누구의 시인지 잘 모른다. 어차피 발칙하고 형편없는 문학자가 지은 시임이 틀림없다. 지드가 그것을 인용했다. 지드도 퍽 악업이 깊은 남자인 듯하다. 시간이 아무리 흘러도 그저 파계승일 뿐이다. 지드는 그 시 구절 뒤에 자기 의견을 덧붙였다. 즉, '예술은 늘 어떠한 구속이 낳은 결과입니다. 예술이 자유로우면 그만큼 더 값질 것이라고 믿는 건, 연이 뜨는 것을 방해하는 게 그 실이라고 믿는 것이나 다름없습니다. 칸트의 비둘기는 자신의 날개를 속박하는 공기가 없다면 더 높이 날 수 있으리라고 생각했는데, 자신이 날기 위해서는 날개의 무게를

맡길 수 있는 공기 저항이 필요하다는 것을 모르는 겁니다. 이와 마찬가지로, 예술이 발전하기 위해서는 역시 어떠한 저항의 도움에 의지할 수 있어야 합니다.' 이는 어쩐지 어린아이 속이기 같은 논법으로, 결론이 다소 성급하여 억지로 강요하는 느낌이다.

그래도 조금만 더 참고 그의 이야기에 귀를 기울여보자. 지드의 예술 평론은 훌륭하다. 역시 세계 유수라고 생각한다. 소설은 좀 어설프지만. 마음이 너무 앞서서 현絃을 울리지 못하는 것이다. 그는 계속해서 말한다.

'대 예술가란 속박에 고무되고, 장애물을 발판 삼는 사람입니다. 전해지는 바로는, 미켈란젤로가 모세의 궁핍한 모습을 생각해낸 것은 대리석이 부족했던 덕분이라고 합니다. 아이스킬로스는 무대 위에서 동시에 쓸 수 있는 목소리의 수가 한정되어 있었기에, 부득이하게 캅카스 바위에 쇠사슬로 묶인 프로메테우스의 침묵을 만들어낼 수 있었습니다. 그리스는 현악기에 현을 하나 추가한 이를 추방했습니다. 예술은 속박에서 태어나 투쟁 속에서 살다가 자유롭게 죽습니다.'

상당히 확신에 찬 말투로 단순하게 단언한다. 믿어야만 하리라.

옆집에서 아침부터 밤늦게까지 틀어놓는 라디오 소리가 무척 시끄러워서, 내 소설이 형편없는 것을 그 탓으로 돌렸는데, 그건 잘못된 생각이었다. 나는 소음이라는 장애물을 내 예술의 명예로운 발판으로 삼았어야 했다. 라디오 소음은 결코 문학을 해치는 존재가 아니었다. 문학의 적으로 여러 가지를 가정해봤지만, 생각해 보니 그것들은 모두 예술을 낳고, 성장시키고, 발전시키는 고마운 모체였다. 절망스러운 이야기다. 그 어떤 불평도 할 수 없게 됐다. 나는 보잘것없고 나쁜 작가지만, 그래도 역시 일류의 길을 걷고 싶다. 흉내라도 좋으니 대 예술가의 마음가짐을 늘 지니고 싶다. 대 예술가란 속박에 고무되고, 장애물을 발판 삼는 사람입니다, 라는 조부祖父 지드의 말에 깨달음을 얻은 이들이 너도나도 '좋은 아이'가 되고픈 마음에, 네 하고 그럴싸한 얼굴로 수긍한 후 자리에서 일어났고, 그것이 무척 어처구니없는 결과를 낳았다. 자기를 때리고 속박하는 사람들 모두에게, "아니, 감사합니다. 덕분에 제 예술이 고무되었습니다." 하고 감사 인사를 할 수밖에 없게 된 것이다. 신발로 얼굴을 얻어맞고는, 그 신발을 비단 보자기에 고이 싸두고 아침저녁으로 공손하게 절을 해서 입신출세했다는 이야기를 요세[6]에서 듣고 너무 한심해서 웃음이 터졌던 일이 있는데, 그것과 다를 바 없다. 대 예술가가 되는 건 참 힘든 일이지, 하고 농담처럼 말해버리면 모처럼 지드가 한 말도 다 쓸모없는 것이 되고 말지만, 지드의 말은 결과론이다. 후세의 방관자의 말이다.

미켈란젤로도 그 당시에는 대리석 부족에 비분강개했다. 투덜투덜 불평하면서 모세상을 제작했다. 공교롭게도 미켈란젤로의 천재성이 대리석 부족을 채우고도 남을 만큼이었기 때문에 성공한 것이다. 하물며 우리처럼 평범한 이들이 얻어맞고 기뻐한다면, 제작이고 뭐고 아무것도 할 수 없다.

불평은 많이 하는 게 좋다. 적은 용서하면 안 된다. 지드도 확실히 말했다. '투쟁 속에서 살다가'라고, 아주 명확하게 말했다. 적은? 아아, 그건 라디오가 아니다! 원고료가 아니다. 비평가가 아니다. 한 노인이 말하기를, '심중의 적을 가장 두려워해야 한다.' 내 소설이 아직 서툴고 미흡한 것은, 역시 내 마음속에 탁한 무언가가 있기 때문이다.

6_ 라쿠고, 담화, 만담, 야담 등의 대중 연예를 공연하는 연예장.

술을 싫어함酒ぎらい

이틀 연속으로 술을 마셨다. 그저께 밤과 어제, 이틀 연달아 술을 마시고 오늘은 일을 해야 해서 일찍 일어났다. 세수하러 부엌에 가서 문득 봤더니, 한 되짜리 술 네 병이 비어 있었다. 이틀 동안 넉 되나 마신 것이다. 물론 혼자서 다 마신 건 아니다. 그저께 밤에 귀한 손님 세 사람이 미타카의 이 누추한 집에 오기로 해서, 나는 그 이삼일 전부터 안절부절못하는 상태였다. 한 사람은 W군이라고 하는데, 처음 만나는 사람이었다. 아니, 처음은 아니다. 우리가 열 살쯤일 때 딱 한 번 얼굴은 봤지만 이야기를 나눠본 적은 없고, 그 상태로 이십 년간 떨어져 지냈다. 한 달쯤 전부터 가끔 집에 일간공업신문이라는, 나와는 전혀 연이 없는 신문이 보내져 왔는데, 슬쩍 펼쳐보긴 했지만 읽을 만한 건 하나도 없었다. 왜 내게 보내는 것인지 그 진의를 알 수가 없었다. 생각이 저급한 나는, 이걸 강매하려는 게 아닌가 하는 의심까지 했다. 아내에게도 일단 이건 좀 의심스러우니 띠종이도 찢지 말고 그대로 두라고 일러두었다. 나중에 대금을 청구하러 오면 묶어서 돌려줄 수 있도록 준비해둔 것이다. 그러는 중에, 신문 띠종이에 발신인의 이름을 적어서 보내오기 시작했다. W였다. 모르는 이름이었다. 나는 몇 번이나 고개를 갸웃거리며 생각해봤지만 기억나지 않았다. 그러다가 언젠가부터 띠종이에 '가나기 마을의 W'라고 적어서 보내오기 시작했다. 가나기 마을은 내가 태어난 곳이다. 쓰가루평야 한복판에 위치한 작은 마을이다. 같은 마을 출신이라는 이유로 자사 신문을 보내주신 것이라는 건 알게 되었지만, 역시 어떤 분인지는 기억나지 않았다. 어찌 됐건 일단 호의는 잘 알았기에, 나는 곧장 감사의 엽서를 보냈다. '저는 십 년이나 고향에 간 적이 없는 데다 지금은 육친과도 소식이 두절 된 상태인 터라, 가나기 마을의 W님을 기억해낼 수 없어 참으로 유감입니다. 어떤 분이신지 궁금합니다. 누추한 집이지만, 기회가 되시면 꼭 한 번 들러주십시오.'라고 적었던 것으로 기억한다. 상대방의 나이도 모르는 상태였기에, 어쩌면 고향의 대선배일지도 모른다는 생각에 결례가 되지 않게 말투에도 충분히 주의를 기울였다. 곧 긴 답장을 받았다. 그걸 읽고 기억이 났다. 집 뒤에 있던 등기소의 도련님이었다. 딱딱하게 말하면, 아오모리현 구區재판소 가나기 마을 등기소 소장의 장남이다. 어릴 적에는 아무것도 모르고 그저 드끼소, 드끼소, 하고 부르곤 했다. 우리 집 바로 뒤편이었는데, W군이 나보다 한 학년이 높아서 직접 말을 섞은 적은 없지만, 딱 한 번 등기소 창문으로 불쑥 얼굴을 내민 것을 흘깃 본 일이 있다. 그 얼굴을 이십 년이 지난 지금까지 선명하고 또렷하게 기억하고 있다는 게 정말 이상했다. W라는 이름도 기억나지 않고 그야말로 그 어떤 은원恩怨 관계도 없는 사이인 데다, 나는 고등학교 시절 친구의 얼굴도 종종 까먹을 정도로 건망증이 심한데도, 창문 사이로 불쑥 내밀었던 W군의 그 둥근 얼굴만은, 캄캄한 무대 위의 어느 한 곳에만 스포트라이트를 비춘 것처럼 선명히 눈앞에 떠오르는 것이다. W군도 내성적인 사람인 듯하니, 나와 마찬가지로 밖에 나가 노는 일이 전혀 없었던 게 아닐까. 그때 딱 한 번 W군을 보았고, 그게 이십 년이 지난 지금까지도,

마치 천연색사진으로 찍어둔 것처럼 선명한 영상으로 마음에 남아 있는 것이다. 나는 그 얼굴을 엽서에 그려보았다. 마음속 영상 그대로 그려져서 기뻤다. 분명 주근깨가 있었다. 그 주근깨도 점점이 흩뿌려 그려 넣었다. 귀여운 얼굴이었다. 나는 그 엽서를 W군에게 보냈다. 혹 잘못 알고 있는 거라면 죄송합니다, 라고 정중히 결례를 사죄하면서도, 역시 그 그림을 보여드리지 않고는 견딜 수가 없었다. 그리고 '11월 2일 밤 6시쯤에 같은 아오모리현 출신의 옛 친구 두 명이 우리 집에 올 예정이니, 아무쪼록 그날 밤 꼭 들러주세요. 부탁드립니다.'라고 덧붙여 적었다. Y군과 A군이 그날 밤 우리 집에 놀러 오기로 약속되어 있었던 것이다. Y군과 만나는 것도 십 년 만이었다. Y군은 훌륭한 사람이다. 내 중학교 선배다. 천성적으로 정이 많은 사람이다. 오륙 년간 볼 수 없었다. 큰 시련이 닥친 것이다. 그 시간 동안 독방에서 매우 당당하게 수행을 쌓았으리라고 생각한다. 지금은 어느 출판사의 편집부에서 일하고 계신다. A군은 중학교 동창이다. 화가다. 어느 술자리에서, 이것도 거의 십 년 만이었는데, 갑자기 마주쳐서 나는 무척 흥분했다. 내가 중학교 3학년일 때 어느 악질 교사가 학생에게 벌을 주고 득의양양하기에, 나는 그 교사에게 경멸을 가득 담아 크게 박수를 쳐주었다. 참을 수가 없었다. 그러자 이번에는 내가 호되게 얻어맞았다. 그때 나를 위해 나서준 사람이 A군이었다. A군은 곧바로 동지를 모아 스트라이크를 계획했다. 전 학급의 소동으로 번졌다. 나는 무서워서 와들와들 떨었다. 스트라이크를 하기 직전에 그 교사가 우리 교실에 몰래 찾아와 더듬더듬 사과했다. 스트라이크는 취소되었다. A군과는 그런 그리운 추억을 공유하고 있다.

Y군에 A군까지, 두 사람이 함께 우리 집에 놀러 와준다는 것만으로도

무척 감격스러운데, 거기 더해 W군과 이십 년 만에 만날 수 있게 되어서, 나는 그 사흘 전부터 안절부절못했다. 기다리는 마음이 무척 괴로운 것임을 새삼 통감했다.

다른 사람에게 선물 받은 술이 두 되 있었다. 나는 평상시 집에 술을 사두는 것을 싫어한다. 노랗게 탁해진 액체가 가득 든 한 되짜리 병에서 아주 불결하고 저급한 기운까지 느껴지는 듯해서, 부끄럽고 눈에 거슬려 견딜 수가 없었다. 부엌 구석에 그 술병이 있는 것만으로도, 이 좁은 집 전체에 걸쭉하고 탁한 기운이 흘러 시큼하고 불쾌한 냄새마저 나는 것 같아서 왠지 떳떳하지 못한 기분이었다. 집 서북쪽 한구석에 기괴하고 추하고 부정한 무언가가 똬리를 틀고 앉은 느낌이라, 책상 앞에 앉아 일하면서도 결백한 정진이 되지 않는 듯한, 불안하고 찜찜한 기분을 떨칠 수가 없었다. 도무지 안정되질 않았다.

밤에 홀로 책상에 턱을 괴고 앉아 이런저런 생각을 하다가 괴롭고 불안해지면 술이라도 마셔서 그 마음을 지워버리고 싶을 때가 종종 있는데, 그럴 때면 밖으로 나가 미타카역 근처에 있는 초밥 가게에 가서 급하게 술을 마신다. 그때마다 집에 술이 있으면 편하겠다 싶기도 하지만, 아무래도 집에 술이 있으면 그게 마음에 걸려서 별로 마시고 싶지도 않은데 그저 부엌에서 술을 추방하고픈 마음에 벌컥벌컥 다 마시게 된다. 내게는 집에 항상 약간의 술을 준비해두고 그때그때 조금씩 나누어 마시는 그런 안정적인 기술이 없기 때문에 자연스럽게 All or Nothing주의가 되었고, 평소에는 집안에 술을 한 방울도 두지 않고 술이 마시고 싶을 때는 밖에 나가서 실컷 마시는 습관이 생겼다. 친구가 와도 대개는 밖으로 데리고 나가서 마신다. 아내에게 들려주기 싫은 이야기가 튀어나올지도 모르고, 거기다 술은 물론이고 준비된 술안주도 없기 때문에 결국 귀찮아서 밖으로 나가게 된다. 아주 절친한 사람이라면, 그리고 오는 날짜를 미리 정확하게 알고 있는 경우라면 제대로 준비해서 밤새 느긋하게 마시지만, 그렇게 절친한 사람은 손에 꼽을 정도밖에 없다. 아주 친한 사람이라면 안주가 아무리 초라해도 부끄럽지 않고, 아내에게 들려주기 싫은 이야기가 나올 일도 없기 때문에, 나는 거리낌 없이 매우 즐겁게 술을 들이부을 수 있다. 그러나 그런 좋은 기회는 두 달에 한 번 정도이고, 나머지는 대개 갑작스러운 방문에 허둥대다가 결국 밖으로 나가게 된다. 누가 뭐래도, 절친한 사람과 집에서 느긋하게 술을 마시는 것만큼 즐거운 일은 없다. 마침 집에 술이 있을 때 친한 사람이 갑자기 찾아오면 무척이나 기쁘다. 절친한 친구가 멀리서 찾아오면[7], 이라는 그 구절이 저절로 가슴속에서 끓어오른다. 그러나 언제 올지 알 수가 없다. 늘 술을 준비해두고 기다리는 건 내가 마음이 편치 않다. 평소에는 집에 술을 한 방울도 두고 싶지 않은 터라, 그 부분이 마음대로 안 되는 것이다.

친구가 왔다고 해서 굳이 술을 마셔야 하는 건 아니지만, 아무래도 내게는 어려운 일이다. 나는 나약한 남자여서, 술이 들어가지 않은 상태로 진지한 대화를 나누면 삼십 분 정도로 이미 진이 빠지고 비굴하게 쭈뼛거리게 되어 견딜 수 없는 기분이 든다. 자유롭고 활달하게 의견을 펼치는 일은 절대로 불가능하다. 네에, 라든가, 그렇군요, 라고 건성으로 대답하면서 딴생각만 한다. 마음속으로 계속 한심하고 쓸모없는 자문자답만 반복하는데, 꼭 멍청이 같다. 아무 말도 못 한다. 쓸데없이 지친다. 도무지 견딜 수가 없다. 술을 마시면 마음을 속일 수 있기 때문에,

7_ 원문은 '친우가 멀리서 찾아오면 그것만큼 기쁜 일이 없다.'로, 논어의 한 구절이다.

이상한 소리를 해놓고도 속으로 별로 뉘우치지 않아도 돼서 무척 편하다. 그 대신 술이 깨고 나면 후회가 막심하다. 바닥을 구르며 아악하고 큰 소리로 울부짖고 싶어진다. 가슴이 계속 철렁철렁 내려앉아서 어찌할 바를 모른다. 이루 말할 수 없이 울적해진다. 죽고 싶어진다. 술맛을 알게 된 것도 벌써 십 년째인데, 그 기분에는 익숙해지질 않는다. 태연하게 있을 수가 없다. 부끄럽고 후회스러워서, 말 그대로 데굴데굴 구른다. 술을 끊으면 될 일이지만, 친구 얼굴을 보면 역시 묘하게 흥분이 되고 겁이라도 먹은 것처럼 온몸에 전율이 느껴져서, 술이라도 마시지 않고서는 견딜 수가 없다. 성가신 일이다. 그저께 밤에는 정말 귀한 손님 세 사람이 놀러 올 예정이어서, 나는 그 사흘 전부터 안절부절못했다. 부엌에 술이 두 되 있었다. 다른 분에게 받은 것인데, 그걸 어떻게 처리할지 궁리하고 있던 참에 Y군으로부터 11월 2일 밤에 A군과 함께 놀러 가겠다는 엽서를 받았다. 잘 됐군. 이 기회에 W군도 불러서 넷이 함께 두 되를 처리해 버리자. 집에 술이 있으면 아무래도 너무 거슬리고 불결한 데다 마음이 산만해서 견딜 수가 없다. 네 사람이 두 되는 부족할지도 모른다. 마침 이야기가 한창 재미있어지는 판에 아내가 멍청한 표정으로 이제 술이 다 떨어졌다고 말하면, 듣는 사람은 정말 흥이 깨지는 법이다. 나는 진지한 얼굴로 아내에게 술집에 가서 한 병을 더 주문하게 시켰다. 술은 석 되 있었다. 부엌에 병 세 개가 늘어서 있었다. 그걸 보니 마음이 너무 불안했다. 큰 범죄를 저지르는 것처럼, 심적 불안과 긴장이 극에 달했다. 주제넘은 사치를 부리고 있다는 범죄의식이 오싹하게 엄습해왔다. 그저께는 아침부터 쓸데없이 정원을 빙글빙글 돌기도 하고, 좁은 방안을 어슬렁대기도 하고, 5분마다 시계를 확인해가며 오로지 날이 저물기만 기다렸다.

여섯 시 반에 W군이 왔다. 그 그림을 보고 정말 놀랐답니다. 감탄했어요. 주근깨 같은 걸 다 기억하고 계시다니. W군은 친근감을 표현하고자 일부러 쓰가루 사투리를 써가며 웃으면서 말했다. 오랜만에 쓰가루 사투리를 들은 것이 기뻐서, 나도 최대한 쓰가루 사투리를 연발하며, 마십시다, 오늘 밤엔 마시고 죽어봅시다, 하는 상태가 되었고, 한시라도 빨리 취하고 싶어서 쉬지 않고 술을 마셨다. 일곱 시가 조금 넘어서 Y군과 A군이 함께 도착했다. 나는 그저 술만 들이켰다. 그 감격을 어떤 말로 전해야 할지 몰라서, 그저 술만 마셨다. 죽도록 마셨다. 열두 시에 모두 돌아갔다. 나는 쓰러지듯 잠들고 말았다.

어제 아침, 눈을 뜨자마자 아내에게 물었다. "뭔가 실수한 건 없나? 실수한 건 없어? 이상한 말은 안 했고?"

실수는 안 한 것 같아요, 라는 아내의 대답을 듣고 안심하며 가슴을 쓸어내렸다. 하지만 어쩐지 문득, 모두 그렇게 좋은 사람들인데, 모처럼 이런 시골까지 와주었는데 내가 아무것도 대접하지 못해서 다들 쓸쓸함과 환멸감을 느끼며 돌아간 건 아닐까 하는 걱정이 고개를 들더니, 그 생각이 곧 먹구름처럼 순식간에 온몸으로 퍼져서, 또 이부자리 안에서 안절부절못하고 데굴거리기 시작했다. 특히 W군이 우리 집 현관 앞에 술 한 되를 몰래 두고 간 것을 그날 아침에 발견했을 땐, W군의 호의가 못 견딜 만큼 마음에 사무쳐서 맨발로 그 주변을 뛰어다니고 싶을 정도로 괴로웠다.

그때, 야마나시현 요시다 마을의 N군이 집에 찾아왔다. N군은 작년 겨울에 미사카 고개로 일하러 갔을 때 알게 된 지인이다. 도쿄에 있는 조선소에서 일하게 되었습니다, 라고 N군이 환하게 웃으며 말했다. 나는 N군을 놓아주지 않겠노라고 다짐했다. 부엌에 아직 술이 남아 있을 터였다. 거기다 어제 W군이 특별히 들고 와준 술이 한 되 있었다. 처리해버리자고 결심했다. 오늘 부엌에 있는 부정한 것을 깨끗하게 청소하고, 그리고 내일부터 결백한 정진을 시작하자고 속으로 계획한 뒤, N군에게 억지로 술을 권하고 나도 잔뜩 마셨다. 그때 Y군이 어제는 감사했다는 격식 차린 인사를 하기 위해 아내와 함께 불쑥 찾아왔다. 나는 현관에서 바로 돌아가려는 Y군의 팔목을 붙잡고 놓아주지 않았다. 잠시면 되니까, 일단 잠시면 되니까, 사모님도 들어오세요, 하고 거의 폭력적으로 방으로 끌고 들어와서는 이런저런 억지를 부려서 결국 Y군도 술자리에 끼워 넣는 데 성공했다. Y군은 메이지 절[8]이라 일을 쉬는데, 친척 집 두세 곳에 오랜만에 인사를 도는 중이라 아직 한 곳 더 들러야 한다며 툭하면 도망치려고 했다. 아니지, 한 곳을 남겨두는 게 인생의 참맛인 거야, 완벽을 바라면 안 돼요, 하고 억지를 부려서, 결국 술 넉 되를 남김없이 처리하는 데 성공했다.

8_ 11월 3일. 구제도의 4대 명절 중 하나로 메이지 천황이 태어난 날이다.

모르는 사람知らない人

올해 정초는 참혹했습니다. 5일 즈음에 허리 오른쪽에 종기가 생겼는데, 아무렇게나 방치했더니 그게 점점 더 커졌습니다. 15일까지는 술을 마시면서 불안한 마음을 감추고 있었지만, 결국 16일부터는 자리에 드러눕는 신세가 되었습니다. 오한과 동통으로 이삼 일간은 밤에 잠도 제대로 못 잤습니다. 수술하기는 싫어서 무니코라는 고약을 환부에 붙였는데, 그것만으로는 불안해서 요즘 유행하고 있는 예의 그 '두 개의 설폰아마이드'가 함유된 비싼 약을 먹어보았습니다. 포도상구균과 연쇄상구균에 의한 모든 질환에도 특효를 발휘한다고 적혀 있었기에, 저는 처음 두 알을 삼킨 순간 이미 회복의 첫발을 내디딘 듯한 상쾌함을 느꼈습니다. 제게는 시중에 파는 약의 효능서를 과도하게 신뢰하는 한심한 버릇이 있는데, '두 개의 설폰아마이드'가 함유된 고급 화학요법제에 대해서는 신문광고에서 몇 번이나 봐서 이미 친숙했던 데다, 직접 사서 약에 딸린 효능서를 골똘히 들여다보며 정독하고 나니 허리에 난 종기도 잊을 정도로 안심이 되더군요. 효능서에 의하면, 이건 굉장한 약이었습니다. 세계를 놀라게 할 대단한 발명품이었습니다. 지금 이 약을 광고할 생각은 아니니 자세히 쓰지는 않겠지만, 실로 다양한 난치병에 특효를 발휘하는 약입니다. 이제 이걸로 낫겠군. 종기도 다 낫고,

덤으로 피부가 매끈해지고 하얘질지도 몰라, 라고 아내에게 농담을 던지고는 조용히 누워 약이 듣기를 기다렸습니다. 두 알씩 하루에 세 번 복용하면 대부분의 종기는 다 낫는다고 효능서에 적혀 있었는데, 이틀을 먹어도, 사흘을 먹어도 전혀 좋아지지 않았습니다. 배가 묘하게 땡땡해지고 꾸르륵 소리가 나더군요. 위에 안 좋은 약인 것 같았습니다. 사흘 복용하고 잠시 복용을 중지할 것, 사흘이나 닷새 정도의 간격을 두고 다시 두 알씩 복용할 것. 효능서에 그렇게 적혀 있어서, 저는 효과도 전혀 못 본 상태로 약 복용을 중지해야 했습니다. 이미 사흘간 복용한 상태였으니까요. 김이 팍 새더군요. 종기가 점점 심해진 탓에 고약만으로는 부족해져서, 탈지면에 무자극 연고를 발라 환부에 붙이고 하루에 대여섯 번씩 그것을 갈아줘야 했습니다. 계속 고름이 나오더군요. 그 상태를 묘사하는 것은 참겠지만, 어쨌든 처참하기 짝이 없었습니다. 작은 술병의 바닥 크기 정도 되는 깊은 구멍이 허리에 떡하니 생겨버린 것입니다. 입원할까도 생각했지만, 역시 내심 여전히 그 '두 개의 설폰아마이드'가 함유된 값비싼 세계적 신약에 의지하고 있었기 때문에, 곧 효과를 발휘하겠거니 하며 하늘에 비는 심정으로 꼼짝 않고 조용히 누워 있었습니다. 복용을 쉬는 사흘간이 지나고 다시 약을 먹기 시작했습니다. 고름이 계속 흘러나오더군요. 환부를 보면, 너무 심한 참상에 어질어질 현기증이 일었습니다. 종기로 죽는 놈은 없다고 센 척을 하며 의사에게 보일 생각도 하지 않았지만, 한밤중에 혼자 잠에서 깨어 이런저런 생각을 하다 보면 아무래도 마음이 불안했습니다. 앓아누운 지도 벌써 열흘 이상이 지났습니다. 지금은 고름도 별로 안 나오고, 몸도 가벼워지고, 이렇게 바닥에 엎드려 원고도 쓸 수 있게 되었습니다. 점점 좋아지는 것이겠지요. 역시 '두 개의 설폰아마이드' 덕분일까요?

혹 그렇다고 해도, 참 더딘 특효입니다. 다 나으려면 아직 시간이 꽤 걸릴 것 같습니다. 제가 너무 무턱대고 효능서 설명을 믿은 것이겠지요. 현실은 대충 이런 게 아닐까요? 이 세상에 기적 따위를 기대한 제가 바보였습니다.

열흘간 누워만 있던 터라, 책을 꽤 많이 읽었습니다. 이것저것 안 가리고 다 읽었습니다. 여기저기서 보내주신 동인지도 전부 읽었습니다. 마음에 남는 기사가 하나 있습니다. 제1와세다고등학원의 『학우회잡지』에 K교수의 추도문이 실려 있더군요. 저는 K교수가 어떤 분인지 전혀 모릅니다. 만난 적도 없고, 이름조차 들어보지 못했습니다. 하지만 그 잡지에 실린 네 개의 추도문을 읽고 나니, 진심으로 그분이 그립고 안타까워졌습니다. 이 세상에 이렇게 아름다운 사람도 살았었구나 하는 생각에 마음이 따스해지고 즐거운 한편, 이미 돌아가신 분이라 이제 절대 만나 뵐 수 없다는 것을 생각하면 마음이 텅 비어 쓸쓸하고 묘한 기분이었습니다. 네 사람이 추도문을 썼는데, 그 네 분의 이름도 처음 보는 것이었습니다. 네 사람 다 와세다의 선생님이겠지요. 다 모르는 사람뿐이었지만, 상당히 잘 쓴 글이었습니다. 저처럼 고인과 생면부지인 남자까지 고인에 대한 추모의 마음을 품을 수 있다는 것은 분명 그 추도문이 성실한 글이라는 뜻이고, 이 성실함은 추도문을 쓴 사람이 고인에게 깊은 애정을 품고 있음을 증명하는 것이라고 생각합니다. 또한 고인이 얼마나 깊은 덕을 가진 분인지 상상이 되더군요. 다시 말해, 고인이 가진 깊은 덕이 지인들로 하여금 이렇듯 아름다운 추도문을 쓰게 만들었다, 라는 서로 간의 상승 작용을 느낀 것입니다. 저는 끝에서부터 거꾸로 읽었습니다. 가장 마지막 부분에 Y·T라는 사람이, 'K군은 앞을 보고 걸으며 이야기를 나누는 듯한 느낌의 사람이었다. 마주 보고 이야기를 나눌 때도 서로 다른 쪽을 보고 말했다. 그게 무척 기분이 좋았다. 또, 말없이 있어도 기분이 좋았다.'라고 썼더군요. 또, '기세 좋게 논쟁을 걸면 K군은 대개 말없이 적어도 십 초 정도는 생각한 후에 입을 열곤 했다. 자네가 말하는 것도, 그래, 그것도 일리가 있긴 해, 하고 K군은 독특한 악센트로 말하며 대부분 찬성해줬다. K군은 기가 약한 사람이었다. 아마 많은 사람이 K군을 깔봤으리라고 생각한다. 그건 정말이지, 옆에서 보고 있는 내가 다 답답해질 정도였다. K군은 절대 남에 대해 악담을 하지 않았다. 타인을 비평하지 않았다. 결코 뒤에서 험담하지 않았다. 불쾌한 것, 하찮은 것을 보면 그냥 조용히 지나쳐가는 사람이었다 운운.' 그 외에도 좋은 말이 많았습니다. M · K라는 사람이 그 앞 페이지에 글을 썼습니다. '그 사람의 정중하고 공손한 성격은 정말 타고난 천성인 듯하다. 간부후보생 임기를 마치고 기병소위가 된 후의 일이다. 어딘가로 연습을 하러 갔다가 돌아오는 길에 집합 명령을 내렸는데, 잡담에 푹 빠진 부하 두세 명이 제대로 듣지 않았다. 성큼성큼 걸어간 K소위, 갑자기 뺨이라도 한 대 내려치는가 싶었는데 그러지 않고, '미안하지만 잡담은 그 정도로 하고 빨리 모여주세요.'라고 말한 것이다. 부하는 어리둥절해 했다. 옆에 있던 상관이 시뻘게진 얼굴로, 그렇게 해서 권위를 지킬 수 있겠냐고 K소위를 호되게 꾸짖었다고 하는데, 아무튼 K씨는 그런 사람이다. 절대 으스대지 못하는 사람인 것이다. 그런 반면 꽤 강한 면모도 있어서, 학문상의 논의를 할 때는 쉽게 양보하지 않는다. 저돌적으로 밀어붙이면 조용히 듣고 있다가도, '그렇긴 하지만……' 하고 끈질기게 덤벼오는 것이다. 입을 열기 시작하면 물러서지 않는다. 종국에는 사전을 꺼내온다. 참고서를 꺼낸다. 그렇게 되면 대부분의 경우 내가 진다. 정말 책을 많이 읽는 사람이기 때문이다.'라고 적혀 있습니다. 또, 'K군은 사전적 의미의 유머에는 별로 재주가 없었다. 가벼운 말을 하지도, 익살을 떨지도 않기 때문에 K군을 유머러스한 성격이라고 생각하는 사람은 아무도 없었지만, 인사말을 시키거나 서문을 쓰게 하면 K군의 것은 천하일품이었다. 조금 길다고 느끼면서도 끝까지 보게 만드는 재미가 있었다. 미소는, 짓는 사람과 보는 사람 모두가 품위를 느낄 수 있어서 좋다. K군은 늘 사람들에게 가벼운 미소를 던지곤 했다. 그래서 K군 곁에는 항상 부드러운 봄바람이 불었다 운운.' 그 앞 페이지에는 D・E라는 사람이, '그는 자기가 살아남기 위해 어쩔 수 없이 남을 이용하는 짓은 절대 하지 않았다. 모른 척 남에게 민폐를 끼치는 것은, 그의 본성이 절대 용납지 않았다. 그는 자신이 불편을 겪더라도, 남에게 가장 민폐를 덜 끼칠 만한 곳에서 또 다른 곳으로, 마치 징검돌을 건너듯 걸어야만 했다.'라고 애정을 담아 글을 썼습니다. 또 그 앞 페이지에는 T・I라는 사람이, '이상한 말 같지만, K씨는 진짜 목소리를 내는 사람이었다. 그리고 진짜 목소리밖에 내지 못하는 사람이었다. 순진하고 솔직하여 스스로를 속이지 못하는 사람이었던 반면, 그런 사람에게서 가끔 보이는, 타인에 대한 냉혹함은 거의 찾아볼 수 없었다. 반대로 마음씨가 따뜻하고, 선배 앞에서는 지극히 겸손한, 실로 아름다운 성정의 소유자였다. 이는 역시 K군이 가진 교양의 깊이에서 비롯된 것이 아닐까 생각한다.'라고 쓰고, 그 예를 서너 개 들었습니다. K씨는 정말 좋은 사람이다. 훌륭한 사람이다. 이렇게 좋은 사람이 왜 죽었을까 생각하며 추도문의 가장 앞 페이지를 펼쳐봤더니, 거기에 학원장 K・M이라는 분의 조문이 실려 있더군요. '제1와세다고등학교 교수 육군 기병 중위 K・K군 사망. K군은 작년 9월 징집에 응하여 참전했고, 중국 남부 바이어스만 상륙군에 참가하여

광동공략전에서 분투하였으나, 얼마 안 가 병을 얻어 부득이하게 전선에서 후퇴해야 했다. 그 후 대만과 히로시마에서 치료를 받고 도쿄 일본적십자병원으로 옮겨 오직 건강 회복만을 위해 애썼으나, 하늘이 무심하시어 더 이상의 시간을 주시지 않아, 지난달 29일 안타깝게도 결국 돌아올 수 없는 객이 되었다 운운.'이라는 내용의 글을 보고, 저는 왠지 이불을 박차고 일어나고 싶어졌습니다.

눈앞에서 작고 아름다운 기적을 보는 듯한 기분이 들었습니다. 기적은, 역시 존재합니다.

제군의 위치諸君の位置

세상의 어디쯤에 서 있고 어디쯤에 앉아 있는지가 무척 애매해서, 학생들은 난처해하고 있다. 세상일은 다 모른 척하고 순진한 체하면서 늘 아버지와 형에게 어리광만 피우면 되는가. 아니면 그야말로 '사회의 일원'으로서 거드름을 피우고 어른들 말투를 흉내 내면서, 어른들의 생활에 쓸모없는 도움이라도 보태려고 노력해야 하는가. 둘 다 영 부자연스럽고 쑥스럽기 때문에 마음이 불안정한 것이다. 제군들은 아이도 아니고, 어른도 아니다. 남자도 아니고, 여자도 아니다. 먼지투성이 제복으로 무장한, '학생'이라는 아주 특수한 인간이다. 그건 마치 반인반수의 산야의 신, 상반신은 인간에 가깝지만 다리는 복슬복슬 털이 난 염소 다리, 작은 꼬리를 둥글게 말고 머리에는 짧은 염소 뿔이 나 있는 판[9]과 비슷하다. 아니, 판은 사람들이 친근하게 여기는 목양신으로, 음악 천재에 피리도 잘 불고 갈대 피리를 발명할 정도로 영리하고 쾌활한 신이지만, 학생 여러분 속에는 모습은 판과 흡사하지만 마음속은 어둡고 추악한 사티로스[10], 즉 우울한 주색의 왕 디오니소스의 총아가

9_ Pan. 그리스 신화에 등장하는 목신牧神으로, 염소의 뿔과 다리를 가졌다.

10_ Satyr. 판과 마찬가지로 반인반수의 모습을 하고 있으며, 술의 신 디오니소스를 숭배했다. 색욕과 악을 상징한다.

존재한다. 정신이 흐려지고 침전되어 절망하는 밤도 분명 있을 것이다. 제군들은 도대체 어디에 앉아 있는 것일까. 무엇을 바라보고 있는 것일까. 일전에 어떤 학생에게 실러의 다음과 같은 서사시를 들려주었는데, 그 학생이 예상외로 무척 기뻐했다. 여러분은 지금에야말로 실러를 읽어야 한다. 소박한 지혜가 여러분의 진로 결정에 얼마나 큰 도움을 주는지 알게 될 것이다.

"받아다오, 세계를!" 제우스가 천상에서 인간에게 소리쳤다. "받아라. 이것은 너희의 것이다. 나는 너희에게 이것을 유산으로서, 영원한 영지로서 선물하겠다. 자, 사이좋게 나눠 갖도록." 곧 손을 가진 모든 자들이 앞다투어 사방팔방에서 모여들었다. 농민은 들판에 줄을 둘러치고, 귀공자는 사냥을 위해 숲을 점령하고, 상인은 물건을 모아 창고 한가득 채워 넣고, 장로는 오래되고 귀중한 포도주를 찾아 모으고, 시장市長은 시가지를 성벽으로 에워싸고, 왕자는 산 위에 커다란 국기를 세웠다. 저마다의 분할이 남김없이 다 끝나고 난 후, 시인이 어슬렁거리며 찾아왔다. 그는 아주 먼 곳에서 왔다. 아아, 그때는 이미 지구 표면에 존재하는 모든 것들에 주인의 명패가 붙어, 초원 한 평도 남아 있지 않았다. "에잇, 한심하다! 왜 나 하나만 모두에게 소외된 것인가. 이 내가, 당신의 가장 충실한 아들이?" 그는 큰 소리로 불평하며 제우스의 왕좌 앞에 몸을 던졌다. "네 멋대로 꿈의 나라에서 꾸물대고 있었으면서." 하고 신은 말을 가로막았다. "나를 원망할 이유가 전혀 없다. 네 녀석은 도대체 어디에 있었던 것이냐. 모두가 지구를 나눠 가지고 있을 때." 시인은 울면서 대답했다. "저는 당신 곁에 있었습니다. 눈은 당신의 얼굴만 바라보고 있었고, 귀는 천상의 음악에 홀려 있었습니다. 부디

이 마음을 헤아려주십시오. 당신의 빛에 도취해 지상의 일을 잊고 있었던 것을!" "어떻게 하면 좋겠느냐?" 제우스는 말했다. "지구는 남김없이 다 주고 말았다. 가을도, 수렵도, 시장市場도 이제 더 이상 내 것이 아니다. 그러나 네 녀석이 나와 함께 천상에 있고 싶다면, 가끔 찾아오너라. 이곳은 널 위해 비워두마!"

시는 이렇게 끝이 나는데, 이 시인의 행복이 곧 학생 여러분의 특권이다. 이것을 자각하고, 주눅 드는 일 없이 씩씩하게 살아야 한다. 현실 생활 속의 시시한 위치나 초라한 자격 같은 것은 잠시 미련 없이 버리는 게 좋다. 여러분의 위치는 천상에서 발견될 것이다. 구름이 여러분의 친구다.

무책임하고 과장된 어설픈 관념론으로 여러분을 속이려는 것이 아니다. 이것은 가장 현명한 데다 심지어 현실적이기까지 한 방법이다. 세상 속에서의 위치는 여러분이 학교를 졸업하면, 그거야 싫어도 주어지기 마련이다. 지금은 세간 사람들 흉내는 내면 안 된다. 아름다운 것의 존재를 믿고, 그것을 바라보며 걸어가도록. 가장 아름다운 것을 상상하도록. 그것은 존재한다. 학생 시절에만 존재하는 것이다. 조금 더 구체적으로 말하고 싶지만, 오늘은 어쩐지 화가 난다. 자네들은 도대체 뭘 그렇게 꾸물대고 있나. 등을 힘껏 때려주고 싶은 심정이다. 머리가 나쁜 녀석은 어쩔 도리가 없다. 체호프를 많이 읽도록. 그리고 그것을 흉내 내어보도록 해라. 나는 무책임한 말을 하는 게 아니다. 일단 그것만이라도 해보도록 해. 내 말을 조금은 이해하게 될지도 모른다.

무례한 말만 했다. 하지만 여러분이 늘 건성으로 흘려듣는 것에 익숙해져 있는 터라 거칠게 말할 수밖에 없었다. 여러분만의 죄는 아니지만.

몰취미無趣味

이곳 미타카 구석으로 이사를 온 건 작년 9월 1일이다. 그전에는 고후 변두리에 집을 빌려서 살았다. 그 집의 월세는 육 엔 오십 전이었다. 또 그전에는 고슈 미사카 고개 정상에 있는 찻집 이층을 빌려서 살았다. 그보다 더 전에는 오기쿠보에서 가장 허름한 하숙집에서 방 한 칸을 빌려서 살았다. 또 그보다 더 전에는 지바현 후나바시 변두리에 있는 월세 이십사 엔짜리 집을 빌려서 살았다. 어디에 살든 똑같다. 특별한 감개도 없다. 방문객들은 지금의 미타카 집에 대해서 이런저런 감상을 말해주지만, 나는 항상 건성건성 맞장구를 친다. 별로 중요한 일도 아니지 않은가. 나는 의식주 쪽으로는 전혀 취미가 없다. 의식주에 크게 집착하며 우쭐대는 사람이, 어째서인지 내게는 우스꽝스럽기 짝이 없게 느껴진다.

의무義務

의무를 수행한다는 것은 예삿일이 아니다. 그러나 꼭 해야 한다. 왜 살아 있는 것인가. 왜 글을 쓰는 것인가. 지금의 나는, 그건 의무의 수행을 위해서입니다, 라고 대답할 수밖에 없다. 돈을 위해 글을 쓰는 건 아닌 듯하다. 쾌락을 위해 사는 것도 아닌 듯하다. 얼마 전에도 홀로 들길을 걸으며 문득 생각했다. '사랑이라는 것도 결국은 의무의 수행이 아닌가.'

분명히 말하자면, 지금 내게 다섯 장짜리 수필을 쓰는 것은 무척 고통스러운 일이다. 무려 열흘 전부터 무엇을 쓰면 좋을지 고민했다. 왜 거절하지 않는 것인가. 부탁받았기 때문이다. 2월 29일까지 대여섯 장을 써달라는 편지였다. 나는 이 잡지(『문학자』)의 동인은 아니다. 그리고 앞으로 동인이 될 생각도 없다. 동인의 대부분은 내가 모르는 사람들이다. 거기에 꼭 글을 써야 하는 이유는 없다. 하지만 나는 쓰겠다는 답장을 보냈다. 원고료 욕심 때문은 아닌 듯하다. 동인 선배들에게 잘 보이려는 마음도 없었다. 글을 쓸 수 있는 상태일 때 요청을 받으면 그때는 반드시 써야 한다는 규칙 때문에 쓰겠다고 답장한 것이다. 줄 수 있는 상태일 때 누군가에게 부탁을 받으면 반드시 줘야 한다는 규칙과 같은 것이다. 내 문장 속 vocabulary는 과장스러운 것들뿐이라 아무래도 그 때문에 사람들이 반발심을 느끼는 모양인데, 나는 '북방 농사꾼'의 피를 듬뿍 물려받아 '타고난 큰 목소리'라는 숙명을 지니고 있는 듯하니, 그 점에 대한 쓸데없는 경계심은 버려줬으면 한다. 나도 내가 무슨 말을 하고 있는지 잘 모르겠다. 이래서는 안 된다. 자세를 고쳐 앉자.

의무감으로 쓰는 것이다. 쓸 수 있는 상태일 때, 라고 앞서 말했다. 그건 고상한 것을 말하는 게 아니다. 이를테면, 나는 지금 코감기에 걸려 미열도 있지만, 자리에 드러누울 정도는 아니다. 원고를 쓸 수 없을 정도의 병은 아니다. 쓸 수 있는 상태인 것이다. 또 나는 2월 25일에, 이번 달에 예정했던 일들을 다 끝냈다. 25일부터 29일까지는 약속된 일이 하나도 없다. 그 나흘 사이에 다섯 장 정도는 어떻게든 쓸 수 있을 터다. 쓸 수 있는 상태이다. 따라서 나는 써야만 한다. 나는 지금 의무를 위해 살고 있다. 의무가 내 목숨을 지탱해주고 있다. 내 개인적 본능으로는, 죽어도 상관이 없다. 죽든, 살든, 병에 걸리든, 크게 달라질 것은 없다고 생각한다. 그러나 의무는 나를 죽게 두지 않는다. 의무는 내게 노력하라고 명한다. 멈추지 말고 더, 더 노력하라고 명한다. 나는 비틀거리며 일어서서 싸운다. 질 수 없다. 단순한 것이다.

순문학 잡지에 단문을 쓰는 것만큼 고통스러운 일은 없다. 나는 잘난 척이 심한 남자여서(쉰 살이 되면 이 잘난 척도 티가 안 나는 수준이 되는 걸까? 어떻게든 무심하게 글을 쓸 수 있는 경지에 이르고 싶다. 그것이 유일하게 기대되는 일이다), 고작 대여섯 장짜리 수필 속에 내가 생각하는 것들을 모두 때려 넣으려고 기를 쓴다. 그것은 불가능한 일인 모양이다. 나는 매번 실패한다. 그리고 선배나 친구들은 그렇게 실패한 짧은 글은 꼭 챙겨 읽고서 내게 이런저런 충고를 해온다.

어차피 나는 아직 심경 정리가 안 된 상태라, 수필 같은 것은 쓸 주제가 못 된다. 무리다. 이 다섯 장짜리 수필도 '쓰겠습니다.'라는 답장을 보낸 뒤 쓸 만한 재료를 고르느라 이래저래 열흘이나 걸렸다. 고른 것이 아니다. 버리기만 했다. 이것도 안 되고 저것도 안 되고, 하면서 버리기만 하다 보니 결국 남는 게 없었다. 좌담회에서는 슬쩍 말할 수도 있겠지만, 호들갑스럽게 순문학 잡지에 '어제 나팔꽃을 심고 느낀 바 있음.' 따위의 글을 써서, 그 글 한 자 한 자가 활자공의 손을 거치고 편집자에 의해 교정된 뒤(타인의 시시한 중얼거림을 교정하는 건 무척 괴로운 일이다) 가게 앞에 진열되어, 한 달간 '나팔꽃을 심었습니다, 나팔꽃을 심었습니다.' 하고 아침부터 밤까지 잡지 한구석에서 끝도 없이 되뇌는 일은, 도무지 견딜 수가 없는 것이다. 신문은 하루에 한정된 것이니 그나마 괜찮다. 또한 소설이라면 하고 싶은 말은 다 했을 테니 한 달 정도 가게 앞에서 계속 외쳐도 기죽지 않을 각오가 되어 있지만, 아무리 해도 '나팔꽃 느낀 바 있음'을 한 달간 가게 앞에서 계속 외칠 용기는 없다.

작가상作家の像

까짓것 수필 열 장 정도야 쓰지 못할 것도 없지만, 이 작가는 오늘로 벌써 사흘째 생각에 잠긴 채로, 썼다가 금세 찢고, 다시 썼다가 금세 찢고, 요즘 일본에는 종이가 부족하니 이렇게 찢는 건 아깝다고 스스로 조바심을 내면서도, 무심코 또 찢고 만다.

말할 수 없기 때문이다. 하고 싶은 말을 할 수가 없는 것이다. 말해도 되는 것과 말해서는 안 될 것을 구별하는 법을, 이 작가는 잘 모른다. '도덕의 적성'이라고 표현해야 할 법한 것을 아직 이해하지 못한 상태다. 하고 싶은 말은 산처럼 쌓여 있다. 정말로 말하고 싶다. 그때 문득 누군가의 목소리가 들려온다. '이봐, 무슨 말을 하건 결국 다 자네의 자기변호가 아닌가?'

아니야! 자기변호가 아니라고 서둘러 부정하면서도, 가슴 한구석에는 뭐 그런 걸지도 모르겠군, 하고 나약하게 긍정하는 마음도 있어서, 나는 쓰다만 원고지를 둘로 찢고는 다시 넷으로 찢어버린다.

'나는 이런 종류의 수필에 서투른 게 아닐까 싶다.'라고 쓰기 시작한 다음, 조금 더 이어서 쓰다가 찢는다. '나는 아직 수필을 쓰지 못하는 것인지도 모른다.'라고 쓰고는, 또 찢는다. '수필에는 허구를 쓸 수 없어서,'라고 쓰고는 허둥대며 찢는다. 꼭 말하고 싶은 것이 하나 있는데,

아무렇지 않게 쓸 수가 없다.

목표물로 삼은 상대방만 실수 없이 명중시키고, 다른 좋은 사람들에게는 먼지 하나 묻히고 싶지 않다. 나는 어설픈 사람이라, 무언가 적극적인 언동을 하면 꼭 쓸데없이 남들에게 상처를 입힌다. 친구들 사이에서의 내 이름은 '곰발'이다. 아껴주고 어루만져줄 생각으로 세게 할퀴어 버린다. 쓰카모토 도라지 씨[11]가 쓴 「우치무라 간조의 추억」이라는 글에,

'어느 여름날, 신슈의 구쓰카케 온천에서 선생님이 장난삼아 우리 집 아이에게 물을 끼얹으셨는데, 아이가 울음을 터뜨렸다. 선생님은 슬퍼 보이는 얼굴로, "내가 하는 일은 다 이 모양이야. 친절도 나쁜 뜻으로 받아들여지지."라고 말씀하셨다.'

라는 문장이 있었는데, 나는 그 부분을 읽고 잠시 가슴이 먹먹해졌다. 강 맞은편 물가에 돌을 던지려고 크게 팔을 젖혔다가 바로 옆에 서 있는 애먼 사람을 팔꿈치로 치고, 그 사람은 아야야, 비명을 지른다. 나는 식은땀을 흘리며 어떻게든 해명해보지만 이미 그 사람은 언짢은 표정을 짓고 있다. 내 팔은 남들보다 훨씬 긴 것인지도 모른다.

수필은 소설과 달리 작가의 말도 '날 것'이기 때문에, 신중을 기해서 쓰지 않으면 엉뚱한 주변 사람에게까지 상처를 입히게 된다. 절대 그 사람 이야기를 하는 게 아니다. 과장해서 말하자면, 나는 늘 '인간 역사의 실상'을 하늘에 보고하는 것이다. 개인적인 원한이 아니다. 하지만 그렇게 말하면 또 사람들은 비웃으며 나를 믿어주지 않는다.

나는 아주 안이한 남자가 아닐까 싶다. 이른바 '관념쟁이'인 것이다. 말이나 행동보다 관념이 앞선다. 하룻밤 술을 마시는 데에도 이런저런

11_ 塚本虎二(1885~1973). 크리스트교 무교회파 전도자이자 신약성서 연구자. 메이지・다이쇼시대에 걸쳐 활동한 대표적 종교가이자 지도자인 우치무라 간조의 조수였다.

그럴싸한 논리를 만든다. 어제도 아사가야에서 술을 마셨는데, 거기에는 이러한 경위가 있다.

나는 이 신문(<미야코신문>)에 보낼 수필을 쓰고 있었다. 하고 싶은 말이 있는데 도무지 할 수가 없어서, 이게 수필이 아니라 소설이었다면 얼마든지 시원스럽게 쓸 수 있을 텐데, 하면서 한 달 전부터 구상 중인 단편소설에 대해 생각했더니 어쩐지 즐거워졌다. 글을 쓴다면 소설로 써서 지금의 이 울적한 심정을 토해내고 싶다. 그때까지는 소중히 간직해 두고 싶다. 그 일부분을 지금 수필로 발표했다가, 어설픈 말로 사람들에게 오해를 사서 꼬투리를 잡히고 싸움에 휘말리면 다 소용없어진다. 자중하고 싶다. 지금은 어떻게든 바보 행세를 하며,

'오늘 날씨가 맑아 평소처럼 산책하러 나갔더니, 붉은 매화가 일찍부터 피어 있어, 천지유정天地有情, 봄이 어김없이 다시 왔구나.'

라는 식으로 딴청을 부려야 한다는 생각도 들지만, 나는 무척 어설픈 사람이라 감정을 잘 감추지 못한다. 기쁜 일이 있으면 무심코 싱글벙글 웃고 만다. 한심한 실수를 하면 꼭 시무룩한 표정을 짓는다. 딴청을 부리기가 무척 힘들다. 이렇게 썼다.

'아무도 인정해주지 않지만, 나는 스스로가 일류의 길을 걷고자 노력하고 있다고 생각한다. 그래서 매일매일 불필요한 고생을 아주 많이 해야만 한다. 스스로도 어리석다고 생각할 때가 있다. 혼자 얼굴을 붉히는 일도 있다.

인기는 전혀 없지만 스스로는 제법 대단하다고 생각하며 출처진퇴[12], 말과 행동에 늘 조심 또 조심한다. 큰일을 앞두고 있을 때에는 작은

12_ 出處進退. 세상에 나아가거나 물러서는 일.

일에도 경계심이 필요하다. 하찮은 일로 차질을 빚어서는 안 된다. 일상생활 중에 불쾌한 일이 있어도, 배를 긁적이며 웃어야만 한다. 머지않아 걸작을 쓸 남자가 아닌가, 하면서 점잔빼는 말투로 얼빠진 감개를 늘어놓는다. 머리가 나쁜 게 아닐까 싶다.

가끔 신문사로부터 수필을 기고해달라는 부탁을 받으면 일단 용감하게 덤벼들지만, 이것도 안 돼, 저것도 안 돼, 하고 찢어버리면서, 고작 열 장 정도밖에 안 되는 원고를 붙잡고 사나흘이나 고민한다. 독자들이 과연, 하고 무릎을 탁 칠 정도로 번뜩이는 수필을 쓰고 싶은 모양이다. 너무 오래 생각에 잠겨 있다 보니 뭐가 뭔지 헷갈리는 상태가 됐다. 수필이 무엇인지조차 알 수 없게 된 것이다.

책장을 뒤져 책 두 권을 꺼냈다. 『마쿠라노소시』[13]와 『이세 이야기』[14]다. 이 책을 통해 예부터 이어져 온 일본 수필의 전통을 살펴보려고 한 것이다. 참 여러모로 우둔한 남자다.'

거기까지는 일단 큰 문제가 없었는데, '하지만' 하고 이어서 한 장 정도를 더 쓰다가 이건 아니다 싶은 생각이 들어 급하게 찢어버렸다. 그 바로 뒤에 무심코 중요한 사실을 밝힐 뻔한 것이다.

쓰고 싶은 단편소설이 하나 있다. 그것을 다 쓰기 전까지는, 사람들이 내게 그 어떤 인상도 품지 않게끔 하고 싶다. 그건 무척 고생스러운 일이다. 또 사치스러운 취향이라는 것도 안다. 그렇지만 나는 되도록 그때까지 숨어 있고 싶다. 완벽하게 딴청을 피우고 싶다. 나처럼 단순한

13_ 枕草子. 헤이안시대의 여류작가 세이 쇼나곤清少納言이 10세기 말에서 11세기 초에 걸쳐 집필한 작품으로, 일본 수필 문학의 효시로 평가받는다.

14_ 伊勢物語. 헤이안시대의 귀족이자 시인인 아리와라노 나리히라在原業平로 추정되는 주인공의 일생을 그린 작자 미상의 작품으로, 210여 수의 와카를 중심으로 한 짧은 이야기 125대목으로 이루어져 있다.

남자에게는 지난한 일이다. 어제도 고민에 빠졌다. 좀 무난한 수필 재료는 없을까. 죽은 친구 이야기를 쓸까. 여행 이야기를 쓸까. 일기를 써볼까. 나는 이제껏 일기라는 것을 써본 적이 없다. 쓸 수가 없기 때문이다.

하루 동안 일어난 일 중에 어느 것을 생략하고 어느 것을 써야 할지, 그 취사선택의 기준을 알 수가 없다. 그래서 자연스럽게 모조리 다 쓰게 되다 보니, 하루 쓰고는 기진맥진 지치고 만다. 정확을 기하고픈 마음에 되도록 잠들기 직전까지의 일을 남김없이 다 쓰고 싶어져서, 실로 번거로운 일이 되고 마는 것이다. 게다가 일기라는 것이 누군가에게 읽힐 날이 올 것을 염두에 두고 써야 하는지, 신과 나 둘만의 세계 속에서 써야 하는지, 어떤 마음가짐을 가져야 하는지에 대한 부분도 어렵다. 결국 일기장을 사도 만화를 그리거나 친구의 주소를 적어두는 게 전부고, 그날그날 일어난 일은 쓰지 못한다. 그런데 아내는 작은 수첩에 일기를 쓰고 있는 눈치여서, 그것을 빌려 거기에 내 주석을 달아보기로 결심했다.

"일기를 쓰는 모양이더군. 좀 빌려줘 봐." 하고 대수롭지 않은 말투로 말했더니, 아내는 어째서인지 완강하게 거부했다.

"안 빌려줘도 상관없지만 그러면 나는 술을 마셔야만 해." 무척 뜬금없는 결론 같지만 그렇지 않다. 이 수필에서 도망칠 방법이 그것밖에 남아 있지 않았다. 제대로 된 이유인 것이다. 나는 이유가 없으면 술을 마시지 않기로 다짐한 상태다. 어제는 그런 이유가 있었기에, 점잔을 빼는 얼굴로 아사가야에 술을 마시러 갔다. 아사가야의 술집에서 무척 조심스럽게 술을 마셨다. 나는 지금 대사를 가슴에 품고 있기 때문에 선부른 짓은 할 수가 없다. 나이 든 대가 같은 차분함을 흉내 내며 조용히 술을 마셨는데, 술기운이 오르기 시작하자 전부 엉망이 됐다.

불량배로 보이는 손님 두 사람을 상대로, '사랑이란 무엇인가. 알아? 사랑이란 의무의 수행이야. 슬프군. 또, 사랑이란 도덕의 고수야. 또한, 사랑이란 육체의 포옹이다. 다 귀담아들어야 하는 말이긴 해. 그럴지도 모르지. 정확할지도 몰라. 하지만 한 가지 더, 뭔가 한 가지가 더 있어. 잘 들어. 사랑이란—나도 잘 모르겠군. 그걸 알 수 있다면 참 좋을 텐데.' 하면서, 대사고 뭐고 정신없는 말만 늘어놓다가 얼마 못 가 잔뜩 취해 곯아떨어졌다.

3월 30일三月三十日

만주에 계신 여러분.

분명 제 이름을 모르시리라고 생각합니다. 저는 일본의 도쿄 시외에 살고 있는, 이름 없고 가난한 작가입니다. 도쿄는 최근 이삼일 동안 바람이 심해서, 무사시노 한복판에 있는 우리 집에는 모래 먼지가 가차 없이 날아들어, 집 안에 있는데도 마치 길바닥에서 책상다리하고 앉아 있는 기분이더군요. 오늘은 바람도 잦아들어, 정말 봄다운 느낌이 물씬 나는 조용하고 맑은 날씨입니다. 만주는 지금 어떤가요? 역시 매화가 피어 있나요? 도쿄는 이미 매화가 한창때를 지나 꽃잎이 지저분하게 시들었습니다. 벚꽃 봉오리는 콩알만 한 크기로 부풀어 올랐습니다. 앞으로 열흘 정도 지나면 꽃이 피지 않을까 싶습니다. 오늘은 3월 30일입니다. 난징에 신정부를 수립하는 날이지요. 저는 정치에 관한 것은 잘 모릅니다. 그러나 '화평건국和平建國'이라는 로맨티시즘에는 역시 마음이 설렙니다. 일본에는 주로 전쟁만을 묘사하는 작가도 있지만, 전쟁 이야기는 전혀 쓰지 못하고 평화로운 사람들의 모습만을 써나가고 있는 작가도 있습니다. 어제 나가이 가후[15]라고 하는 일본의 나이든

15_ 永井荷風(1879~1959). 메이지시대부터 쇼와시대에 걸쳐 활동한 소설가. 프랑스 문학, 특히 E. 졸라에 심취하여 자연주의의 영향을 받았다. 대표작으로 『지옥의 꽃』(1902), 『꿈의 여

대가의 소설집을 읽다 보니 그중에,

'미친한 저희들이 정사에 대해 이러쿵저러쿵 수군대려는 것은 아닙니다만, 선생님, 예부터 당나라에서는 천하태평을 상징하는 것에는 봉황인지 뭔지 하는 아름다운 새가 내려앉는다고 합니다. 하지만 지금처럼 이렇게 모든 것을 한데 묶어서, 아름다운 것, 수고로운 것, 무익한 것 전부를 안 된다고 말씀하시면, 봉황은 알을 낳는 새가 아니니 제아무리 나오고 싶어도 나올 수 없지 않겠습니까? 나라 밖의 것은 그렇다 치더라도, 일본 제일의 에도 명물과, 중국과 인도에까지 명성이 자자한 니시키에[16]까지 금지하시는 건, 천하태평을 축하하기 위해 모처럼 날아온 봉황의 목을 조르고 털을 쥐어뜯는 일이나 다름없지 않겠습니까?'

라는 문장이 있었습니다. 이것은 「산류창석영散柳窓夕榮」이라는 소설 속에 나오는 한 인물의 감개를 적은 것입니다. 덴보시대1830~1844에 내려진 검약에 관한 공고에 대해 그 인물이 크게 푸념하는 장면입니다. 저는 나가이 가후라는 작가를 무조건 숭배하려는 것은 결코 아닙니다. 어제 그 소설집을 읽으면서도 여러 번 불만을 느꼈습니다. 저 같은 촌놈과는 성질이 다른 작가인 듯합니다. 하지만 방금 인용한 문장에는 적잖이 공감했습니다. 일본에는, 전쟁 중에는 전혀 쓸모가 없지만, 평화로워지면 거침없이 재능을 발휘하여 아름다운 평화의 노래를 부르는 작가도 있다는 사실을 잊지 말아 주세요. 일본은 결코 호전국이 아닙니다. 모두 평화를 바라고 있습니다.

저는 만주의 봄을 한번 보고 싶습니다. 하지만 아마도 저는 만주에 가지 않겠지요. 만주는 지금 무척 바쁘게 돌아가고 있으니, 어슬렁거리

자』(1903) 등이 있다.

16_ 우키요에(일본 에도시대에 서민 계층을 기반으로 발달한 풍속화)를 색도 인쇄한 목판화.

며 경치 구경이나 가는 건 틀림없이 민폐일 것이라고 생각합니다. 꽤 많은 일본 작가들이 만주에 가지만, 분명 모두 귀찮은 존재 취급을 받다가 돌아오는 게 아닐까 싶습니다. 공무원의 안내를 받으며 다른 사람의 바쁜 모습을 '시찰'하는 것은, 생각하기에 따라서는 결례인 듯도 합니다. 제 지인 셋 정도가 지금 만주에 살면서 바쁘게 일하고 있습니다. 저는 그 지인들과 만나 하룻밤 차분히 술잔을 주고받고 싶고, 그 때문에라도 만주에 가고 싶지만, 만주가 지금 한창 바쁜 때라는 것을 생각하면 단번에 진지해지고 들뜬 마음도 다 사라집니다.

저처럼 절대 '국책형'이 아닌 무력한 작가도, 만주의 현재 노력에는 남몰래 성원을 보내고 싶은 마음입니다. 저는 무책임한 거짓말은 하지 않습니다. 오로지 그것만을 자부하며 사는 작가입니다. 저는 정치에 대해서는 전혀 모르지만, 그래도 인간 생활에 대해서는 조금 알고 있습니다. 일상생활 속 감정에 대해서는 어느 정도 안다고 생각합니다. 그걸 모른다면 작가라고 할 수 없습니다. 만주에 간 수많은 일본 작가들이 공무원의 안내를 받으며 '시찰'을 하면서 과연 어떤 '생활 감정'을 발견하고 돌아오는 것일까요? 돌아와서 쓴 보고문을 읽어보면 전혀 미덥지가 않습니다. 일본에서 뉴스만 봐도 충분히 다 알 수 있는 것들만 발견하고는, 그저 태평하게 빈둥대고 있는 듯한 느낌입니다. 이렇게 된 이상, 오 년이나 십 년 정도 만주에서 '한 사람의 생활인'으로 평범하게 살면서 깊이 있는 무언가를 체득한 사람의 말을 기대하는 수밖에 없습니다. 저의 지인 셋은 진심으로 만주를 사랑하고, 주위 상황에 아랑곳하지 않고 만주에 살면서 전 인류를 관통하는 '사랑과 신실信實'의 표현을 위해 고군분투하고 있습니다.

국기관國技館

난생처음으로 혼바쇼[17]라는 것을 보았습니다. 세상 사람들이 떠들썩하게 호들갑을 떠는 것들에는 일부러 더 등을 돌리고 싶어 하는 저의 슬프고도 나쁜 버릇 때문에, 스모에 대해서도 애써 무관심한 척해 왔습니다. 하지만 내심 한번 봐두고 싶다는 생각은 했습니다. 옛 모습이 거기에 아직 남아 있는 듯한 기분이 들었기 때문입니다.

협회에서 초대장을 받은 관계로 하카마를 입고 갔습니다. 오후 네 시쯤 국기관[18]에 도착했습니다. 초대석은 묘하게 비좁은 데다 너무 더웠기 때문에, 곧장 복도로 나와 관중들로 붐비는 객석 뒤에 서서 경기를 봤습니다.

히나단[19]을 멀리서 보면 중국 항아리처럼 보입니다. 붉은 양탄자가 조금 거무스름했는데, 거기에 밝은 빛이 도는 푸른색이 뒤섞여 있었습니다. 밝은 빛이 도는 푸른색이란, 관객들의 옷 색깔을 말합니다. 무수히

17_ 일본 스모 협회에서 개최하는 공식적인 스모 대회로 매년 홀수 월에 열리며, 선수들의 등급에 직접적으로 영향을 미치는 큰 대회이다.

18_ 일본 스모 협회가 설립·경영하는 돔 형태의 옥내 스모 경기장으로, 1909년 도쿄 료고쿠에 설립되었다.

19_ 雛壇. 히나마쓰리(여자 어린이들의 무병장수와 행복을 빌기 위해 해마다 3월 3일에 치르는 일본의 전통축제) 때 인형을 진열하는 계단식으로 된 단.

많은 부채가 팔랑팔랑 움직이고 있었습니다. 분명 이곳에는 이미 여름이 와 있는 것입니다.

모래판에 세워진 검은색, 흰색, 푸른색, 붉은색의 기둥 네 개는 애처로울 정도로 노골적인 원색이었습니다. 모래판에 강한 조명을 비춘 모양인지, 선수들의 나체가 적토색으로 보였습니다. 마치 흙 인형처럼 점토 느낌이 나는 피부였습니다.

전체적인 인상을 말하자면, 장난감을 보는 듯한 묘한 슬픔이 느껴졌습니다. 탁한 물감으로 칠한 비둘기 피리가 떠올랐습니다. 오토리사마[20]에서 파는 구마데나 마네키네코[21]처럼 유치한, 슬프고 가슴이 먹먹해지는 무언가를 느꼈습니다. 에도 문화라는 건, 이처럼 '유치한 아름다움'이라고 해야 할 법한 것들 속에서 생겨나고 이어져 온 게 아닐까, 하는 생각까지 했습니다.

네다섯 차례의 시합을 봤지만, 별로 이해가 안 되더군요. 데루쿠니라는 선수는 품위 있는 사람인 듯했습니다. 정말 화가 난 상태로 경기에 임하면 그 누구에게도 지지 않을 것 같더군요. 상대인 이쓰쓰시마라는 선수의 인품은 별로 탐탁지 않았습니다. 이기면 그만이라는 식의 사나운 마음이 그 선수의 어딘가에서 보이더군요. 승부에서 이긴다고 해도, 이대로라면 요코즈나[22]는 될 수 없습니다. 더 넘어질 필요가 있습니다.

볼일이 있어서 데루쿠니와 이쓰쓰시마의 경기만 보고 바로 돌아왔습니다.

20_ 매년 11월에 거행되는 오도리 신사의 제례 때 서는 장. 다양한 행운의 물건을 판다.

21_ 구마데는 복을 긁어모으는 갈퀴, 마네키네코는 한쪽 앞발로 사람을 부르는 시늉을 하는 고양이 장식물이다.

22_ 스모 선수 서열 중 최고의 지위를 가리키는 말로, 씨름의 천하장사에 해당한다.

시합을 네다섯 번 본 것이 전부여서 자신 있게 말할 수는 없지만, 저는 선수들의 경기에서 '무기武技'보다는 '예기藝技'를 더 많이 느꼈습니다. 좋은 것인지 나쁜 것인지, 저는 잘 모르겠습니다.

큰 은혜는 말하지 않는다大恩は語らず

얼마 전, 잡지 『부인공론』의 N씨가 오셔서 "너무 하찮은 부탁이라 죄송하지만," 하시더니, 은수기恩讎記라는 테마로 글을 몇 장 써주지 않겠냐고 말씀하셨다. "은수기. 은혜와 원한입니까?" 나는 손끝으로 책상 위에 은이라는 글자와 수라는 글자를 쓰며 N씨에게 되물었다. N씨는 성격이 솔직하고 시원시원한 분이셨다. "그렇습니다. 저도 별로 좋은 테마가 아니라고 생각합니다. 편지로 부탁하면 분명 거절하실 것 같아서, 제가 오늘 댁에 부탁하러 온 겁니다. 은혜는 그렇다 치더라도 원한 같은 건 별로 기분 좋은 게 아니니까, 테마에 그렇게 구애받지 마시고 어릴 적에 누구에게 맞아서 분했다는 식의 얘기라도 써 주신다면 그걸로 충분합니다."

N씨의 친절함은 잘 알지만, 나는 내심 못마땅했다. 일단은 거절하는 수밖에 없다고 생각했다. "제게는 쓸 만한 일이 없어요. 은혜라고 하면, 어릴 적부터 늘 은혜만 입어서 여전히 단 하루도 잊을 수 없는 은인이 열 분 이상은 계시고, 일일이 이름을 들어 말하는 건 왠지 남 같은 느낌이라 오히려 실례가 될 것 같습니다. '큰 은혜는 말하지 않는다.'라는 말 그대로, 저는 이제 그런 일들을 입 밖에 꺼내고 싶은 마음이 별로 없습니다. 복수심을 느끼는 일은 하나도 없습니다. 기분이 상하면 그

자리에서 바로 말하거든요."

예전에 나는 은인이라 생각하는 분들께, 느끼는 그대로 '은恩'이라는 말을 썼다가, 오히려 그분들과 그분들 주변의 지인들에게 오해를 산 적이 있다. 함부로 입에 담을 수 있는 말이 아닌 듯하다.

"그거면 됩니다." 하고 N씨는 내 말에 긍정적으로 반응해주었다. "방금 말씀하신 것을 그대로 적어주시면 됩니다." N씨는 나처럼 땀이 많은 체질인지, 끊임없이 손수건으로 얼굴에 난 땀을 닦으셨다.

"쓰고 싶지 않아요. 네다섯 장짜리 수필만 계속 쓰다 보면 너무 염세적인 기분이 들거든요. 그야말로 복수심이 생길 것 같습니다. 조용히 소설만 쓰고 싶어요."

"그렇겠지요." N씨는 진심으로 내 말에 공감해주셨다. "정말 이런 부탁을 드리면 안 되는 건데. 그러니까 테마에 상관없이 무슨 얘기든 다 좋습니다. 써주세요."

N씨가 이렇게 먼 시골의 누추한 집까지 일부러 찾아와 주신 것을 생각하니, 완강하게 거절해서 자리를 어색하게 만들기가 힘들었다. 내 마음속에는 상대방의 비위를 맞춰주려는 겁쟁이 벌레가 살고 있다. 결국 쓰기로 했다. 그러나 '쓸 만한 얘기가 없습니다. 쓰고 싶지 않아요.'라는 말은 내 진심에서 우러나온 것으로, 그것에는 전혀 변함이 없다. 쓸 만한 얘기가 없다. 하는 수 없으니, N씨가 그 후에 해주신 기분 좋은 말씀을 왜곡하지 않고 그대로 적어보겠다.

"저는 복수 같은 건 싫습니다. 생각해 보면 주신구라[23]도 참 이상합니다. 부녀자밖에 없는 무방비 상태의 집에 밤도둑처럼 숨어들어서는

23_ 忠臣藏. 1701년에 사무라이 47명이 억울하게 죽은 주군을 위해 복수한 사건. 가부키, 조루리, 영화, 드라마 등의 소재로 자주 사용된다.

여럿이 달려들어 늙은 남자 한 명을 죽이는 것이니까요. 비겁합니다. 복수 같은 건 생각지 않는다고 거짓말이나 하고. 하는 짓이 비열하지 않습니까? 소가 형제[24]도 어릴 적부터, 이름이 뭐라더라, 아무튼 원수를 죽일 생각만 쭉 해오지 않았습니까? 그걸 또 어머니가 열심히 부추깁니다. 끔찍하지 않습니까? 십팔 년 동안이나 원한을 잊지 않는다니, 참 기분 나쁜 형제입니다. 저는 그런 사람과는 절대 사귈 수 없어요. 무사도라는 것도 무척 이상합니다."

"그렇지. 그걸 씁시다."라고 내가 말했더니, N씨가 쾌활하게 웃었다.

그 후에 N씨가 최근에 본 영화의 줄거리, 전쟁에 관한 이야기, 도호쿠 사람(N씨도 나와 같은 도호쿠 태생이었다)의 장점과 단점, 청년들의 무기력함, 여성지의 판매 추세 같은 것들에 대해서 이런저런 솔직하고 재미있는 이야기를 들려주었다. 이 원고건만 제외하면, 내게는 실로 즐거운 반나절이었다.

결국 이렇게 요령 없는 원고를 쓰게 되어 N씨에게는 죄송하기 그지없다. 그러나 은수기라는 제목으로, 독자들의 질 낮은 호기심을 만족시키기 위해 가십풍의 소재를 뒤섞은 글을 솜씨 좋게 대여섯 장으로 정리해서 쓰는 것이 작가의 의무라면, 작가는 쇠약해지기만 할 것이다. 어린 나이에 헛된 명성을 얻는 일의 해로움에 대해서는, 나도 잘 안다고 생각한다. 좋을 게 없다. 독자도 나쁘다. 나는 현대(쇼와 15년1940년)의 독자를 그리 믿지 않는다.

이상은, 거만하고 무책임한 말이 아닙니다. 여러모로 생각한 후에 쓴 글입니다. N씨에게는 거듭 사과의 말씀을 전합니다.

24_ 曾我兄弟. 1193년에 아버지의 원수인 무장 구도쿠 스케쓰네를 죽여 복수한 소가 스케나리와 소가 도키무네 형제.

자신 없음自身の無さ

본지(아사히신문)의 문예시평에서, 나가요 선생님[25]이 제 서툰 작품을 예로 들면서 현대 신인의 공통점을 지적하셨습니다. 다른 신인 작가분들께 책임감을 느꼈기에, 한마디 변명을 해보려고 합니다. '예부터 일류 작가의 작품은 창작 동기가 뚜렷하여 무척 실감이 나고, 따라서 그 속에 웬만해서는 꿈적도 하지 않는 어떤 자신감을 가지고 있습니다. 반면 지금의 신인들은 그 기본적인 동기에 대한 자신감이 없어 흔들리고 있습니다.' 하는 말씀은 그야말로 정문頂門의 일침으로, 매우 정확하다고 생각합니다. 자신감을 가지고 싶습니다.

하지만 저희는 자신감을 가질 수가 없습니다. 어째서일까요. 저희는 결코 게으름을 피우는 것이 아닙니다. 불량한 생활을 하지도 않습니다. 남몰래 독서도 하고 있을 터입니다. 하지만 노력을 하면 할수록 점점 더 자신이 없어집니다.

저희는 그 원인을 이것저것 지적해서 그 죄를 사회에 전가하지도 않습니다. 저희는 이 세기의 모습을 이 세기 그대로 솔직히 긍정하고

• •

25_ 나가요 요시로長与善郎(1888~1961). 소설가 겸 극작가. 나가요는 신인 작가들의 작품이 작위적인 데다 뚜렷한 창작 모티프가 결여되어 있다고 비판하면서, 다자이의 단편소설 「고전풍」(전집 3권 수록)을 그 예로 들었다.

싶은 것입니다. 모두 비굴합니다. 모두 기회주의자입니다. 모두 '겁 많은 고생'을 하고 있습니다. 그러나 저희는 결코 그것을 결정적인 오점이라고 여기지는 않습니다.

지금은 엄청난 과도기라고 생각합니다. 저희는 당분간 자신이 없는 상태에서 벗어날 수 없습니다. 누구의 얼굴을 봐도, 모두 비굴합니다. 저희는 이 '자신 없음'을 소중히 하고 싶습니다. 비굴함의 극복이 아닌, 비굴함에 대한 솔직한 긍정 속에서 전례 없는 훌륭한 꽃이 피기를, 저는 기원합니다.

6월 19일6月19日

아무런 준비도 없이 원고지 앞에 앉았다. 이런 것을 진정한 수필이라고 하는 것인지도 모르겠다. 오늘은 6월 19일이다. 하늘이 맑다. 내가 태어난 날은 메이지 42년1909년 6월 19일이다. 나는 어릴 적에 성격이 묘하게 비뚤어져서, 스스로가 부모님의 친자식이 아니라고 믿었던 적이 있다. 형제 중 나 하나만 불량품 취급을 받는 느낌이었다. 못생긴 얼굴 때문에 가족들에게 자주 놀림을 받아서, 그로 인해 차츰 비뚤어진 것인지도 모른다. 창고에 들어가서 이런저런 서류를 들춰본 적도 있다. 아무것도 발견하지 못했다. 오래전부터 우리 집에 드나든 사람들에게 슬쩍 물어보고 다니기도 했다. 그 사람들은 크게 웃었다. 내가 이 집에 태어난 날의 일을 모두들 정확히 알고 있었던 것이다. 해 질 녘이었어요. 저쪽 작은 방에서 태어났습니다. 모기장 안에서 태어났지요. 정말 순산이었습니다. 곧바로 태어났어요. 코가 큰 아이였습니다. 여러 가지 일들을 명확히 이야기해주었기 때문에, 나도 의심을 버릴 수밖에 없었다. 어쩐지 실망스러웠다. 스스로의 평범한 처지가 불만스러웠다.

얼마 전, 모르는 시인에게 편지를 받았다. 그 사람도 메이지 42년 6월 19일에 태어났다고 한다. 이것을 인연 삼아 하룻밤 같이 술을 마시지 않겠냐는 내용의 편지였다. 나는 답장을 보냈다. '저는 변변치 못한 남자이기 때문에, 만나면 반드시 실망하실 겁니다. 아무래도 무섭습니다. 메이지 42년 6월 19일에 태어난 이의 숙명에 대해 당신도 알고 있으리라고 생각합니다. 아무쪼록, 그 소심함을 생각해서라도 용서 바랍니다.' 비교적 솔직하게 썼다고 생각한다.

탐욕이 부른 재앙貪婪禍

7월 3일부터 미나미이즈의 어느 산속 마을에 와 있는데, 물론 여기는 심산유곡깊은 산속 으슥한 골짜기도 뭣도 아니다. 온천 말고는 별로 볼만한 곳도 없다. 도쿄와 비슷한 수준으로 덥다. 여관의 여종업원들도 불친절하다. 방은 더럽고 식사는 맛이 없다. 왜 이런 곳을 골랐느냐 하면, 숙박료가 쌀 것으로 생각했기 때문이다. 하지만 막상 와보니 별로 싸지도 않았다. 일박에 오 엔 이상 한다. 그날 할 계획이었던 공부가 다 끝나면 온천에 들어갔다가 그 후에 저녁 식사를 하는데, 맥주 한 잔을 마시고 싶어 여종업원에게 주문했더니,

"없습니다."라는 단호한 대답이 돌아왔다. 하지만 여종업원의 얼굴을 보고 그게 거짓말이라는 것을 알 수 있었다.

"꼭 마시고 싶어요. 딱 한 병이면 돼요." 하고 웃으면서 조르자,

"잠시만 기다리세요."라고 정색을 하며 말하고는 방에서 나갔다. 조금 시간이 흐른 뒤에 역시나 정색을 하며 방에 들어와서는,

"저기, 가격이 조금 비싼데, 그래도 괜찮으시겠어요?"라고 말한다.

"예, 상관없습니다. 두 병 주세요." 하고 나도 빈틈없이 군다.

"아니요. 한 병만 드리겠습니다."

몹시 냉담하게 선고한다.

최근에는 여관들도 무척이나 거만해졌다. 나 역시 물자 부족에 대해서는 알고 있다. 무리한 요구는 하지 않는다. 죄송하지만, 하는 식으로 말투를 조금만 바꾸면 서로 좀 더 부드럽게 일을 해결할 수 있는데 쓸데없이 퉁명스럽게 군다. 당연한 결과로 손님도 입을 다물게 된다. 너무 답답하다. 느긋함이라곤 없다. 기숙사에서 공부하는 학생이 된 기분이다.

창밖 풍경을 바라봐도 딱히 대단할 게 없다. 낮은 여름 산, 산의 중턱까지는 밭이다. 매미 울음소리가 시끄럽다. 햇볕이 쨍쨍 내리쬐는 무더운 날씨다. 왜 굳이 이런 곳까지 왔나 싶다.

그러나 나는 여기를 정리하고 다른 곳으로 가자는 생각은 하지 않는다. 어딜 가든 다 비슷하다는 것을 알기 때문이다. 문제는 내 마음일지도 모른다. 이건 플로베르의 한탄인데, '나는 항상 눈앞에 있는 것을 거부하고 싶어 한다. 어린아이를 보면 그 아이가 노인이 된 모습을 생각하고, 요람을 보면 무덤을 생각한다. 여자의 나체를 보면서 그 해골을 공상한다. 즐거운 것을 보고 있으면 슬퍼지고, 슬픈 것을 보면 아무런 느낌이 없다. 속으로 너무 많이 울어서, 밖으로 눈물을 흘릴 수가 없다.' 이런 식으로 말하면 조금 과장스러워서 중학생의 센티멘털한 노악취미[26] 같은 것이 되고 말지만, 내가 여행을 가서 풍경이나 인정에 그다지 마음이 동하지 않는 이유는, 그곳 사람들의 생활을 곧바로 알아버리기 때문일 것이다. 모두들 김빠질 정도로 열심이다. 시냇가 근처의 찻집 한 곳에도 조상 수 대에 걸친 암투가 있었을 것이다. 찻집의 의자 하나를 새로 만드는 데에도, 일가의 예사롭지 않은 노력이 있었으리라. 하루

26_ 露惡趣味. 자신의 결점을 일부러 드러내 보이는 경향.

매상이 어떻게 가족들에게 분배되고, 그로 인해 일희일비가 얼마나 반복될지. 풍경 같은 건 문제가 아니다. 그 마을 사람들에게는 산의 나무 한 그루, 시냇가의 돌 하나, 그 모두가 생활과 직접적으로 연결되어 있을 것이다. 거기에 풍경은 없다. 하루하루의 양식이 보일 뿐이다.

순수하게 풍경을 보며 경탄할 수 있는 사람은 참으로 행복할 것이다. 우리 집은 도쿄 이노카시라 공원 뒤편에 있는데, 일요일마다 많은 하이킹객들이 들뜬 모습으로 그 주변을 돌아다닌다. 이노카시라 호수가 있는 곳에서 돌계단 스물 몇 개를 오른 다음, 완만하게 쭉 이어지는 언덕길을 오십 미터 정도 오르면 고텐산이다. 평범한 초원이지만, 그럼에도 불구하고 하이킹 복장을 한 씩씩한 남녀는 아주 흥분한다. 나무줄기에 '등산 기념, 모월 모일, 아무개' 하고 칼로 새겨놓은 것까지 눈에 띄는데, 나는 그걸 보고 웃을 수가 없다. 돌계단 스물 몇 개를 오르고 완만한 언덕을 오십 미터 정도 오른 곳에서 극도의 환희를 발견할 수 있다면, 시민이란 참으로 행복한 존재라고 생각한다. 악업이 깊은 작가 하나만이 어디를 가도, 무엇을 봐도 괴롭다. 거만하게 구는 것이 아니다.

이곳에 온 지 벌써 열흘 가까이 지났다. 일도 일단락 지었다. 오늘쯤 아내가 돈을 들고 이 여관에 나를 데리러 올 것이다. 아내에게는 이런 온천 여관이 극락 같을지도 모른다. 나는 시치미를 뚝 떼고 아내에게 이곳에 대한 감상을 물어볼 생각이다. 정말 좋은 곳이에요, 라고 흥분하며 말할지도 모른다.

자기 작품에 대해 말하다 自作を語る

나는 이제껏 내 작품에 대해 이야기한 적이 한 번도 없다. 싫기 때문이다. 독자가 읽고 이해하지 못한다면 그걸로 끝이다. 창작집 서문을 쓰는 것조차 싫다.

자기 작품에 대해 설명한다는 건 작가의 패배를 의미한다고 생각한다. 불쾌하기 짝이 없는 일이다. 내가 A라는 작품을 쓴다. 독자가 읽는다. 독자는 A가 재미없다고 한다. 기분 나쁜 작품이라고 한다. 그걸로 끝이다. 아니야, 재밌을 텐데? 라는 항변은 소용이 없다. 작가는 더욱 비참해질 뿐이다.

싫으면 읽지 말라는 말이다. 되도록 모두가 이해할 수 있게끔 최대한 정성스럽게 썼을 터다. 그럼에도 불구하고 이해하지 못한다면, 잠자코 물러날 뿐이다.

나는 친구가 손에 꼽을 정도밖에 없다. 나는 그 몇 안 되는 친구들에게도 내 작품에 대해 설명해본 일이 없다. 발표한 후에도 잠자코 있는다. 그 부분은 참 고심했습니다, 같은 말은 한 번도 한 적이 없다. 흥이 깨어지기 때문이다. 그런 고심담으로 상대방을 압도해서까지 의리상 보내는 갈채를 받고 싶지는 않다. 예술은 그렇게 남에게 강요하는 것이 아니라고 생각한다.

하루에 서른 장은 거뜬히 쓸 수 있는 작가도 있다고 한다. 나는 하루에 다섯 장을 쓰면 대단한 것이다. 묘사가 서툴러서 늘 고생한다. 어휘가 빈약해서 펜 놀림이 더디다. 쓰는 속도가 느린 것은 작가의 치욕이다. 한 장을 쓰는데 두세 번은 사전을 찾아본다. 오자가 너무 불안하기 때문이다.

자기 작품에 대해 이야기하라고 하면 나는 왜 이렇게 화가 나는 걸까. 나는 내 작품과 타인의 작품 모두 그렇게 높이 평가하지 않는다. 내가 지금 생각하고 있는 것들을 그대로 솔직하게 이야기한다면, 사람들은 곧바로 나를 미친 사람 취급할 것이다. 미친 사람 취급을 받기는 싫다. 역시 나는 침묵해야 한다. 조금만 더 참자.

아아, 얼른 한 장에 삼 엔 이상 받을 수 있는 소설만을 쓰고 싶다. 이래서야 작가는 쇠약해질 뿐이다. 내가 처음으로 『문예』에 글을 판 이후로 벌써 칠 년이 지났다.

인기를 바라지는 않는다. 또 인기가 있을 리도 없다. 인기의 허무함도 알고 있다. 일 년에 창작집 한 권을 내어 그게 삼천 부 정도는 팔렸으면. 내가 지금까지 낸 열 권에 가까운 창작집 중에서는 이천오백 부 팔린 것이 최고 기록이다.

아무리 생각해봐도 내 작품은 영화나 연극으로 만들어질 여지가 없다. 그렇기 때문에 내 작품이 훌륭하다는 말은 아니다. 『죄와 벌』이나 『전원교향곡』, 『아베일족』은 다 영화로 만들어진 모양이다.

영화 「여자의 결투」[27] 같은 건 있을 수 없다.

내 작품에 대해 이야기하는 건 정말 싫다. 자기혐오로 가득하다. '자기 아이에 대해 이야기하라.'라고 하면, 시가 나오야 정도 되는 달인도 조금은 주저할 것임이 틀림없다. 잘 된 자식은 그 나름대로 사랑스럽고, 잘 안 된 자식은 더더욱 슬프고 사랑스럽다. 그 사이의 미묘한 느낌을 정확히 남에게 전하는 것은 지극히 어려운 일이다. 그걸 억지로 말하라고 하는 것도 가혹하지 않은가?

나는 내 작품과 함께 살아가고 있다. 나는 하고 싶은 말은 언제나 작품 속에서 한다. 그 외에는 하고 싶은 말이 없다. 그러므로 그 작품이 거절당하면 그걸로 끝이다. 더 이상 말하지 않는다.

나는 내 작품을 칭찬해 주는 사람 앞에서는 극도로 작아진다. 그 사람을 기만하고 있는 듯한 기분이 들기 때문이다. 반대로 내 작품을 욕하는 사람은 예외 없이 경멸한다. 무슨 말을 지껄이는 거냐, 라고 생각한다.

27_ 1940년 1월부터 같은 해 6월까지 총 여섯 번에 걸쳐 잡지 『월간문장』에 연재된 작품(전집 3권 수록).

이번에 가와데서방河出書房에서 최근 작품만을 모은, 『여자의 결투』라는 창작집이 나왔다. 여자의 결투는 이 잡지(『문장』)에 반년 동안 연재했는데, 쓸데없이 독자들을 따분하게 만든 것 같다. 이번에 합본을 내면서 느낀 점을 써주세요, 그 외의 작품도 언급하면서 써주시면 좋을 것 같습니다, 라는 것이 편집자 쓰지모리 씨의 지시였다. 쓰지모리 씨는 이제껏 내가 제멋대로 구는 것을 다 받아주셨다. 그래서 거절할 수가 없다.

내게는 새삼스럽게 감상 같은 건 전혀 없다. 요즘에는 다음 작품을 쓰는 일에 몰두 중이다. 친구인 야마기시 가이시 군에게서 편지를 받았다. (「달려라 메로스」 속 의리, 신에게 닿을 듯하고, 「유다의 고백」 속 애욕, 땅을 울릴 듯하다.)

가메이 가쓰이치로 군으로부터도 편지를 받았다. (「달려라 메로스」를 두 번 읽고 세 번 읽었는데, 점점 더 좋아진다. 걸작이다.)

친구는 감사한 존재다. 한 권의 창작집 속에서 작가의 의도를 정확히 끄집어내 준다. 야마기시 군과 가메이 군은 성의 없는 말을 하는 경박한 사람은 아니다. 이 두 사람이 알아준다면, 그걸로 됐다.

자기 작품에 대해 이야기 하는 건, 나이 든 대가가 된 후에 할 일이다.

마나고야砂子屋

출판사 설립 5주년을 맞으신 것 축하드립니다. 출판사 소유자이신 야마자키 고헤이 씨는 저조차도 속으로 혀를 내두르며 놀랄 만큼 대단한 몽상가셨습니다. 몽상가가 이 세상에서 성공을 거둔 전례는 고금동서를 통틀어 아직 한 번도 없다고 말해도 좋을 것입니다. 그러나 야마자키 씨는, 불가사의하게도 현재 성공을 거두신 듯합니다. 야마자키 씨의 선조의 유덕 덕분이라고 생각할 수밖에 없습니다. 참고로, 출판사 이름인 마나고야[28]는 그의 출생지인 반슈播州 '마나고 마을'에서 유래된 것이라고 합니다. 출생지를 가게 이름으로 삼았다는 건 상당한 야심을 품고 있다는 증거입니다. 자신의 손으로 고향 이름을 일본 전국에 널리 퍼뜨려 그 고향의 영예를 한 몸에 짊어지려는 패기가 없다면, 자신이 태어난 곳의 이름을 가게 이름으로 사용하지는 못할 것입니다. 옛날에 기노쿠니야 분자에몬[29]이라는 사람도 역시 그런 패기로 기노쿠니라는 이름을

28_ 1935년 10월, 경영에 전혀 지식이 없는 문학청년들이 모여 설립한 출판사로, 다자이의 첫 창작집 『만년』이 출판된 곳이다. 정식 명칭은 '마나고야'지만 대부분의 사람들이 '스나고야'라고 부르자 두 가지 명칭을 함께 사용했으며, 현재는 스나고야서방이라는 명칭이 주로 사용된다.

29_ 에도시대의 상인으로 실존 여부는 불명확하다. 소금 사업 등으로 20대에 이미 큰 재산을 모았으나, 주조 사업에 크게 실패해 비참한 말년을 보냈다고 알려진다.

일본 전국에 널리 알렸는데, 그 사람은 끝이 별로 좋지 않았던 듯합니다. 다행히 야마자키 씨에게는 아사미, 오자키 씨라는 참된 친구 두 분이 계십니다. 그런 고결 하고 뛰어난 인품을 지니신 귀중한 큰 인물 두 분이 보이지 않는 곳에서 임기응변하여 정의롭고 타당한 좋은 책략을 전수하고, 또한 곁에 미야우치, 사에기 씨라는 신영돈덕新營惇德한 두 분이 있어 친절하게 그를 돕고 있다고 하니, 일단 이런 상태라면 앞으로도 불안할 일은 없으리라고 생각합니다. 야마자키 씨도 진짜 고생은 지금부터라는 것에 대해 이미 충분히 각오하고 계시리라고 생각합니다. 변함없이 곁에 있는 좋은 친구들의 말을 듣고, 당신의 원대한 낭만을 멋지게 펼쳐나가기 위해 노력해주십시오.

바오로의 혼란パウロの混乱

얼마 전에 다케무라서방竹村書房에서 곤 간이치 군의 첫 창작집 『바다갈매기의 장章』이 출판됐다. 산뜻한 장정의 멋진 책이다. 곤 군은 나와 마찬가지로 쓰가루 출신이다. 우리는 만나면 고향에 가사이 젠조 씨의 기념비를 세우는 일에 대해 몰래 상의한다. 앞으로 십 년이 지난 후에 둘 다 젠조 씨의 반만큼이라도 훌륭해지면 세우자는 것이니, 아주 장기적인 계획이다. 곤 군도 지금까지 무척 힘든 생활을 해왔다. 이 『바다갈매기의 장章』을 통해 보상받을 수 있기를 바란다.

곤 군은 이 잡지(『현대문학』)에 바오로[30]에 대한 글을 쓴 적이 있는데, 곤 군이 가진 성서에 대한 지식은 진짜다. 공부가 부족한 나도 4복음서에 대해서는 어느 정도 알고 있다고 생각하지만, 로마서, 고린도전후서, 갈라디아서 등, 이른바 바오로의 4대 기본서한 연구에까지는 좀처럼 손이 미치지 않는다. 무척 어설프게 읽었다. 이번에 곤 군의 연구에 자극을 받아, 나도 하룻밤 동안 주변을 정갈히 하고 공부했다.

'의로운 사람은 믿음으로 말미암아 살리라.' 바오로는 이 한 마디에

30_ Paul. 초대 크리스트교의 전도자로 생몰연대는 미상이다. 『신약성서』에 그가 쓴 편지 13개가 수록되어 있는데, 「로마서」, 「고린도전후서」, 「갈라디아서」, 「빌립보서」 등이 그것이다. 크리스트교 형성에 중추적인 역할을 한 인물로, 네로 황제의 박해로 인해 로마에서 순교했다고 전해진다.

의지하며 살았던 듯하다. 바오로는 신의 자식이 아니다. 천재도 아니며, 현자도 아니다. 육체는 초라하고 말도 서툴렀다. 실례되는 말이지만, 여러 면에서 곤 간이치 군의 모습이 겹쳐졌다. 4대 서한 중에서 고린도전후서가 가장 정열적이다. 말하자면, 혀가 제대로 돌아가지 않을 정도로 열광적인 느낌이다. 횡설수설한다. 번역이 서툰 탓만은 아니라고 생각한다.

'이로울 것이 없지만 나는 자랑하지 않을 수 없습니다. 그리고 아예 주님께서 보여 주신 환시와 계시까지 말하렵니다. 나는 그리스도를 믿는 어떤 사람을 알고 있는데, 그 사람은 열네 해 전에 셋째 하늘까지 들어 올려진 일이 있습니다. 나로서는 몸째 그리되었는지 알 길이 없고 몸을 떠나 그리되었는지 알 길이 없지만, 하느님께서는 아십니다. 나는 그 사람을 알고 있습니다. 낙원까지 들어 올려진 그는 발설할 수 없는 말씀을 들었는데, 그 말씀은 어떠한 인간도 누설해서는 안 되는 것이었습니다. 이런 사람에 대해서라면 내가 자랑하겠지만, 나 자신에 대해서는 내 약점밖에 자랑하지 않으렵니다. 내가 설사 자랑하고 싶어 하더라도, 진실을 말할 터이므로 어리석은 꼴이 되지는 않을 것입니다. 그러나 자랑은 그만두겠습니다. 사람들이 나에게서 보고 듣는 것 이상으로 나를 생각하지 않게 하려는 것입니다. 그 계시들이 엄청난 것이기에 더욱 그렇습니다. 그래서 내가 자만하지 않도록 하느님께서 내 몸에 가시를 주셨습니다. 그것은 사탄의 하수인으로, 나를 줄곧 찔러 대 내가 자만하지 못하게 하시려는 것이었습니다. 이 일과 관련하여, 나는 그것이 나에게서 떠나게 해주십사고 주님께 세 번이나 청하였습니다. 그러나 주님께서는, "너는 내 은총을 넉넉히 받았다. 나의 힘은 약한 데에서 완전히 드러난다." 하고 말씀하셨습니다. 그렇기 때문에 나는 그리스도의 힘이 나에게 머무를 수 있도록 더없이 기쁘게 나의 약점을 자랑하렵니다.'라고 말하고는 그것으로 모자라, '나는 어리석은 사람이 되고 말았습니다. 여러분이 나를 억지로 그렇게 만들었습니다. 사실 여러분이 나를 내세워 주어야 했습니다. 나는 비록 아무것도 아닌 사람이지만, 결코 그 특출하다는 사도들보다 떨어지지 않습니다.'[31]라고 불평 비슷한 말을 덧붙인다. 그리고 마지막에는 군중들에게 죄송합니다, 죄송합니다, 하고 사과한다. 정말 엉망진창이다. 이 고린도후서는 신학자들에게도 가장 난해하다고 평가받는 모양인데, 우리에게는 어쩐지 가장 잘 와 닿는 듯하다. 고양高揚과 비굴 사이의 아름다운 혼란인 것이다. 이건 다른 책에서 읽은 얘긴데, 바오로는 당시의 크리스트교 무리에게 심한 인신공격을 받았다고 한다.

1. 그의 풍채는 형편없고, 언어는 야비하다. 예컨대, 그의 편지는 무게가 있고 힘차지만, 직접 대하면 그는 몸이 약하고 말도 보잘것없다[32]는 말에, 바오로는 분하다는 듯이 '나는 결코 그 특출하다는 사도들보다 떨어진다고는 생각하지 않습니다. 내가 비록 말은 서툴러도 지식은 그렇지 않습니다. 우리는 그것을 모든 일에서 갖가지 방식으로 여러분에게 보여 주었습니다. 여러분을 높이려고 나 자신을 낮추면서 하느님의 복음을 대가 없이 여러분에게 전해 주었다고 해서, 내가 무슨 죄를 저질렀다는 말입니까?'[33]라고 반문한다.

2. 난폭하다. 파괴적이다.

3. 자기 광고를 잘하고, 오로지 자기 얘기만 한다.

31_ 고린도후서 12:1~11.
32_ 고린도후서 10:10.
33_ 고린도후서 11:5~7.

4. 겁쟁이. 나약한 남자. 기개가 없다.

5. 불성실하고 흉계를 꾸민다. 교활하고, 속임수를 써서 훔쳐 간다.

6. 그의 병. 간질이 아닌가? (육체에 가시 하나를 주셨으니 운운)

7. 약속을 지키지 않는다.

이 외에도 말로 다 할 수 없을 만큼의 인신공격을 받은 듯하다(쓰카모토 도라지 씨의 강의에 의거함).

곤 간이치 군이 지금 바오로에 대해 쓴다는 말을 듣고, 나도 손때 묻은 성서를 꺼내어 하룻밤 동안 바오로의 서간을 읽었는데, 어쩐지 자꾸만 곤 간이치 군에게 응원을 보내고 싶어졌다.

문맹자조文盲自嘲

며칠 전 밤, 음악 학교의 후루카와라는 분이 찾아오셔서, 가지고 오신 가방에서 구즈하라 시게루 씨의 원고를 꺼내어 제게 보여 주셨는데, 천성이 소심한 저는 그걸 읽으면서 손끝이 심하게 떨려 무척 난감했습니다. 언젠가 이런 일이 일어날지도 모른다고 전부터 걱정해온 것입니다. 저는 『신풍』이라는 잡지의 7월 창간호에 「맹인독소」[34]라는 서른 장 정도 분량의 단편소설을 발표했습니다. 그것은 『구즈하라 고토 일기』의 가나 문자로 쓰인 활자 일지를 토대로 하여, 거기에 제가 만들어낸 이야기를 멋대로 가미해서 일류 맹인 예술가의 생활을 막연하게 그려본 작품입니다. 하지만 고토의 친손자이신 구즈하라 시게루 씨가 우리 문인들의 대선배로서 버젓이 도쿄에서 지내고 계신다는 것을 알고, 글을 쓰면서 무척 마음에 걸렸습니다. 주소를 알아내어 제가 먼저 찾아뵙고 고인의 유덕에 관해 더 상세한 얘기를 여쭤본 뒤, 저처럼 재능 없고 가난한 서생이 이 활자 일지를 써도 되는지 정식으로 부탁드려 허락을 받은 후에 비로소 작업을 시작해야 한다는 것은, 부덕하고 변변찮은 문사인 저도 잘 알고 있었습니다. 하지만 마감일이 촉박하기도 했고,

34_ 1940년 6월에 발표된 단편소설(전집 6권 수록).

제 성급함과 낯을 가리는 성격 같은 것들 때문에 결국 그러한 예의를 다하지 못한 채 발표하게 되었습니다. 질타를 받을 것은 각오하고 있었습니다. 그런데 구즈하라 시게루 씨의 원고를 읽어보니 그렇게 엄한 질타는 없었습니다. 교활한 문사는 무심코 히죽 웃으며 감사하다고 무릎을 꿇으려고 했지만, 그럴 수가 없었습니다. '에치고사자 아흔 번[35]이라니, 그런 얘기는 들은 바가 없네, 다자이 군.'이라고 적혀 있더군요. 도망칠 방법이 없었습니다. 괜히 '이런, 이거 난감한데. 어이쿠, 실수했네.' 따위의 멍청한 말만 연발하며 뜨거운 김이 날 정도로 얼굴을 붉혔습니다. 문맹부재文盲不才, 깨끗하게 죄를 인정하고자 합니다. 나중에 창작집 속에 실을 때는, '욘키노나가메, 거문고로 서른두 번.'으로 정정하겠습니다.

아무쪼록 이 숱한 무례를 용서해주셨으면 좋겠습니다. 이제 가을이 깊어 벌레 소리도 희미해졌습니다. 각골명심刻骨銘心의 가을, 거문고도 글도 다 같은 것이니, 보잘것없는 정진을 계속해나가려고 합니다.

35_ 에치고사자는 속요의 곡명, 아흔 번은 연습 횟수를 의미한다.

희미한 목소리かすかな声

믿는 수밖에 없다고 생각한다. 나는 우직하게 믿는다. 로맨티시즘으로, 꿈의 힘으로 난관을 헤쳐나가고자 마음먹고 있을 때, 관둬, 관둬, 허리띠가 풀어졌잖아, 하는 못된 충고는 하는 게 아니다. 신뢰하고 따르는 것이 가장 옳다. 운명을 함께하는 것이다. 한 가정에 있어서도, 또 친구 사이에 있어서도 마찬가지라고 생각한다.

믿는 능력이 없는 국민은 패배하리라고 생각한다. 잠자코 믿고, 잠자코 생활해나가는 것이 가장 옳다. 남의 일에 대해 이러쿵저러쿵하기보다, 자기 꼬락서니에 대해 생각해 보는 것이 좋다. 나는 이 기회에 스스로에 대해 더 깊이 연구해보려고 한다. 절호의 기회다.

믿어서 패배한 일에 후회는 없다. 오히려 영원한 승리다. 때문에, 사람들의 웃음거리가 되더라도 치욕이라고는 생각지 않는다. 하지만, 아아, 믿어서 성공하고 싶다. 그 환희!

속는 사람보다 속이는 사람이 수십 배는 더 괴로운 법이지. 지옥에 떨어지니까 말이야.

불평하지 마라. 잠자코 믿고 따라가도록. 오아시스가 있다고, 사람들이 말한다. 낭만을 믿어라. '공영共榮'을 지지하라. 믿어야 할 길, 그 외에는 없다.

안이함을 경멸하는 것만큼 쉬운 일은 없다. 그리고 사람들은 의외로 안이함 속에서 살아가고 있다. 타인의 안이함을 비웃으면서, 자신의 안이함은 미덕으로 여기고 싶어 한다.

"생활이란 무엇입니까?"
"쓸쓸함을 견디는 것입니다."

자기변호는 패배의 징조다. 아니, 이미 패배한 후의 모습이다.

"패배란 무엇입니까?"
"악에게 아첨을 하며 웃는 것입니다."
"악이란 무엇입니까?"
"무의식적인 구타입니다. 의식적인 구타는 악이 아닙니다."

논의란 이따금 타협하고 싶은 정열이다.

"자신自信이란 무엇입니까?"
"미래의 촉광을 봤을 때의 마음의 모습입니다."
"현재의?"

"그건 쓸모가 없습니다. 멍청합니다."

"당신은 자신이 있습니까?"

"있습니다."

"예술이란 무엇입니까?"

"제비꽃입니다."

"시시하군."

"시시한 것입니다."

"예술가란 무엇입니까?"

"돼지코입니다."

"그건 심한데."

"코는 제비꽃 향기를 알고 있습니다."

"오늘은 제법 기세가 좋으시군요."

"그렇습니다. 예술은 그 순간의 기세로 가능한 것입니다."

太宰治

1941년쇼와 16년, 32세

다자이는 2월 중순부터 3월 초까지 아내 미치코와 함께 시즈오카현 시미즈에 위치한 미호엔三保園에 머물면서 『신햄릿』 집필에 몰두한다. "과거의 생활 감정을 말끔히 정리하여 글로 남겨두고 싶은 기분"(8월 2일, 이부세 마스지에게 보낸 편지 중에서)으로 쓴 글이었다. 다자이는 이 글이 완성되는 5월 말까지, 『부인화보』에 「낭만등롱」을 연재하는 것 외의 다른 일에는 거의 손을 대지 않았다. 6월에는 장녀 쓰시마 소노코津島園子가 태어났으며, 8월에는 지인 기타요시 시로北芳四郎의 권유로, 건강이 악화된 어머니를 만나기 위해 십 년 만에 고향인 쓰가루를 방문한다. 호적에서 제명된 후로 가족과는 연을 끊고 지내던 다자이가 쓰가루를 방문하는 데에는 많은 용기가 필요했다. 자신을 고향의 수치라 여기며 늘 고향에 대한 애증과 공포감을 품고 지냈던 다자이에게, 약 일주일에 걸친 고향 방문이 갖는 의미는 지대한 것이었다. 9월에는 후에 『사양』의 모델이 되는 오타 시즈코太田静子가 친구와 함께 다자이 집을 처음으로 방문하기도 했다.

한편, 중일전쟁은 여전히 교착 상태에 있었고, 세계 제2차 대전은 격화되고 있었다. 11월 17일, 다자이 역시 문인 징용 대상자로 혼고 구청에서 신체검사를 받는데, '폐침윤'이라는 병명으로 면제 판정을 받는다. 아내 미치코의 회상에 의하면, "다자이의 가슴에 청진기를 갖다 댄 군의관은 그 자리에서 바로 면제 판정을 내렸다"고 한다. 그리고 12월 8일, 일본의 해군 연합 함대가 미국 하와이의 진주만을 기습공격 함으로써 태평양전쟁이 발발, 제2차 세계대전은 사실상 아시아 전역으로 확대되었다.

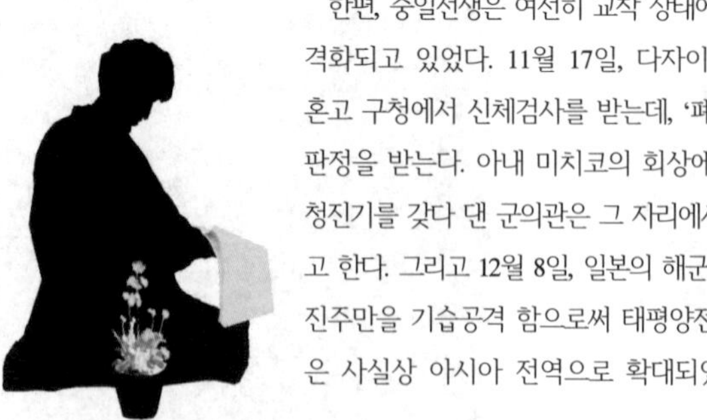

약자의 양식弱者の糧

영화를 좋아하는 사람 중에는 겁쟁이가 많다. 나 역시 마음이 약해지면 불현듯이 영화관으로 빨려 들어간다. 마음이 사나울 때는 영화 같은 건 거들떠보지도 않는다. 시간이 아깝다.

무엇을 해도 마음이 불안해 견디기 힘들 때, 영화관으로 뛰어 들어가면 조금 안심이 된다. 어두컴컴해서 얼마나 좋은지 모른다. 아무도 나를 신경 쓰지 않는다. 영화관 한구석에 앉아 있는 그 몇 시간 동안은 세상과 완벽하게 떨어져 있을 수 있다. 그렇게 좋은 곳은 없다.

나는 거의 모든 영화를 보고 운다. 반드시 운다고 해도 과언이 아니다. 졸작이니 걸작이니 하며 비판할 여유를 가져본 적이 없다. 관중들과 함께 껄껄 웃고, 관중들과 함께 눈물을 흘린다. 오 년 전에 지바현 후나바시에 있는 영화관에서 <신사도정화新佐渡情話>[1]라는 시대극을 봤는데, 정말 많이 울었다. 다음 날 아침에 일어나서 그 영화 생각을 하자 또 울음이 터져 나왔다. 구로카와 야타로, 사카이 요네코, 하나이 란코 등이 나오는 영화였다. 다음 날 아침에 떠올리며 다시 운 건 이

1_ 1936년에 개봉한 기요세 에이지로 감독의 영화로, 동명의 창곡을 바탕으로 한 작품이다. 이 영화에 크게 감명을 받은 다자이는 실제로 1940년에 사도로 여행을 다녀와 「사도」(전집 4권 수록)라는 제목의 단편소설을 집필했다.

영화 하나뿐이다. 어차피 비평가들은 엄청난 졸작이라고 하겠지만, 나는 거의 정신을 놓고 울었다. 정말 좋은 영화였다. 어떤 감독의 영화인지는 전혀 모르지만, 그 작품의 감독에게는 지금도 감사 인사를 하고 싶을 정도다.

나는 영화를 무시하는 것일지도 모른다. 예술이라고는 생각지 않는다. 단팥죽이라고 생각한다. 하지만 사람은 예술보다 단팥죽에 더 고마움을 느낄 때가 있다. 그럴 때가 아주 많다.

이것 역시 오 년 전 후나바시에 살 때의 일인데, 너무 괴로운 나머지 무작정 이치가와로 가서는, 가지고 있던 책을 팔아 그 돈으로 영화를 봤다. <오빠 여동생>[2]이라는 영화를 상영하고 있었다. 이때도 무척 많이 울었다. 오몬이 울면서 항의하는 장면이 견딜 수 없이 슬펐다. 나는 큰 소리로 울었다. 참을 수가 없어서 화장실로 도망쳤다. 그 작품도 좋았다.

나는 외국 영화는 별로 좋아하지 않는다. 대화 내용을 전혀 알아듣지 못하는데, 그렇다고 해서 화면 구석에 때때로 출몰하는 문장을 하나하나 읽기는 너무 힘들다. 나는 문장을 자세히 검토해가며 읽는 버릇이 있어서 끝까지 다 읽을 수가 없다. 무척 피곤해진다. 거기다 나는 근시인 주제에 안경을 안 쓰기 때문에, 웬만큼 앞자리에 앉지 않으면 하나도 읽지 못한다.

내가 영화관에 가는 것은 무척 지쳐 있을 때다. 마음이 약해졌을 때다. 패배했을 때다. 어두컴컴한 곳에 남몰래 살짝 앉아 있으면, 아무도 내 얼굴을 볼 수 없다. 조금 마음이 놓인다. 그런 상태이기 때문에

2_ 소설가 무로 사이세이[室生犀星]가 1934년에 발표한 동명 소설을 원작으로 한 영화. 여동생의 임신을 계기로 격하게 대립하게 된 사이좋은 남매의 애정 관계를 묘사한 작품이다.

모든 영화가 온몸에 스민다.

일본 영화는 그러한 패배자들의 마음을 겨냥해서 만들어지는 게 아닐까, 하는 생각까지 든다. 야망을 버리세요. 작고 소박한 가정 속에 진짜 행복이 있는 거예요. 부자에게는 부자만의 어두운 불행이 있답니다. 포기하세요. 그렇게 가르친다. 이 따뜻한 위로를 접하면, 세상의 패배자들은 아무리 애를 써도 눈물을 참지 못하리라. 좋은 것인지 나쁜 것인지, 나도 잘 모르겠다.

관중의 자격. 우선은 순진해야 한다. 황당무계한 것을 믿어야만 한다. 오코우치 덴지로[3]는 반드시 싸움에서 이겨야 한다. 어느 교양 있는 부인은, "오타니 히데오[4]라는 배우는 믿음직스러워서 좋아요. 그 사람이 나오면 어쩐지 마음이 놓이더군요. 절대 지는 법이 없어요. 예술 영화는 따분해요."라고 말하며 웃었다. 아름다운 의견이다. 똑똑한 척하면 손해를 본다.

영화와 소설은 전혀 다른 것이다. 국기관에서 스모를 보고 난 후 자못 진지한 표정으로, '무엇이든 간에 예藝의 극치는 다 같은 것입니다.'라는 식의 감개를 쏟아내는 멍청한 작가.

무엇이든 간에 생활 감정은 다 같은 것입니다, 라고 한다면 조금은 합당하다.

굳이 영화와 소설을 소위 '극치'의 선상에서 동일시할 필요는 없다. 또 굳이 소리 높여 독자성을 외치며 서로를 배제하는 것도 이상한 일이다. 의사와 스님도 길에서 마주치면 서로에게 인사하지 않는가.

3_ 大河內伝次郎(1898~1962). 다이쇼, 쇼와시대에 걸쳐 활약한 시대극 배우. 검술 영화로 크게 히트치며 한 시대를 풍미했다.

4_ 大谷日出夫(1909~1971). 무성 영화 시대 말기에 활약한 영화배우.

앞으로 나올 영화는 꼭 '패자의 양식'을 목표로 하여 만들어지지는 않을지도 모른다. 하지만 관중의 대부분은 역시 외로운 사람들이지 않을까. 영화관을 빙 둘러싼 입장객들의 긴 행렬을 보면, 나는 마음이 무척 무거워진다. '영화라도 볼까.' 이 말속에는 역시 무기력한 패배자의 한숨이 숨어 있음을 절실히 느낀다.

약자에 대한 위로라는 테마가 당분간은 영화 속에 자리 잡고 있으리라고 생각한다.

미나노가와와 우자에몬男女川と羽左衛門

요코즈나인 미나노가와[5]가 우리 집 근처에 산다. 즉, 우리 둘 다 후카미타카현재의 미타카시 시모렌자쿠의 주민인 것이다. 나는 스모에 대해서는 전혀 모르지만, 그래도 요코즈나 미나노가와에 대해서는 가끔 사람들에게 소문을 듣는다. 소문에 의하면, 미나노가와는 자기 키에 대한 질문을 가장 무서워한다고 한다. 그리고 자신의 실제 키보다 두 치약 6cm 정도 작게 말한다고 한다. 즉, 거구인 자신을 증오하는 것이다. 스스로를 혐오하고, 부끄러워하고, 지겨워하는 것이리라. 섬세한 신경의 소유자임이 틀림없다. 자전거를 타고 미타카역 앞 술집에 물건을 나르러 와서 술집 주인아주머니에게 혼이나 허둥대는 일도 있다. 역시 자전거를 타고 미타카 우체국에 와서, 창구를 잘못 찾거나 하는 실수를 하고는 땀을 뻘뻘 흘리며 심각한 얼굴로 마냥 당황스러워할 때도 있다.

나는 그런 미나노가와의 모습을 지켜보면서 항상 아아, 대단한 녀석이군, 하고 생각한다. 아주 훌륭한 사람이다. 분명 성실한 남자다.

소문에 의하면, 미나노가와는 무척 약한 선수라고 한다. 늘 지기만 한다고 한다. 스모를 할 생각이 전혀 없는 것 같다는 소문도 있다.

5_ 미나노가와 도조男女ノ川登三(1903~1971). 제34대 요코즈나(스모 선수 서열 중 최고의 지위를 가리키는 말로, 씨름의 천하장사에 해당한다)로, 신장 191cm의 거구였다.

하지만 나는 그것에 대해서도 감탄하고 있다. 언젠가 신문에서 그가 쓴 글을 읽었는데, 잊을 수 없는 글이었다. '요코즈나답게 강한 모습을 보이기 위해 왼쪽 팔을 크게 휘둘러 상대방을 한 손으로 던져버리려고 했는데, 상대방이 너무 작아서 내 팔은 허무하게 그 선수의 머리 위를 스쳐 지나갔고, 나는 내 힘에 못 이겨 비틀대다 허리가 꺾여서 지고 말았다. 어찌 됐든 요코즈나는 참 어렵다.'

우자에몬의 사생활에 관한 글 같은 것도 써보고 싶다. 아침에 일어난 순간부터 밤에 잠들 때까지. 재미있을 것 같다. 제목은 「귤나무」. 하지만 나는 미나노가와에 대한 소설도, 우자에몬의 이야기도 평생 쓸 일이 없을 것이다. 어떤 부류의 작가들은 정말로 쓸 생각이 있는 소설에 대해서는 미리 광고하기를 꺼린다. 쓰지 않을 소설에 대해 일부러 더 말해보고는 하는 법이다. 아무래도 나 역시 그런 부류인 듯하다.

고쇼가와라五所川原

이모가 고쇼가와라[6]에 계셔서, 어릴 적에 고쇼가와라에 자주 놀러 갔습니다. 아사히좌[극장]의 개장 기념 공연도 보러 갔습니다. 소학교 3, 4학년 즈음이었던 것 같습니다. 분명 도모에몬[7]이었던 것으로 기억합니다. 우메노 요시베에[극 중 협객]가 그를 괴롭혔습니다. 그때 난생처음으로 회전 무대를 보고, 무심코 자리에서 벌떡 일어났을 정도로 놀랐습니다. 아사히좌는 그 후 얼마 못 가 화재로 다 타버렸습니다. 그때의 불길이 가나기에서도 또렷이 보였습니다. 영사실에서 불이 났다고 합니다. 영화를 보러 갔던 소학교 학생 열 명 정도가 불타 죽었습니다. 영사 기사가 책임 추궁을 받았습니다. 과실 상해치사인지 뭔지 하는 죄명이었습니다. 어째서인지 어린 마음에도 그 영사 기사의 죄명과 운명을 잊을 수가 없었습니다. 아사히좌라고 하는 이름이 '화火'라는 글자와 관계가 있어서[8] 불이 난 것이라는 소문도 들었습니다. 이십 년이나 지난 일입니

• •

6_ 고쇼가와라는 아오모리현 중남부에 위치한 작은 도시(현 고쇼가와라시)이다. 여기서의 이모는 다자이의 어머니 다네의 여동생 기에를 가리키며, 다자이의 숙부와 결혼해 숙모이기도 하다. 기에는 병약했던 언니를 대신해 어린 다자이를 돌봤다.

7_ 오타니 도모에몬大谷友右衛門. 대대로 이어져 내려오는 가부키 집안의 가호家号로 그 가문 배우들을 총칭한다.

8_ 불을 의미하는 글자 화火를 일본어로 훈독하면 '히'가 된다.

다.

일고여덟 살 즈음에 고쇼가와라의 번화가를 걷다가 하수구에 빠졌습니다. 꽤 깊어서 물이 턱 부근까지 차올랐습니다. 석 자[약 90cm] 정도 됐을지도 모릅니다. 밤이었습니다. 위에서 어떤 남자가 손을 내밀어주어서 거기에 매달렸습니다. 끌어 올려진 후, 사람들이 에워싸고 지켜보는 가운데 발가벗겨져서 무척 난처했습니다. 마침 헌 옷 가게 앞이어서, 곧 그 가게의 헌 옷을 입었습니다. 여자아이용 유카타였습니다. 허리띠도 어린이용 초록색 허리띠였습니다. 무척 부끄러웠습니다. 이모가 사색이 되어 뛰어왔습니다.

저는 이모의 귀여움을 받으며 자랐습니다. 저는 남자답지 못한 성격 탓에 사람들에게 이래저래 놀림을 받아서 혼자 비뚤어져 있었는데, 이모만은 저를 좋은 남자라고 말해주었습니다. 다른 사람이 저의 외모에 대해 험담을 하면, 이모는 진심으로 화를 냈습니다. 모두 아주 오래전 추억이 되었습니다.

아오모리青森

아오모리에서는 사 년을 살았습니다. 아오모리중학교에 다녔습니다. 친척인 도요타 씨 댁에서 쭉 신세를 졌습니다. 데라마치에서 포목점을 하는 도요타 씨입니다. 도요타 씨의 돌아가신 '아부지'는 늘 열의를 다해 여러모로 저를 격려해주셨습니다. 저도 '아부지'께 심하게 어리광을 부리곤 했습니다.

'아부지'는 좋은 분이었습니다. 제가 멍청한 짓만 저지르고 제대로 된 일을 하기 전에 돌아가신 것이 안타까워 견딜 수가 없습니다. 오 년, 십 년만 더 사셔서, 제가 조금이나마 괜찮은 일을 하는 모습을 보고 기뻐해 주셨으면 좋았을 텐데, 하는 생각만 듭니다. 지금 생각하면 '아부지'께 고마운 일만 떠올라서 너무 안타깝습니다. 제가 중학교에서 조금이라도 좋은 성적을 받으면, 아부지는 세상 그 누구보다 기뻐해 주셨습니다.

제가 중학교 2학년 때, 데라마치에 있는 작은 꽃집에 서양화 대여섯 점이 진열되어 있었는데, 어린 마음에도 그 그림에 조금 감탄했습니다. 그중 한 점을 이 엔에 샀습니다. 이 그림은 분명 머지않아 비싸질 거예요, 라는 건방진 말을 하면서 도요타 씨의 '아부지'께 드렸습니다. 아부지는 웃으셨습니다. 그 그림은 지금도 도요타 씨 댁에 있을 것입니다. 지금은 백 엔을 준다고 해도 너무 싼 가격이겠지요. 무나가타 시코[9] 씨의 초기 걸작이었습니다.

무나가타 시코 씨는 도쿄에서 가끔 보는데, 늘 너무 씩씩하게 걷고 계셔서, 저는 항상 모른 척하곤 합니다. 하지만 그즈음의 시코 씨의 그림은 정말 좋았다고 생각합니다. 벌써 이십 년이나 지난 옛날이야기가 되었습니다. 도요타 씨 댁에 있는 그 그림이 더, 훨씬 더 비싸졌으면 좋겠습니다.

9_ 棟方志功(1903~1975). 아오모리현 출신의 세계적인 판화가로, 20세기 일본 미술을 대표하는 인물 중 하나로 평가받는다.

용모容貌

내 얼굴은 요즘 들어 또 한층 커진 듯하다. 원래도 작은 얼굴은 아니었지만, 최근 들어 더 커졌다. 미남이란 얼굴이 작고 말쑥하게 정돈되어 있는 법이다. 얼굴이 아주 큰 미남은 그 예를 찾기 힘들다. 상상하기도 어렵다. 얼굴이 큰 사람은 모든 것을 순순히 포기하고 '위엄'이나 '장엄' 혹은 '장관壯觀'을 목표로 하는 수밖에 없다. 하마구치 오사치 씨제27대 총리는 얼굴이 무척 큰 사람이었다. 역시 미남은 아니었다. 하지만 장관이었다. 장엄하기까지 했다. 용모에 대해서 남몰래 수양한 바도 있을 것이다. 이렇게 된 이상, 나도 하마구치 씨처럼 되기 위해 수양하는 수밖에 없을 듯하다.

얼굴이 커지면, 아주 조심하지 않으면 사람들에게 거만하다는 오해를 산다. 상판만 커서는, 도대체 자기가 뭐라고 생각하는 거야, 따위의 뜬금없는 공격을 받게 되기도 한다. 얼마 전, 신주쿠의 어느 가게에 들어가 혼자 맥주를 마시고 있는데, 부르지도 않은 어린 여자 하나가 옆에 다가와서는,

"당신은 지붕 위의 철학자 같아. 엄청 뭐라도 되는 척하는데, 여자한테는 인기가 없겠는걸. 아니꼽게 예술가인 척해봐야 소용없어. 꿈을 버려야 해. 노래하지 못하는 시인인가? 그래! 그렇군! 당신은 참 대단해.

이런 곳에 오려면 말이야, 먼저 한 달 정도 치과에 다니고 나서 오라고.”라는 심한 말을 했다. 내 이는 엉망진창으로 빠져 있는 상태였다. 나는 대꾸할 말을 찾지 못하고 계산을 부탁했다. 그 후 대엿새 간은 외출할 마음이 들지 않았다. 집에서 조용히 책을 읽었다.

코가 빨개지지 않는다면 좋으련만, 하는 생각도 한다.

『만년』과 『여학생』「晩年」と「女生徒」

『만년』도 품절 되었고, 『여학생』 역시 품절 되었다고 한다. 『만년』은 초판이 오백 부 정도였고, 그 후에 천 부 정도를 더 찍었을 것이다. 『여학생』은 초판이 이천 부였는데, 그것이 이 년 만에 겨우 품절 되어서 올해 초여름에 천 부를 추가로 찍게 됐다. 『만년』은 쇼와 11년1936년 6월에 나왔으니, 오 년에 걸쳐 천오백 권이 팔린 셈이다. 일 년에 삼백 권 정도 팔린 것인데, 그러면 하루에 한 권씩 팔렸다고 할 수 있다. 오 년간 천오백 부라고 하면, 한 달에 십만 부나 팔리는 인기 소설에 비해 너무 초라하고 빈곤한 느낌이지만, 하루에 한 권씩 팔렸다고 하면 그런대로 나쁘지 않다. 이번에 『만년』이 마나고야서방에서 4・6판127×188mm 크기의 책자 판형으로 다시 나온다고 하는데, 빨리 내주었으면 좋겠다. 품절된 채로 이삼 년이 지나면, 하루에 한 권씩 팔렸다는 내 자부심도 무너지게 된다. 예컨대, 품절된 상태로 앞으로 십 년이 더 지나면, 『만년』은 쇼와 11년부터 십오 년간 겨우 천 부밖에 안 팔린 게 된다. 그러면 일 년에 백 권씩 팔린 셈이니, 내 책은 사흘에 한 권밖에 안 팔린 게 되는 것이다. 많이 팔리는 게 꼭 최고의 명예는 아니지만, 그래도 전혀 안 팔리는 것보다는 조금이라도 팔리는 편이 보람이 있어서 좋다고 생각한다. 하지만 문학서는 만 부 이상 팔리면 위험하다는 느낌이

든다. 작가에게 위험하다. 선배인 야마기시 가이시 씨의 설에 의하면, 돈이 잔뜩 든 지갑을 품에 넣고 다니면 위장이 차가워져서 병에 걸린다고 한다. 동전만 넣고 다녀서 그런 것이 아니냐고 반문하자, '아니, 지폐도 마찬가지야. 그 종이는 무척 차갑기 때문에, 그걸 품에 넣고 다니면 반드시 위장이 나빠지니 조심하도록 해.'라고 진지하게 충고해주었다. 부를 탐하지 않도록 주의해야만 한다.

나의 저작집私の著作集

첫 창작집은 『만년』이었습니다. 쇼와 11년1936년에 마나고야서방에서 나왔습니다. 초판은 오백 부 정도였을까요. 정확하게는 기억나지 않습니다. 그다음이 『허구의 방황』으로, 신초사. 그다음에 한가소문고에서 나온 『이십세기 기수』는 절판됐다고 합니다.

한동안 쉬다가, 재작년 즈음부터 다시 많아졌습니다. 종이 질도 나빠졌습니다. 재작년에 다케무라서방에서 『사랑과 미에 대하여』가, 마나고야서방에서 『여학생』이 나왔는데, 『여학생』은 올해 5월에 재판이 나왔습니다.

작년에는 다케무라서방에서 『피부와 마음』이, 교토의 인문서원에서 『추억』이, 가와데서방에서 『여자의 결투』가 나왔습니다.

올해는 실업일본사에서 『동경 팔경』이 나왔습니다. 이삼 일 내로 문예춘추사에서 『신햄릿』이 나올 예정입니다. 그리고 곧 마나고야서방에서 『만년』의 신판이 나온다고 합니다. 또 지쿠마서방에서 『치요조』가, 다카나시서점에서 『신천옹』이 나올 겁니다. 『신천옹』에는 주로 수필을 실었습니다. 아마 7월까지는 전부 나올 것입니다.

조금 쉬고 싶습니다. 저는 올해 서른셋입니다. 딸아이가 하나 있습니다.

세계적世界的

유럽의 근대인이 쓴 『예수전傳』 두세 권을 읽었는데, 별로 대단하지 않았다. 예수에 대해 잘 모르는 것이다. 성서를 깊이 있게 읽지 않은 느낌이었다. 이건 의외였다.

생각해 보면, 우리들 역시 어릴 적부터 할머니 손에 이끌려 절에 참배하러 가고, 장례식이나 법요法要 때마다 스님의 불경을 듣고, 또 국보로 지정된 불상을 보러 다니기도 하지만, 불교가 어떤 종교냐고 외국인이 진지하게 물어오면 백에 아흔아홉은 쩔쩔맬 게 분명하다. 아무것도 모른다.

외국인 역시 마리아님과 예수님이 매우 거룩한 분이라는 것은 교회 분위기를 통해 배웠고, 어릴 적부터 기도하는 습관은 가지고 있지만, 반드시 성서에 나타나 있는 예수의 비원悲願에 대해 아는 것은 아니다. J · M 머리[10]라는 사람이 유럽의 일류 사상가라고 하는데, 그가 쓴 『예수전』에는 그리 새로운 발견도 없다. 열정적으로 성서를 한 번 정독한 사람이라면 누구나 알고 있을 법한 내용을 호들갑스럽게 다루고 있을

10_ 존 미들턴 머리John Middleton Murry(1889~1957). 영국의 문학 비평가. 『타임스 문예지』, 『애시니엄』 등의 주필로 활동하며 비평계를 주도했으며, 대표적 저서로 『예수전』(1926), 『하느님』(1929) 등이 있다.

뿐이었다. 이 정도 『예수전』이 외국 지식인들에게 존경을 받으며 읽히고 있다면, 일반인들의 성서 지식수준도 불 보듯 뻔한 것이라는 생각이 들었다. 별 볼 일 없는 것이다. 옛날에 일본인에게 예수의 정신을 가르친 것은 서양인들이었지만, 이제는 별로 그들에게 배울 필요도 없다. '신학'으로서의 역사적, 지리적 연구는 아직 일본이 외국에 많이 뒤처져 있지만, 예수의 정신에 대한 이해는 재빠른 것이다.

크리스트교에 관한 것 외에도, 요즘 일본인은 조금씩 분발하기 시작했다. 외국인의 사상도 별것 아닌 듯하다고 수군거릴 수 있게 된 것은 대단한 발전이다. 일본은 머지않아 세계 문화의 중심이 될지도 모른다. 농담이 아니다.

얼마 전, 새로 나온 어느 외국 잡지를 펼쳤다가 거기에 친구의 사진이 실린 것을 보고 깜짝 놀랐다. 일본의 대표적 사상가라는 설명이 쓰여 있었고, 그 친구는 나무 옆에서 가슴을 펴고 당당한 자세를 취하고 있었다. 나는 이 친구와 술을 마시다가 '네 놈은 멍청이야.'라고 말했던 일을 떠올리고는 무척 송구스러워졌다. 멍청이는커녕 이미 세계적인 평론가인 것이다. 너무 가까이에 있으면 오히려 진짜 가치를 모르는 법이다. 조심해야만 한다.

일본 유수有數가 그대로 세계 유수가 되는 것이 실상實相이니, 자중하지 않으면 안 된다.

사신私信

이모님. 보내주신 긴 편지를 오늘 아침에 받았습니다. 제 건강 상태와 앞으로의 생활에 대해 여러모로 걱정해주셔서 감사합니다. 하지만 저는 요즘 앞으로의 생활에 대해 아무런 계획도 세우지 않습니다. 허무해서가 아닙니다. 포기한 것도 아닙니다. 어설픈 예상 같은 것을 해서 오른쪽인지 왼쪽인지 저울질하며 신중하게 재고만 있으면, 오히려 꼴사나운 실수를 저지르게 되겠지요.

내일 일은 생각하지 말라고, 그분도 말씀하셨습니다. 아침에 눈을 떠서 오늘 하루를 알차게 사는 것, 저는 요즘 그것만 신경 씁니다. 저는 더 이상 거짓말을 하지 않습니다. 허영이나 타산이 아닌 공부를 조금씩 할 수 있게 되었습니다. 내일에 기대어 일단 그 순간만 대충 넘어가려는 일도, 이제는 없습니다. 하루하루가 무척 소중해졌습니다. 결코 허무해서가 아닙니다.

지금 제게는 하루하루의 노력이 평생의 노력입니다. 전쟁터에 있는 사람들도 아마 같은 마음이겠지요. 이모님도 앞으로는 사재기 같은 건 하지 마세요. 의심해서 실패하는 것만큼 추한 것은 없습니다. 우리는 믿습니다. 한 치 크기의 벌레에게도 다섯 푼의 진심은 있습니다[11]. 쓴웃음을 지으시면 안 됩니다. 천진난만하게 믿는 자만이 느긋할 수 있습니다.

저는 문학을 그만두지 않을 겁니다. 저는 믿어서 성공할 것입니다. 안심하세요.

11_ 아무리 보잘것없는 존재라도 그 나름의 마음이 있다는 뜻의 관용어.

太宰治

1942년 쇼와 17년, 33세

❝저는 내일모레가 점호여서, 오늘은 칙유勅諭와 군인의 마음가짐 같은 것을 공부하고 있습니다. 올해 9월에는 소집이 있다고 합니다. 교련에 참가하여 돌격 연습 같은 것을 했는데, 금방 열이 나더군요. 참 미덥지 못한 병사입니다.❞ (7월 4일, 다케무라 히로시竹村坦에게 보낸 편지 중에서)

식료품, 의류 등의 물자난은 점점 심화되고, 5월에는 '국책의 시행과 실천에 협력한다'는 기치하에 일본문학보국회가 설립되어 수많은 문학자가 종군하게 된다. 국책 문학 작품이 연이어 쏟아져 나오는 가운데, 다자이가 10월에 발표한 단편 「불꽃놀이」(후에 「동트기 전」으로 제목 변경)가 시국에 적합하지 않다는 이유로 전문 삭제되고 발매금지 처분을 받기도 한다. 이해에 다자이가 발표한 대표적인 작품으로는 「신랑」(1월), 「귀거래」(11월), 그리고 6월에 간행된 단행본 『정의와 미소』 등을 들 수 있다.

다자이가 전쟁을 어떤 시선으로 바라보고 있었는지에 대한 문제는 논쟁의 여지가 있지만, 당시 다자이의 일관된 마음가짐은 다음과 같은 것이 아니었을까.

❝하루하루를 충실하게 살아가는 수밖에 없다. 내일 일을 걱정하지 마라. 내일은 내일이니 구태여 걱정하지 마라.❞ (「신랑」)

❝이 같은 시대에는 마음을 느긋하게 먹는 것이 중요하다고 생각합니다.❞ (11월 15일, 오누마 단小沼丹에게 보낸 엽서 중에서)

한편 12월에는 어머니가 위독하다는 전보를 받고 곧바로 귀향, 약 보름간 생가에 머물며 어머니의 장례식에 참석했다.

어떤 충고或る忠告

'그 작가의 일상생활이 그대로 작품에도 드러나 있다. 숨기려고 해도 불가능하다. 생활 이상의 작품은 쓰지 못한다. 해이한 생활을 하면서 좋은 작품을 쓰려고 해본들 그건 불가능하다.

가까스로 '문인' 무리 속에 낄 수 있게 된 것이 그렇게나 기쁜가? 종장두건[1]을 뒤집어쓰고서, '정말이지 요즘 청년들은 조사助詞 사용법이 엉망진창이라 어이가 없다.'라니, 토할 것 같군. 가까스로 '선생님'이라고 불리게 된 것이 그렇게나 기쁜가? 점쟁이도 선생님 소리는 듣는다고. 가까스로 세상에서 명사 취급을 받고, 영화 시사회나 스모 경기에 초대받게 된 것이 그렇게나 기쁜가? 요즘 조금씩 돈이 들어오는 모양인데, 그게 그렇게나 기쁜가? 꼭 소설을 쓰지 않아도 명사 취급을 받을 방법은 있었잖아. 특히 돈을 벌 방법은 그 외에도 얼마든지 있었을 텐데.

입신출세? 소설을 쓰기 시작했을 때의 그 비장한 척하던 각오는 다 어디로 갔나?

보기 흉해. 거만하게 굴기만 하잖아. 그런 주제에 그래도 뭔가 썼다고 생각하는 건가? 세간의 평가에 의하면, 네 녀석의 심경이 마침내 한

1_ 윗부분이 평평한 원통형 두건. 종장宗匠(스승. 주로 하이쿠나 다도 스승을 일컬음)이 주로 사용한 것에서 비롯된 명칭이다.

점 흐림도 없이 맑아졌다더군. 아하하. 가정의 행복? 처자식이 있는 건 네 녀석뿐만이 아니야.

뻔뻔스럽군. 요즘 부쩍 피부색이 밝아지지 않았나? 『만엽집』을 읽고 있다며. 독자를 너무 기만하지 말아줘. 우쭐대면서 너무 사람을 깔보면, 전부 다 밝혀버릴 테다. 내가 모를 거라고 생각해?

책임이 무겁다고. 모르겠는가? 하루하루 책임이 무거워지고 있다고. 좀 더 제대로 괴로워하자. 성실하게 살아가기 위해 노력하자고. 내일의 생활을 위한 계획보다는, 오늘의 몰아沒我의 열정이 더 중요해. 전쟁터에 있는 사람들을 생각하라고. 정직은 시대를 초월하는 미덕이라고 생각해. 속이려고 해도 불가능하지. 내일을 위한 훌륭한 각오보다는 오늘의 서투른 헌신이, 지금은 필요해. 네 녀석들의 책임이 무겁다고.'

라고 어느 시인이 우리 집에 와서 제게 말했습니다. 그 사람은 술에 취한 상태가 아니었습니다.

식통食通

식통이라는 건 대식가를 일컫는 말이라고 들었다. 나는 지금은 그렇지도 않지만, 예전에는 굉장한 대식가였다. 그 시기에는 스스로를 대단한 식통이라고만 생각했다. 친구인 단 가즈오에게, 식통이란 대식가를 일컫는 말이라고 진지하게 가르쳐주고, 어묵 가게에서 두부, 새우구이, 무, 다시 두부 같은 순서로 끝도 없이 먹어 보이자, 단 군은 눈을 동그랗게 뜨며 자네는 정말 대단한 식통이로군, 하고 감탄했다. 나는 이마 우헤이 군에게도 식통의 정의에 대해 가르쳐주었는데, 이마 군은 금세 만면에 희색을 띠며 어쩌면 나도 식통일지도 모르겠군, 하고 말했다. 이마 군과는 그 후로 대여섯 번 같이 술을 마시고 밥을 먹었는데, 과연 틀림없는 식통이었다.

싸고 맛있는 음식을 마음껏 먹을 수 있다면, 그보다 좋은 일은 없지 않은가? 당연한 이야기다. 즉, 식통의 깊은 뜻인 것이다.

언젠가 신바시에 있는 어묵 가게에서 젊은 남자가 구운 새우의 껍질을 젓가락으로 요령 좋게 벗겨내는 모습을 봤다. 주인에게 칭찬을 받자, 쑥스러워하기는커녕 더 새침하게 또 하나 깔끔하게 벗겨냈는데, 정말 꼴사나웠다. 아주 멍청해 보였다. 손으로 벗겨내도 될 텐데. 러시아에서는 카레라이스도 손으로 먹는다고 한다.

일문일답一問一答

"무언가 최근에 느낀 점에 대해 말해주세요."

"난처했습니다."

"난처했습니다, 한 마디로는 제가 난처합니다. 뭔가 더 들려주십시오."

"인간은 정직해야만 한다고, 요즘 들어 절실히 느낍니다. 한심한 감상이지만, 어제도 길을 걸으면서 뼈저리게 느꼈습니다. 속이려 들기 때문에 생활이 어렵고 복잡해지는 것입니다. 정직하게 말하고, 정직하게 나아가면, 생활은 무척 간단해집니다. 실패라는 게 없습니다. 실패란 속이려고 하다가 완전히 속이지 못한 경우를 말하는 것입니다. 그리고 욕심을 버리는 일도 중요합니다. 욕심을 부리다 보면 아무래도 조금씩 속이고 싶어지고, 속이려 들면 여러모로 일이 복잡해지다가 결국 정체가 탄로 나서 우스운 꼴이 됩니다. 뻔한 감상이지만, 이만큼을 깨닫기까지 삼십사 년이 걸렸습니다."

"젊은 시절의 작품을 지금 다시 읽어보면 어떤 느낌이 듭니까?"

"오래전 앨범을 펼쳐보는 듯한 느낌입니다. 인간은 그대로지만, 복장은 바뀌어 있지요. 그 복장을 흐뭇한 기분으로 보기도 합니다."

"무언가 주의主義라고 할 만한 것이 있습니까?"

"생활에 있어서는 늘 사랑이라는 것을 생각하는데, 이건 저뿐만 아니라 누구나 하는 생각이겠지요. 하지만 이건 어려운 겁니다. 사랑이라고 하면 칠칠치 못한 것이라고 생각하실 수도 있지만, 이건 어려운 거예요. 사랑한다는 게 어떤 것인지, 저는 아직 모릅니다. 좀처럼 쓰기 힘든 말 같아요. 자기 딴에는 스스로가 무척 애정 넘치는 사람이라고 생각했는데, 사실은 완벽하게 그 반대인 경우도 있으니까요. 어찌 됐든 어렵습니다. 좀 전에 말한 정직이라는 것과도 조금 관련이 있는 것 같습니다. 사랑과 정직. 알 것 같기도 하고 모를 것 같기도 하고, 어쨌든 제게는 아직 이해하기 힘든 부분이 있습니다. 정직은 현실의 문제, 사랑은 이상, 뭐 그런 부분에 저의 주의 비슷한 것이 숨어 있을지도 모르지만, 아직 정확하게는 잘 모르겠습니다."

"당신은 크리스천입니까?"

"교회는 안 다니지만 성서는 읽습니다. 전 세계에 일본인만큼 크리스트교를 올바르게 이해할 수 있는 인종은 드물지 않을까 생각합니다. 크리스트교에 있어서도, 일본은 앞으로 세계의 중심이 되지 않을까 싶습니다. 최근 서양의 크리스트교는 정말 엉성합니다."

"슬슬 전람회의 계절에 접어들고 있는데, 무언가 보신 것이 있습니까?"

"아직 전람회는 본 것이 없지만, 요즘 즐겁게 그림을 그리는 사람이 정말 드뭅니다. 기쁨이 눈곱만큼도 없어요. 생명력이 빈약합니다.

너무 건방진 말만 해대서 죄송합니다."

무제無題

오이 히로스케는 정말 제멋대로인 인간이다. 이 글을 쓰는 지금도 화가 나서 견딜 수가 없다. 19자 24행, 즉, 정확히 456자짜리 글을 하나 써보라는 것이다[2]. 거만한 발상이다. 나는 오이 히로스케와 어울려 논 일도 별로 없고, 이제껏 우리 두 사람 사이에는 아무런 은원恩怨도 없었을 터인데, 어째서인지 이런 난제를 던진다. 참으로 곤란하다. 오이 군, 나는 촌스러운 남자야. 뭔가 잘못 생각하고 있는 모양이군. 정확히 456자짜리 문장이라니, 나는 그런 세련된 일을 할 수 있는 남자가 아니야. 절대로 못 쓴다고 거절하자, '그건 곤란해. 내 체면을 박살 내는 거라고.' 하며 받아쳤다. '박살 난다'가 아니라 '박살 낸다'고 말한 것도 이상하다. 이대로는 내가 오이 히로스케의 체면을 박살 낸 게 된다. 사고방식이 일반인과 다르다. 정말로 이해하기 힘든 사람이다. 내가 도대체 무슨 이유로 456자짜리 글을 써야 한다는 말인가. 원고지를 서른 장이나 찢었다. 원고료 육십 엔을 청구하겠다. 멍청이. 지금 줄 수 없다면, 빌려준 걸로 해두겠다.

2_ 잡지 『현대문학』의 편집자였던 오이 히로스케가 기획한 것으로, 다자이는 문말의 서명까지 더해 정확히 456자를 썼지만, 실수로 쉼표가 누락되어 455자가 되었다.

작은 초상화小照

늘 집에 놀러 오는 사람이 내가 모르는 사이에 나를 비평하는 느낌의 글을 쓴 것을 우연히 잡지나 신문에서 발견하면 정말 뜻밖이라는 생각이 든다. 그 글의 정당성 여부를 떠나 어쩐지 서먹서먹한 느낌이 들고, 배신감에 가까운 기분까지 느끼는 건 나뿐일까. 이번에 개조사改造社에서 이부세 씨의 작품집이 나온다고 하는데, 개조사의 M군이 그것에 대해 무언가 써달라고 해서 무척 난감했다. 우리 집은 도쿄 미타카의 무척 찾기 힘든 후미진 곳에 있기 때문에, 일부러 여기까지 찾아오는 건 아주 고생스러운 일일 것이다. 실제로 M군은 무척 고생한 끝에 겨우 집까지 찾아와 땀을 닦으면서 '이부세 씨에 대한 글을 하나만……' 하고 부탁해온 것이었다. 나는 황송하기도 하고, 또 난처하기도 했다. 나는 이제껏 이부세 씨에게 신세를 많이 져왔다. 새삼스럽게 이부세 씨에 대한 글을 쓰기는 힘들다. 전에 한 번 이부세 씨에 대한 글을 썼는데, 그때 이부세 씨가 앞으로는 쓰지 말라고 하셔서 이제 쓰지 않겠다고 약속했다. 아무래도 쓰기 힘들다. 그러나 M군은 일부러 먼 길을 찾아와 내게 써달라고 간청한 것이다. 나는 약한 남자인 모양이다. 끝까지 거절하지 못했다. M군의 활달한 인덕도 내가 거절하지 못하게 만드는 데 한몫을 했다. 아무튼 나는 그것을 수락했다. 써야만 한다.

이부세 씨, 넓은 마음으로 이해해주세요.

무엇을 쓰면 좋을까. 십수 년 전, 나는 도쿄로 올라와 곧바로 이부세 씨 댁에 찾아갔다. 당시 이부세 씨는 마른 몸에 무서운 얼굴을 하고 있었다. 눈이 아주 컸다. 그 후로 점점 살이 쪘다. 하지만 그 무서움은 근저에 언제나 존재한다.

이 글을 쓰는 지금도, 나는 어설프고 형편없는 내 글에 스스로 진절머리가 난다. 어설픈 내가 고작 서너 장의 글로 이부세 씨를 간결하게 묘사할 수 있을 리 없는 것이다.

'요즘 나는 사람을 너무 몰아붙이지 않으려고 하네. 달아날 구멍을 하나쯤 만들어주지 않으면—' 예의 그 눈을 깜빡이며 이렇게 말씀하신 적이 있다. 요즘 이부세 씨는 남의 아픈 곳을 건드리지 않으려는 듯하다. 너무 잘 알고 있기에 도리어 더 건드리지 않으려는 것인지도 모른다. 그런 이부세 씨를 보고, 이부세 씨는 만만한 사람이라고 얕보면 후회할 일이 생길지도 모른다.

일단 이번에는 이쯤에서 양해 바란다. 정말이지 쓰기가 힘들다. 이건 형편없는 글이다. 언젠가, 다음 기회에.

염천한담炎天汗談

덥군요. 올해는 유독 더운 것 같네요. 정말 더워요. 이렇게 더운 날씨에 일부러 이런 촌구석까지 찾아와 주신 것은 정말 감사하게 생각하지만, 제게는 얘깃거리가 하나도 없습니다. 윗옷이라도 좀 벗으세요. 어서요. 이렇게 더운 날에 밖을 돌아다니는 건 참 힘든 일입니다. 양산을 쓰면 조금 나을지도 모르지만, 남자가 양산을 쓰고 걷는 모습은 보기 드물지요.

정말 얘깃거리가 하나도 없어서 큰일이네요. 그림 이야기? 그것도 곤란합니다. 예전에는 저도 그림을 무척 좋아해서 화가 친구도 여럿 있었고, 그 화가들의 작품을 구석구석 헐뜯으며 우쭐대기도 했지만, 작년 가을에 혼자서 몰래 그림을 그려보고 그 형편없는 실력에 스스로 질려버린 이후로는, 그림 이야기는 절대 하지 않기로 했습니다. 요즘에는 지인들의 그림에 늘 감탄하려고 노력합니다.

이건 그림 이야기는 아닌데, 얼마 전에 신바시의 연무장에 분라쿠[3]를 보러 갔습니다. 분라쿠는 학생 시절에 한 번 본 이후로 거의 십 년 만이어서, 그 유명한 에이자, 분고로[4] 무리의 기량이 십 년 사이에

3_ 文樂. 에도시대에 시작된 것으로 추정되는 일본의 전통 인형극. 가부키, 노와 함께 일본의 3대 고전 예능으로 꼽힌다.

놀라울 만큼 원숙해졌으리라고 생각하며 크게 기대하고 갔는데, 전혀 변한 것이 없었습니다. 십 년 전 그대로더군요. 기대는 빗나갔지만, 저는 생각을 고쳐먹었습니다. 변한 게 없다는 것이야말로, 정말 경탄하고 감복할 가치가 있는 일은 아닐까. 발전이 없다고 하면 나쁘게 들리지만, 퇴보하지 않았다고 고쳐 말하면 어떨까요? 퇴보하지 않는다는 것, 이건 대단한 일입니다.

수련이라는 건 천재가 되기 위한 방법이 아니라, 젊은 시절의 타고난 재능을 언제까지고 유지하기 위해 필요한 것입니다. 퇴보하지 않는다는 것, 이건 상당한 노력입니다. 일정 수준의 높은 기량을 끝까지 유지하는 예술가는 대단한 사람입니다. 대부분의 사람들은 나이를 먹어가면서 퇴보하지요. 나이가 들면 자연히 예술이 훌륭해진다는 건 거짓말입니다. 남들 배로 갈고 닦지 않으면, 그 어떤 천재라도 무너지고 맙니다. 한 번 무너지면, 그걸로 끝입니다.

변하지 않는다는 것, 그것 하나만으로도 보통이 아닌 것입니다. 하물며 기예의 발전이나 대단한 비약은, 제작자 자신은 감히 생각도 못 해볼 정도로 엄청난 일로, 그야말로 하늘의 뜻을 기다리는 것 외에는 도리가 없습니다. 종이 한 장 정도의 미약한 발전조차도, 어째서, 어째서. 스스로는 끊임없이 노력하여 발전하고 있다고 생각해도, 남들 눈에는 현상유지 정도로밖에 보이지 않는 법입니다. 제작 경험이고 뭐고 없는 구경꾼들이, 정말 저 작가는 발전이 없다느니, 십 년이 하루 같다느니 하는 건방진 말을 늘어놓는데, 십 년을 하루처럼 유지하기 위해 얼마나 많은 수련을 하는지에 대해서는 전혀 모릅니다. 권위 있는 비평을 하려

• •

4_ 요시다 에이자吉田英三, 요시다 분고로吉田文五郎. 분라쿠에서 인형을 부리는 사람으로, 두 사람 다 메이지시대에서 쇼와시대에 걸쳐 널리 활약했다.

면, 먼저 스스로 어느 정도 제작의 고통을 경험해봐야 합니다.

정말 덥군요. 이렇게 더운 날에는 차라리 도테라방한용 솜옷라도 입어보는 게 어떨까요? 오히려 시원할지도 모릅니다. 아무튼, 참 덥네요.

덴구天狗

날이 더우면 『사루미노』[5] 속에 나오는 「여름 달」이 문득 떠오른다.

마을 안은 냄새로 가득하구나 여름밤의 달[6]

본초

좋은 구절이다. 감각의 표현이 정확하다. 나는 어촌을 떠올린다. 사람에 따라서는 간다의 진보초 근처를 떠올리거나 혹은 핫초보리의 야시장 같은 곳을 떠올리는 등 다 가지각색일 테지만, 무엇을 떠올리건 상관없다. 자신이 경험한 과거의 어느 여름밤이 선명하게 되살아나니 기묘한 일이다.

『사루미노』는 본초의 독무대라고 말하는 사람까지 있는데, 설마하니 그 정도는 아니지만, 『사루미노』에 본초의 아름다운 시구가 두어 개 있는 것만은 분명하다. 마을 안은 냄새로 가득하구나 여름밤의 달.

5_ 猿蓑. 원숭이 우비라는 뜻. 마쓰오 바쇼의 하이쿠와, 제자들과 함께 주고받듯이 읊은 렌쿠連句를 모은 책으로, 1691년에 바쇼의 제자 무카이 교라이向井去来, 노자와 본초野澤凡兆가 함께 엮었다.

6_ 여름날 더운 저녁녘, 마을 안은 숨 막히는 열기와 냄새로 가득하지만, 하늘에는 시원한 여름 달이 걸려 있다는 의미.

이 정도로 아름다운 시구를 평생 동안 세 개 짓는다면, 그 사람은 하이카이[7]의 명인으로 역사에 남을지도 모른다. 아름다운 시구는 많지 않다. 시험 삼아 「여름 달의 권」을 살펴봐도 이상한 시구가 제법 많다.

마을 안은 냄새로 가득하구나 여름밤의 달

바쇼가 이것에 뒤이어,

덥다 더워 하고 되뇌는 문 앞의 목소리들[8]

이것부터가 벌써 이상하다. 말하자면, 너무 밀착해 있는 것이다. 앞 구절의 설명 같은 느낌이라 장황하다. 사족 같은 설명이다. 예컨대 이런 것이다.

오래된 호수에 개구리가 뛰어드는 물소리[9]
소리가 들리니 더욱 고요하구나

이 정도로 심하지는 않지만, 어쨌든 사족 같은 주석에 지나지 않는다는 점에서는 비슷하다. 스승님께서 참 서툴게도 덧붙이셨다. 너무 밀착하면 안 되느니라, 은근한 느낌으로 덧붙여야 한다, 라고 항상 제자들에

7_ 하이카이 렌가俳諧連歌의 줄임말로, 두 사람 이상이 와카의 상구(5 · 7 · 5)와 하구(7 · 7)를 서로 번갈아 가면서 읊는 형식이다.

8_ 집 앞에 사람들이 나와 덥다고 말하며 더위를 식히고 있는 모습을 표현한 것.

9_ 바쇼의 대표적인 하이쿠로, 1686년에 간행된 『봄날』에 수록되어 있다.

게 가르치시면서, 스승님 자신도 가끔씩은 이런 큰 실수를 저지른다. 붙여도 너무 딱 붙였다. 본초의 멋진 구절 앞에서 스승이 완패했다. 어찌해볼 도리가 없는 상태다. 덥다 더워 하고 되뇌는 문 앞의 목소리들. 앞 구에서 이미 다 알 수 있는 사실이다. 평범하기 이를 데 없다. 그것에 교라이가 덧붙인다.

두 번째 김을 다 매지도 못했는데 이삭이 나와

쓴웃음을 금할 수 없다. 필시 고심 끝에 만들어낸 구절일 것이다. 교라이는 성실한 사람이다. 세련된 사람이 아니다. 하지만 촌스러운 사람은 일단 세련된 일을 해보고 싶어 하는 법이다. 요령과 기지를 동경하는 것이다. 촌스러운 사람은 촌스러운 느낌이 그대로 드러나는 구절을 지어야 한다. 그러면 요령과 기지를 지닌 무리들은 절대 만들 수 없는 훌륭한 시가 지어지기 마련이다.

호숫물이 불어났구나 장마철[10]

교라이의 걸작이다. 이처럼 성실하고 의젓하게 지으면 참 좋은데, 요령을 피우면서 이상한 기법을 쓰면 차마 눈 뜨고 볼 수도 없다. 처참해진다. 교라이는 그 비참함을 깨닫지 못하고 도리어 자랑스러운 얼굴을 하니, 더욱더 손쓸 도리가 없어진다. 그저 귀엽다는 말밖에 나오지 않는다. 바쇼도 일찌감치 포기하고 교라이를 제일 아꼈다. 두 번째

10_ 장맛비로 물이 불어난 비와 호수의 정경을 읊은 시.

김을 매지도 못했는데 이삭이 나와. 재미없는 구절이다. 딱히 특별할 것도 없다. 이것도 무척 궁리하여 만든 시구임이 틀림없다. 두 번째 김을 매지도 못했는데 이삭이 나와. 정말이지 재미가 없다. 두 번째 김, 여기가 고심한 부분이다. 어떻습니까? 그럴싸한 느낌이지요? 다 매지도 못했는데, 이 표현에는 고심했습니다. 미묘한 부분이니까요. 그렇지만 뭐, 이걸로 그럭저럭, 이랄까. 그저 쓴웃음을 지을 수밖에 없다. 반복해서 읽다 보면 어쩐지 부끄러워진다. 교라이 씨, 아무쪼록 그 '느낌'만은 자제해주세요.

묻은 재 털어낸 눈퉁멸정어리의 한 종류 한 마리[11]

본초가 그 뒤를 이었다. 나쁘지 않다. 농부의 모습이 눈앞에 떠오른다. 하지만 조금 과하게 점잔을 빼서 아니꼬운 느낌도 있다. 너무 세련됐다. 바쇼가 뒤이어,

이 일대는 은도 분간 못 하여 불편하구나[12]

조금 탁하다. 대충 얼버무리고 있다. 나는 이 구절을 농부의 불만스러운 중얼거림이라고 해석했다. 보통은 이 구절을 '시골 사람들은 은이 뭔지도 잘 모르니 분명 불편하게 살고 있을 것이다.'라는 식으로, 외지

11_ 화로에서 구운 눈퉁멸에 묻은 재를 털어내고 그것을 반찬 삼아 급하게 식사하고 있는 모습을 읊은 시.

12_ 눈퉁멸 값으로 은화를 냈는데 이 부근 시골 사람들이 은의 가치를 몰라 받아주지 않음을 불평하는 내용의 시구.

사람이 시골 사람의 생활을 방관하며 읊조린 것으로 해석하는 모양인데, 그렇다면 실로 재미없는 구절이다. '이 일대[13]'라는 것도 매우 불쾌하고, '돈이 없으니 불편하겠구나.'라는 감상은 너무 당연해서 아무런 의미가 없다. '이 일대'라는 말에는 방언이 약간 가미된 느낌이 든다. 농사꾼의 말투다. 눈퉁멸에 묻은 재를 털어내면서 '이 일대는 은도 분간 못하여 불편하구나.' 하고, 다소 자조 섞인 불평을 쏟아내고 있는 장면은 아닐까. '이 일대'란 '이 부근 길을 말하는 듯하다.'라고 로한[14] 박사도 말씀하셨던 것으로 기억하는데, 그렇다면 '이 일대'는 '내 쪽'이라는 식의 지리적인 의미가 되지만, 내게는 그것보다는 '우리들' 혹은 '요즘', '근래'와 같은 막연히 가벼운 말처럼 느껴진다. 뭐가 맞든 좋은 구절은 아니다. 주관과 객관의 구별이 명확하지 않다. '비가 주룩주룩 요란스럽게 내리고 있었지만, 나는 눈치를 못 챘다.'라는 식의 멍청한 문장과 닮은 구석이 있다. 명확히 객관적인 구절이라고 한다면 너무 당연한 것이라 어이가 없을 뿐이고, 마을 사람의 중얼거림이라고 한다면 다소 생기는 느껴지지만 역시 또 앞의 구절과 지나치게 맞닿아 있다. 이쯤에서 바쇼도 본초에게 당한 것이 조금 불쾌해지기 시작한 것인지, 흥이 가신 느낌이다. 바쇼는 렌쿠를 지을 때 제멋대로 구는 일이 종종 있다. 툭 내던지듯이 읊을 때가 있다. 흥이 나지 않는 것이리라. 그것도 모르고 교라이는 그저 재미있어하며 어설픈 수법을 구사하려고 애쓴다. 교라이는 그것에 뒤이어,

13_ 원문은 此筋. 筋(スジ)에는 방면, 일대라는 뜻이 있다. 주로 오사카 지역에서 도로라는 의미로 많이 사용된다.

14_ 고다 로한幸田露伴(1867~1947). 일본 의고전주의擬古典主義를 대표하는 작가로, 대표작으로 『오중탑』(1892)이 있다.

그렇다고는 해도 너무 긴 허리칼[15]

아주 대단하시다. 엉망진창이다. 교라이는 멋지게 해냈다며 내심 흡족해했겠지만, 다른 사람들은 놀랐을 것이다. 그야말로 기상천외, 어둠 속에서 끌어낸 소[16]다. 수습이 불가능하다. 바쇼와 본초 모두 뒤를 잇고 싶은 마음이 다 사라졌을 것이다. 그런 줄도 모르고 교라이 혼자 우쭐대고 있다. 김매기가 일변하여 긴 허리칼이 등장했다. 착상의 기묘함에 입이 딱 벌어질 뿐이다. 다 때려 엎었다. 전대미문이다. 이 한 구절이 등장함으로써 그 뒤를 잇는 것이 불가능해졌다. 이을 방법이 없는 것이다. 교라이 혼자만 의욕이 하늘을 찌를 기세다. 이것은 스승인 바쇼의 잘못이기도 하다. 애매하게 의미심장한 척하는 구절을 지으니까, 그것에 뒤이어 교라이 또한 자연스레 이렇게 되고 마는 것이다. 바쇼에게는 조금 심술궂은 구석도 있는 듯하다. 교라이를 괴롭히고 있다. 놀리는 것처럼 보이기까지 한다. 이 일대는 은도 분간 못 하여 불편하구나. 이 구절을 받은 교라이 선생, 몹시 허둥대면서도 음 하고 진지하게 고개를 끄덕이고는, 그렇다고는 해도 너무 긴 허리칼. 그것을 지켜보는 두 사람의 심리가 눈에 보이는 듯하다. 어찌 됐든, 긴 허리칼이 나오면서 다 엉망이 됐다. 본초는 억지로 웃음을 참으며,

풀숲 개구리를 무서워하는 저녁 무렵[17]

15_ 은화를 거부한 생선 가게 주인이 사실은 긴 허리칼을 찬 불량배임을 의미한다.
16_ 사물을 제대로 구별하지 못함을 의미하는 말.
17_ 긴 허리칼을 찬 생선가게 주인이 보기와 달리 겁이 많아 풀숲 개구리를 무서워한다는 의미.

이라고 덧붙였다. 누가 봐도 시시한 구다. 『사루미노』 속 본초의 구는 시시한 것 하나 없이 다 훌륭한 구라고 말하는 사람도 있는데, 그렇지 않다. 시시한 구가 더 많다. 훌륭한 구가 그렇게 많다면, 바쇼도 본초의 제자가 되었을 것이다. 바쇼 역시 명구가 열 개 남짓이 될까 말까 한 정도다. 하이쿠는 라쿠야키나 스미나가시[18]와 비슷한 구석이 있어서, 사람 마음대로 되지 않을 때가 있는 법이다. 실패작이 백 있어야 겨우 성공작 하나가 나온다. 나온다면 그나마 다행이고, 하나도 나오지 않는 경우가 더 많다고 생각한다. 뭐 어쨌든 열일곱 글자이니. 풀숲 개구리를 무서워하는 저녁 무렵. 천박하지는 않지만 너무 싸구려 같은 느낌이다. 그저 예의상 상대해준 것. 임시변통이다.

머위 싹을 베는 중에 행등불이 흔들려 꺼졌다[19]

바쇼가 그 뒤를 이었다. 이것 역시 단순히 예의상 상대해준 것일 뿐이다. 긴 허리칼은 무시하고 제멋대로 만들어낸 것이다. 이렇게라도 하지 않으면 이을 방법이 없었으리라. 어쨌든 긴 허리칼에는 경악했다. '행등불이 흔들려 꺼졌다.'라는 묘사는 역시 훌륭하다. 긴 허리칼을 조용히 덮었다. 일단 어찌어찌 긴 허리칼이 수습되어 안심한 순간, 교라이 선생이 세 번째 탄환을 발사했다. 읊기를,

18_ 라쿠야키는 녹로를 쓰지 않고 손으로 흙을 빚어 낮은 온도에서 구운 도기를, 스미나가시는 먹물이나 안료를 물에 떨어뜨려서 생기는 물결무늬를 종이나 천에 옮겨 물들인 것을 말한다.

19_ 앞 구의 풀숲을 이어받아, 머위 싹을 베는 장면으로 연결시킨 것.

불심이 이는 것은 꽃망울이 질 때[20]

아주 훌륭하다. 제일 뛰어난 구다. 그러나 전혀 재미가 없다. 얼마 전, 어느 성실한 중년 남자가 내게 자신이 지은 하이쿠를 보여 주었다. 그중에 '맑은 달, 장난꾸러기의 거울일까'라는 구절이 있었는데, 거기에 '법심法心을'이라는 머리말이 덧붙여져 있었다. 실로 대단한 구절이다. 나는 그에 대한 감상을 한마디도 덧붙이지 못했다. 훌륭한 구절에는 그저 탄복할 뿐이다. 본초 역시 언짢아졌다. 차가운 표정으로,

노토 나나오의 겨울은 지내기 고달프구나[21]

라고 덧붙였다. 교라이를 완전히 무시하고 마음의 문을 쾅 닫아버렸다. 약간 화가 난 느낌이다. 날카롭고 딱딱한 구절이다. 돌멩이 같은 구절이다. 선율은 없고, 수사修辭뿐이다.

생선뼈를 핥아먹어야 할 정도로 늙었구나[22]

바쇼가 그 뒤를 이었다. 결국 어두워졌다. 자리의 분위기가 음침해지기까지 했다. 바쇼도 언짢아져서 이론적인 구절을 짓기 시작했다. 아무리 해도 흥이 나질 않는 것이다. 분명 교라이의 '불심이 이는 것은'의

20_ 앞 구에서 행등불이 꺼져 사위가 어두워지는 것에서 출가의 이미지를 떠올려 읊은 구로 해석된다.

21_ 출가하여 수행을 위해 노토 나나오能登七尾(현재 이시카와현 나나오시)에서 겨울을 나고 있는 모습을 읊은 것.

22_ 노토 나나오에서 은거하며 수행하던 승려의 말로에 대해 읊은 것.

잘못이다. 교라이도 참 시시한 짓을 했다.

그 뒤로 스물다섯 구절 정도가 이어지고 「여름 달의 권」은 끝이 나는데, 훌륭한 구절은 얼마 없다.

약속한 분량을 다 채웠으니 뒤에 이어지는 구절에 대해서는 쓰지 않겠지만, 생각해 보니 나도 너무 우쭐대며 난폭한 글을 쓴 듯하다. 바쇼, 본초, 교라이 모두 하이쿠 명인으로 역사에 남은 사람들이 아닌가. 그것을 여름밤의 변덕으로 이래저래 무례하게 비아냥댔으니 그 죄는 가볍지 않다. 갑자기 소심해져서 이 글에 제목을 붙이기를, '덴구'[23].

여름 더위로 정신이 이상해져서, 필자는 덴구가 된 것이다. 부디 용서 바란다.

● ●

23_ 일본 전국의 깊은 산속에 살면서 마계를 지배하는 요괴의 일종. 붉은 얼굴에 코가 길고 크며, 도사 같은 복장을 하고 하늘을 자유롭게 날아다닌다. 코가 매우 높은 것에서 '덴구가 되다'라는 관용어가 생겨났는데, 자만심이 강한 사람에 대한 비유로 쓰인다.

昭和 十八年
1943년

太宰治

1943년^{쇼와 18년}, 34세

세계 제2차 대전이 절정을 넘어, 조금씩 일본의 패색이 짙어지기 시작한 해이다. 다자이는 여전히 급변하는 시류에서 한 발짝 벗어난 곳에서 차분히 창작에 전념하고 있었다. 다자이가 이해에 발표한 대표적인 작품으로는 『우대신 사네토모』(9월)가 있으며, 잡지를 거치지 않고 곧바로 단행본으로 출판되었다. 사네토모를 소재로 한 글을 써보는 것이 어릴 적부터의 염원이었던 만큼 애착을 가지고 쓴 작품인 동시에 "여러 가지로 애를 먹인 작품"(8월 17일, 나카타니 다카오中谷孝雄에게 보낸 편지 중에서)이기도 했다. 당시 다자이가 사네토모라는 역사적 인물을 소재로 작품을 집필한 것은 현명한 선택이었다. 전시 체제하에서, 집필은 자유롭지 못했다. 엄격한 제약을 견디지 못한 수많은 작가들은 펜을 놓고 침묵을 지키거나, 농민 문학이나 역사 소설로 우회하는 방법을 택했다. "역사물이면서, 역사로 도망치려는 의도는 보이지 않는"(모리야스 마사후미森安理文) 작품 『우대신 사네토모』는, 그런 의미에서 그 시기에 매우 적합한 작품이었다고 할 수 있다.

내가 좋아하는 말わが愛好する言葉

아무리 생각해봐도 모두가 아름다운 말을 너무 많이 씁니다. 미사여구를 남발하는 경향이 있습니다. 오가이가 좋은 말을 했습니다.

'술잔을 기울이면서 효모를 마시지 말지어다.'[1]

그런고로 말하기를, 내게는 좋아하는 말이 없다.

1_ 술을 마실 때는 그 속에 든 성분을 일일이 분석할 것이 아니라 그저 즐기며 마시면 된다는 뜻.

금전 이야기金銭の話

그날 번 돈은 그날 다 써버리는 도쿄 토박이 기질은, 지금은 국가를 위해서라도 꼭 삼가야 할 죄악이다. 어떻게든 이삼천 엔 정도를 저축해서 국가에 보탬이 되고 싶은데, 어째서인지 남는 돈이 없다. 옛날 예술가들에게는 일단 저축을 경멸하고 보는 풍습이 있어서 찢어지게 가난한 상태를 떳떳하게 여겼던 모양이지만, 지금 그런 특수한 생활 태도는 용납되지 않는다. 일억 국민 모두가 부지런히 저축에 힘써야 하는 중대한 시기라고 엄숙하게 스스로를 타이르지만, 어째서인지 남는 돈이 없다. 내게는 가난을 과시하려는 혐오스럽고 비뚤어진 마음은 없다. 어떻게든 여윳돈을 잔뜩 만들고 싶다고 늘 생각하고 있다. 항산恒産이 있어야 항심恒心도 생겨난다[2]는 속담도 믿는다. 거지 근성이란 결코 좋은 것이 아니다. 저축한 돈이 많은 사람에게서는 어딘지 범접하기 힘든 절조가 느껴진다. 개인의 품위를 지키기 위해서도 저축은 꼭 필요한 데다, 또한 이번 대전大戰의 완승을 위해 긴요한 것이 되었으니, 신소리나 농담이 아니라, 이번 기회에 한층 더 진지하게 저축할 궁리를 해야 한다. 다소 변명처럼 들리겠지만, 내 직업은 저축하기에 그다지 적합하

2_ 생활이 안정되어야 정신이 안정된다는 뜻의 속담.

지 않다는 생각도 든다. 많이 들어올 때는 일 년에 한 번이나 두 번, 오백 엔에서 천 엔 정도가 한꺼번에 들어오는데, 그 돈을 우체국이나 은행에 맡기고 안심하며 한숨 돌리고서 다음 일을 준비하는 사이에 돈이 말끔히 사라진다. 어느새 사라지는 것이다. 자세한 이야기는 하기 싫지만, 나는 도쿄에서도 하층민에 속하는 생활을 하고 있다고 생각한다. 말 그대로, 다 쓰러져가는 집에 살고 있다. 미타카에 있는 어둑한 술집에서 생포도주를 마시며 문학 이야기를 하는 것 정도가 유일한 취미고, 그 외에는 이렇다 할 낭비를 한 적이 없다. 학생 때는 쓸데없는 낭비를 한 적도 있지만, 가정을 꾸리고 난 뒤로는 도리어 인색해졌다. 그럼에도 불구하고 정말이지 남는 돈이 없다. 어쩌면 나는 궁상맞은 성격인지도 모른다. 기와 한 장 아끼려다가 대들보를 썩히는 것이다. 한평생 돈 걱정에서 벗어날 수 없는 숙업을 짊어지고 태어난 것인지도 모른다. 내 귓불은 별로 크지 않다. 하지만 그렇다고 해서 포기하면 안 된다. 나라를 위해서라도, 어떻게든 열심히 궁리해야 할 때다. 결국 나는 서투른 것이다. 돈을 잘 변통하지 못하는 것이리라. 깊이 생각하고 반성해야 한다.

나는 사이카쿠의 『일본영대장』[3]과 『흉산용』[4]을 더 깊이 숙독하고 음미하여 저축의 묘책을 배워보자고 결심했다. 사이카쿠는 내게 여러 가르침을 준다.

'사람들은 집 정원에 대개 매화나무, 벚나무, 소나무, 단풍나무 같은

3_ 日本永代藏. 1688년에 간행된 작품으로, 지혜와 절약으로 큰 부자가 된 사람들의 이야기를 모은 것이다. 일본 최초의 경제 문학 작품으로 평가받는다.

4_ 世間胸算用. 1692년에 간행된 작품. 상인들의 한 해 총결산일인 섣달그믐날의 풍경을 중심으로 하여, 한 해를 마무리하는 서민의 모습을 그렸다.

것을 심고 싶어 하지만, 그것보다 좋은 것은 금은미전金銀米錢이다. 정원보다 보기 좋은 것은 정원 구석의 재물 창고이고……'라고 적혀 있다. 깊이 공감한다. 또한 사이카쿠는 여러 저축 명인들의 비법에 대해 알려준다.

'이 남자는 평생 한 번도 게다 끈을 끊어먹은 일이 없고, 옷이 못에 걸려 찢어진 적도 없다. 만사에 주의를 기울여 본인 한 대에 이천 관[5]의 재산을 모은 뒤 88세의 나이로' 편안히 눈감은 대부호의 이야기, 그리고 '허기가 질까봐 불난 집에 위문을 갈 때도 빨리 걷지 않았다'고 하는 도련님 이야기. 또 '마을 내에 장례가 있을 때는 어쩔 수 없이 도리베야마[6]의 장지까지 배웅을 나가지만, 돌아올 때는 일부러 사람들보다 뒤처져 오면서, 도중에 있는 로쿠하라도리베야마의 서북쪽 지역의 들판에서 남자 시종과 함께 용담을 뽑아, 이것을 말리면 복통약이 된다고 하며 그냥 지나치는 법이 없고, 걷다가 넘어지면 그 자리에서 바로 부싯돌을 주워 품에 넣었다. 아침저녁 끼니 준비로 연기를 피워 올리는 세대주들은 만사에 이렇게 신경을 써야 하는 법이다. 이 남자, 천성적으로 인색한 것은 아니고, 만사를 처리함에 있어 그저 타인의 모범이 되고자 했던 것이다. (중략) 갈대 울타리에 저절로 자라난 나팔꽃을 보고는, 바라보기만 하는 것은 쓸모없다 하여 작두콩으로 갈아 심었다. 딸이 크자 혼수용 병풍을 만들었는데, 교토 명소의 그림을 보게 되면 아직 못 가본 곳이라 가보고 싶어질 테고, 또 『겐지 이야기』나 『이세 이야기』의 그림을 보게 되면

5_ 옛날의 화폐 단위. 엔으로 정확한 환산은 불가능하나, 이천 관은 대략 현재의 이삼억 엔 정도로 추정 가능하다.

6_ 교토시 히가시야마구의 기요미즈데라에서 니시오다니로 이어지는 길 부근을 이르는 지명. 예부터 화장터가 많았다.

마음이 난잡해져 안 된다며 채굴이 한창인 다다多田의 광산 그림을 그려놓는' 등 기특한 마음가짐을 가진 부자 이야기, 또한 '옻칠한 게다를 목욕통 가마솥 아궁이 밑에 넣고 태우면서 옛 생각에 깊이 잠겨, 이 나막신은 내가 열여덟에 이 집에 시집올 때 큰 궤에 넣어와, 그 후로 비가 오나 눈이 오나 늘 신었는데, 벌써 오십삼 년이 흘러 굽이 다 닳을 지경이 되었구나. 평생 이 한 켤레로 버틸 수 있을 것이라 생각했는데, 분하게도 한쪽을 들개가 물어가고 한쪽만 남아, 어쩔 도리 없이 오늘 연기가 되어 사라지고 마는구나, 라고 네댓 번이나 되뇌다가' 결국 눈물을 뚝뚝 흘리는, 은거하는 할머니 이야기 등, 그저 기가 막힐 뿐인 이야기들을 상세히 적었다. 모두 우러러보며 본보기 삼아 마땅한 사람들의 행적이다.

나는 그것을 숙독한 뒤 자리에서 일어나 부엌으로 가, 무언가 낭비는 없는지 언짢은 얼굴로 사방을 둘러보았는데, 부족한 것은 있어도 낭비처럼 보이는 것은 하나도 발견할 수 없었다.

일억 국민, 지금은 이 사이카쿠의 이야기 속 대부호들처럼 세심하게 마음을 쓰며 생활하고 있다. 우리 집 좁은 정원에도 요즘 호박꽃이 한창이다. 장미꽃보다 보는 맛이 있는 듯한 느낌도 든다. 옥수수 잎이 바람에 살랑살랑 흔들리는 모습도 제법 우아하다. 산울타리에는 까치콩 덩굴이 얽혀 있다. 하지만 어째서인지, 내게는 남는 돈이 없다.

어딘가 부주의한 점이 있는 것이다. 언젠가 어느 선배가 이렇게 말씀하셨다.

"자기 수입을 잊고 사는 사람이 아니고서야 돈이 남지 않는다."

그렇다면 금전에 대해 담백한 사람이 오히려 더 많은 돈을 모을지도 모른다. 항상 돈에 집착하여 인색하게 구는 사람에게는 오히려 돈이 남지 않는 듯하다.

순수하게 글 쓰는 것만을 즐기고, 원고료 같은 것은 전혀 신경 쓰지 않는 그런 문인만이 저축을 많이 할 수 있을지도 모른다.

太宰治

1944년쇼와 19년, 35세

이해에 들어서면서 전세가 급격히 기울었다. 임팔 전투(일본군이 인도를 점령하기 위해 임팔을 공격했다가 영국군과 벌인 전투에서 패배한 사건)에서 연합군이 결정적인 승리를 거두면서, 일본의 패배는 거의 확실해졌다. 이렇듯 암울한 분위기 속에서, 다자이는 연초부터 「새로 읽는 전국 이야기」를 집필하기 시작해 연재를 이어나갔다. 2월에는 일본문학보국회에 대동아 5대 선언 소설 집필 희망자로서 「『석별』의 의도」를 제출한 후, 작품의 주인공인 루쉰魯迅에 관한 참고 자료를 모으는 등, 「석별」을 집필할 준비를 시작한다. 5월에는 『신新풍토기 장서』 중 한 권으로 「쓰가루」를 집필하게 되어, 20여 일에 걸쳐 쓰가루 여행을 다녀온다. 7월 말에 「쓰가루」를 완성하고, 8월에는 장남 쓰시마 마사키津島正樹가 태어난다.

❝여기는 여전하다네. 사내아이가 태어났어. 쓰시마 마사키야. 집은 동물원이나 다름없어. 오늘은 부부싸움을 했다네. 일을 하다가 너무 배가 고파서 '밥은 아직 멀었나?'라고 물었더니, 아내는 그게 마음에 들지 않았던 모양이야. '당신도 일을 독촉당하면 기분 나쁘잖아요?'라고 하더군. '아니, 난 기분 좋기만 한걸. 화를 내는 건 당신이 이상한 거야. 나중에 깨닫게 될 거야.'라고 언성을 높여 아내를 역습, 아내를 울려버리고 말았네. 사소한 싸움이었어.❞ (8월 29일, 쓰쓰미 시게히사堤重久에게 보낸 엽서 중에서)

6월부터 시작된 맨해튼 작전으로 연합군의 본토 공습이 점점 격화되면서, "여전"하고 "사소"한 일상에 차츰 먹구름이 드리운다. 11월 29일 새벽에는 도쿄 지요다구 간다에 위치한 인쇄 공장이 공습으로 불타, 발표 예정이었던 「종달새의 목소리」(「판도라의 상자」의 원형이 된 작품으로 알려져 있다)가 전소하는 일이 발생하기도 했다.

“계속되는 공습으로 소위 ‘신경’이 쇠약해지셨습니까? 저는 ‘신경’은 괜찮은데, 술을 마시러 나갈 수 없어서 답답합니다. 공습이 있을 때마다 아이들을 돌봐야 해서 집에서 나갈 수가 없습니다.” (12월 13일, 고야마 기요시小山清에게 보낸 엽서 중에서)

요코즈나橫綱

이삼 년 전의 <미야코신문都新聞> 정월판에 요코즈나인 미나노가와에 대해 썼는데, 올해는 요코즈나 후타바야마[1]에 대해서 몇 자 적어보려고 한다.

나는 스모에 대해서는 전혀 모르지만, 그래도 요코즈나라는 것에는 관심이 있다. 어느 정직한 사람에게 들은 바로는, 후타바야마라는 남자는 불필요한 말에는 대답하지 않는다고 한다. 건강하십니까? 날씨가 춥군요. 많이 바쁘시죠? 전부 쓸데없는 말이다. 후타바야마는 대답하지 않는다고 한다.

뭐라고 대답을 좀 하라고, 하고 화를 내며 힘으로 어찌해보려 한들 상대는 후타바야마다. 절대 불가능하다.

어느 어묵 가게의 장식대에 '인忍'이라는 글자를 크게 써넣은 족자가 있었다. 그다지 잘 쓴 글씨는 아니었다. 어차피 하찮은 명사가 쓴 글씨일 것이라고 깔보며 문득 서명한 곳을 봤더니, 후타바야마였다.

나는 술잔을 손에 들고 길게 탄식했다. 그 한 글자만으로도 후타바야마의 지난 십 년간의 사생활까지 다 알 것 같은 기분이 들었다. 요코즈나가 주는 '인'의 가르침은 참 가련한 것이다.

1_ 후타바야마 사다지双葉山定次(1912~1968). 제35대 요코즈나. 69연승의 기록을 남겼다.

가죽지갑革財布

라쿠고[2] <가죽지갑>은 우습다기보다는 가련한 이야기다. 학생 때 요세[3]에서 들었던 게 전부인 데다, 최근에는 요세에도 별로 안 가고 해서 자세한 줄거리 전개는 잊었다. 늦은 밤, 술에 취해 돌아오는 길에 가죽으로 된 지갑을 줍는다. 집으로 가지고 와 지갑을 열어 보니 큰돈이 들어 있었다. 술주정뱅이는 곧 미친 듯이 기뻐하며, 이 정도 돈이면 매일매일 아침부터 술을 실컷 마실 수 있겠군, 아내도 불평하지 않겠지, 오비일본식 허리띠라도 하나 사줄까, 하고 혼자 야단법석을 떨다가 이윽고 곯아떨어진다. 이른 아침, 아내는 남편이 잠들어 있는 틈에 그 지갑을 가지고 집주인에게 찾아가 상담한 뒤, 지갑을 경찰서에 가져다준다. 잠에서 깬 남편은 아내에게 지갑은 어디 있냐고 묻는다. 아내는 대답한다. 몰라요, 꿈이라도 꾼 거겠지요. 남편, 숙취로 무거운 머리를 흔들며, '그렇군. 하지만 꿈이라서 다행이야. 그게 진짜였다면 나는 지금쯤 남의 물건을 훔치는 죄를 짓고 있겠지. 아아, 아무리 그래도 술꾼의 탐욕이란 정말 무서운 것이로군. 남의 물건을 훔치는 죄를 지으면서까지 술을

2_ 라쿠고가落語家라고 불리는 사람이 부채를 들고 무대 위에 앉아, 청중들을 대상으로 이야기를 풀어가는 형식의 예술. 일본 근세시대에 생겨나 현재까지 계승되고 있다.

3_ 라쿠고, 담화, 만담, 야담 등의 대중 연예를 공연하는 연예장.

마시려고 하다니. 아아, 앞으로는 술을 끊어야겠다.' 하고 몸서리치고는 술을 뚝 끊는다. 그날부터 가업에 힘써, 조금씩이나마 저금도 한다. 일 년째인지, 오 년째인지, 아무튼 그 사건이 있은 날로부터 몇 년이 지난 어느 날 밤, 생선 장수가 저녁 밥상 앞에 앉았는데 거기에 술잔이 놓여 있었다. 남편, 눈을 동그랗게 뜨며 이게 뭐냐고 아내에게 묻는다. 아내, 웃으며 가죽지갑을 남편 앞에 내밀고는, 사실은요, 하고 입을 연다. 떨어트린 사람이 나타나지 않아서 오늘 관청으로부터 다시 돌려받았다고 자초지종을 이야기하고는, 오늘은 실컷 마시라고 말한다. 남편은 곧장 술잔을 들어 올리고는 문득 생각에 잠기더니, 술잔을 상 위에 탁 엎는다. 왜 그러세요, 하고 아내가 의아해한다. 남편은 고개를 저으며 말하기를, 취하면 또 꿈이 되잖아. 이것이 이 라쿠고의 대략적인 줄거리였던 것으로 기억한다. 잘못 기억하는 부분이 있을지도 모른다. 누구나 다 알고 있을 법한 유명한 라쿠고를 잘못 기억하고 있는 것도 부끄럽고 해서 '라쿠고속기速記집' 같은 책이 없을까 싶어, 사실 오늘 아침 미타카에 있는 헌책방 두 곳과 기치조지의 헌책방을 다섯 곳 둘러보았는데 그런 것은 없었다. 그래서 어쩔 수 없이, 잘못된 부분이 있을 것 같아 불안해하면서 조심조심 어렴풋한 기억에 의존해 글을 쓰고 있다. 나는 이 라쿠고를 좋아한다. 얼마 전 오가이의 전집을 읽던 중에, 오가이가 「가죽지갑의 출전出典」이라는 글을 쓴 것을 발견했다. 이 이야기가 중국의 초록蕉鹿 이야기에서 나온 게 아닐까, 하는 것이 오가이의 설이었다. 초록 이야기는 원래 열자列子[4]의 주목왕周穆王 제3편에 나온 것이라고 하는데, 오가이는 그 원문도 함께 소개하고 있다. 이야기가 조금 비슷한 것 같으면서도,

4_ 도가 사상을 담고 있는 중국의 고전 철학서로, 전국시대에 열어구列禦寇(열자)가 지은 것을 문인・후생들이 보완한 것으로 추정된다. 천서・황제・주목왕 등 총 8편으로 이루어져 있다.

그 주제는 전혀 다른 것처럼 느껴지기도 한다. 초록 이야기는 대충 이러하다. 한 나무꾼이 어느 날 산속에서 사슴 한 마리를 얻어 그것을 어떤 장소에 숨겨두었는데, 너무 기쁜 나머지 숨긴 장소를 잊어버리고 말았다. 꿈이었나? 하고 생각하며 다른 사람에게 그 이야기를 한다. 이야기를 들은 사람은 몰래 그 주변을 뒤지다가 사슴을 발견하고는, 그것을 집으로 가지고 돌아가 아내에게 '나무꾼의 꿈 이야기를 듣고 찾아봤더니 정말 사슴이 있었다'고 이야기한다. 교활한 성격의 아내는 '당신이 나무꾼에게 꿈 이야기를 들은 것 또한 당신의 꿈이었을 거예요, 당신은 당신이 꾼 꿈 덕에 사슴을 얻은 게 틀림없어요.' 하는 말로 남편을 구슬려서, 나무꾼의 공을 모두 가로채 사슴을 독차지하려고 한다. 한편 집으로 돌아온 나무꾼 역시 오늘 있었던 그 사슴 일이 계속 신경 쓰였는데, 그날 밤 꿈속에서 진짜 사슴을 숨겨둔 장소를 알게 되고, 또 사슴을 가져가는 남자도 보게 된다. 그리하여 사슴을 빼앗기 위한 소송이 일어난다. 그러나 재판관도 이 일에는 당황할 수밖에 없었다. 꿈에서 봤다는 것이 진짜인지 거짓인지는, 황제나 공자 정도의 신통력을 가진 사람이 아니고서야 판단할 수 없는 것이다. 다른 사람이 어떤 꿈을 꿨는지 알 도리가 없다. 꿈만으로는 증거가 안 된다. 결국 사슴은 두 집이 똑같이 나누어 가지게 되었다. 이것이 그 초록 이야기의 대략적인 내용으로, 가죽지갑 이야기와는 조금 다른 느낌이다. 아내가 그럴싸하게 남편을 구슬리는 부분은 비슷하지만, 초록 이야기 속 아내는 그저 꾀를 부리는 데 능한 인간일 뿐, 가죽지갑 이야기 속 아내와는 정신적인 면에서 굉장히 다르다. 현관문과 뒷문 정도의 차이가 있다. 아마도 출전은 따로 있는 것이 아닐까. 하지만 오가이가 뒤이어 가죽지갑 이야기의 구성에 대해, '작자가 경찰 제도를 고려하여, 생선 장수의 아내가 집주인과 상담한 후 습득물을 관청에 신고하게 만든 것은 쓸데없는 취향이라고 생각한다. 큰돈을 주운 이야기가 세상에 알려졌을 텐데, 습득자인 생선 장수 귀에 들어가지 않을 리가 없다. 생선 장수의 아내가 영리하고 교활하여 주운 것을 끝까지 잘 숨겼다, 라는 설정이어야 이야기가 맞다.' 라고 말한 것은 옳다고 생각한다. 하지만 그래서는 미담이 되지 않는다. 아주 결점 많은 이야기가 되고 만다. 어떻게 하면 좋을까. 나는 답을 알고 있다. 사실 이 짧은 글의 의도는 이것을 자랑하려는 것이다. 그리 대단한 것은 아니지만, 꽤 괜찮은 묘안이 있다. 탄환우표[5]는 어떨까. 술주정꾼인 남편이 이것에 당첨되어 요란법석을 떠는 것을 본 아내가 미리 한 장 사두었던 자신의 우표와 그것을 바꿔치기한다. 이렇게 한다면 자연스럽다. 다음 날 아침 남편이 바뀌어 있는 탄환우표를 바라보면서 꿈이었나, 하고 중얼거린다. 남편이 깨끗이 포기했을 때 아내는 사실을 털어놓고, 남편과 의논한 뒤에 그것을 관청에 헌금한다는 식의 줄거리로 만들면, 후방의 미담이 될 것이다. 라쿠고 계의 신인이 이것을 요세에서 연기하면 커다란 박수갈채를 받을 게 틀림없다, 라는 것은 위에서 말했듯 자화자찬이다.

부기附記. 이 원고를 쓰고 난 후, 사이카쿠의 작품 중 이것과 비슷한 이야기를 하나 발견했다. 『무가의리 이야기』[6] 속에 나오는 「목수가 새벽에 주운 돈」이 바로 그것이다. 하지만 이 이야기 속 아내는 증오

• •

5_ 전시 중 군사비 조달을 위해 일본 우체국에서 발행한 저금 우표의 애칭으로, 11장 중 1장의 확률로 상금을 받을 수 있었다. 이 우표를 사면 탄환을 사는 데 보탬이 된다고 해서 탄환우표라는 애칭이 붙었다.

6_ 武家義理物語. 1688년에 간행된 이하라 사이카쿠의 단편소설집. 무사가 지켜야 할 의리를 주제로 하고 있으며 총 6권으로 구성되어 있다.

받아 마땅한 악처다. 라쿠고 <가죽지갑>처럼 차분한 미담이 아니다. 이것 역시 <가죽지갑>의 출전은 아닌 듯하다.

「석별」의 의도「惜別」の意図

메이지 35년1902년, 당시 스물두 살이었던 저우수런周樹人(후의 세계적 문호, 루쉰)이, 일본에서 의학을 배워 환자가 넘쳐나는 그의 조국을 건강하게 재건하겠다는 이상을 불태우며 청나라 유학생의 신분으로 요코하마에 도착하는 장면부터 쓰기 시작하려고 합니다. 다감한 그의 눈에는 일본 땅이 어떻게 비쳤을지. 요코하마에서 신바시로 가는 열차 속에서 창밖 일본 풍경을 바라보며 느꼈을 흥분, 그리고 그로부터 이 년간 고분학원[7]에서 보낸, 순진하고 얌전했던 유학생 생활. 그는 도쿄라는 도시를 어떤 식으로 사랑하고 이해했을까. 하지만 그는 동료 유학생들을 보면서 자기혐오와 비슷한 반감을 느꼈고, 메이지 37년1904년 9월에 청나라 유학생이 한 명도 없는 센다이 의학전문학교에 입학하게 됩니다. 그 후 센다이에서 보낸 이 년이라는 시간은, 그의 전 생애를 결정지을 만큼 중대한 것이었습니다. 그가 이 시기에 일본인 의과생 두어 명에게 괴롭힘을 당한 것은 사실이지만, 반면 그것을 보상받고도 남을 정도로 귀중한 일본 친구와 은사를 얻기도 했습니다. 특히 후지노 겐쿠로 교수의 바다보다 깊은 은혜와 사랑에 대해서는, 후에 감사의 마음을 가득 담아

7_ 교육자 가노 지고로嘉納治五郎(1860~1938)가 중국 유학생들을 위해 우시고메牛込에 세운 교육기관. 루쉰은 가노 지고로에게 사사했다.

「후지노 선생님」이라는 명문을 남겼을 정도입니다. '하지만 선생님의 사진만큼은 지금도 베이징에 있는 우리 집 동쪽 벽 책상 맞은편에 걸려 있다. 밤중에 지치고 태만해질 때, 고개를 들어 등불 아래 선생님의 검고 야윈 얼굴을 보고 있으면, 바로 옆에서 그 강하고 특이한 억양으로 내게 말을 걸고 계시는 듯한 느낌이 든다. 그러면 곧 그것이 내 양심을 일깨우고, 용기를 북돋아 준다.'라고 적혀 있습니다. 더 중요한 것은 센다이에서 유일한 청나라 유학생으로 하숙 생활을 하는 사이에, 그가 점차 참된 일본의 모습을 이해하기 시작했다는 사실입니다. 바야흐로 러일전쟁이 한창일 때였습니다. 센다이 사람들의 애국지정은 외국인인 그마저 놀라고 감탄하게 만드는 일이 많았습니다. 그도 물론 조국 사랑에 대한 정열로 불타고 있는 수재였지만, 눈앞에 보이는 일본의 청결하고 발랄한 모습에 비해 심하게 낡아빠진 자국의 모습을 생각하면, 거의 절망에 가까운 감정을 느꼈던 것입니다. 그러나 희망을 잃어서는 안 된다. 일본의 이 신선한 활력은 어디에서 비롯되는 것인가. 그는 신경을 곤두세우고 주변 일본인의 생활을 관찰하기 시작합니다. 원래 청나라 청년이 일본에 유학을 오는 진짜 이유는, 일본이야말로 세계에서 으뜸가는 문명국이라고 생각해서가 아니라, 역시 배워야 할 것은 서양 문명이지만 일본은 이미 서양 문명의 핵심을 축소하여 이용하는 것에 성공했으니, 굳이 멀리 서양까지 가지 않아도 가까운 일본에서 공부하면 더 싼 가격에 서양 문명을 흡수할 수 있었기 때문이라고 합니다. 스물두 살의 저우수런 역시 그런 생각으로 어쩔 수 없이 일본에 온 것인데, 그러나 그는 여러모로 세세히 관찰한 결과, 일본인의 생활에는 서양 문명과는 전혀 다른, 특유의 늠름하고 거스르기 힘든 품위가 존재함을 긍정할 수밖에 없었습니다. 청결한 느낌. 중국에서는 전혀 찾아볼 수 없는 일본의 이 청결한 느낌은 도대체 어디에서 오는 것인가. 그는 일본 가정의 깊숙한 곳에 그 아름다움의 근원이 숨어 있는 건 아닐까 하고 생각하기 시작합니다. 그리고 그는 또, 그의 나라에서는 찾아볼 수 없는 단순하고 해맑은 신앙(이상이라고 말해도 좋다)을 일본인 모두가 예외 없이 가지고 있다는 것을 깨닫게 됩니다. 그렇지만 역시 정확한 것은 알 수가 없었습니다. 그는 점차 교육에 관한 칙어勅語, 군인에게 내리는 칙유勅諭에까지 거슬러 올라가며 생각하게 됩니다. 그리하여 마침내, '중국이 독립국으로서의 존립을 스스로 위협하고 있는 것은, 결코 중국인들의 육체적 질병 때문이 아니다. 분명 정신적인 질병 탓이다. 즉 이상 상실이라는 태만이 낳은 무시무시한 정신적 질병이 넘쳐나기 때문이다.'라는 명확한 결론을 얻기에 이릅니다. 그리고 이렇게 병든 정신을 개선하여 중국 유신의 신앙에까지 드높이기 위해서는, 아름답고 숭고한 문예를 이용하는 것이 가장 손쉽고 빠른 방법이 아닐까 하고 생각합니다. 그리하여 메이지 39년1906년 여름(6월), 의학전문학교를 중퇴하고 그의 은사인 후지노 선생님을 비롯한 친구들, 그리고 친절했던 센다이 사람들을 떠나, 문예 구국의 희망을 불태우며 다시 도쿄로 향합니다. 그의 패기 넘치는 상경을 마지막으로 작자는 펜을 내려놓으려고 합니다. 대강의 줄거리만을 이야기하면 쓸데없이 너무 이론적인 느낌이라 좋지 않지만, 작자는 저우수런이 센다이에서 일본인과 맺었던 정답고 아름다운 교유交遊 관계를 그리는 데 주력할 생각입니다. 일본의 여러 남녀, 또는 아이들(저우수런은 아이들을 무척 좋아했습니다) 등을 그려 보고 싶습니다. 작자는 루쉰의 만년의 문학론에는 관심이 없기 때문에, 후년의 루쉰에 대해서는 언급하는 일 없이, 오로지 순수하고 다감했던 젊은 청나라 유학생으로서의 '저우 씨'를 그릴 생각입니다. 중국인들을 멸시하지 않고, 또 결코 경박하게 치켜세우는 일 없이, 이른바 결백한 독립친화獨立親和의 자세로 젊은 저우수런을 올바르게 사랑하며 글을 쓸 생각입니다. 그것을 현대 중국의 젊은 지식인들에게 읽혀, 일본에 우리를 이해해주는 이가 있구나 하는 감회를 품게 하여, 일본과 중국의 전면 평화에 백발의 탄환 이상의 효력을 발휘하게끔 하려는 의도를 가지고 있습니다.

예술을 싫어함芸術ぎらい

루쉰의 수필 속에 다음과 같은 문장이 있다. '예전에 저는 열정적으로 중국 사회를 공격하는 글을 쓴 적이 있는데, 그것도 사실은 쓸데없는 짓이었습니다. 중국 사회는 제가 그렇게 기를 쓰고 공격하고 있다는 사실조차 몰랐던 것입니다. 어리석긴.' 나는 그것을 읽고 혼자 소리 내어 웃은 일이 있는데, 내가 영화에 대해 이야기하는 경우도 그것과 조금 비슷한 결과가 되지 않을까 싶다.

나는 십 년간 무척 형편없는 소설만 써온 서른여섯의 남자로, 소설계에도 내 말에 진지하게 귀 기울여주는 괴짜는 한 사람도 없는 형편이니, 하물며 영화계에서 내 하찮은 이름 따위를 아는 사람은 아무도 없지 않을까 싶다. 이름이 알려져서 좋을 일도 없고, 딱히 스스로가 무명인 것이 유감스럽지도 않지만, 세상 사람들은 무명인의 글을(서로가 바쁘기 때문에) 전혀 읽으려 들지 않기 때문에 곤란하다. 내가 만약 영화통제국 국장(그런 직함이 있는지 모르겠지만) 같은 직함을 가진 남자였다면, '아무래도, 뭐랄까, 오락성을 잊어서는 안 되겠지요.' 따위의 무의미한 의견을 말해도, 영화계 간부들은 하나같이 감격하여 곧바로 영화계 종사자들을 모두 불러 모아다가, '절대로 이 오락성을 잊어서는 안 됩니다.'라며 일장훈시를 시도할지도 모르는 일이니, 이래서 사람의 마음이란 미묘한 것이다.

나 역시 조금은 자부심을 가지고 있다. 내가 쓴 글이 아무에게도 읽히지 않거나 혹은 건성으로 읽히는 영광을 입은 후에, 읽은 사람이 '뭐야 이건.' 하고 얼굴을 찌푸리게 될 것임을 똑똑히 자각하고 있는 상태로, 그래도 한 글자 한 글자 진지하게 생각을 거듭하며 글을 써야 한다는 건 괴로운 일이다. 예전의 내가 이런 종류의 원고 의뢰를 받았다면 엎드려 진땀을 흘리며 거절했을 게 분명하지만, 최근 들어 나는 조금 변했다. 일본을 위해 스스로의 힘을 전부 끌어내야만 한다. 소설계와 영화계는 그렇게 멀리 떨어져 있는 세계도 아니다. 소설가로서의 내 어리석은 의견이 어느 용감한 영화인의 지지를 받게 되는 기적이 일어나지 않으리라는 법도 없다. 혹 그런 기적이 일어난다면, 이것 역시 하나의 봉사가 되리라고 생각한다. 그 어떤 작은 기회도 소홀히 하면 안 된다.

영화는 예술이어서는 안 된다. 예술적 분위기니 뭐니 하는 엉터리 같은 것에 흐뭇해하기 때문에 제대로 된 영화를 만들지 못하는 것이다. 예전에 나는 다음과 같은 글을 발표한 적이 있다. '누구든 처음에는 무언가를 본보기 삼아 연습을 거듭하지만, 창작가라는 이가 언제까지고 그 본보기의 분위기에서 벗어나지 못한다는 것은 실로 한심스러운 일입니다. 솔직히 말하자면, 당신은 아직도 다른 누군가의 방법을 흉내 내고 있습니다. 그것이 목표인 것처럼 보입니다. '예술적'이라는 애매모호한 장식적 관념을 버리면 됩니다. 삶은 예술이 아닙니다. 자연도 예술이 아닙니다. 더 극단적으로 말하자면, 소설도 예술이 아닙니다. 소설을 예술이라 여기는 데에서 소설의 타락이 싹튼다는 이야기를 들은 적이 있는데, 저도 그 의견을 지지합니다. 창작을 할 때 무엇보다 힘써야 하는 것은 '정확을 기하는 일'입니다. 그 외에는 아무것도 없습니다. 풍차가 악마로 보일 때에는 주저 말고 악마를 묘사해야 합니다. 또, 풍차가 풍차 외의 것으로 보이지 않으면 그대로 풍차를 묘사하면 됩니다. 풍차가 실은 풍차로 보이지만, 그것을 악마처럼 묘사하지 않으면 '예술적'이지 않다는 생각으로 이런저런 뻔한 궁리를 해서 로맨틱한 척하는 멍청한 작가도 있는데, 그런 녀석은 평생 가봐야 무엇 하나 터득하지 못할 것입니다. 소설을 쓸 때는 절대 예술적 분위기를 지향하면 안 됩니다. 그것은 본보기인 누나의 그림 위에 얇은 종이를 대고 손을 떨며 연필로 투사를 하는 듯한, 실로 우스꽝스럽고 유치한 놀이에 지나지 않습니다. 뭐 하나 볼만한 것이 없습니다. 일부러 분위기를 자아내고자 하는 것은 역시 스스로를 모독하는 짓입니다. '체호프 적인' 것을 만들겠다는 식으로 조금이라도 의식한다면, 반드시 무참하게 실패하게 됩니다. 지나치게 문장을 꾸미고 일부러 한자를 피한다거나, 불필요한 풍경 묘사를 한다거나, 무분별하게 꽃 이름을 쓰는 등의 일은 절대 삼가고, 그저 솔직하고 정확하게 인상을 표현하는 일 하나에만 전념해보십시오. 당신에게는 아직 당신 자신의 인상이라는 게 없는 것처럼 보이기까지 합니다. 그런 식으로는 언제까지고 무엇 하나 정확히 묘사할 수 없을 것입니다. 주관적인 사람이 되어라! 강력한 하나의 주관을 지니고 나아가라. 단순한 눈을 가지도록.'

작년 말, 나는 영화 두 편을 보았다. <무호마쓰無法松의 일생>이라는 것과, <중경中慶에서 온 남자>인지 뭔지 하는 영화였다. <무호마쓰>는 무척 시시했다. '예술적'이고자 하는 노력이란 어쩌면 이렇게도 낡아빠진 것일까 하는 생각이 들었다. 반쓰마[8]가 마치 야닝스독일 배우처럼 열연을 펼치는데, 나는 반쓰마에게 동정심을 느끼긴 했지만 좋다는 생각은 들지 않았다. 반쓰마에 대한 불만은 아니다. <무호마쓰>라는 영화에 대한 불만이다. 어디가 좋다는 건지, 나는 정말 알 수가 없었다. 걸작 의식을 버려야만 한다. 걸작 의식이라는 것은 반드시 옛날 본보기의 환영에 사로잡혀 있는 법이다. 그래서 언제까지고 고루한 것이다. 정말 그야말로, 줄거리 그대로이지 않은가. 너무 탐욕스러워서 할 말을 잃었다. '예술적' 도취를 버려야 한다. 처음부터 끝까지 '명장면'의 연속이고, 전체적으로는 힘이 없다. <중경에서 온 남자>는 이것과 정반대였다. 전혀 '예술적'이지 않았다. 명장면 같은 것은 하나도 없었다. 모두 심하게 허둥대며 이리저리 뛰어다니고 있었다. 하지만 나는 이 점이 아주 재미있었다. 결코 '걸작'은 아니다. 걸작이니 뭐니 하는 그런 것은 말끔히 잊고 이리저리 뛰어다니는 것이다. 그 영화를 보고, 일본 영화도 많이 발전했다고 생각했다. 이런 영화라면 반나절을 투자해서라도 보러 가고 싶다는 생각이 들었다. 옛 걸작을 본보기 삼아 만든 영화가 아닌 것이다. 표현하고 싶은 현실을 정색하고서 좇고 있었다. 정색하고 있다는 점이 신선했다. 서생극[9]처럼 조잡한 부분도 있다. 학예회처럼 미숙하고 어설픈 부분도 있다. 하지만 왠지 모르게 정색하고 있다. 그 영화에는 종전의 일본 영화에는 없던 청결한 새로움이 있었다. 추잡한 '예술적' 장식을 깜빡 잊은 덕분에 오히려 성공한 것이다. 거듭 말한다. 영화는 '예술'이어서는 안 된다. 나는 진지하게 말하는 것이다.

8_ 반도 쓰마사부로阪東妻三郎(1901~1953). 외모와 연기력을 겸비해 큰 사랑을 받은 가부키 배우 겸 영화배우. 주로 반쓰마라는 애칭으로 불렸다.

9_ 1888년에 시작되어 일시적으로 흥했던 아마추어 연극으로, 자유 민권사상 전파를 목적으로 했다.

향수鄕愁

나는 촌스러운 시골뜨기여서, 시인들의 베레모나 벨벳 바지를 보면 어쩐지 안절부절못한다. 또 그 작품이라는 것을 봐도, 그저 무턱대고 산문의 행을 바꿔 써서 읽기 힘들게 만듦으로써 의미심장한 척하려는 것처럼 느껴져서, 뼛속까지 시인이라고 자칭하는 사람들이 영 비위에 거슬렸다. 선글라스를 쓴 스파이가 스파이로서 무능력한 것처럼, 이른바 '시인다운' 허영의 히스테리즘은 문학에 있어 불결한 이蝨 같은 존재라는 생각마저 들었다. '시인답다.'라는 말만 봐도 소름이 끼쳤다. 그러나 쓰무라 노부오[10]의 동료 시인들은 그렇게 꼴불견이지 않았다. 대개 외모가 평범했다. 촌놈인 내게는 그게 무엇보다 믿음직스럽게 느껴졌다.

특히 쓰무라 노부오는 나와 비슷한 연배인데다 또 다른 여러 이유도 있고 해서, 일단 나는 그에게 무척 친근함을 느꼈다. 쓰무라 노부오와 알게 된 지 십 년이나 되었는데, 그는 만날 때마다 항상 웃고 있었다. 그러나 나는 그를 밝은 사람이라 생각지는 않았다. 햄릿은 언제나 웃고 있었다. 그리고 돈키호테는 시종에게 자신을 '우울한 얼굴의 기사'라고 불러 달라고 부탁했다. 쓰무라의 가정은 흔히 말하는 '좋은 집'인 듯하다.

10_ 津村信夫(1909~1944). 서정적인 작풍으로 전후 젊은 세대에게 많은 사랑을 받은 시인. 다자이, 야마기시 가이시, 나카하라 주야 등과 함께 동인지 『푸른 꽃』을 창간했다.

그러나 좋은 집에는 좋은 집 나름의 불쾌한 우울함이 존재하리라. 특히 '좋은 집'에서 태어나 시를 쓰는 데에는 묘한 고통이 따르는 것이 아닐까. 나는 쓰무라의 웃는 얼굴을 보면, 늘 그야말로 우울의 물 밑바닥에서 끓어오르는 적광[11] 같은 것을 느꼈다. 불쌍했다. 용케도 참아낸다고 감탄했다. 나였다면 자포자기했을 텐데, 쓰무라는 조용히 웃고 있었다.

나는 쓰무라의 삶을 본보기로 삼자고 생각한 적까지 있다.

내가 쓰무라를 소중히 생각하는 만큼 쓰무라도 나를 생각해 주는지에 대해서는 별로 자신이 없다. 나는 쓰무라에게 민폐를 꽤 많이 끼쳤다. 둘 다 대학생이던 시절, 혼고에 있는 메밀국수 가게에서 술을 마시다가 계산 생각에 마음이 불안해지면, 쓰무라에게 전화를 걸었다. 계산대 점원들에게 상황을 들키기 싫어서, '헬프! 헬프!'라고 외치기만 했다. 그것만으로도 쓰무라는 다 알아들었다. 생글생글 웃으며 가게로 찾아와 주었다.

나는 그런 식으로 두세 번 도움을 받았다. 잊은 적이 없다. 그건 분명 나쁜 행동이었으니 언젠가 꼭 사죄해야 한다고 생각하던 중에, 쓰무라의 형으로부터 노부오가 세상을 떠났다는 속달을 받았다. 그때 아내의 출산으로 일가가 고후에 가 있었던 터라 속달을 본 것은 그로부터 수일 후였고, 나는 장례식에도, 또 동료들의 추모식에도 참석하지 못했다. 운이 없었다. 언젠가 혼자 무덤에 사죄하러 갈 생각이다.

쓰무라는 분명 천국에 갔을 것이고, 나는 죽어도 다른 곳으로 가게 될 테니, 이제 영원히 쓰무라의 얼굴은 볼 수 없을 것이다. 지옥 밑바닥에서 '헬프! 헬프!'라고 외쳐도, 그때는 쓰무라도 와주지 않으리라.

• •

11_ 寂光. 번뇌를 끊고 고요히 빛나는 마음.

이제 정말 헤어지고 말았다. 나는 나카하라 주야도, 다치하라 미치조[12]도 그다지 좋아하지 않았지만, 쓰무라만은 좋아했다.

12_ 나카하라 주야中原中也(1907~1937), 다치하라 미치조立原道造(1914~1939)는 쇼와시대에 큰 인기를 누렸던 시인으로, 특히 나카하라 주야는 30세의 나이에 결핵수막염으로 요절하기까지 350여 편에 달하는 시를 남겨 젊은 층의 강력한 지지를 받았다.

순진함純真

'순진함'이라는 개념은 어쩌면 미국의 생활을 본보기로 삼은 것인지도 모른다. 예를 들어, 모 학원의 아무개 여사라는 사람이 괴로운 표정으로, '아이들의 순진함은 귀중하다.'는 식의 무척 애매모호한 말을 하며 탄식하면, 그것을 그 여사의 제자인 어느 부인이 그대로 신봉하여 자신의 남편에게 호소한다. 물렁한 성격의 남편은 나이에 걸맞지 않게 콧수염이나 기르고서, '음, 아이들의 순진함은 중요하지.'라며 호들갑을 피운다. 자식 바보와 매우 비슷하다. 좋은 그림은 아니다.

일본에는 '진실됨'이라는 윤리는 있어도, '순진함'이라는 개념은 없었다. 사람들이 '순진하다'고 칭하는 것들의 모습을 보면 대부분이 연기다. 연기가 아니면, 바보다. 우리 집 딸은 네 살인데, 올해 8월에 태어난 갓난아기의 머리를 딱 소리 나게 쥐어박곤 한다. 이러한 '순진함'의 어디가 귀중하다는 말인가. 감각뿐인 인간은 악귀와 비슷하다. 윤리 훈련은 반드시 필요하다.

자식으로부터 차가운 어머니라는 말을 듣는 어머니를 보면, 대부분이 좋은 어머니다. 어렸을 적에 한 고생이 그 사람에게 나쁜 결과를 가져왔다는 이야기는 들어본 일이 없다. 인간은 어린 시절부터 어떻게든 슬픈 경험을 해야만 하는 존재다.

약속 하나一つの約束

난파를 당하여, 내 몸은 거센 파도에 휩쓸려 해안에 내동댕이쳐졌고, 필사적으로 매달린 곳은 등대의 창문가였다. 어이쿠, 다행이다, 도움을 청하려고 창문 안을 들여다보니, 때마침 등대지기 부부와 어린 딸이 소박하지만 행복한 저녁 식사를 하는 중이었다. 아아, 안 되겠다, 하고 생각했다. 나의 처참한 한마디 외침 때문에 이 단란함이 엉망진창으로 깨어지고 만다고 생각하니, 순간 목 끝까지 올라온 '구해줘!'라는 말을 내뱉기가 망설여졌다. 정말 한순간이었다. 곧 철썩 밀려든 커다란 파도가 그 내성적인 조난자의 몸을 단숨에 삼켜, 바다 저 멀리 끌고 가버렸다.

이제 목숨을 건질 방법은 없다.

이 조난자의 아름다운 행위를 과연 누가 지켜보고 있었을까. 본 사람은 아무도 없다. 등대지기는 분명 아무것도 모른 채 가족과 함께 단란한 저녁 식사를 계속했을 것이고, 조난자는 성난 파도에 이리저리 떠밀리면서(어쩌면 눈보라 치는 밤이었을지도 모른다) 혼자 죽어갔다. 달도, 별도 그것을 보고 있지 않았다. 그럼에도 불구하고 그 아름다운 행위는 엄연한 사실로서 이야기되곤 한다.

바꿔 말해, 이것은 작자의 하룻밤 환상에서 비롯된 이야기라는 것이다.

그러나 그 미담은 결코 거짓말이 아니다. 분명 그러한 사실이 이 세상에 존재했다.

여기에 작자의 환상이 지닌 불가사의함이 존재한다. 사실事實은 소설보다 기이한 것이라는 말이 있다. 그러나 세상에는 아무도 보지 못한 사실도 존재한다. 그리고 그러한 사실 속에야말로 고귀한 보석이 빛나고 있는 경우가 많다. 그것을 쓰고자 하는 것이, 작자의 삶의 목표이다.

일선에서 싸우고 있는 제군들. 안심하도록. 아무에게도 알려지지 않은 어느 날, 제군이 어느 구석진 곳에서 행한 아름다운 행위는, 반드시 한 무리의 작가들에 의해서 있는 그대로 남김없이 자손들에게 전해질 것이다. 일본 문학의 역사는 삼천 년간 그렇게 흘러왔고, 앞으로도 변함없이 그 전통을 계승할 것이다.

太宰治

昭和 二十年
1945년

1945년 쇼와 20년, 36세

일본이 포츠담선언을 수락하고 8월 15일에 무조건항복을 선언하면서, 세계 제2차 대전이 막을 내린 해이다. 다자이는 이해 3월에 아내와 아이들을 먼저 고후 처갓집으로 피난 보내고, 4월에 있었던 공습으로 미타카 집이 피해를 입자 자신도 고후로 피난한다. 연초부터 집필하기 시작했던 「옛날이야기」의 원고를 고후에서 완성하지만, 7월에 처갓집마저 폭격으로 전소되어 결국 가족 모두가 다자이의 쓰가루 생가로 거처를 옮기게 된다. 쓰가루에 도착하기까지는 꼬박 나흘이 걸렸다. 그리고 8월 15일. 아내 미치코의 회상에 의하면, 다자이는 그날 천황의 항복 선언을 듣고 "한심하다"는 말만 몇 번이고 반복했다고 한다.

❝일 년 정도는 멍하니 지내려고 생각 중입니다. 친척이 하는 인쇄소에 원고지를 부탁해두었는데, 그걸 받으면 장편소설을 찬찬히 써 내려갈 계획입니다. 그래도 고향이 있어서 다행이라는 생각이 듭니다. 도쿄에서 꾸물거리고 있었더라면, 혐오스러운, 후대에까지 남겨질 불명예스러운 일을 강요받았을지도 모르니까요. (중략) 제가 이쪽으로 왔을 당시, 아오모리가 공격을 받고, 이어서 군함기가 가나기에도 폭탄을 네다섯 발 떨어트리는 바람에, 집이 불타고 사상자도 나와서 큰 소란이 있었습니다. 우리 집 지붕옮긴이 주: 현재의 사양관을 목표물로 삼은 것이라고 원망한 사람도 있었다고 합니다. (중략) 하고 싶은 말이 많은 기분입니다. 그러나 당분간 죽을 일도 없을 듯하니, 서두르지 않고 천천히 편지에 써서 보내겠습니다.❞ (날짜 미상옮긴이 주: 패전 직후로 추정됨, 이부세 마스지에게 보낸 편지 중에서)

다자이가 이해 발표한 작품은 『판도라의 상자』가 유일하며, 10월 22일부터 이듬해 1월 7일까지 64회에 걸쳐 연재되었다.

봄春

벌써 서른일곱이 됩니다. 얼마 전에 한 선배가 '자네는 참, 용케도 지금까지 살았군.' 하고 차분하게 말하더군요. 저 스스로도 서른일곱까지 살아온 것이 거짓말처럼 느껴질 때가 있습니다. 전쟁 덕분에 겨우 살아갈 힘을 얻은 것이나 마찬가지입니다. 벌써 아이가 둘 있습니다. 첫째는 여자아이인데, 올해로 다섯 살이 됩니다. 그 아래는 남자아이로, 작년 8월에 태어나 아직 아무런 재주도 부리지 못합니다. 적기가 내습해 오면 아내가 아들을 업고, 저는 딸아이를 안고 방공호에 뛰어듭니다. 며칠 전 갑자기 적기가 내려와 바로 근처에 폭탄을 떨어뜨려서, 방공호에 뛰어들 틈도 없이 가족이 두 쪽으로 나뉘어 옷장 안으로 기어들어 갔는데, 쨍그랑하고 물건이 깨지는 소리가 들리자 딸아이가 와아, 창문이 깨졌어, 라고 공포고 뭐고 느끼지 않는 것처럼 무심하게 떠들더군요. 적기가 가고 나서 소리가 난 쪽에 가봤더니 작은 방의 유리창이 깨져 있었습니다. 저는 말없이 웅크려 앉아 유리 파편을 주워 모았는데, 손끝이 떨리는 것을 보고 쓴웃음이 났습니다. 한시라도 빨리 수습하고 싶은 마음에 공습경보가 해제되기도 전에 기름종이를 잘라 깨진 부분에 붙였는데, 거친 뒷면을 바깥쪽으로 붙이고 매끈한 면을 안쪽을 향해 붙였더니, 그걸 본 아내가 얼굴을 찌푸리면서 '나중에 제가 하면 되는데.

거꾸로 됐어요, 그거.'라고 하더군요. 저는 또 한 번 쓴웃음을 지었습니다.

피난을 가야 하는데, 이런저런 사정, 주로 금전적인 사정으로 꾸물대는 사이에 벌써 봄이 왔습니다.

올해 도쿄의 봄은 북부 지방의 봄과 무척 닮았습니다.

눈 녹는 물방울 소리가 끊임없이 들려오기 때문입니다. 딸아이는 자꾸만 양말을 벗고 싶어 합니다.

올해 도쿄에 내린 눈은 사십 년 만의 대설이라고 하더군요. 제가 도쿄에 온 지도 벌써 이래저래 십오 년 정도가 되는데, 이런 대설을 본 기억은 없습니다.

눈이 녹자마자 꽃이 피기 시작하다니, 정말 북부 지방의 봄과 똑같지요. 집에 가만히 앉아서 고향으로 피난 온 듯한 기분을 느낄 수 있는 것도 이 대설 덕분입니다.

방금 딸아이가 목욕탕에 가기 위해, 맨발에 꼬까신을 신고 엄마 손에 이끌려 눈 녹은 길로 나갔습니다.

오늘은 공습이 없는 모양입니다.

출정하는 젊은 지인의 깃발에 '남아필생 위기일발男兒畢生危機一髮'이라고 적어주었습니다.

망忙, 한閑, 모두 간발의 차.

太宰治

1946년쇼와 21년, 37세

“요즘 잡지들이 새로운 시류에 편승하고 있는 것을 보면 정말 불쾌하기 짝이 없는데, 아마 이렇게 되지 않을까 생각은 하고 있었지만, 그 정도가 너무 심해 홧술이라도 들이켜고 싶은 심정입니다. 저는 무뢰파이기 때문에 이 분위기에 반항하여 보수당에 들어가 제일 먼저 기요틴단두대에 올라볼까 생각 중입니다. (중략) 가나기에 있는 생가는 이미 「벚꽃 동산」입니다. 무척 덧없는 일상입니다. 저는 여기에 한 표를 던질 생각입니다. 이부세 씨도 그렇게 하세요. 저는 공산당 같은 것들과 정면으로 싸울 생각입니다. 지금이야말로 일본 만세라고 진심으로 말하고 싶은 심정입니다. 저는 단순한 협객입니다. 약한 자의 편입니다.” (1월 15일, 이부세 마스지에게 보낸 편지 중에서)

패전 후, 급격히 태도를 바꾸어 민주주의와 자유주의를 구가하는 사회 분위기에 혐오감을 느낀 다자이는 스스로 '무뢰파'임을 선언하고, 지인에게 다음과 같은 일종의 '지침'을 내리기도 한다.

“하나. 현재의 저널리즘, 더없는 추태에, 새로운 형태의 편승이라고 할 수 있다. 문화입국文化立國이고 나발이고 없다. 전시戰時의 신문잡지와 다를 게 없다. 낡았다. 어쨌든 전부 낡아빠졌다.

하나. 전시에 했던 고생을 모조리 부정하지 마라.

(중략)

하나. 교양이 없는 곳에 행복은 없다. 교양이란, 먼저 수치를 아는 것이다.” (1월 25일, 쓰쓰미 시게히사堤重久에게 보낸 편지 중에서)

한편 다자이는 전쟁이 끝난 후에도 한동안 생가에 머무는데, 좌담회 참석 요청이 쇄도하고, 고향의 문학청년들은 앞다투어 다자이를 찾았다. 집필활동도 왕성해, 3월에는 「이를 어쩌나」를, 4월에는 「15년간」을, 6월에는 희곡 「겨울의 불꽃놀이」를 발표한다. 특히 「겨울의 불꽃놀이」는 스스로 "일본극작계의 원자폭탄"이 될 작품이라고 말했을 정도로, 다자이의 회심의 역작이었다.

11월에 도쿄로 돌아온 다자이는 잡지 「신조」에 『사양』 연재를 약속하고 본격적인 작품 구상에 들어가는데, 평론가 오쿠노 다케오奧野健男는 "가나기에 있는 생가는 이미 「벚꽃 동산」입니다."라는 다자이의 편지 내용으로 미루어볼 때, 다자이가 연초 즈음부터 이미 『사양』을 구상 중이었을 가능성이 높다고 지적하기도 했다.

답신返事

답신 드립니다. 긴 편지 잘 받아보았습니다.

인연이란 참 묘한 것이로군요(이런 말을 하면 과학적이지 못하다고 혼이 나려나요? 시끄러운 시대가 지나가고 이삼일 안심하고 있었더니, 또다시 시끄러운 시대가 왔습니다. 인연 같은 것은 미신이라느니, 필연적이라고 말해야 한다느니 하면서 한 마디 한 마디를 다 비판하는, 그 성가신 우익 이전의 성가신 좌익의 시대가 다시 오는 걸까요. 저는 이제 그것도 사양하겠습니다). 당신도 작가, 저도 작가, 하지만 지금까지 한 번도 만난 적이 없고, 또 서로의 작품을 읽은 적도 없는 사람들이 우연한 일을 계기로 이렇게 긴 편지를 교환하게 되다니. 인연이라고 해도 괜찮을 것 같습니다.

이번에 저의 「석별惜別」[1]을 계기로 당신으로부터 긴 편지를 받고, 저는 무척이나 기뻤습니다. 편지의 내용이 다정하고 솔직한 것도 큰 기쁨이었지만, 무엇보다 제게는 그 편지의 길이가 감사하게 느껴졌습니다. 요즘에는 정말 서로 눈치 보기 바빠서, 십년지기 친구도 애매한 말을 짤막하게 적어서 보낼 뿐, 당신처럼 긴 편지는 써주지 않습니다.

1_ 다자이 오사무가 1945년에 발표한 소설로, 중국 문학을 대표하는 작가 루쉰의 일본 유학 체험을 수기의 형식을 빌려서 쓴 작품이다(전집 6권 수록).

그렇게 조심하지 않아도 될 텐데. 내가 맥아더 사령관에게 밀고하는 것도 아니고.

오늘 당신의 긴 편지에 감격하여 그에 답례하고픈 마음도 있고 해서, 이렇게 한없이 정직하고 경계심 없는 편지를 드리기로 했습니다.

정도의 차는 있겠지만, 우리는 이 전쟁에서 일본의 편을 들었습니다. 멍청한 부모라도, 어쨌든 피범벅이 되어 싸우다가 패색이 짙어져 금방이라도 숨이 넘어갈 듯한 상태가 된 것을 가만히 지켜보기만 하는 자식도 괴상하지 않습니까? '가만히 두고 볼 수가 없다'는 것이 제 느낌이었습니다.

실제로 그즈음의 정부는 멍청하고 나쁜 부모였습니다. 도박 뒷수습을 위해 처자식의 옷을 다 내다 팔아 서랍 속은 텅텅 비었는데, 그래도 여전히 도박을 일삼으면서 홧술 따위나 마시고는, 배고픔과 추위로 훌쩍대는 처자식에게 '시끄러워! 가장을 뭐로 보는 거야, 무시하지 마! 곧 큰 부자가 될 수 있는데 그걸 왜 몰라! 이 불효자식 같은 놈들!' 따위의 말이나 외쳐대니 도통 손댈 엄두가 나지 않았지요. 저도 잡지에 게재된 소설이 전문 삭제되기도 하고, 장편소설의 출판이 금지되기도 하고, 정보국의 요주의 인물이 되는 바람에 서점 주문이 뚝 끊기기도 했습니다. 그사이에 두 번이나 전쟁으로 피해를 입어, 이거야 원 정말로 지독한 일만 겪었는데, 그래도 저는 그 멍청한 부모에게 최선을 다해 효도하자고 생각했습니다. 아니, 이상한 미담 속 주인공이 되려고 이런 말을 하는 것은 아닙니다. 다른 사람들도 대부분 그런 마음으로 일본을 위해 힘썼다고 생각합니다.

확실히 말해도 되지 않을까요? 우리는 이번 대전에서 일본 편을 들었다. 우리는 일본을 사랑한다, 라고.

그리고 일본은 참패했습니다. 정말이지 그런 꼴로 심지어 일본이 이겼다면, 일본은 신의 나라가 아니라 악마의 나라겠지요. 만약 거기서 이겼다면, 저는 지금처럼 일본을 사랑할 수 없었을지도 모릅니다.

저는 패배한 지금의 일본을 사랑합니다. 그 어느 때보다 사랑합니다. 얼른 그 '포츠담선언'의 약속을 전부 이행하여, 작지만 아름답고 평화로운 독립국이 되기를, 아아, 저는 목숨이든 뭐든 다 버리고 기원합니다.

하지만 어쩐지 근래의 저널리즘은 안 되겠더군요. 저는 전쟁 중에도 당시의 신문이나 잡지 종류를 절대 읽지 않겠노라고 결심한 적이 있는데, 요즘도 그때와 비슷한 기분이 들기 시작했습니다.

당신이 무척 좋아하는 루쉰 선생은, 소위 '혁명'에 의해 민중이 행복해질 가능성에 대해 회의적이었고, 먼저 민중의 계몽에 착안했습니다. 그리고 일찍이 우리의 경애 대상이었던 시골 아저씨 정치가 레닌 또한 항상 후배들에게 '공부하라, 공부하라, 그리고 공부하라.'라고 가르쳤을 터입니다. 교양이 없는 곳에 진정한 행복은 절대 없다고, 저는 믿습니다.

저는 지금 저널리즘의 히스테릭한 모든 외침에 반대합니다. 전쟁 중에는 그토록 그로테스크한 거짓말을 잔뜩 늘어놓고서, 이번에는 싹 돌변하여 정반대의 거짓말을 줄줄 쓰고 있습니다. 고단샤講談社가 『킹』[2]이라는 잡지를 부활시켰다는 신문광고를 보고, 열국의 교양인이 부끄러워 식은땀이 다 나더군요. 창피해서 견딜 수가 없습니다.

어째서 이렇게 낯짝이 두꺼운 걸까요. 컬티베이트cultivate된 인간은 부끄러워할 줄 압니다. 레닌은 무척 부끄럼이 많았다고 하지 않습니까? 특히 물건을 구경만 하고 사지는 않는 외국 손님(예를 들어 마쓰오카나

2_ 일본 출판 사상 최초로 백만 부 이상의 판매고를 올린 대중오락 잡지. 오락성에 중점을 둔 편집 방침을 고수했으며, 프롤레타리아 진영의 비판의 대상이 되기도 했다.

오시마[3] 같은 사람들) 앞에서는, 마치 소녀처럼 수줍어하며 얼굴을 붉혔다는 이야기를 들었습니다. 마쓰오카 같은 사람을 만나면, 조금이라도 양심이 있는 사람은 누구라도 쩔쩔맬 겁니다. 정작 본인 마쓰오카는 (이것은 예를 드는 것이지 실화는 아닙니다) 레닌이 자기에게 질려 있는 것도 모르고, '뭐야, 레닌이라는 놈도 소문만큼 대단한 남자는 아니로군. 내 눈빛에 압도되어 횡설수설하잖아. 패기가 없어!' 하고 단정 지은 후 여유만만하게 귀국해서는, '아아, 역시 히틀러뿐이다! 그 시원스럽고 씩씩한 모습, 날렵한 동작, 천재적인 예언!' 따위의 한심한 말을 늘어놓습니다. 제게는 히틀러의 사진이 교양이라곤 눈곱만큼도 없는, 흡사 이발소 간판이나 은단 광고처럼 보였고, 자기 발소리를 크게 만들기 위해 장화 발뒤꿈치에 몰래 납을 넣고 걷는 부류의 하사관 출신 사기꾼으로밖에 느껴지지 않았습니다. 저는 전쟁 중에도 지인들에게 이런 말을 하고 다녔는데, 이것이 제가 정보국의 요주의 인물이 된 이유인지도 모릅니다.

부끄러움을 잊은 나라는 문명국이 아닙니다. 지금의 소련은 어떨까요? 지금의 일본 공산당은 어떨까요?

우리의 루쉰 선생님이 지금 살아 있다면 무슨 말씀을 하실까요. 또, 푸슈킨의 독자였던 그 레닌이 지금 살아 있다면 뭐라고 말할까요.

또다시 이데올로기 소설이 유행하게 될까요? 그건 전쟁 중의 우익소설만큼 지독하지는 않겠지만, 성가시다는 점에서는 거기서 거깁니다. 저는 무뢰파원문 윗주: 리베르탱입니다. 속박에 반항합니다. 물 만난 듯 의기양양해 하는 자들을 조소합니다. 그래서 아무리 시간이 흘러도 출세하지

3_ 제2차 세계대전 당시 큰 영향력을 발휘했던 외무재상 마쓰오카 요스케松岡洋右와 육군중장 오시마 히로시大島浩를 가리킨다.

못하는 모양입니다.

저는 지금 보수당에 들어가려고 생각 중입니다. 이런 생각을 하게 되는 것이 바로 저의 숙명입니다. 편승 같은 것은 멋쩍어서 절대로 할 수가 없습니다.

숙명이라느니 인연이라느니 하는 말을 쓰면, 또 그 히스테릭한 과학파 혹은 '필연 무리'가 심하게 질책하겠지만, 이번에는 저도 겁먹지 않으려고 합니다. 저는 제 방식대로 해나갈 것입니다.

네 이웃을 네 몸과 같이 사랑하라.

이것이 저의 최초의 모토이자, 최후의 모토입니다.

그럼 안녕히. 한가하실 때 또 편지 주십시오. 그나저나 정말 묘한 인연이군요. 몸 건강하시길. 이만 줄입니다.

쓰가루 지방과 체호프 津輕地方とチェホフ

얼마 전 세 막짜리 희곡을 완성하고, 희곡을 더 써보고 싶은 마음에 큰형의 책장에서 이런저런 희곡집을 꺼내어 읽어봤는데, 일본 다이쇼시대 희곡의 한심함에는 할 말을 잃었다. 이런 글이라면 작가도 쓰면서 따분했을 텐데 용케도 썼구나, 독자도 따분해하지 않고 용케도 읽었구나, 그리고 이런 작품도 대개 대극장에서 당시의 명배우들이 연기했다고 하는데, 명배우들도 이런 시시한 대본을 용케도 진지하게 읊었구나, 관객도 용케 인내하며 보고 있었구나, 하고 기가 막히다 못해 불쾌하기까지 했다.

여 요즘 일을 안 하시네요.

남 할 수가 없어요. 막다른 지경에 이르러서, 거기서 안으로 더 파고들 수가 없어요.

여 곧 하실 수 있을 거예요. 막혀 있던 물이 장애물을 부수고 터져 나오는 기세로요.

바보 취급하지 말라고 말해주고 싶다. 이것은 일례에 불과하지만, 뭐 대부분 다 이런 식이어서 도저히 읽을 수가 없다. 희곡뿐 아니라,

아주 유명한 다이쇼시대 문학 중에도 지금 읽으면 굉장히 심각한 게 많다. 한 번 싹 대청소를 해야 할 필요성을 느낀다. 어쨌든 그 희곡 이야기로 돌아가서, 여러 가지를 읽었지만 나는 역시 체호프의 희곡이 가장 재미있었다. 체호프의 유명한 희곡은 대부분 시골 생활을 주제로 한다. 지금 나는 전쟁으로 피해를 입은 탓에 부득이하게 시골 생활을 하고 있는데, 지금 일본 쓰가루 지방의 생활을 그대로 체호프 극이라고 해도 좋을 것 같은 기분마저 들었다. 요즘에는 쓰가루 지방에도 소위 '문화인'들이 굉장히 많이 있다. 그리고 쓸데없이 '의미'만을 추구한다. 예컨대 <바냐 아저씨>[4] 속 아스뜨로프 씨가 말하듯이,

—인텔리겐치아에게는 정말 질렸습니다. 그들은 우리의 선량한 친구지만, 생각이 편협하고, 감정은 차갑게 식어 있고, 자기 바로 코앞에 있는 것밖에 보지 못하지요. ……딴 게 아니라, 그냥 멍청이들입니다. 제법 영리하고 그럴싸해 보이는 인간들은, 역시 히스테리와 의심과 비굴함에 좀먹히고 말았습니다. ……이런 녀석들은 불평을 늘어놓고, 사람을 증오하고, 병적으로 비방을 일삼습니다. 그리고 사람을 대할 때도 옆쪽으로 슬쩍 다가가서 힐끗 곁눈질하고는, '아아, 저놈은 변태다!' 라든지, '저 녀석은 허풍쟁이다!'라고 한마디로 정리해버리지요. 그런데 예를 들어 제 이마에 어떤 딱지를 붙여야 할지 모를 때에는, '저 녀석은 이상한 놈이다. 정말 이상한 놈이다!'라고 합니다. 내가 숲을 좋아하면 그것도 이상하고, 고기를 먹지 않으면 그것 역시 이상하다고 합니다. 뭐 대개 다 이런 식이고, 자연과 인간에 대해 솔직하고 바르며 의젓한

4_ 안톤 체호프가 1899년에 출판한 희비극. 노동을 천직 삼아 매부의 시골 영지를 돌보며 사는 노총각 바냐가 주인공으로, 퇴직 교수인 매부와 젊고 아름다운 새 부인 옐레나가 영지를 방문하면서 조용하던 시골 가정에 일어나게 되는 파문을 그린 작품이다.

태도를 보이는 이는 더 이상 없습니다. ……없어, 전혀 없다고!

또 <벚꽃 동산> 속 트로피모프 씨가 말하듯이,

—제가 아는 대부분의 인텔리겐치아들은 아무것도 추구하지 않고, 또한 아무런 일도 하지 않으며, 지금으로써는 노동에 무능력합니다. 스스로를 인텔리겐치아라고 칭하면서 하인들을 '네 녀석'이라고 함부로 부르고, 농사꾼들을 마치 동물처럼 취급하고, 제대로 된 공부는 하지 않고, 진지한 독서도 안 합니다. 아무것도 하지 않으면서 과학도 그저 입으로만 떠들 뿐이고, 예술에 대해서도 제대로 모릅니다. 그런 주제에 모두 진지하고, 모두 엄숙한 얼굴을 하고, 모두 고상한 말만 늘어놓으며 철학자 행세를 하는데, 그런데도 우리의 백 중 아흔아홉은 흡사 야만인 같은 생활을 하고, 아주 사소한 일에도 서로를 물어뜯고 욕하곤 합니다. 그러므로 우리가 입에 담는 미담 같은 것들은, 모두 그저 서로의 눈을 속이기 위한 것에 불과합니다. 빤히 다 들여다보입니다. 실제로 요즘 말이 많은, 노동자를 위한 탁아소는 대체 어디에 있습니까? 국민도서관은 어디에 있지요? 좀 가르쳐주시지 않겠습니까? 그런 것들은 소설 속에나 존재할 뿐이고, 실제로는 전혀 찾아볼 수 없습니다. 있는 것이라고는 오로지 추저분함과 범속, 아시아풍의 생활뿐입니다. ……저는 너무 진지한 얼굴이 무섭기도 하고, 싫기도 합니다. 저는 너무 진지한 이야기가 두렵습니다. 차라리 입을 다물고 있는 게 낫습니다.

그리고 또 <세 자매>에서는, 투젠바흐 씨와 마샤 씨가 다음과 같은 대화를 나눕니다.

투젠바흐 이백 년, 삼백 년 후는 말할 것도 없고, 가령 백만 년이 지난다 해도 생활은 지금까지와 다르지 않을 것입니다. 우리와 아무

관계가 없는—적어도 우리는 절대로 알 수 없을 그 자신의 법칙에 따르면서, 생활은 영원히 변하는 법 없이 항상 일정한 형태를 유지하며 계속되겠지요. 철새, 음, 예를 들어 두루미가 날아가고 있다고 해봅시다. 그리고 수준이 높든 낮든, 일단 어떠한 생각이 그 두루미의 머릿속에 자리 잡고 있다고 해도, 그들은 여전히 날아갑니다. 그리고 그 이유와 목적지는 모릅니다. 설령 어떤 철학자가 그들 사이에 나타난다고 해도, 그들은 현재에도 날고 있고, 또 미래에도 계속 날아가겠지요. 얼마든지 멋대로 이치를 따져보라고, 우리는 그저 날아가기만 하면 되니까 말이야, 하고 말하면서요…….

마샤 아무리 그래도 의미라는 것이—.

투젠바흐 의미라고요. ……지금 눈이 내리고 있다, 거기에 무슨 의미가 있습니까?

쓰가루 지방의 인텔리겐치아들 역시 이 '의미' 추구에 참으로 열심이다. 세월은 흐르는 물과 같아서, 라고 말하면 그것은 어떤 의미냐고 곧장 반문한다.

소위 심벌리즘symbolism에 대한 연습이 전혀 안 되어 있다.

고뇌의 연감苦悩の年鑑

시대는 전혀 변하지 않았다고 생각한다. 일종의 한심한 느낌이다. 이런 것을 두고 말 등에 여우가 올라탄 것 같다고[5] 하는 걸까.

이제는 내 처녀작이 된 「추억」[6]이라는 백 장짜리 소설의 첫머리는 다음과 같다.

'해 질 녘, 이모와 함께 나란히 대문 앞에 섰다. 이모는 아이를 업고 있는지 포대기를 두르고 있었다. 그때의 어스름한 길가의 정적을, 나는 기억하고 있다. 이모는 천황 폐하가 돌아가셨다, 라고 가르쳐주고는 살아 있는 신, 하고 덧붙였다. 살아 있는 신, 하고 나도 흥미로워하며 중얼거렸다. 그러고 나서 뭔가 불경한 말을 한 모양이다. 이모는 그런 말 하면 못써, 돌아가셨다고 해야지, 하고 나를 나무랐다. 어디로 돌아가신 걸까? 나는 알면서 일부러 그렇게 물어 이모를 웃게 했던 일을 기억하고 있다.'

이것은 메이지 천황이 돌아가셨을 때의 추억이다. 나는 메이지 42년1909년 여름에 태어났으니, 이때는 네 살이었을 것이다.

「추억」이라는 소설 속에는 또 이런 부분도 있다.

5_ 여우가 말 등에 올라탄 형상처럼 위태롭고 믿음이 가지 않는다는 뜻.

6_ 잡지 『바다표범海豹』의 1933년 4월, 6월, 7월호에 연재된 작품(전집 1권 수록).

'만약 전쟁이 일어난다면?'이라는 주제가 주어졌을 때는 이렇게 썼다. 지진, 천둥, 큰불, 아버지[7], 그보다 더 무서운 전쟁이 일어난다면 일단 깊은 산속으로 도망치자, 도망치는 김에 선생님에게도 같이 가자고 하자, 선생님도 인간, 나도 인간, 전쟁이 무서운 것은 피차일반이니까. 이때는 교장 선생님과 보조 교사가 나를 심문했다. 어떤 마음으로 이런 글을 썼느냐고 묻기에, 반쯤 장난으로 썼다고 대충 둘러댔다. 보조 교사는 수첩에 '호기심'이라고 적어 넣었다. 그런 다음 나와 보조 교사 사이에 잠시 논쟁이 있었다. 선생님도 인간, 나도 인간이라고 썼던데, 인간은 다 똑같은 것일까? 하고 그는 물었다. 그렇다고 생각한다, 라고 나는 우물쭈물 대답했다. 나는 대체로 입이 무거운 편이었다. 그렇다면 자신과 여기 교장 선생님은 같은 인간인데 왜 급료가 다르겠느냐? 하는 질문에 나는 잠시 고민했다. 그러고는 그건 하는 일이 다르기 때문이 아니겠냐고 대답했다. 갸름한 얼굴에 은테 안경을 낀 보조 교사는 내 말을 곧바로 수첩에 받아 적었다. 나는 전부터 이 선생님에게 호의를 가지고 있었다. 그런 다음 그는 다시 내게 이런 질문을 했다. 네 아버지와 우리도 같은 인간일까? 나는 말문이 막혀 아무 말도 하지 못했다.'

이것은 내가 열 살인가 열한 살 즈음의 일이니, 다이쇼 7년1918년 혹은 8년일 것이다. 삼십 년 정도 전의 이야기다.

그리고 또 이런 부분도 있다.

'소학교 4, 5학년 즈음에 막내 형에게 데모크라시라는 사상에 대해 들었는데, 어머니가 민주주의 때문에 갑작스레 세금이 올라 농사지은 쌀 대부분을 세금으로 빼앗겼다며 손님들에게 투덜대는 것을 듣고,

7_ 세상에서 가장 무서운 것을 순서대로 나열한 관용구.

나는 그 사상에 적잖이 마음이 흔들렸다. 그리고 여름에는 남자 하인들이 풀 베는 것을 도우면서, 겨울에는 지붕 위 눈 치우는 일을 도우면서 남자 하인들에게 데모크라시 사상에 대해 가르쳤다. 그러다가 얼마 안 가 남자 하인들이 내가 일을 돕는 것을 그다지 좋아하지 않는다는 사실을 알게 됐다. 내가 벤 풀은 나중에 그들이 다시 베어야 했다고 한다.'

이것 역시 다이쇼 7, 8년 즈음의 일이다.

그러고 보면, 지금으로부터 삼십여 년 전에 일본 혼슈 북단의 가난한 마을에 사는 어린아이에게까지 침투했던 사상과, 현재 쇼와 21년1946년의 신문잡지에서 말하는 '신사상新思想'이라는 것이 크게 다르지 않다는 생각이 든다. 일종의 한심한 느낌이란 이것을 말하는 것이다.

다이쇼 7, 8년의 사회 정세가 어떠했는지, 그리고 그 후 일본에서 데모크라시 사조가 어떻게 변했는지, 그것에 대해서는 적당한 문헌을 조사해보면 알 수 있을 것이다. 그러나 지금 그것을 보고하기 위해 이 수기를 쓰는 것이 아니다. 나는 시정市井의 작가다. 내가 하는 이야기는 항상 나라고 하는 작은 개인의 역사의 범위 안에 머무른다. 이것을 답답해하거나, 게으르다고 욕하거나, 혹은 상스럽다고 비웃는 사람이 있을지도 모른다. 그러나 후세 사람들이 우리가 살고 있는 이 시대의 사조를 살필 때, 소위 '역사가'가 쓴 책보다 우리가 늘 쓰는 한 개인의 단편적인 생활 묘사가 더 도움이 되는 경우가 있을지도 모른다. 무시할 수 없는 것이다. 그렇기 때문에 나는 가지각색 사상가들의 연구와 결론에 구애받지 않고, 내 개인적인 사상사思想史를 여기에 쓰고자 한다.

소위 '사상가'들이 쓰는 '왜 나는 무슨 무슨 주의자가 되었는가.' 하는 식의 사상 발전 회상록이나 선언서가 내게는 다 무척 뻔하게만 느껴진다. 그들이 그 '무슨 무슨 주의자'가 된 데에는 반드시 어떤 하나의 계기가 있다. 그리고 그 계기는 대개 드라마틱하다. 감격적이다.

내게는 그것이 거짓말로밖에 느껴지지 않는다. 믿으려고 아무리 애를 써도, 내 감각이 그것을 납득하지 않는다. 그 드라마틱한 계기에는 질리고 만다. 닭살이 돋을 지경이다.

어설프고 억지스럽게 갖다 붙인 것에 불과하다는 느낌이 든다. 그래서 나는 지금부터 내 사상사를 쓰면서, 그런 속이 빤히 들여다보이고 억지스러운 짓만은 하지 않으려고 한다.

나는 일단 '사상'이라는 말 자체에 반감을 느낀다. 하물며 '사상의 발전'이라느니 하는 것을 보면 더욱더 짜증이 난다. 어설픈 연극 같다.

차라리 이렇게 말해주고 싶다.

'제게 사상 따위는 없습니다. 좋고 싫은 것만 있지요.'

나는 지금부터 내가 여전히 잊지 못하는 사실만을 단편적으로 기록하고자 한다. 사상가들은 조각과 조각을 잇기 위해 천연덕스러운 거짓 설명을 덧붙이고자 기를 쓰는데, 속물들은 그 간격을 메꾸고 있는 악질적인 허위 설명을 보면 견딜 수 없이 기쁜 모양인지, 속물들의 감탄과 갈채는 대개 다 그 부분에서 터져 나오는 듯하다. 나로서는 정말 짜증스러울 수밖에 없다.

'그나저나' 하고 속물들은 묻는다. '당신의 어릴 적 데모크라시는 그 후 어떤 형태로 발전했습니까?'

나는 얼빠진 얼굴로 대답한다.

'글쎄요. 어떻게 됐는지는 잘 모르겠습니다.'

*

내가 태어난 집에는 자랑할 만한 족보 같은 것은 없다. 어딘가에서 흘러와 이 쓰가루 북단에 정착한 농사꾼이 우리 선조임이 틀림없다.

나는 무지하고 찢어지게 가난한 농사꾼의 자손이다. 우리 집안이 아오모리현에서 그나마 이름을 알리기 시작한 것은 증조부인 소스케 때부터였다. 그즈음 예의 고액 납세로 귀족원의원의 자격까지 가지게 된 사람은 한 현에 네다섯 명 정도밖에 없었다고 한다. 증조부는 그중 한 사람이었다. 작년에 고후시의 성 근처에 있는 헌책방에서 메이지 초기의 신사록[8]을 펼쳐봤더니, 실로 촌스러운 농사꾼 모습을 한 증조부의 사진이 실려 있었다. 증조부는 양자[9]였다. 할아버지도 양자였다. 아버지도 양자였다. 여자들이 강한 집안이었다. 증조모와 할머니, 그리고 어머니 모두 남편보다 오래 살았다. 증조모는 내가 열 살이 될 때쯤까지 사셨다. 할머니는 아흔 살로, 아직도 정정하시다. 어머니는 일흔까지 사시고 지난해에 돌아가셨다. 여자들은 모두 절을 무척이나 좋아했다. 특히 할머니의 신앙은 비정상적일 정도여서, 가족들이 그걸로 우스갯소리를 할 정도다. 절은 정토진종이다. 신란 스님이 창시한 종파다. 우리도 어렸을 적부터 지긋지긋할 정도로 절에 참배하러 가야 했다. 불경도 외워야 했다.

8_ 사회적 지위가 있는 인물의 이름, 경력, 직업 따위를 기록한 명부.

9_ 당시에는 양자養子라고 해서, 다른 집안에서 사윗감을 데려와 성을 신부 쪽으로 바꾸고 데릴사위 겸 집안의 대를 잇게 만드는 풍습이 있었다. 다자이의 아버지인 쓰시마 겐도 데릴사위 겸 양자로 쓰시마 가문에 들어온 인물이었다.

*

우리 집안에는 대대로 사상가가 한 명도 없다. 학자 역시 없다. 예술가도 없다. 관리, 장군조차 없다. 실로 평범한, 한낱 시골 대지주에 지나지 않았다. 아버지는 중의원의원을 한 번, 그리고 귀족원의원을 한 번 지냈지만, 딱히 중앙 정계에서 활약했다는 이야기는 들은 적이 없다. 아버지는 무척이나 큰 집을 세웠다. 운치고 뭐고 없는, 그저 크기만 한 집이다. 방 개수가 서른 개 정도 될 것이다. 그것도 다다미 10장, 20장 크기 정도 되는 방이 많다. 무시무시할 정도로 튼튼하게 지어진 집이지만, 아무런 멋도 느껴지지 않는다.

서화나 골동품 중에 중요미술품은 하나도 없었다.

아버지는 연극을 좋아하는 것 같았지만, 소설은 전혀 읽지 않았다. 아버지가 『사선을 넘어서』라는 장편을 읽고, 참 대단한 시간 때우기를 했다며 불평을 늘어놓던 것을 어릴 적에 들었던 기억이 있다.

그러나 우리 집안에는 복잡하고 어두운 구석은 전혀 없었다. 재산 다툼도 없었다. 요컨대 그 누구도 추태를 부리지 않았다는 말이다. 쓰가루 지방에서 가장 품위 있는 집안 중 하나로 손꼽혔던 모양이다. 이 집안에서 남에게 뒤에서 손가락질을 받는 멍청한 짓을 한 것은 나 하나뿐이었다.

*

내가 어렸을 적에(이러한 첫머리는 예의 사상가들의 회상록에 종종 등장하는 것으로, 내가 앞으로 쓰고자 하는 것도 자칫하면 사상가들의 회상록처럼 묘하게 의미심장한 척하는 글이 되지는 않을까 너무 걱정된 나머지 '에잇, 그렇다면 차라리 그런 허세 넘치는 첫머리를 써버리자' 하고, 즉 독으로 독을 누르는 방법을 택했다. 그러나 아래에 쓸 이야기는 결코 겉치레 글이 아니다. 이건 정말 사실이다), 아침에 눈을 떠서 밤에 잠들 때까지 내 곁에 책이 없었던 적은 단 한 순간도 없다고 말해도 과장이 아닐 것이다.

닥치는 대로 참 많이도 읽었다. 그렇지만 두 번 반복해서 읽는 일은 거의 없었다. 하루에 네 권이든 다섯 권이든 차례차례로 읽다가 중간에 덮었다. 일본의 옛날이야기보다 외국 동화가 더 좋았다. 「세 가지 예언」인지 「네 가지 예언」인지 지금은 잊어버렸지만, 너는 몇 살에 사자에게 도움을 받고, 몇 살에 강적을 만나고, 몇 살에 거지가 된다는 식의 예언을 듣고 전혀 믿지 않다가, 결국에는 그 예언대로 되어가는 남자의 생애를 묘사한 동화가 무척 마음에 들어서 두세 번 반복해서 읽었던 기억이 있다. 그리고 또 하나, 어렸을 적에 읽은 책 중에 묘하게 마음에 스민 이야기가 있다. 금으로 된 배인지 붉은 별인지 하는 그런 이름의 동화 잡지에 실렸던 무척 재미없는 이야기로, 병원에 입원해 있던 한 소녀가 어느 늦은 밤에 목이 너무 말라 머리맡에 놓인 컵에 조금 남아 있는 설탕물을 마시려고 하다가, 같은 병실의 할아버지 환자가 물, 물, 하고 신음하는 것을 들었다. 소녀는 침대에서 내려와 자신의 설탕물을 그 할아버지에게 전부 마시게 한다, 라는 게 이야기의 전부였는데, 나는 아직도 그 삽화까지 어렴풋이 기억하고 있다. 그 이야기는 정말 마음에 스몄다. 그리고 그 이야기의 제목 옆에 이렇게 쓰여 있었다. 네 이웃을 네 몸과 같이 사랑하라.

그러나 나는 이러한 기억을 내 사상에 억지로 갖다 붙이려는 생각은 없다. 나의 이런 추억담을 우리 집안의 종파인 신란의 가르침에 갖다 붙이고, 또 후의 그 데모크라시에 억지로 갖다 붙이려고 한다면, 그것은 마치 아무개 선생의 '나는 어떻게 무슨 무슨 주의자가 되었는가.'처럼 속이 빤히 들여다보이는 것이 되고 말리라. 내 독서에 대한 회상은 어디까지나 단편적인 것이다. 어디에 갖다 붙이려고 해도 무리가 있다. 거짓말을 하게 된다.

*

자, 그렇다면 예의 데모크라시는 그 후로 어떻게 되었을까. 어떻게 되고 말고 할 것도 없다. 그건 그대로 흐지부지 사라진 듯하다. 앞서 말했듯이, 나는 지금 여기에 당시의 사회 정세를 보고하려는 것이 아니다. 나의 육체적 감각의 단편斷片을 써 내려가고자 하는 것일 뿐이다.

*

박애주의. 눈 내린 사거리에 한 사람은 등불을 들고 웅크리고 있고, 한 사람은 가슴을 펴고 서서 '아아, 하느님'을 연발한다. 등불을 든 사람은 아멘 하고 신음한다. 나는 웃음을 터뜨렸다.

구세군. 그 음악대의 요란스러움. 자선냄비. 왜 냄비여야만 하는 것일까. 냄비에 더러운 지폐나 동전을 넣는다니 불결하지 않나. 그 여자들의 뻔뻔스러움. 옷차림은 좀 어떻게 안 되는 걸까. 악취미야.

인도주의. 루바슈카라는 것이 유행하고, 카추샤여 사랑스럽구나,[10]

라는 노래가 유행해서 무척 꼴사나워졌다.

나는 그 풍조들을 그저 흘려보냈다.

*

프롤레타리아 독재.

그것에는 분명 새로운 감각이 있었다. 협조가 아니다. 독재다. 상대방을 예외 없이 다 공격하는 것이다. 부자는 모두 나쁘다. 귀족은 모두 나쁘다. 돈 없는 일개 천민만이 옳다. 나는 무장봉기에 찬성했다. 기요틴 단두대 없는 혁명은 의미가 없다.

그러나 나는 천민이 아니었다. 기요틴에 오르는 역할이었다. 나는 열아홉 살짜리 고등학생이었다. 반에서는 나 혼자만 눈에 띄게 화려한 옷을 입었다. 이래서야 죽는 수밖에 없다고 생각했다.

나는 칼모틴을 잔뜩 삼켰지만, 죽지 못했다.

'죽을 필요 없어. 자네는 동지야.' 어느 학우는 나를 '장래가 밝은 남자'라고 하면서 여기저기 끌고 다녔다.

나는 돈을 내는 역할을 맡았다. 도쿄에 있는 대학에 오고 나서도, 나는 돈을 내거나 동지의 숙소나 식사를 책임지는 일을 떠맡았다.

소위 '거물'이라고 불리던 사람들은 대개 제대로 된 인간이었다. 그러나 송사리들에게는 진절머리가 났다. 허풍만 떨고, 무턱대고 사람을

10_ 루바슈카는 남성이 입는 블라우스풍의 상의로 러시아의 민속 의상이며, 제2차 세계대전을 전후로 하여 일본에서 소위 '톨스토이주의자'로 불리던 이들을 중심으로 유행했다. 카추샤는 톨스토이의 장편소설 『부활』에 등장하는 여주인공의 이름으로, '카추샤여 사랑스럽구나'는 이 소설을 바탕으로 한 연극에 사용된 곡 <카추샤의 노래> 속 가사의 일부분이다.

공격하면서 우쭐거렸다.

사람을 속이면서 그것을 '전략'이라고 불렀다.

프롤레타리아 문학이라는 것이 있었다. 나는 그것을 읽으면 소름이 끼치고 눈시울이 뜨거워졌다. 너무 억지스럽고 형편없는 글을 읽으면, 나는 어째서인지 소름이 끼치고 눈시울이 뜨거워진다. 자네에게는 글재주가 있는 듯하니, 프롤레타리아 문학을 해서 그 원고료를 당 자금으로 제공하지 않겠나, 라는 동지의 말에 익명으로 글을 써본 적도 있지만, 쓰는 도중에 눈시울이 뜨거워져서 완성하지 못했다(당시에 재즈문학이라는 것이 프롤레타리아 문학과 대립했는데, 이건 눈시울이 뜨거워지기는커녕 완전히 횡설수설이었다. 재미있지도 않았다. 나는 끝끝내 레뷰[11]라는 것을 이해할 수 없었다. 모던정신을 이해하지 못했던 것이다. 그러고 보면, 당시의 일본 풍조에는 미국풍과 소비에트풍이 섞여 있었다. 다이쇼 말기에서 쇼와 초기1920년경에 걸친 시기였다. 지금으로부터 이십 년 전이다. 댄스홀과 스트라이크. 굴뚝남[12]이라는 화려한 사건도 있었다).

결국 나는 생가를 속이고, 즉 '전략'을 써서 돈이나 옷가지 등 이것저것을 보내게 만들어서, 그것을 동지에게 나누어주는 능력밖에 없는 남자였다.

*

만주사변이 일어났다. 폭탄 삼 용사[13]. 나는 그 미담에 전혀 감탄하지

11_ revue. 흥행을 목적으로 노래, 춤 따위를 곁들여 풍자적인 볼거리를 위주로 꾸민 연극.

12_ 1930년 가나가와현 가와키시에서 있었던 방적 공장 파업 당시, 공장 노동자 중 한 사람인 다나베 기요시가 약 390m 높이의 굴뚝에 올라가 6일을 버텼던 사건.

않았다.

나는 자주 유치장에 감금되었고, 나를 심문하던 형사는 내 얌전한 태도에 어이없어하며, '네놈 같은 부르주아 도련님에게 혁명이 가당키나 한가? 진정한 혁명은 우리 같은 사람이 하는 것이다.'라고 말했다.

그 말에는 묘한 현실감이 있었다.

후에 소위 청년 장교들과 합심해 불쾌하고 교양 없고 불길한 변태 혁명[14]을 흉포하게 수행한 사람들 가운데, 분명 그 사람도 섞여 있었으리라는 느낌이 든다.

동지들은 잇달아 투옥되었다. 거의 다 투옥되었다.

중국을 상대로 한 전쟁은 계속되고 있었다.

*

나는 순수라는 것을 동경했다. 무보수의 행위. 이기심이 전혀 없는 생활. 그러나 그것은 지난한 일이었다. 나는 그저 홧술을 마실 뿐이었다.

내가 가장 증오한 것은 위선이었다.

*

예수. 나는 그 사람의 고뇌만을 생각했다.

13_ 제1차 상하이 사변 중(1932년 2월 22일)에, 중국의 국민혁명군 19로군이 상하이 교외에 쌓아 놓은 철조망을 뚫기 위해 폭탄과 함께 뛰어들어 자폭한 병사 세 명(에시타 다케지, 기타가와 스스무, 사쿠에 이노스케)을 가리킨다.

14_ 2·26 사건. 1936년 2월 26일부터 29일 사이에, 육군 황도파의 영향을 받은 청년 장교들이 천황 중심의 정치를 표방하며 1,483명의 장병을 이끌고 일으킨 쿠데타 미수사건.

*

관동지방 일대에 보기 드물게 큰 눈이 내렸다. 그날 2·26사건 이라는 것이 일어났다. 나는 화가 치밀어 올랐다. 어쩌겠다는 것인가. 뭘 하겠다는 것인가.

정말로 불쾌했다. 멍청이들이라고 생각했다. 격노에 가까운 감정이었다.

플랜은 있는가? 조직은 있는가? 아무것도 없었다.

그건 광인의 발작이나 다름없었다.

조직이 없는 테러리즘은 가장 악질적인 범죄다. 바보라고도 뭐라고도 형용할 수 없었다.

그저 우쭐대기만 하는 그 아둔한 행위의 기운이, 대동아전쟁이 끝날 때까지 만연해 있었다.

도조의 배후에 뭔가 있는 줄 알았더니 별로 특별한 것도 없었다. 텅 비어 있었다. 괴담과 비슷하다.

그 2·26사건의 다른 한편에서, 일본에서는 비슷한 시기에 오사다 사건[15]이라는 것이 일어났다. 오사다는 안대를 둘러 변장했다. 옷을 갈아입는 환절기여서, 오사다는 도망치는 중에 겹옷을 여름옷으로 바꿔 입었다.

*

15_ 1936년 5월에 일어난 아베 사다 사건을 가리킴. 요릿집 기생이었던 아베 사다가 불륜 관계였던 연인 이시다 기치조를 목 졸라 살해하고 성기를 자른 사건으로 당시 큰 화제가 되었다.

어찌 될 것인가. 나는 그때까지 이미 네 번이나 자살 미수를 되풀이했다. 그리고 역시 삼 일에 한 번은 죽을 생각을 했다.

*

중국과의 전쟁은 끝없이 이어졌다. 대부분의 사람들이 이 전쟁은 무의미하다고 생각하기 시작했다. 전환. 적은 미국과 영국으로 바뀌었다.

*

대본영[16] 장군들은 지리힌[17]이라는 말을 무척 진지하게 가르쳤다. 우스갯소리로 하는 말도 아닌 것 같았다. 그러나 나는 웃지 않고서는 그 말을 입에 담을 수가 없었다. 장군들은 '이 전쟁, 무슨 일이 있어도 완수하겠다.'라는 노래를 장려했지만, 전혀 유행하지 않았다. 민중들도 창피해서 차마 그런 노래는 부를 수 없었던 모양이다. 장군들은 또 언론인들에게 철통鐵桶이라는 말을 쓰게끔 했다. 그러나 그 말은 관棺을 연상시켰다. 전진轉進이라는, 어쩐지 데굴데굴 굴러다니는 공을 연상시키는 단어도 발명됐다. 적은 내 뱃속으로 들어온다고 말하면서 히죽히죽 기분 나쁘게 웃는 장교도 등장했다. 우리는 품속에 개미 한 마리라도 들어오면 이리저리 뒹굴며 난리법석을 떠는데, 이 장군은 적의 대부대를

16_ 전시나 사변事變 시에 설치되었던 일본의 최고 통수 기관.

17_ 점점 더 가난해진다는 말을 줄인 것으로, 상황이 조금씩 나빠진다는 뜻이다.

품속에 넣고서는 이걸로 됐다고 말하는 것이다. 뭉개버릴 생각이었던 걸까. 덴노산[18]은 여기저기로 옮겨갔다. 어쩌자고 또 덴노산을 꺼낸 것일까. 세키가하라[19] 정도라면 괜찮을 것이다. 덴노산을 착각한 것인지 덴모쿠산[20]이라느니 하는 말을 하는 장군도 등장했다. 덴모쿠산이라면 이야기도 안 된다. 참으로 이해하기 힘든 비유였다. 한 참모장교는 '이번 우리 작전은 적의 의표 밖을 나가지 않았다.'라는 말을 했다. 그것이 그대로 신문에 나왔다. 참모와 신문사 모두 우스갯소리는 아닌 것 같았다. 무척 진지했다. 의표 밖으로 나가면 굴러떨어질 수밖에 없다. 지나친 비약이다.

지도자는 모두 못 배운 이들이었다. 상식적인 레벨에조차 도달하지 못한 상태였다.

*

그러나 그들은 협박했다. 천황의 이름을 사칭해 협박했다. 나는 천황을 좋아한다. 무척 좋아한다. 그러나 그 천황을 남몰래 원망한 밤도 있었다.

• •

18_ 天王山. 승패가 결정되는 운명의 갈림길. 원래는 교토에 위치한 산 이름으로, 도요토미 히데요시가 오다 노부나가를 죽인 아케치 미쓰히데와의 전투에서, 예부터 수륙 교통의 요지였던 덴노 산을 선점하면서 대승을 거두어 생겨난 말이다.

19_ 關ヶ原. 승패가 결정되는 운명의 갈림길. 기후현 서쪽에 위치한 지역으로 세키가하라 전투(1600년)가 있었던 곳으로 유명하다. 도쿠가와 이에야스는 이 전투에서 이시다 미쓰나리를 상대로 대승을 거두고 패권을 잡는다.

20_ 天目山. 일본 전국시대의 무장 다케다 신겐의 넷째아들인 다케다 가쓰요리가, 오다 노부나가・도쿠가와 이에야스 연합군에게 패배하고 가족과 함께 자살한 곳으로, 야마나시현 고후시에 위치해 있다.

*

일본은 무조건항복을 선언했다. 나는 그저 부끄러웠다. 말이 나오지 않을 만큼 부끄러웠다.

*

천황을 욕하는 이들이 급격히 늘기 시작했다. 그러나 그렇게 되고 나니, 이제껏 내가 천황을 얼마나 깊이 사랑해왔는지 알 수 있었다. 나는 지인들에게 내가 보수파임을 선언했다.

*

열 살에는 민주파, 스무 살에는 공산파, 서른 살에는 순수파, 마흔 살에는 보수파. 역사는 역시 반복되는 것일까. 나는 역사는 반복되어서는 안 된다고 생각한다.

*

완전히 새로운 사조가 대두하기를 열망한다. 그 말을 하기 위해서는 무엇보다 먼저 '용기'가 필요하다. 내가 지금 꿈꾸는 경지는 프랑스 모럴리스트들의 감각을 기반으로 하여, 그 윤리의 의표를 천황에 두고, 우리는 자급자족하며 사는 아나키즘풍의 무릉도원이다.

정치가와 가정政治家と家庭

머리가 벗어진 선량한 인상의 기자분이 몇 번이나 찾아와, 얼굴에 난 땀을 닦으면서 글을 써 달라고 거듭 말씀하시기에 씁니다.

<사쿠라 소고로[21] 자식과의 이별>이라는 연극이 있습니다. 아부지이, 하고 울며 뒤쫓아 오는 자식을 뿌리치고, 소고로는 눈보라 속으로 달려가 사라집니다. 그 장면을 어떻게 생각하십니까? 미국인이 그걸 보면 어떤 느낌을 받을까요? 러시아인이 본다면 어떤 판단을 할까요?

하지만 우리 일본인, 특히 남자가 어떤 일에 몰두하면 대개 소고로처럼 되고 맙니다.

가정은 버려도 좋은 것일까요? 일본의 정치가들은 대부분 가정을 버린 듯합니다. 심한 경우에는, 독신인지 처가 있는지조차 알 수 없는 인물도 있습니다. 질서가 잘 잡힌 가정을 꾸린 정치가는 적은 것 같습니다.

질서가 잘 잡힌 가정을 유지하면서 일도 잘하는 정치가가 있어도 좋을 것 같습니다. 이야말로 지극히 어려운 일입니다. 하지만 형은

21_ 佐倉宗吾郎(1605~?). 에도시대 전기에 활약한 일본의 대표적 의민. 영주의 착취에 대항해 에도로 가서 도쿠가와 이에쓰나 장군에게 직소하는 등 정의로운 인물이었으나 결국 그 일을 계기로 처자식과 함께 처형당했다.

그것이 가능할지도 모르는 극소수의 인물 중 하나라고 생각합니다.

무리한 부탁인 것은 알지만, 그래도 부탁드려 봅니다. 저를 위한 부탁이 아닙니다.

바다海

도쿄 미타카에 살던 무렵에는 매일같이 근처에 폭탄이 떨어졌다. 나는 죽어도 상관없지만, 이 아이의 머리 위에 폭탄이 떨어진다면, 이 아이는 끝내 바다라는 것을 한 번도 못 보고 죽는 것이구나, 하고 생각하면 괴로웠다. 나는 쓰가루평야 한가운데에서 태어났기 때문에 바다를 보는 것이 늦어, 열 살 즈음에 처음으로 바다를 봤다. 그리고 그때 느꼈던 흥분은, 지금도 나의 가장 소중한 추억 중 하나로 남아 있다. 이 아이에게도 꼭 한 번 바다를 보여 주고 싶다.

아이는 다섯 살 난 딸이다. 결국 미타카의 집은 폭탄으로 무너졌지만, 가족들은 아무도 다치지 않았다. 우리는 아내의 고향인 고후시로 이사를 갔다. 그러나 고후시도 곧 적기의 습격을 받았고, 우리가 살던 집은 다 불타버렸다. 심지어 전쟁은 여전히 계속되었다. 결국 내가 태어난 곳으로 아내와 아이들을 데려갈 수밖에 없게 됐다. 그곳이 최후의 사지死地인 것이다. 우리는 고후에서 쓰가루의 생가를 향해 출발했다. 사흘 밤낮이 걸려 겨우 아키타현의 히가시노시로에 도착했고, 거기서 고노선으로 갈아타고 나자 마음이 조금 놓였다.

"바다는, 바다가 보이는 건 어느 쪽인가요?"

나는 먼저 차장에게 물었다. 그 선은 해안 바로 옆을 지나는 것이었다.

우리는 바다가 보이는 쪽에 앉았다.

"바다가 보일 거야. 조금만 있으면 보일 거야. 우라시마 다로[22] 씨의 그 바다가 보인단다."

나는 혼자 갖가지 호들갑을 떨었다.

"저것 봐! 바다야. 봐, 바다라고. 아아, 바다야. 정말 크지? 저게 바다야."

마침내 이 아이에게도 바다를 보여줄 수 있게 된 것이다.

"저건 강이지, 엄마." 아이는 태연하게 말했다.

"강?" 나는 경악했다.

"어어, 강이야." 아내는 반쯤 졸면서 대답했다.

"강이 아니야. 바다야. 정말 전혀 다른 거라고! 강이라니, 너무하잖아."

김이 팍 새서는, 나 홀로 해 질 녘 바다를 바라봤다.

• •

22_ 일본 각지에 존재하는 용궁 신화이자 동화인 「우라시마 다로」의 주인공. 우라시마는 어느 날 우연히 거북이를 구해준 일을 계기로 용궁에 초대받아 며칠을 보내게 되는데, 그 후 현실 세계로 돌아와 보니 이미 삼백 년이 지나 있었다는 내용의 이야기다.

찬스チャンス

인생은 찬스다. 결혼도 찬스다. 연애도 찬스다. 산전수전을 다 겪은 사람들이 의기양양한 얼굴로 종종 그렇게 가르치는데, 나는 그렇지 않다고 생각한다. 나는 딱히 예의 유물론적 변증법을 찬양하는 것은 아니지만, 적어도 연애는 찬스가 아니라고 생각한다. 나는 그것을 의지라고 생각한다.

그렇다면 연애란 무엇인가. 나는 말한다. 그건 무척 부끄러운 것이다. 부모 자식 사이의 애정 같은 것과는 전혀 다르다. 방금 책상 옆에 있는 사전을 펼쳐봤더니, '연애'를 다음과 같이 정의하고 있었다.

'성적 충동에 기반을 둔 남녀 간의 애정. 즉, 사랑하는 이성과 한 몸이 되려는 특수한 성적 애性的愛.'

그러나 이 정의는 애매하다. '사랑하는 이성'이란 무엇인가. 이성 간에 연애와 별개로 '사랑한다'는 감정이 존재하는 것일까. 남녀가 연애와 별개로 '사랑한다'는 것은 어떤 감정일까. 좋아하다. 사랑스러워하다. 반하다. 생각하다. 그리워하다. 애태우다. 망설이다. 이상해지다. 이것들 모두 연애의 감정이 아닌가. 이성 간에 이러한 감정과 전혀 다른, '사랑한다'는 또 다른 특별한 감정이 존재하는 것일까. 같잖은 여자들이 종종 '연애 감정 없이 애정만 갖고 만나요. 당신은 제 오라버니가 되어주세요.'

같은 말을 하는데, 그게 즉 앞서 말한 그런 것일까. 그러나 내 경험에 의하면, 여자가 그런 말을 할 때는 대개 남자가 차인 것으로 생각해도 무방한 듯하다. '사랑'이고 나발이고 없다. 오라버니라니 어이가 없다. 누가 네 녀석 오라버니가 된다더냐. 그런 걸 바라는 게 아니라고.

예수의 사랑, 같은 말을 꺼내는 건 너무 거창하지만, 그분이 가르치는 '이웃 사랑'이라면 이해가 된다. 그러나 연애와 별개로 '이성을 사랑한다'고 하는 것은, 내게는 위선처럼 느껴질 뿐이다.

다음으로 또 애매한 점은 '한 몸이 되려는 특수한 성적 애' 속의 그 '성적 애'라는 말이다.

성이 주체인지 사랑이 주체인지, 닭이 먼저인지 달걀이 먼저인지, 무한히 순환하는 애매하기 짝이 없는 개념이다. 성적 애라니, 이건 일본어가 아닌 게 아닐까. 왠지 품위 있는 척 꾸며서 말하는 듯한 느낌이다.

대체로 일본에서는 이 '애愛'라는 글자를 무턱대고 아무 데나 갖다 붙여서, 그것이 문화적이고 고상한 개념인 것처럼 꾸며내는 경향이 있다(애당초 나는 '문화'라는 말부터가 싫다. 글 도깨비お化け라는 뜻인가. 오래된 일본 책에는 文華 혹은 文花라고 적혀 있다). 연恋이라고 말해도 좋을 것을 굳이 연애라는 신조어를 만들어서는 연애지상주의니 뭐니 하는 것들을 대학 강단에서 외쳐대는데, 그것이 시대의 문화인인 젊은 남녀들의 공감을 얻기도 하는 모양이다. 그러나 연애지상이라고 말하기 때문에 왠지 고상하게 들리는 것일 뿐이고, 이것을 재래 일본어로 색욕지상주의라고 말한다면 어떨까. 교합지상주의라고 해도 의미는 같다. 뭐 그렇게 노려볼 것까진 없지 않은가, 연애 여사님이여.

즉 나는 연애의 '애'라는 글자, '성적 애'의 '애'라는 글자가 무척 마음에 걸리는 것이다. '애'라는 미명美名을 사용해 외설스러운 느낌을 은폐하려는 수작이 아닌가 하는 생각까지 든다.

'사랑'은 어려운 것이다. 그것은 '신'만이 가진 감정일지도 모른다. 인간이 인간을 '사랑한다'는 것은 보통 일이 아니다. 쉬운 기술이 아닌 것이다. 신의 아들은 제자들에게 '일곱 번씩 일흔 번이라도 용서하라'고 가르쳤다. 그러나 우리는 일곱 번조차도 힘들지 않을까. '사랑한다.'라는 말을 가볍게 쓴다면, 그건 그저 빈정거림일 뿐이다. 꼴같잖다.

'달이 너무 예쁘네요.' 따위의 말을 하며 손을 잡고 밤 공원을 산책하는 젊은 남녀는 서로 전혀 '사랑하고' 있지 않다. 마음속에 있는 것은 오로지 '한 몸이 되려는 특수한 성적 번민'뿐이다.

따라서 내가 만약 사전 편집자라면 다음과 같이 정의할 것이다.

'연애. 호색한 마음을 문화적으로 새롭게 꾸며낸 말. 즉, 충동적인 성욕을 기반으로 한 남녀 간의 격정. 구체적으로는, 한 사람 혹은 여럿의 이성과 한 몸이 되려고 발버둥 치는 특수한 성적 번민. 색욕의 Warming-up이라고나 할까.'

여기에 한 사람 혹은 여러 사람이라고 쓴 것은, 동시에 두셋의 이성을 연모할 수 있는 대단한 사람의 존재에 대해서 들은 적이 있기 때문이다. 흔히 삼각관계니 사각관계니 하는 한심한 말로 표현되는 연애 상태까지 고려하여 그렇게 쓴 것이다. 에도의 짧은 이야기 속에 나오는, '누구라도 상관없다'고 유모에게 고백하는 상사병에 걸린 아가씨[23] 역시 이 몇몇의 부류에 넣어도 무방하리라.

23_ 이유도 없이 시름시름 앓기 시작한 아가씨를 보고 상사병에 걸렸다고 판단한 유모가 그 상대가 누구인지 추궁하자, 아가씨가 멍한 얼굴로 '누구라도 상관없다'고 대답했다는 내용의 짧은 이야기.

다자이도 정말 상스러워졌군, 하고 고상한 독자는 화를 낼지도 모르지만, 나 역시 이런 글을 아무렇지도 않게 쓰고 있는 것은 아니다. 무척 불쾌하지만, 그래도 참아가며 쓰고 있는 것이다.

그래서 나는 처음부터 말해두었다.

연애란 무엇인가.

말하기를, '그것은 무척 부끄러운 것이다.'라고.

그 실태가 이 같은 것인 이상, 그건 너무 부끄러워서 입 밖에 낼 수 없는 말이어야 하는데도 불구하고, '연애'라고 겁도 없이 또박또박 발음하고도 태연하기만 한 문화 여사님이 우리 주변에도 있는 듯하다. 하물며 '연애지상주의'라니, 이 무슨 전대미문, 이 무슨 그로테스크. '연애는 신성하다.' 따위의 터무니없는 말을 하며 협박조로 나오다니, 정말이지 이 무슨 뻔뻔스러움. '신성'하다니, 과분한 말이다. 입이 썩어요. 도대체 어디를 누르면 그런 소리가 튀어나오는 건지? 호색한이 아닌가? 정말, 정말로 그게 신성한 것입니까?

자, 그렇다면 그 연애, 즉 색욕의 Warming-up은 단순히 찬스에 의해서만 시작되는 것일까? 이 경우 찬스라는 외국어는 일본에서 흔히 말하는 '뜻밖의 일', '우연한 일', '묘한 인연', '계기', '그때의 분위기' 등의 의미로 해석해도 좋을 듯한데, 삼십여 년에 걸친 내 호색 생활을 되돌아보아도, 그러한 것들로 인해 소위 말하는 '연애'가 시작된 경우는 한 번도 없었다. '그때의 분위기'에 취해 무심결에 여성의 가냘픈 손을 잡았던 적도 없고, 하물며 '우연한 일'을 계기로 하여 이성과 한 몸이 되려고 발버둥 치는 특수한 성적 번민에 빠진 장렬한 경험 역시 지금껏 한 번도 없었다.

나는 결코 거짓말을 하는 것이 아니다. 뭐, 일단 끝까지 읽도록.

'그때의 분위기'라느니 '뜻밖의 일'이라느니 하는 건 무척 추잡한 것이다. 죄다 졸렬하기 짝이 없는 연기일 뿐이다. 번개. 꺄아, 무서워— 라며 남자에게 달라붙는 그 가증스러움, 추잡함. 다 집어치우라고 말하고 싶다. 무서우면 혼자 웅크리고 있으면 될 일 아닌가. 상대 남자 역시 엉성한 손동작으로 여자의 어깨를 필요 이상으로 강하게 끌어안으면서, 무서울 것 없어, 괜찮아, 하고 외국인이 하는 일본어 같은 말을 중얼거린다. 혀는 꼬부라지고 목소리는 쉬어빠진 한심한 꼴이다. 졸렬한 연기의 극치라고 해야 할 것이다. '감미로운 연애'의 서곡이라 칭하는 '그때의 분위기'니 뭐니 하는 것들의 실태는 대개 이런 것으로, 가증스럽고, 추잡스럽고, 천박하고, 꼴사나운 것이다.

정말이지 사람을 우습게 본다. 그런 엉성하고 빤히 들여다보이는 연기를 하면서도 마치 그게 하늘에서 부여받은 묘한 인연인 것처럼 서로 수긍하는데, 뻔뻔스러운 것에도 정도가 있다. 아무것도 모르는 하늘의 신에게 자신들의 음흉한 책임을 전가하려고 드니, 신도 아연실색할 수밖에 없을 것이다. 참으로 뻔뻔스러운 생각이다. 신이 아무리 관대하다 해도, 이것만은 용서하지 않으시리라.

자나 깨나 예의 '성적 번민'에 대한 생각만 하기 때문에, 그런 '그때의 분위기'니 '계기'니 하는 것들로 인해 이유도 없이 '연애 관계'에 돌입할 수 있는 것인지도 모른다. 그러나 마음속에 그런 생각이 없을 때에는 '계기'고 '묘한 인연'이고 없다.

언젠가 나는 전차에서, 급정차로 인해 옆에 서 있는 젊은 여성 쪽으로 비틀거린 적이 있다. 그러자 그 여성은 불결한 것을 보는 듯한, 극심한 혐오와 모멸을 담은 눈빛으로 한참이나 나를 노려보았다. 나는 참을 수가 없어져서, 그 여성 쪽을 보고 서서 낮은 목소리로 진지하게 말했다.

"제가 당신에게 뭔가 외설스러운 짓이라도 했습니까? 자만하면 안 돼요. 누가 당신 같은 여자에게 일부러 기대겠습니까. 당신 자신의 성욕이 강하기 때문에 그렇게 이상한 추측을 하는 겁니다."

그 여성은 내 말이 시작되자마자 획 다른 곳을 보더니 전혀 들리지 않는 척을 했다. 멍청이! 라고 소리치며 뺨을 한 대 때려주고 싶은 기분이었다. 이렇듯, 마음에 색욕이 없을 때는 '계기'나 '그때 분위기'도 무척 재미없는 결과로 이어진다. 열차 같은 곳에서 맞은편에 앉은 여성과 '뜻밖의 일'로 연애 관계에 빠졌다는 어이없는 이야기를 종종 듣는데, '뜻밖의 일'이나 '사소한 일' 따위는 없다. 처음부터 그럴 작정으로 서로 호시탐탐 무언가 '계기'를 만들고자 발버둥 친 결과로 나온 어색하고 꼴사나운 잔꾀임이 틀림없다. 마음속에 그런 생각이 없다면, 다리가 부딪힌들 볼이 맞닿은들 그게 '연애'의 '계기'가 될 턱이 없다. 예전에 신주쿠에서 고후까지 네 시간 동안 열차를 탔을 때, 고후에서 내리려고 일어서다가 내 맞은편에 굉장한 미인이 앉아 있는 것을 뒤늦게 알아채고 놀란 일이 있다. 마음속에 색욕이 없을 때는, 굉장한 미인과 네 시간이나 무릎을 맞대고 앉아 있으면서도 그것을 깨닫지 못하는 일도 있는 것이다. 아니, 이건 정말 실화다. 너무 우쭐대며 떠벌리는 느낌이지만, 술집에서 술집 여자와 함께 곯아떨어져서 다음 날 아침까지 '뜻밖의 일'이니 '묘한 인연'이니 하는 것 없이, 물론 당연한 결과로 '연애'고 뭐고 없는 채로, '어머, 가시게요?' '응. 고마웠어.' 하고 하룻밤 재워준 것에 대한 감사 인사를 하고 그대로 나온 경험까지 있다.

이런 말을 하면, 나를 억지로 참으면서 같잖게 목석인 척하려는 남자, 혹은 임포텐츠성적 불구자, 혹은 사실은 의마심원욕정을 억제하지 못함이지만 너무 인기가 없어서 늘 차이기만 하는 남자라고 생각하는 사람도 있겠지만, 나는 결코 임포텐츠도 아니고, 또 그렇게 늘 차이기만 하는 가엾은 남자도 아니라고 생각한다. 요컨대 내 연애의 성립 여부는 찬스에 의한 것이 아니라, 철저히 스스로의 의지에 의한 것이다. 내게는 그 어떤 찬스도 없이 십 년간 사랑을 계속한 경험도 있고, 또 소위 말하는 절호의 찬스가 하룻밤 사이에 서너 번 거듭되었음에도 그 어떤 연애 관계도 생기지 않은 일도 있다. 내게는 연애 찬스설이 무척 하찮고 천박한 우설愚說로만 느껴진다. 그것을 훌륭하게 증명하기 위해, 나는 내가 학생 때 겪었던 어떤 사소한 사건에 대해 쓰려고 한다. 연애는 찬스에 의한 것이 아니다. 하룻밤 사이에 서너 번이나 '묘한 인연'이니 '사소한 일'이니 '뜻밖의 계기'니 하는 것들이 반복되어도 전혀 연애 관계가 성립하지 않은 좋은 예로써, 다음과 같은 내 경험을 고백하고자 한다.

그건 내가 히로사키고등학교에 들어간 그다음 해 2월 초순 즈음이었을까, 어쨌든 겨울, 그것도 대한大寒 무렵의 일이었을 것이다. 꼭 대한 무렵이어야만 하는 이유가 있는데 그건 뒤에 말하기로 하겠다. 어쨌든 무슨 술자리였는지는 모르겠지만, 어느 요릿집에서 마흔다섯 명이 모인 술자리가 열렸고, 내가 말 그대로 말석에 앉아 추위에 떨고 있었던 것에서 이 이야기를 시작하는 게 좋을 듯하다.

그건 무슨 술자리였을까. 무언가 문예와 관계가 있는 술자리였던 것 같기도 하다. 히로사키의 신문 기자들, 마을의 연극 연구회 비슷한 어떤 모임의 멤버, 그리고 고등학교 선생님과 학생들 등, 이런저런 사람들이 상당히 많이 모인 술자리였다. 거기에 참석한 고등학생들은 거의 다 상급생이었고, 일학년은 나 하나뿐이었던 것으로 기억한다. 어쨌든 나는 말석에 앉았다. 가스리[24] 기모노에 하카마를 입고서, 몸을 웅크리고 앉아 있었다. 게이샤가 내 옆으로 와서 앉더니 말했다.

"술은? 못 마시니?"

"못 마셔."

당시 나는 아직 정종을 마시지 못했다. 그 냄새가 견딜 수 없이 싫었다. 맥주도 못 마셨다. 써서 도무지 마실 수가 없었다. 포트와인이나 백주처럼 단맛이 나는 술이 아니면 마시지 못했다.

"넌 기다유[25]를 좋아하니?"

"그건 왜?"

"작년 말에 고토사기다유 배우 공연을 들으러 왔었지?"

"맞아."

"그때 내가 네 옆에 있었거든. 네가 폼을 잡으면서 교본에다 뭔가 표시를 하는 걸 봤어. 배우는 중이니?"

"응. 배우고 있어."

"대단하네. 스승님은 누구신데?"

"사키에다유 씨."

"그래? 좋은 스승님 밑에서 배우네. 그분은 히로사키에서는 제일 잘하시지. 게다가 차분하고 좋은 분이셔."

"맞아. 좋은 분이야."

"그런 사람 좋아해?"

"스승님이잖아."

"스승님인 게 뭐?"

• •

24_ 붓으로 살짝 스친 듯한 잔무늬가 있는 천.

25_ 조루리(샤미센 반주에 맞춰 이야기를 읊는 일본의 전통 예능)의 일종으로, 에도시대 전기에 다케모토 기다유竹本義太夫가 창시했다. 가락이 호쾌하고 화려한 것이 특징이다.

"그렇게 좋으니 마니 하는 건 그분께 실례야. 그분은 정말로 성실한 사람이라고. 좋다느니 싫다느니. 그런 한심한."

"어머, 그래? 너무 딱딱하네. 넌 아직 게이샤와 놀아본 적 없니?"

"이제부터 그럴 생각이야."

"그럼 날 불러. 내 이름은 있잖아, 오시노라고 해. 잊지 말도록 해."

시시한 옛날 화류 소설 속에 이런 장면이 자주 나오고, 또 이것이 '묘한 인연'이 되어 연애가 시작되는 그런 진부한 내용이 꽤 많았던 것 같은데, 그러나 나의 이 체험담에서는 그 어떤 연애도 시작되지 않았다. 따라서 이것은 내 사랑 이야기를 자랑하는 것이 절대 아니니, 독자들도 경계심을 버려주었으면 한다.

술자리가 파하고, 나는 요릿집에서 나왔다. 가랑눈이 내리고 있었다. 무척 추웠다.

"잠시만."

게이샤는 술에 취해 있었다. 방한용 얼굴 가리개를 쓰고 있었다. 나는 멈춰 서서 기다렸다.

그리고 나는 어느 작은 요릿집으로 안내받았다. 여자는 그곳에서 임시로 일하는 게이샤인 모양이었다. 나는 안쪽 방으로 안내받아, 고타쓰 앞에 앉았다.

여자는 술과 요리를 직접 방으로 들고 들어온 후, 그 가게의 동료로 보이는 게이샤 두 명을 불렀다. 모두 몬쓰키[가문(家紋)을 수놓은 일본 예복]를 입고 있었다. 왜 몬쓰키를 입고 있는지는 알 수 없었지만, 어쨌든 그 오시노라는 술 취한 게이샤와 그 동료 게이샤 모두 문장[紋章]이 새겨진 옷자락이 긴 기모노를 입고 있었다.

오시노는 두 동료를 앞에 두고 선언했다.

"난 이번에는 이 사람을 좋아하기로 했으니 그렇게 알고 있어."

두 동료는 불쾌한 표정을 지었다. 그리고 서로 얼굴을 마주 보고 눈빛을 주고받더니 그중 어린 쪽 게이샤가 다가가 앉아,

"언니. 그거 진심이에요?" 하고 화가 난 듯한 말투로 물었다.

"응. 진심이야. 물론 진심이지."

"안 돼요. 그건 잘못된 거예요." 젊은 여자는 눈썹을 찌푸리며 진지하게 말했고, 몬쓰키 게이샤 세 사람은 내가 알아들을 수 없는 '화류은어' 같은 이상한 말로 크게 언쟁을 시작했다.

그러나 내 마음은 오로지 한 곳에만 집중되어 있었다. 고타쓰 위에는 요리가 담긴 쟁반이 놓여 있었다. 그 쟁반 한구석에 참새구이 접시가 있었다. 나는 그 참새구이가 먹고 싶어 견딜 수가 없었다. 바야흐로 계절은 대한. 대한의 참새고기는 기름기가 풍부해서 가장 맛있다. 한작寒雀이라고 불리는 대한 무렵의 참새고기는 쓰가루 아이들에게 아주 인기가 많은데, 덫이니 뭐니 갖가지 장치를 동원하여 앞다투어 잡아서는 소금구이를 해서 뼈째로 먹는다. 작은 유리구슬 크기의 머리도 으득으득 다 씹어 먹는다. 머릿속에 든 뇌가 또 굉장히 맛있기로 유명하다. 너무 야만적이긴 하지만, 그 독특한 맛의 매력에 사로잡혀 나 역시 어릴 적에는 이 한작을 쫓아다니고는 했다.

오시노 씨가 몬쓰키의 긴 옷자락을 끌며 이 요리가 담긴 쟁반을 들고 방으로 들어와(늘씬한 몸에 얼굴이 갸름하고 고풍스러운 미인형이었다. 나이는 스물 두셋 정도 됐을까. 후에 들은 바로는, 히로사키의 어느 유력자의 첩으로, 뭐 당시에는 일류 게이샤였던 모양이다) 내 앞 고타쓰 위에 올려놓은 순간, 나는 바로 그 쟁반 한구석에 놓여 있는 참새구이를 발견하고는 '엇, 한작!' 하고 속으로 몰래 환희했다. 먹고

싶었다. 그러나 나는 상당한 허세꾼이었다. 몬쓰키를 입은 아름다운 게이샤 세 사람에게 둘러싸인 상태에서 한작을 통째로 아작아작 씹어 먹을 용기는 없었다. 아아, 저 머릿속 뇌는 얼마나 맛있을까. 그러고 보니 한작을 안 먹은 지도 꽤 오래됐군, 하고 몸을 비틀면서도, 맹렬하게 그것을 입안 가득 밀어 넣는 만용은 부릴 수 없었다. 나는 어쩔 수 없이 은행나무 열매를 이쑤시개로 쪼아서 먹었다. 하지만 도무지 포기할 수가 없었다.

반면 여자들의 언쟁은 한참이고 시끄럽게 이어졌다.

나는 자리에서 일어나 돌아가겠다고 말했다.

오시노가 배웅하겠다고 했고, 우리는 우르르 현관으로 나왔다. 나는 아, 잠시만, 하고 말하고는 마치 날아가는 새처럼 안쪽 방으로 돌아가서 눈을 부릅뜨고 주변을 살핀 뒤, 급하게 쟁반 위에 놓인 참새구이 두 마리를 집어 품속에 쑤셔 넣은 다음 천천히 현관으로 나와서,

"잊은 물건이 있어서." 하고 쉰 목소리로 거짓말을 했다.

오시노는 얼굴 가리개를 쓰고 얌전히 내 뒤를 따라왔다. 내 머릿속은 얼른 하숙집에 돌아가 느긋하게 참새구이 두 마리를 먹고 싶다는 생각으로 가득했다. 우리 둘은 눈길을 걸으면서 특별히 이렇다 할 대화도 나누지 않았다.

하숙집 문은 잠겨 있었다.

"아아, 이런. 쫓겨났네."

그 집 주인은 엄격한 사람이라, 내가 늦은 시간까지 귀가하지 않으면 벌을 주는 의미에서 문을 잠가버리곤 했다.

"괜찮아." 오시노는 차분하게 말했다. "아는 여관이 있어."

다시 돌아가서 오시노가 안다는 그 여관으로 안내받았다. 상당히

고급스러운 여관이었다. 오시노는 문을 두드려 여관 주인을 깨우고는 내가 머물 수 있도록 부탁했다.

"잘 가. 정말 고마워." 나는 말했다.

"안녕." 오시노도 말했다.

이걸로 됐다. 이제 혼자 참새구이를 먹는 일만 남았다. 나는 방으로 안내받은 후, 주인이 깔아준 이불 속에 재빨리 기어들어 갔다. 자, 이제 느긋하게 참새구이를, 하고 생각한 그 순간 현관에서,

"주인아저씨!" 하고 외치는 오시노의 목소리. 흠칫 놀라 귀를 기울였다.

"저기, 게다 끈이 끊어졌어요. 부탁이니까 좀 고쳐주실래요? 난 그동안 손님방에서 기다리고 있을게요."

이거 큰일이군, 하고 베갯머리에 둔 참새구이를 이불 속에 숨겼다.

오시노는 방으로 들어와서 내 머리맡에 반듯하게 앉더니 계속 말을 걸어왔다. 나는 졸린 목소리로 건성건성 대꾸했다. 이불 속에는 참새구이가 있었다. 결국 오시노와는 이렇게나 많은 찬스가 있었음에도 불구하고, 연애의 연자 비슷한 일도 일어나지 않았다. 오시노는 한참 동안 내 머리맡에 앉아 있더니 이렇게 말했다.

"내가 싫은 거야?"

나는 그 질문에 이렇게 대답했다.

"싫은 건 아닌데 졸려서."

"그래? 그럼 가볼게."

"어, 잘 자."라고 내 쪽에서 먼저 말했다.

"잘 자."

오시노도 그렇게 말하고 마침내 자리에서 일어섰다.

그리하여, 그것으로 끝이었다. 그 후로 나는 게이샤들과 자주 어울려 놀았는데, 어쩐지 히로사키에서 놀기는 조금 부끄러워서 주로 아오모리 게이샤들과 놀았다. 문제의 참새구이는 오시노가 돌아간 후에 먹었는지, 아니면 김이 새서 그냥 버렸는지 기억나지 않는다. 아무래도 먹기 싫어져서 버렸던 것 같다.

이것이 즉, 연애는 찬스에 의한 것이 아니고, 하룻밤 사이에 서너 번이나 '묘한 인연'이니 '사소한 일'이니 '뜻밖의 계기'니 하는 것들이 반복되어도 어떠한 완고한 의지로 인해 연애가 전혀 성립되지 않는 일도 있다는 것의 증거다. 정말 그저 '사소한 일'만으로도 연애가 성립된다면, 실로 외설스러운 세상이 되고 말리라. 연애는 의지에 의한 것이어야 한다. 연애 찬스설은 음란한 것에 가깝다. 그럼 한 가지 더, 아무런 찬스도 없었는데 십 년간 사랑을 계속한 경험이 도대체 무엇이냐고 독자가 묻는다면, 나는 다음과 같이 대답할 것이다. 그것은 짝사랑이라고 하는 것으로, 짝사랑이야말로 사랑의 최고의 모습이다.

교훈. 연애뿐 아니라, 인생 전부를 찬스에 의지하려 드는 것은 상스러운 짓이다.

같은 별同じ星

자신과 같은 해, 같은 달, 같은 날에 태어난 사람에게 무관심할 수 있을까?

나는 메이지 42년1909년 6월 19일에 태어났는데, 『송어』라는 잡지의 편집자인 미야자키 유즈루 씨 역시 메이지 42년 6월 19일에 태어났다고 한다.

육칠 년쯤 된 일인데, 나는 미야자키 씨로부터 편지를 받은 적이 있다. 대충 다음과 같은 내용이었던 것으로 기억한다.

문예연감을 보고 자네가 메이지 42년 6월 19일에 태어났다는 것을 알게 됐네. 무척 기괴한 느낌이더군. 사실은 나도 메이지 42년 6월 19일에 태어났다네. 이 불가사의한 공통점을 지금까지 몰랐다니 유감이야. 술이나 한잔 하자고. 자네가 한가한 때를 알려주게. 나는 시인이라네.

그 편지를 받고, 나는 묘한 황홀감 같은 것을 느꼈다.

단언해도 좋으리라고 생각하는데, 메이지 42년에 태어난 사람 중에 행복한 이는 단 한 사람도 없다. 틀려먹은 해인 것이다. 거기다 6월. 거기다 19일.

죄는, 태어난 시각에 있으니.

나는 스스로의 좌절감을 출생 시각에 귀착시킨 적까지 있다.

그 두려워해야 마땅한 날에, 라니, 그런, '두려워해야 마땅한'이라니, 겨우 그런 흔한 표현으로 가볍게 정리할 수 있는 것이 아니라, 거울 두 장을 마주 대어놓고 그 속에 비치는 영상의 개수를 셀 때의 절망감과 비슷한 불쾌하고 괴로운 형용사가 필요한데, 어찌 됐든 나는 그날 태어난 시인과 함께 술을 마시기가 몹시 망설여졌다.

하지만 결과는 기분 좋은 것이었다. 만나보니, 이 미야자키 유즈루 씨는 내가 아는 사람 중 가장 순진한 사람이었다. 순진하다는 표현 역시 무척 거슬리지만, 성실하다는 말로 바꿔 봐도 여전히 거슬린다.

어쨌든 나는 미야자키 씨와 만나서 구원받은 부분이 있다. 구원받았다는 말도 실로 경박하지만, 나는 미야자키 씨가 무사 평안하기를 진심으로 기원한다, 라고 말하는 것 외에는 달리 방법이 없다.

건강하시길, 이라고 혼신의(이것도 영 거슬리지만) 기원을 담아 미야자키 씨에게 말하고 싶다.

이번에 잡지를 내신다고 들었는데, 지금까지의, 지금까지의 당신 모습 그대로 살아주세요. 후략.

쇼와 21년1946년 9월 8일.

太宰治

1947년[쇼와 22년], 38세

❝「아버지」는 그렇게 칭찬을 받을 만한 작품이 아닙니다. 「아버지」를 읽으셨다면, 꼭 『비용의 아내』라는 글도 읽어주셔야 합니다. 『비용의 아내』는 『전망』 3월호에 실려 있습니다. 「아버지」와 일맥상통하는 부분도 있지만, 진심으로 '소설'을 쓸 생각으로 쓴 글입니다.❞ (4월 30일, 이마 하루베에게 보낸 편지 중에서)

이해 연초부터 다자이는 『비용의 아내』를 집필하기 시작한다. 집에 술손님이 끊이지 않았던 탓에 글쓰기가 여의치 않자, 따로 방을 하나 빌려 작업실로 삼고, 매일 아침 9시에 도시락을 싸들고 출근해 3시 정도까지는 집필에 전념했다. 2월 21일에는 『사양』을 집필하기 위해 이즈로 떠나는데, 다자이가 가장 먼저 찾은 곳은 오타 시즈코의 산장이었다. 시즈코가 어머니와의 추억을 회상하며 기록한 일기를 읽어보기 위해서였다. 두 사람은 그에 앞서 1월 6일에 도쿄에서 한 차례 만남을 갖는데, 그때 이미 다자이는 그 일기를 바탕으로 『사양』을 집필할 것을 결심한 상태였다. 시즈코의 일기를 읽은 다자이는, 이즈에 머물면서 당초의 구상과 다른 방향으로 『사양』을 쓰기 시작해, 3월 6일에는 한 회분의 집필을 마치고 7일에 도쿄로 돌아온다. 3월 중순 다시 시즈코의 산장을 방문한 다자이는 시즈코의 임신 소식을 듣고 큰 충격을 받게 되는데, 당시 다자이가 했던 "이제 우리 두 사람은 같이 죽을 수 없게 됐네."라는 말은 사실상 이별 통보나 다름없었다. 실제로 다자이는 그날 이후 두 번 다시 산장을 찾지 않았다.

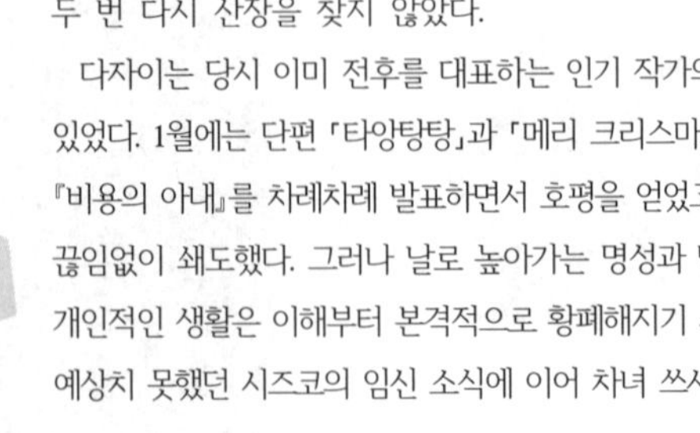

다자이는 당시 이미 전후를 대표하는 인기 작가의 반열에 올라 있었다. 1월에는 단편 「타앙탕탕」과 「메리 크리스마스」를, 3월에는 『비용의 아내』를 차례차례 발표하면서 호평을 얻었고, 원고 요청은 끊임없이 쇄도했다. 그러나 날로 높아가는 명성과 달리, 다자이의 개인적인 생활은 이해부터 본격적으로 황폐해지기 시작했다. 전혀 예상치 못했던 시즈코의 임신 소식에 이어 차녀 쓰시마 유코[津島佑子]

가 태어났고, 다운 증후군을 앓고 있던 장남 쓰시마 마사키의 건강 상태는 호전될 기미를 보이지 않았다(쓰시마 마사키는 1959년, 15세의 나이로 사망했다). 다자이는 갈피를 잡지 못하고 괴로워하며 방황하기 시작했고, 마시는 술의 양도 급격히 늘어났다. 그러던 중에 미타카의 미용실에서 일하던 야마자키 도미에山崎富栄와 우연히 알게 되고, 두 사람의 관계는 급격히 발전한다. 다자이는 『사양』의 집필이 마무리되어 갈 즈음 미타카에 있는 요릿집 2층에 방을 빌리는데, 창문을 열면 바로 도미에의 방이 보이는 곳이었다.

한편, 7월에 처음 발표한 『사양』은 젊은 세대들 사이에서 큰 반향을 불러일으켜, 막대한 인기 속에 10월까지 연재되었다. 『사양』의 폭발적인 인기로 인해 '사양족'이라는 신조어가 탄생하기도 했으며, 이 같은 젊은 세대의 전폭적인 지지에 힘입어, 『사양』은 그야말로 "전후를 상징하는, 시대의 유행어"(가와무라 마사토시河村政敏)가 되었다.

그리고 11월. 다자이는 11월에 시즈코의 출산 소식을 듣고, 아이의 이름을 지어 다음과 같은 편지를 보낸다.

❝증證 오타 하루코太田治子 이 아이는 나의 사랑스러운 아이로, 항상 아버지를 자랑스러워하면서 건강하게 자라기를 바란다. 쇼와 22년 11월 12일 다자이 오사무.❞

한편, 건강 악화로 인한 불면증과 각혈이 날로 심해지고 있었다. 마시는 술의 양은 정상 수준을 넘어섰고, 가까운 지인들은 이즈음부터 다자이가 아슬아슬한 상태임을 어렴풋이 감지하기 시작했다. 그리고 10월에 발표한 「오상」을 마지막으로, 다자이가 「어복기」를 발표한 이후부터 직접 기록해오던 창작 연표는 끊어졌다.

새로운 형태의 개인주의新しい形の個人主義

이른바 사회주의의 세상이 되는 것, 그건 당연한 일이라고 생각해야 한다. 민주주의라고는 해도 그건 사회민주주의를 의미하는 것으로, 예전의 사상과는 다르다는 것을 알아야 한다. 윤리에 있어서도, 새로운 형태의 개인주의가 대두하고 있는 이 현실을 직시하고 긍정하는 가운데, 우리의 삶의 방식이 존재할지도 모른다고 생각해 볼 필요도 있다.

오다 군의 죽음織田君の死

오다[1] 군은 죽을 마음을 먹고 있었다. 나는 오다 군의 단편소설 두 편을 읽었을 뿐이고, 만난 것도 딱 두 번, 그것도 바로 한 달쯤 전에 처음 만난 것이라 그리 각별한 사이는 아니었다.

하지만 나는 오다 군의 슬픔을, 대부분의 사람들보다 훨씬 더 깊이 감지했다고 생각한다.

처음 그와 긴자에서 만났을 때, '어쩜 이리도 슬픈 남자인가.' 하는 생각이 들어서, 나까지 괴로워 견딜 수가 없었다. 그의 앞길에는 죽음의 벽 외에는 아무것도 존재하지 않는다는 것이 선명하게 보이는 듯한 느낌이었기 때문이다.

이 녀석은 죽을 작정이다. 하지만 나는 어찌할 도리가 없다. 선배다운 충고 같은 건 추잡한 위선이다. 그저 지켜보는 것 외에는 방법이 없다.

죽을 작정으로 글을 휘갈겨 쓰는 남자. 나는 그런 남자가 지금 이 시대에 훨씬 더 많이 존재하는 것이 당연하다고 생각하지만, 의외로 잘 찾아볼 수 없다. 정말이지 시시한 세상이다.

• •

1_ 오다 사쿠노스케織田作之助(1913~1947). 다자이, 사카구치 안고 등과 함께 전후의 무뢰파를 대표하는 작가 중 하나로 '오다 사쿠'라는 애칭으로 불리며 널리 사랑받았으며, 폐결핵으로 입원 중에 사망했다.

세상의 어른들은 오다 군의 죽음에 대해, 더 자중했어야 한다느니 뭐라느니 하면서 다 안다는 얼굴로 비판할지도 모르지만, 그런 파렴치한 말은 이제 그만하라고!

어제 읽은 다쓰노 씨의 세낭쿠르[2] 소개문 속에, 다음과 같은 세낭쿠르의 말이 인용되어 있었다.

'삶을 버리고 도망치는 것은 죄악이라고 사람들은 말한다. 하지만 내게 죽음을 금하는 그 궤변가들이 때때로 나를 죽음 앞에 놓이게 하고, 죽음을 향해 나아가게 만든다. 그들이 생각해내는 갖가지 혁신은 내 주위에 죽음의 기회를 증식시키고, 그들이 하는 말은 나를 죽음으로 이끌며, 또 그들이 정하는 법률은 내게 죽음을 부여한다.'

오다 군을 죽인 것은 네 녀석이 아니냐.

그의 갑작스러운 죽음은, 그의 애처로운 마지막 항의의 시였다.

오다 군! 자네, 수고 많았네.

2_ 에티엔 세낭쿠르Etienne Pivert de Senancour(1770~1846). 프랑스 작가. 19세기 낭만주의 사조의 선구자로, 대표작으로는 1804년에 발표한 『오베르망』이 있다.

나의 반생을 말하다わが半生を語る

자라온 과정과 환경

저는 시골의 소위 부자라고 불리는 집에서 태어났습니다. 형과 누나가 아주 많았고, 그중 막내로 별다른 어려움 없이 자랐습니다. 그 때문에 세상 물정 모르는 심한 부끄럼쟁이가 되고 말았습니다. 남들 눈에 제가 그런 성격을 자랑스러워하는 것처럼 보이지는 않을까, 그게 늘 신경이 쓰입니다.

저는 남에게 말도 제대로 못 붙일 정도로 심약한 성격으로, 따라서 생활력도 제로에 가깝다는 것을 자각한 상태로 어릴 적부터 지금까지 살아왔습니다. 그러므로 저는 오히려 염세주의자라고 해도 좋을 만큼 삶에 별다른 의욕을 느끼지 못합니다. 그저 한시라도 빨리 이 생활의 공포에서 벗어나고 싶다, 이 세상과 작별하고 싶다, 어릴 적부터 그런 생각만 했습니다.

이런 제 성격이 제가 문학을 지향하게 된 동기가 됐다고 말할 수 있겠지요. 자라온 가정과 육친, 혹은 고향이라는 개념, 그러한 것들이 아주 강하게 뿌리박혀 있는 듯한 느낌이 듭니다.

제가 작품 속에서 생가를 자랑하고 있는 것처럼 보일지도 모르지만,

오히려 그건 집의 실제 규모를 겸손하게 줄여서, 거의 그것의 절반, 아니 그보다 훨씬 더 자제하면서 이야기하는 것입니다.

하나를 보면 열을 안다고, 왠지 항상 제가 그 이유로 사람들에게 비난받고 적대시 당하는 듯한, 그런 공포감이 늘 저를 따라다닙니다. 그래서 일부러 가장 밑바닥 생활을 해 보이기도 하고, 또 그 어떤 지저분한 일에도 태연해지려고 노력하기도 했지만, 아무리 그래도 허리띠 대신 노끈을 두를 수는 없었습니다.

그것이 사람들이 저를 두고 어딘지 거만하다고 생각하는 첫 번째 이유인 듯합니다. 하지만 제 입장에서 말하자면, 그것이 제 나약함의 가장 큰 원인이기 때문에, 제 몸에 걸친 모든 것을 벗어던져 보이고 싶다는 생각을 몇 번이나 했는지 모릅니다.

예를 들어 연애에 있어서도, 그야 저도 가끔은 여자들에게 호감을 사곤 하는데, 남들 눈에 제가 부잣집 아들이라는 이유 하나만으로 여자들의 호감을 사는 것처럼 보이는 게 싫어서 제가 먼저 연애를 단념한 일이 몇 번이나 있습니다.

지금 저희 형이 아오모리 현의 민선지사로 있는데, 여자들 앞에서 그런 이야기를 꺼내면 그걸 이용해 여자들의 마음을 얻으려는 것처럼 보일까 싶어, 오히려 항상 연극을 하듯이 자신을 하찮은 인간으로 깎아내리는, 그런 어리석은 노력을 하며 살아왔습니다. 이건 스스로도 감당이 안 돼서, 아직 해결책을 찾지 못하고 있습니다.

문단 생활?……

제가 아직 도쿄대학 불문과에서 꾸물거리고 있었던 스물다섯 무렵, 개조사改造社의 『문예』라는 잡지에서 단편소설을 써달라고 해서, 때마침 써두었던 「역행」[3]이라는 글을 보냈습니다. 그로부터 이삼 개월 정도 후, 신문광고에 제 이름이 다른 선배들 이름과 나란히 커다랗게 실렸고, 그 글이 후에 제1회 아쿠타가와상 후보로 올랐습니다.

그 「역행」과 비슷한 시기에 동인지 『일본낭만파』에 「어릿광대의 꽃」[4]을 발표했습니다. 그 작품이 사토 하루오 선생님께 칭찬을 받았고, 그 후로 문예지에 잇달아 작품을 발표할 수 있었습니다.

그걸로 저도 문단 생활이라고 할까, 어쩌면 소설을 써서 먹고살 수 있지 않을까, 하는 희미한 희망을 가지게 되었습니다. 그때가 대충 연도로 따지면 쇼와 10년1935년쯤이었습니다.

돌이켜보면, 문학을 지향하게 된 뚜렷한 동기에 대해서는 잘 모르겠고, 거의 무의식이라고 해도 좋을 정도로, 저도 모르는 사이에 문학의 들판을 걷고 있었던 듯한 느낌입니다. 정신을 차려보니 그야말로 갈 길도 천 리 돌아갈 길도 천 리라고나 할까, 뒤로 물러설 수 없는 문학의 들판 한가운데에 서 있다는 것을 깨닫고 무척 놀랐다는 것이 진실에 가까운 듯합니다.

3_ 1935년 2월에 잡지 『문예』에 일부분이 발표되고, 같은 해 10월 <제국대학신문>에 나머지가 실렸다(전집 1권 수록).

4_ 1935년 5월에 발표된 작품으로, 『인간 실격』의 모태격인 작품으로 평가받기도 한다(전집 1권 수록).

선배 · 좋아하는 사람들

제가 교제를 청하고 있는 선배는 이부세 마스지 씨가 유일하다고 해도 좋을 것입니다. 평론가 중에는 가와카미 데쓰타로, 가메이 가쓰이치로, 이 사람들도 『문학계』 관련 일을 하며 술친구가 되었습니다. 나이가 더 많은 선배로는, 이걸 교우라고 말하는 건 실례일지도 모르지만, 댁에 찾아뵌 적이 있는 분으로는 사토 하루오 선생님과 도요시마 요시오 선생님이 계십니다. 그리고 이부세 씨는 지금의 아내를 중매해주셨을 만큼 저와 돈독하게 지내주십니다.

이부세 씨에 대해서라면, 초기의 『심야와 매화』라는 책에 실린 모든 작품은 거의 보석을 나열해 놓은 듯한 인상을 받았습니다. 또, 가무라 이소타[5] 등도 예전부터 무척 대단한 사람이라고 생각해왔습니다.

이것은 나약한 성격을 가진 인간의 특징일지도 모르겠는데, 제게는 사람들이 너무 야단법석을 떨거나 존경하는 작품에는 일단 의문을 품고 보는 버릇이 있습니다.

메이지 문단에서는 구니키다 돗포[6]의 단편이 아주 훌륭하다고 생각합니다.

프랑스 문학 중에서는, 19세기라고 하면 다들 발자크나 플로베르와 같은 이른바 대문호를 추종하지 않으면 왠지 문인으로서의 자격이 없다는 식의 이상한 상식을 가진 듯한데, 저는 사실 그러한 대문호의

• •

5_ 嘉村礒多(1897~1933). 인간의 추악한 내면을 폭로하는 사소설로 문단의 호평을 받았던 소설가.

6_ 國木田獨步(1871~1908). 메이지시대의 소설가 겸 시인. 일본 자연주의 문학의 선구자라고 평가받기도 하며, 대표작으로 『무사시노』(1898), 『봄새』(1904) 등이 있다.

작품을 좋다고 생각해 본 적이 별로 없습니다. 오히려 뮈세나 도데 같은 작가를 몰래 애독하고 있습니다. 러시아 문학 중에서는, 역시 톨스토이나 도스토옙스키 같은 작가에게 탄복하지 않으면 문인의 자격이 없다고 여기는 것이 상식이 되어 있는데, 그야 물론 그렇기도 하지만, 역시 저는 체호프라든지, 특히 누구보다도 러시아에서는 푸슈킨이 제일이라고 생각할 정도로 그의 작품에 심취해 있습니다.

나는 괴짜가 아니다

『소설신조小說新潮』의 지난달 호에 나온 문단「이야기 샘물」 모임에서, 저는 괴짜인데다 허리띠 대신 노끈이라도 두르고 다니는 사람처럼 여겨지고 있더군요. 또 제 소설도 항상 그저 별나고 특이하다는 정도의 평가만 받아왔기 때문에, 저는 속으로 늘 우울해하고 있었습니다. 세상 사람들에게 괴짜니 기인이니 하는 평가를 받는 인간은, 의외로 소심하고 배짱 없는 성격인 사람이 그런 자신을 지키기 위해 위장한 경우가 많지 않을까 싶습니다. 역시 생활에 대한 자신감 결여가 원인이지 않을까요?

저는 스스로를 괴짜라고도, 별난 남자라고도 생각해 본 적이 없습니다. 저는 지극히 평범하고, 고루한 도덕 같은 것에도 심하게 집착하는 성격의 남자입니다. 그런데도 제가 도덕 같은 건 완전히 무시하고 사는 것처럼 생각하는 사람이 많은 듯한데, 사실은 정반대입니다.

하지만 앞서 말했듯이 저는 성격이 나약하기 때문에, 그 나약함만은 인정해야 한다고 생각하고 있습니다. 또 저는 다른 사람과 논쟁도 잘

못 하는데, 이것 역시 저의 나약함 때문이라고 할 수도 있지만, 왠지 저의 크리스트주의主義 비슷한 것도 다소 영향을 미친 듯합니다.

크리스트주의 얘기를 하자면, 저는 지금 그야말로 말 그대로 다 쓰러져가는 집에 살고 있습니다. 저도 물론 평범한 수준의 집에 살고 싶습니다. 아이들이 불쌍하다는 생각이 들 때도 있습니다. 하지만 저는 아무리 해도 좋은 집에서 살 수가 없습니다. 그건 프롤레타리아 의식이나 프롤레타리아 이데올로기 같은 것에서 배운 것은 아니고, 네 이웃을 네 몸과 같이 사랑하라는 예수의 말을 이상할 정도로 굳건히 믿기 때문인 듯합니다. 그러나 최근 들어 네 이웃을 네 몸과 같이 사랑하라는 말은 정말 실천하기 힘든 것이라고 절실히 생각하게 되었습니다. 인간은 모두 똑같은 존재다. 그러한 사상은 그저 인간을 자살로 내몰기만 하는 것은 아닐까요?

네 이웃을 네 몸과 같이 사랑하라는 예수의 그 말을 내가 잘못 해석하고 있는 것은 아닐까. 그 말에는 다른 의미가 있는 게 아닐까. 그렇게 생각하는 순간, 네 몸과 같이, 라는 말이 떠오릅니다. 역시 자신을 사랑해야 한다. 자신을 미워하거나 학대하면서 이웃을 사랑한다면 결국엔 자살할 수밖에 없다는 것을 어렴풋이 깨닫기 시작했지만, 그것은 그저 이론일 뿐입니다. 제가 세상 사람들을 대할 때의 감정은 역시 늘 수줍음이고, 항상 키를 조금 낮추어 걷지 않으면 안 된다는 것을 실감하며 살아왔습니다. 이런 점에도 제 문학의 근거가 있는 듯한 느낌이 듭니다.

또한, 저는 사회주의는 역시 옳은 것이라 실감하고 있습니다. 그리고 지금 드디어 사회주의의 세상이 온 듯한데, 가타야마 총리[7] 같은 사람이

7_ 가타야마 데쓰片山哲(1887~1978). 제46대 총리. 일본 최초의 사회당 출신 총리이며 기독교인이기도 했다. 1941년 도조 히데키 내각에 대한 타도를 주도, 1946년에 총리로 취임했다.

일본의 수장이 된 것 역시 기쁜 일이 아닐까 생각은 하지만, 저는 예전과 다름없는, 아니 어쩌면 예전보다 더 피폐한 생활을 해야만 합니다. 이러한 제 불행을 떠올리면 이제 내게 더 이상의 행복은 없는 것인가 하는 생각이 드는데, 이는 센티멘털한 감정 같은 것은 아니고, 왠지 최근 들어 그 사실을 더 명료하게 깨닫게 된 듯한 느낌입니다.

이것저것 생각하기 시작하면, 저는 술을 마시지 않고는 견딜 수가 없습니다. 제 문학관이나 작품이 술에 좌지우지된다고 생각지는 않지만, 다만 술은 제 생활을 심하게 뒤흔듭니다. 앞서 말씀드렸듯이 저는 사람을 만나도 만족스러운 대화를 나누지 못하고, 나중이 되어서야 그걸 말했어야 하는데, 이렇게도 얘기해 볼걸, 하면서 억울해합니다. 사람과 만날 때는 항상 어질어질 현기증을 느끼면서 이야기를 해야 하는 성격이어서, 무심코 술을 마시게 됩니다. 그로 인해 건강을 해치기도 하고 경제적 파탄에 빠지는 일도 종종 있어서, 가정은 늘 빈곤합니다. 잠자리에 누워 이런저런 개선책을 생각해 보기도 하지만, 이건 아무래도 죽기 전까지는 고칠 수 없는 수준인 것 같습니다.

저도 벌써 서른아홉이 되는데, 앞으로 이 세상을 살아나갈 생각을 하면 그저 멍해질 뿐이고, 아직 아무런 자신감도 없습니다. 그래서 이런 겁쟁이가 처자식을 부양해나가는 건 오히려 비참한 일이라고 말해도 되지 않을까 하는 생각도 듭니다.

작은 바람小志

예수님께서 십자가에 못 박히실 때 벗어두신 순백의 속옷은, 위부터 아래까지 봉제선 하나 없이 전부 그 형태 그대로 짠 무척 보기 드문 옷이어서, 병졸들이 그 옷의 고상함과 우아함에 탄식했다고 성서에 기록되어 있는데,

아내여,

예수가 아닌 시정의 한낱 겁쟁이가 매일 이렇게 괴로워하다가 혹여 죽어야만 하는 때가 오면, 봉제선 하나 없는 속옷은 바라지도 않을 테니, 최소한 옥양목으로 된 순백의 팬티 하나 정도는 만들어 입혀주지 않겠소?

昭和 二十三年

1948년

太宰治

1948년쇼와 23년, 38세

전년 12월에 간행된 『사양』이 베스트셀러가 되면서, 작가 다자이 오사무의 인기는 절정에 달해 있었다. 1월에는 잡지 『중앙공론』에 「범인」을, 『빛』에 「접대부인」을, 『지상』에 「술의 추억」을 연달아 발표하면서 안정적인 작가 활동을 이어나갔다. 그러나 연초부터 폐결핵이 악화되어 각혈을 하는 일이 눈에 띄게 늘었고, 외출을 하지 못하고 자리에 누워 지내는 날이 많아졌다.

❝(전략) 늦은 밤, 나는 다자이와 다시 한번 만나, 새벽녘까지 네 시간이나 대화를 나누었다. 다자이가 죽은 해의 2월 중순 즈음으로, 자살한 날의 사 개월 전쯤의 일이다. 사 년 만에 만났다. 그리고 그것이 그와의 마지막 대화가 되었다. (중략)

"다자이, 장례식 집행 위원은 내가 맡게 되는 건가?"

나의 잠재의식은 이미 다자이의 죽음을 예상하고 있었음이 틀림없다. 거기에는 알 수 없는 확신이 있었다고 생각한다. 그건, 정말로 불가사의한 감각이었다.

나는 그렇게 말하고는 장지문 틈으로 몸을 들이민 상태로 다자이의 얼굴을 봤다. 눈을 봤다. 다자이는 입구 장지문과 나란한 방향으로 깔린 이불 속에 누워 있었는데, 누운 채로 베개에서 살짝 고개를 들었다. 마찬가지로, 방에 들어온 나를 물끄러미 바라보고 있었다. 덮는 이불 끝으로 왼쪽 손목을 내밀었다. 그 손목을, 마치 노no라고 말하듯이 두세 번 조용히 저어 보인 것이다. 마치, 망령의 그것처럼 부드러운 손동작이었다.

"아니, 아직 일러."

다자이는 동시에 그렇게 말했다.❞ (야마기시 가이시, 『인간 다자이 오사무』 「마지막 대화」 중에서)

야마자키 도미에는 이렇듯 아슬아슬한 상태에 있었던 다자이의 연인 겸 간호사 역할을 도맡았다. 잡지 신초사新潮社의 편집자 노히

라 겐이치野平健一와 함께 「여시아문」의 집필을 시작한 날에도(「여시아문」은 다자이가 구술한 것을 노히라가 기록한 것이다. 자세한 설명은 해설 참조) 곁에는 도미에가 함께 있었다.

3월에 「여시아문」을 발표, 그 후에는 아타미시에 있는 여관에 틀어박혀 『인간 실격』의 집필을 시작했다. 4월에는 야쿠모서점八雲書店에서 『다자이 전집』 1차분(제2권까지)이 출판됐다. 이 전집에는 쓰가루 가문의 문장紋章인 쓰루마루鶴丸가 금박으로 새겨져 있었다. 5월에는 「앵두나무」를 발표하고, 곧이어 신문 연재소설 「굿바이」를 집필하기 시작했다. 『인간 실격』은 5월에 탈고, 6월에 잡지 『전망』에 발표했다.

그리고 6월 13일 늦은 밤, 다자이는 도미에와 함께 청산가리를 복용, 무사시노 다마가와 상수원에 몸을 던져 자살한다. 다자이가 작품 속에서도 종종 언급하곤 했던 '식인강'이자 도쿄의 식수원이기도 한 강이었다. 14일에 도미에의 방에서 두 사람의 유서와 아이들에게 남긴 장난감이 발견된다. 이후 대대적인 수색 작업이 벌어지고 상수원의 감수減水 조치까지 취해졌지만, 시신은 쉽게 발견되지 않았다. 강 하류에서 끈으로 묶인 두 사람의 시신이 발견된 것은, 다자이의 생일이기도 한 6월 19일의 이른 아침이었다. 사망 추정 시각은 6월 14일 오전 0시. 장례식은 21일에 치러졌다.

❝당신이 싫어져서 죽는 것이 아닙니다. 소설을 쓰는 것이 싫어져서 죽는 것입니다.❞ (아내 쓰시마 미치코에게 남긴 유서 중에서)

❝연못물은 탁해지고 또 탁해져
등나무꽃 그림자도 비치지 않고
하염없이 비만 내리는구나.❞
(이토 사치오伊藤左千夫의 시. 지인 이마 하루베에게 남긴 유서)

혁명革命

자신이 한 일을, 있는 그대로 정확히 말하지 않으면, 혁명이고 뭐고 일어나지 않습니다. 자신은 그렇게 행동하고도, 다른 행동을 하고 싶은 마음에, 인간은 이렇게 해야 한다는 식으로 말씀하시는 동안에는, 인간 내면으로부터의 혁명은, 영원히 불가능합니다.

소설의 재미小説の面白さ

소설이라는 건 본래 아녀자들이 읽는 것으로, 소위 영리한 어른들이 눈에 핏발을 세우고 읽고서 탁자를 두드려가며 함께 그 감상에 대해 논하는 성질의 것이 아닙니다. 소설을 읽고 옷매무시를 가다듬었다느니 고개가 숙어졌다느니 따위의 말을 하는 사람은, 그게 농담이라면 재밌는 이야깃거리나 되겠지만, 정말로 그랬다면 그건 미친 사람의 행동이라고밖에 말할 수 없습니다. 예컨대 가정에서도 소설을 읽는 것은 아내이고, 남편은 일하러 나가기 전에 거울 앞에 서서 넥타이를 매며 묻습니다. "요즘엔 무슨 소설이 재밌지?" 아내가 대답합니다. "헤밍웨이의 『누구를 위하여 종은 울리나』가 재밌었어요." 남편, 조끼 단추를 잠그며 어떤 내용이냐고 무척 깔보듯이 묻습니다. 아내, 갑자기 들떠서는 그 줄거리를 구구절절 읊으며 자신의 설명에 감격해 흐느낍니다. 남편, 겉옷을 입으며 말합니다. "흠, 재밌을 것 같군." 그리고 직업이 있는 남편은 일하러 나가고, 밤에 어느 살롱에 가서 말하기를, "최근 소설 중에서는 역시 헤밍웨이의 『누구를 위하여 종은 울리나』가 제일 재밌더군요."

소설이란 이렇게 한심한 것으로, 사실은 부녀자를 속일 수 있다면 그걸로 대성공. 부녀자를 속이는 방법에도 여러 가지가 있습니다. 때로는 근엄한 척하고, 때로는 미모를 넌지시 보여 주고, 때로는 명문가 출신이라 속이고, 때로는 변변치 않은 학식을 총동원해 과시하고, 때로는 자기 집의 불행을 부끄러움이고 체면이고 없이 세상에 발표함으로써 부인들의 동정심을 얻는 등 그 의도가 명명백백함에도 불구하고, 평론가라는 멍청이들이 그것을 떠받들어 모시고 또 자기 밥줄로 삼고 있으니 기가 막힐 일 아닙니까?

마지막으로 말해두겠습니다. 옛날에 다키자와 바킨[1]이라는 사람이 있었습니다. 이 사람이 쓴 글은 별로 재미는 없는데, 그의 필생의 작품인 『사토미 핫켄덴』[2]의 서문에, 부녀자들의 잠을 쫓을 수 있다면 행복할 것입니다, 라는 말이 적혀 있더군요. 그 사람은 부녀자들의 잠을 쫓기 위해 애쓰다가 결국 눈을 망가뜨리고 말았는데, 그 후에도 구술로 계속 글을 썼다고 하니 참 한심하지 않습니까?

이건 여담이지만, 저는 언젠가 도손이라는 사람의 『동트기 전』[3]이라는 작품을, 영 잠이 오지 않던 어느 날 밤에 펼쳐 들어 아침까지 전부 읽었는데, 그러고 나자 졸음이 밀려왔습니다. 그 두꺼운 책을 머리맡에 던진 뒤 꾸벅꾸벅 잠에 빠졌고, 꿈을 꿨습니다. 정말 전혀, 조금도, 요만큼도 그 작품과 상관없는 꿈이었습니다. 후에 들은 이야기로는, 그 사람이 그 작품을 완성하는 데 십 년이 걸렸다고 합니다.

• •

1_ 에도시대 말기의 전기傳奇소설 작가 교쿠테이 바킨曲亭馬琴의 본명인 다키자와 오키히코瀧澤興邦와 필명인 교쿠테이 바킨을 섞어서 부르는 명칭.

2_ 里見八犬伝. 일본 무로마치시대를 배경으로 한 장편소설. 1814년에 간행이 시작되어 완결까지 28년이 걸렸다.

3_ 夜明け前. 일본 자연주의 문학을 대표하는 작가인 시마자키 도손島崎藤村이 1929~1935년에 걸쳐 발표한 필생의 대작으로, 일본 근대소설을 대표하는 작품 중 하나로 평가받기도 한다.

패거리에 대하여徒党について

패거리는 정치다. 그리고 정치는 힘이라고 한다. 그렇다면 도당 역시 힘이라는 목표를 위해 발명된 기관일지도 모른다. 게다가 그 힘이 의지하는 것은, 역시 '다수'라는 점이라고 생각한다.

그런데 정치의 경우에는 이백 표보다는 삼백 표가 절대적으로, 거의 신의 심판을 받은 듯한 승리를 거두겠지만, 문학의 경우에는 조금 다른 듯한 느낌도 든다.

고고함. 그것은 오래전부터 어설픈 아부의 말로 닳아빠질 만큼 사용되어 왔다. 그리고 그 아부를 받는 사람을 만나보면, 그저 불쾌하고, 누구라도 그 사람과 사귀는 것을 꺼릴 법한 성격의 사람이 많다. 그리고 소위 '고고'한 사람은 무턱대고 입을 삐죽거리며 '무리'를 욕한다. 왜, 어째서 욕하는지 이유를 알 수 없다. 그저 '무리'를 욕하면서 자신의 '고고함'을 과시하려는 모습을 보면, 예전에는 외국에서나 일본에서나 위대한 사람은 모두 '고고'했다는 전설에 편승하여 그로써 자신의 쓸쓸함을 얼버무리고 있는 것처럼 느껴지기도 한다.

스스로를 '고고'하다고 칭하는 자는 경계해야 한다. 일단 그건 같잖은 것이다. 대부분 예외 없이 '이미 간파당한 타르튀프[4]'다. 애초에 이 세상에 '고고함'이라는 건 없다. 고독은 있을지도 모른다. 아니, 오히려 '고저孤抵'한 사람이 더 많은 듯하다.

현재 내 입장에서 말하자면, 나는 좋은 친구를 무척이나 원하지만, 아무도 나와 놀아주지 않기 때문에 자연히 '고저'해질 수밖에 없다. 이건 사실 거짓말이고, 나는 나름대로 '패거리'의 괴로움을 예감했고, 차라리 '고저'를 택하는 편이, 그 역시 절대 쉬운 일은 아니지만, 차라리 그렇게 사는 편이 마음은 편하겠다는 생각에 일부러 친목 도모를 하지 않는 것뿐이다.

그리고 또 '패거리'에 대해 조금 더 말하고 싶은데, 내게 있어(다른 사람은 어떨지 모르지만) 가장 괴로운 것은 '패거리'의 한심함을 한심하다고 말하지 못하고 오히려 찬양해야만 하는 의무가 주는 부담감이다. 모두 한통속 취급하는 건 조금 미안하지만, '패거리'라는 것을 옆에서 보면, 소위 '우정'이라는 것으로 연결되어 발걸음인지 말투인지가 응원단의 박수처럼 참으로 시원시원하게 들어맞는데, 사실 내가 가장 증오하는 것은 그 '패거리' 속의 인간이다. 내심 의지하고 있는 사람은 오히려 자기 '패거리'의 적수 속에 있는 법이다.

자기 '패거리' 속에 있는, 썩 마음에 들지 않는 녀석만큼 처치 곤란인 것은 없다. 나는 그것이 평생 스스로를 우울하게 만들 씨앗이라는 것을

4_ Le Tartuffe. 프랑스 극작가 몰리에르의 운문 희극. 타르튀프는 극 중 주인공의 이름으로, 위선자라는 뜻의 보통 명사로 사용되기도 한다.

알고 있다.

새로운 패거리의 형식, 그것은 동료들끼리 공공연히 서로를 배신하는 데서 시작되는 것인지도 모른다.

우정. 신뢰. 나는 '패거리' 속에서 그것을 본 적이 없다.

구로이시 사람들黒石の人たち

쓰가루에 피난 중일 때, 구로이시초[5]로 여행을 한 번 갔습니다. <구로이시민보黒石民報>의 나카무라 씨 댁에 놀러 간 것입니다. 나카무라 씨는 줄무늬 바지를 입고 있었습니다. 항상 수줍게 얼굴을 붉히면서 엷게 웃으시곤 하는 분입니다. 머리가 좋은 사람은 대개 그런 표정을 짓는 법입니다. 나카무라 씨는 제게 글씨를 써달라고 했습니다. 그리고 제가 쓰는 것을 옆에서 지켜보면서, '얼마 전에 ×× 씨에게도 써달라고 부탁했는데, 굉장히 잘 쓰더군.' 하고 말씀하시다 말고 혼자 굉장히 당황스러워하셨습니다. 제가 쓴 글씨에 무척 실망하신 듯했는데, 그럴 만도 합니다.

<구로이시민보>사의 주필인 후쿠시 씨가 구로이시의 시인과 작가들을 제게 소개해주셨습니다. 제 와이셔츠의 소매 단추가 풀려 있으면, 후쿠시 씨는 그것에 마음을 쓰시며 말없이 잠가주곤 하셨지요. 그동안 저는 마음 편히 잠자코 있었는데, 마치 제가 후쿠시 씨의 중풍 걸린 할아버지가 된 듯한 기분이었습니다.

기타야마라는 시인과는 눈 내리는 밤길을 함께 걸었습니다. 기타야마

5_ 黒石町. 아오모리현 남부, 쓰가루평야의 남동부에 위치한 작은 도시(현 구로이시시).

씨는 그날 밤 특별히 새 군화를 신고 와서 저에 대한 환영의 마음을 보여 주었는데, 새 군화가 눈에 미끄러지는 바람에 몇 번이나 넘어졌습니다. 손에 유리병을 들고 계셔서, 기타야마 씨가 넘어질 때마다 심장이 철렁했습니다.

또 쓰시마対馬라는 시인은 저를 구로이시의 옆 마을로 데려가 좌담회를 열어주었는데, 마을 사람들은 그걸 스님의 설교라고 착각이라도 한 모양인지, 할아버지 할머니들이 잔뜩 모여 계셔서 무척 난감했습니다. 그중 마을의 젊은이 하나가 저를 무시하고 자기가 연설을 시작하는 바람에 분위기가 더 어색해졌고, 쓰시마 씨는 그 젊은이의 연설을 중단시키려고 무척 애썼습니다.

저희 두 사람은 그곳에서 나와 그 마을의 의사 선생님 댁에 가서 술을 마셨지만, 여전히 흥이 나지 않았습니다. 참으로 비참한 좌담회였습니다.

그리고 또, 구로이시 근처의 또 다른 마을에 가미 씨라는 할아버지 이장님이 계셨는데, 이분은 '쓰시마津島 형은 아직 멀었어. 더 공부해. 이 멍청이.' 하시면서 마구 저를 혼내시더군요. 혼이 나서 기뻤습니다.

지금은 일에 쫓겨 느긋하게 쓰지 못하지만, 다음번에 또 기회를 봐서 더 쓰도록 하겠습니다.

여시아문如是我聞[6]

1

타인을 공격하는 건 시시한 일이다. 정말 공격해야 할 것은 그들의 신이다. 적의 신을 쳐야 한다. 그러나 치기 위해서는 먼저 적의 신을 발견해야 한다. 인간은 종종 자신의 진짜 신을 감춘다.

이것은 프랑스인 발레리가 중얼거린 말이라고 하는데, 나는 지난 십 년간 화가 나도 억누르고 또 억눌러왔던 것을 이제부터 매월 이 잡지(『신조新潮』)에, 그로 인해 남들이 불쾌해하더라도 계속 써나가야만 한다. 스스로의 의지와 무관한 그러한 '시기'가 드디어 온 듯하다. 나는 여러 지인들에게 용서를 구할 것이고, 혹은 의절도 각오할 것이다. 이런 건 과장이다, 혹은 아니꼽다는 식의 말을 들으며 그들의 빈축을 사게 될 것을 각오하고, 나의 항의문을 써보려고 한다.

첫머리에 발레리의 말을 옮겨 썼는데, 독으로 독을 누른다는 느낌도 없잖아 있는 말이다. 내가 지금부터 공격해야 하는 상대의 대부분은, 예컨대 이십 년 전에 파리에서 유학한 적이 있거나, 어쩌면 홀어머니에

6_ 불경의 첫머리에 쓰이는 말. 여시는 '이와 같이', 아문은 '내가 들었다'의 뜻으로, 들은 교법을 그대로 믿고 따라 기록한다는 의미이다.

외아들 처지인 터라 가계를 위해서, 그리고 지금은 프랑스 문학이 대인기인 덕분에 효도하는 아들에 돈 잘 버는 남편이 된 그런 사람일 뿐이다. 쓸데없이 프랑스인의 이름을 열거하여 소위 '문화인'의 스타가 된, 본인은 설마 그렇게 생각하지는 않겠지만, 세상의 멍청이들이 자신들을 예전의 전진훈[7] 작가처럼 환영하는 듯한 분위기에 '편승'하는 이들이다. 그리고 또 하나 내가 정말로 싫어하는 것은, 낡은 것을 낡은 그대로 긍정하는 이들이다. 새로운 질서라는 것도 있을 터다. 그것이 질서정연해 보일 때까지는 다소 혼란이 있을지도 모른다. 그러나 그것은 어항에 수초를 넣었을 때 생기는 약간의 혼탁함 같은 것이 아닐까 싶다.

그렇다면 나는 이번 달에 무슨 얘기를 해야 할 것인가. 단테의 지옥편 첫 부분에 나오는 (지금 정확한 이름은 기억나지 않는다) 그 베르길리우스[8]인지 뭔지 하는 늙은 시인처럼 너무 오랫동안 말을 하지 않아 목소리가 다 갈라져서, 여러분의 잠을 번쩍 깨게 할 정도로 큰 울림을 주는 이야기는 쓰지 못할지도 모르지만, 그래도 점차 여러분의 공감을 얻게 되리라는 확신을 가지고 이렇게 쓰고 있다. 그렇지 않다면, 종이가 부족한 이 시대에 구태여 쓸 필요가 없지 않은가?

한 무리의 '노대가老大家'라는 것이 있다. 나는 그들 중 누구와도 만날 기회를 얻은 적이 없다. 나는 그들의 강한 자신감에 질렸다. 그들의

7_ 戰陣訓. 1941년에 도조 히데키가 공표하여 전 육군에게 배포한 군인 규범집. '살아서 포로가 되는 치욕을 당하지 말고, 죽어서 죄화罪禍의 오명을 남기지 마라'라는 구절이 가장 잘 알려져 있다.

8_ 푸블리우스 베르길리우스 마로Publius Vergilius Maro(B.C. 70~B.C. 19). 로마의 시성으로 추앙받는 고대 로마의 시인. 로마의 국가 서사시 「아이네이스」의 저자로, 단테의 『신곡』 지옥편에 단테의 지옥 여행 안내자로 등장한다.

그 확신은 어디서 나오는 것일까. 소위 그들의 신은 무엇일까. 나는 최근 들어 겨우 그것을 알게 됐다.

가정이다.

가정의 에고이즘이다.

그것이 최후의 기원祈願이다. 나는 그들에게 기만당했다고 생각한다. 상스러운 말이지만, 결국 제 처자식이 사랑스럽다는 것일 뿐이지 않나.

나는 어느 '노대가'의 소설을 읽어보았다. 별로 대단할 것도 없이, 그저 주위 후원자들의 취향에 응하는 표정을 정색하며 꾸며내어 보여 주고 있을 뿐이었다. 경박하기 짝이 없는 것임에도 불구하고, 바보들은 그것을 '훌륭하다'고 하고, '결벽하다'고 하고, 심한 놈은 '귀족적이다' 따위의 말을 하며 우러러보고 있는 모양이다.

세상을 기만한다는 것은 바로 이들이 하는 짓을 일컫는 말이다. 경박하다면 경박한 그대로 괜찮지 않은가? 왜 자신의 본질적 경박함을 다른 성질과 바꾸어 보여 주어야 한다는 말인가. 경박함을 비난하는 것은 아니다. 나 역시 세상에서 가장 경박한 남자가 아닐까 생각한다. 왜 그것을 다른 것으로 얼버무려야 하는지, 나는 도무지 이해할 수 없다.

결국 가정생활의 안락함만이 최후의 염원이기 때문이 아닐까. 아내의 의견에 압도당하면서도 왠지 모르게 아내에게 인정받고 싶은 마음, 아아, 그런 추잡한 마음이 작품 어딘가에서, 흡사 화장실 악취처럼 풍겨 나서 나를 불안하게 만드는 것이다.

쓸쓸함. 그것은 귀중한 마음의 양식이다. 그러나 그 쓸쓸함이 오직 자기 가정에만 이어져 있으면, 옆에서 보기에 무척 추하다.

그 추함을 스스로 '황송'해하며 쓰는 거라면 재미있는 읽을거리라도 될 수 있을 것이다. 하지만 그것을 자신이 순교자라도 되는 양 거들먹거리며 쓰곤 하는데, 그 괴로움에 마음을 다잡은 독자가 있다느니 하는 이야기를 들으면 너무 한심해서 어이가 없을 뿐이다.

인생이란(나는 이것만은 자신 있게 말할 수 있는데, 괴로운 것이다. 태어난 것이 불행의 시작이다) 그저 남과의 경쟁일 뿐이며, 우리는 그 사이사이 무언가 맛있는 것을 먹어야만 한다.

도움이 된다.

그게 어쨌다는 말인가. 맛있는 것을 소위 '도움'이 안 된다는 이유로 맛보지 않는다면, 어디에 우리가 살아 있다는 증거가 있단 말인가. 맛있는 것은 맛보지 않으면 안 된다. 꼭 맛봐야만 한다. 하지만 나는 지금까지 소위 '노대가'들이 들이민 요리 중 맛있다고 느낀 것이 하나도 없었다.

여기에 일일이 그 '노대가'들의 이름을 언급해야 마땅한가 싶기도 하지만, 나는 그들을 마음속 깊이 경멸하기 때문에 이름을 말하고 싶어도 이미 다 잊어버렸다고 하고 싶을 정도다.

모두 학식이 없다. 폭력적이다. 나약함의 아름다움을 모른다. 그것만으로도 이미 내게는 맛이 없다.

무엇이 맛있고 무엇이 맛없는지를 모르는 인종은 비참하다. 나는 일본의(나는 일본이라는 국호도 바꿔야 하고, 일장기 역시 당장 바꿔야 한다고 생각한다) 이런 인간들은 글러 먹었다고 생각한다.

예술을 향락할 능력이 없는 것처럼 보인다. 오히려 독자는 다르다. 문화 지도자 같은 얼굴을 하는 이들이 더 아무것도 모른다. 독자들의 지지에 떠밀려 마지못해, 소위 불건전 어쩌고 하는 나(다자이)의 작품을, 뭐 그럭저럭 역작이지, 라는 정도로 평가할 뿐이다.

맛. 혀가 거친 상태로는 맛을 느끼지 못하기 때문에, 오직 양이나 씹는 감촉만이 문제가 된다. 모처럼 고생하여 나쁜 재료는 버리고 정말 맛있는 부분만 골라서 드리는데도, 날름 한입 먹어보고는, 이걸로는 배가 안 찬다느니 좀 더 몸에 보탬이 될 만한 것은 없냐느니, 말하자면 식욕의 음란함이다. 나는 도저히 그런 태도를 받아줄 수 없다.

아무것도 모른다. 이해하지 못하는 것이다. 따뜻함이라는 것조차 모른다. 요컨대, 우리의 선배라는 자는 우리가 선배를 존중하고 또 이해하려고 한평생 노력하는 것의 절반, 아니 절반의 절반만큼이라도 후배의 괴로움에 대해 생각해 본 적이 있는가, 하고 항의하고 싶은 것이다.

어느 '노대가'는 내 작품이 의뭉스러워서 싫다고 했다는데, 그 '노대가'의 작품은 어떤가. 정직함을 자랑하고 있나? 무엇을 자랑하고 있나. 그 '노대가'는 남자다움이 자랑거리인 모양인지, 언젠가 그 사람의 선집을 펼쳐봤더니 거기에 멋들어진 옆얼굴 사진이 실려 있었는데, 심지어 쑥스러워하는 기미도 없었다. 정말 무신경한 사람이라고 생각했다.

그 사람에게 의뭉스러운 인상을 준 것은 나의 앙뉘권태인지도 모르지만, 그 사람의 단칼 같음에는 나도 질리고 말았다.

단칼에 잘라 말한다는 것은 그 사람이 무신경하다는 증거이고, 또한 다른 사람의 마음을 전혀 배려하지 않는 상태임을 뜻한다.

델리커시여림, 섬세함(이런 말은 아무래도 쑥스럽지만), 그것이 결여된 사람은, 자신이 스스로 깨닫지 못하는 사이에 타인에게 얼마나 깊은 상처를 주는지 모른다.

자기 혼자만 훌륭하고, 이건 틀려먹었다, 저건 틀려먹었다, 전부 다 마음에 안 든다고 하는 문호는, 부끄럽지만 우리 주변에만 있을 뿐 바다 건너에는 거의 없는 듯하다.

또 어느 '문호'가 다자이는 도쿄말을 모른다고 했다는데, 그 사람은 도쿄에서 태어나 도쿄에서 자란 것을, 아니 오로지 그것에만 의지하며 사는 건 아닐까, 하는 의심이 들었다.

그 녀석은 코가 낮아서 좋은 문학을 할 수 없다고 말하는 것이나 다름없다.

요즘 정말 어이가 없는 일은, 소위 '노대가'들이 국어의 무질서를 한탄한다는 것이다. 거슬린다. 아주 신이 나셨다. 국어의 무질서는 나라의 무질서에서 시작된다는 사실은 모른 척한다. 그자들은 전쟁 중에 우리에게 아무런 힘도 되어주지 않았다. 나는 그때 그들의 실체를 봤다고 생각했다.

사과하면 될 텐데. 죄송합니다, 하고 사과하면 될 텐데. 본래 모습 그대로 죽을 때까지 같은 곳에 눌러앉으려 든다.

소위 '젊은이들'도 한심하다고 생각한다. 히나단[9]을 뒤집어엎을 용기는 없는 것인가? 자네들이 맛없다고 느끼는 것은 단호하게 거부해도 되지 않은가? 변해야만 한다. 나는 새로운 것만을 좇는 사람은 아니지만, 그래도 이렇게 히나단을 그대로 둔 채로는 우리에게 남은 선택지는 자살밖에 없다고, 실감을 가지고 말할 수 있다.

이렇게까지 말하는데도 여전히 '젊은이'의 과장 혹은 호기라고만 느끼는 '노대가'라면, 나는 내가 가장 싫어하는 일을 해야만 한다. 협박이 아니다. 우리의 괴로움이 거기까지 달한 것이다.

9_ 雛壇. 히나마쓰리(여자 어린이들의 무병장수와 행복을 빌기 위해 해마다 3월 3일에 치르는 일본의 전통축제) 때 인형을 진열하는 계단식으로 된 단. 여기에서는 기존의 전통이나 질서라는 의미로 해석할 수 있다.

이번 달에는 그야말로 일반개론적인, 게다가 그저 씩씩거리는 화풀이 같은 글이 됐지만, 이건 먼저 내 의지를 보여준 것이고, 뒤이어 바보 학자와 바보 문호에게 차례차례 묘한 이야기를 아뢰기에 앞선 전주곡이라고 생각해 주면 좋겠다.

내 소설의 독자에게 말한다. 나의 이러한 경거망동을 비난하지 마라.

2

그들은 말만 하고 실행하지는 않는다. 또 그들은 무겁고 힘겨운 짐을 묶어 다른 사람들 어깨에 올려놓고, 자기들은 그것을 나르는 일에 손가락 하나 까딱하려고 하지 않는다. 그들이 하는 일이란 모두 다른 사람들에게 보이기 위한 것이다. 그래서 성구갑을 넓게 만들고 옷자락 술을 길게 늘인다. 잔칫집에서는 윗자리를, 회당에서는 높은 자리를 좋아하고, 장터에서 인사받기를, 사람들에게 랍비라고 불리기를 좋아한다. 그러나 너희는 랍비라고 불리지 않도록 하여라. 또, 스승이라고 불리지 않도록 하여라.

불행하여라, 너희 위선자 율법 학자들아. 너희가 사람들 앞에서 하늘나라의 문을 잠가 버리기 때문이다. 그러고는 자기들도 들어가지 않을 뿐만 아니라, 들어가려는 이들마저 들어가게 놓아두지 않는다. 눈먼 인도자들아. 너희는 작은 벌레들은 걸러 내면서 낙타는 그냥 삼키는 자들이다. 불행하여라, 너희 위선자 율법 학자들아. 너희는 겉으로는 다른 사람들에게 의인으로 보이지만, 속은 위선과 불법으로 가득하다. 불행하여라, 너희 위선자 율법 학자들아. 너희가 예언자들의 무덤을 만들고 의인들의 묘를 꾸미면서, '우리가 조상들 시대에 살았더라면 예언자들을 죽이는 일에 가담하지 않았을 것이다.' 하고 말하기 때문이다. 그렇게 하여 너희는 예언자들을 살해한 자들의 자손임을 스스로 증언한다. 그러니 너희 조상들이 시작한 짓을 마저 하여라. 너희 뱀들아, 독사의 자식들아. 너희가 지옥 형 판결을 어떻게 피하려느냐?[10]

L군, 미안하지만 이번 달에는 자네에 대해 이야기하게 될 듯하다. 자네는 지금 학자라고 하더군. 아마 열심히 공부했겠지. 대학 시절에는 별로 '잘하지' 못했던 모양인데, 역시 '노력'이 결실을 맺은 것이겠지. 그나저나 얼마 전에 우연히 자네가 쓴 에세이 비슷한 것을 봤는데, 그 거만함에 무척 놀람과 동시에 자네가 외국 문학자(이 말도 무척 기묘해서, 외국인 작가라는 말처럼 들리기도 하는군)인 주제에 성경을 건성건성 읽은 듯한 느낌이 들어 정말 오싹했다네. 예로부터 서양인 문학자 중에 성경으로 인해 고통받지 않은 자가 하나라도 있던가? 그들은 성경을 주축으로 하여 도는 수만 개의 별이었던 것은 아닌가.

그러나 그것은 나의 순진한 생각일 뿐이고, 자네들은 그것을 알고 있으면서도 파산이 두려워 모른 척하는지도 모르지. 학자의 본질. 그것에 대해서는 나도 어렴풋하게 알 것 같은 느낌이 든다. 자네들의 소위 말하는 '신'은 '미모'야. 순백색 장갑이야.

나는 예전에 성서 연구를 위해서 그리스어를 조금 배운 적이 있는데, 이상야릇한 기쁨과, 마취제를 맞아서 생긴 듯한 부자연스러운 자부심을 느끼고는 배우기를 포기했던 기억이 있다. 결코 내가 나태해서가 아니었

10_ 마태복음 23장 4~9절, 13~14절, 28~34절.

다. 불건전하다고 말해도 좋을 정도로 기묘하게 헛도는 그 프라이드 속에서 자네들이 늘 태연하게 살고 있는 것이라면, 어쩌면 예수에게 '너희들은 회칠한 무덤 같으니, 겉으로는 아름답게 보이나 운운'하는 말을 들어 마땅한 것일지도 모른다.

공부는 나쁘지 않다. 공부에 대한 자부심이 나쁜 것이다.

나는 자네들의 이른바 '공부'의 진수인 번역을 읽음으로써 실로 많은 즐거움을 얻었다. 그 점에 대해서는 항상 자네들에게 감사하는 마음을 가져왔다. 그러나 자네들이 최근에 쓴 에세이만큼 참담하고 초라한 것은 없다는 생각도 한다.

자네들은(기억해두도록) 한낱 어학 교사에 불과하다. 원만한 가정에서 처자식과 함께 단팥죽 만세를 외치면서 보들레르의 소개문을 쓰는 당치않은 짓도 그렇고, 또 원문을 읽지 않으면 그 맛을 알 수 없다고 말하면서 자신의 훌륭한 번역을 자랑하며 책을 파는 모순도 그렇고, 거기다 애당초 자네들은 '시'에 대해 전혀 모른다.

예수로부터 도망치고 시로부터 도망치면서도 한낱 어학 교사에 불과하다는 말을 듣는 건 억울해서, 저널리즘의 주문에 응하여 여러모로 '랍비' 행세를 하고 있는 모양인데, 자네들이 세상에서 조금이라도 신뢰를 얻고 있는 최후의 한 가지는 무엇인가. 알고 있으면서, 그것을 스스로의 '지위' 보전을 위해 슬며시 이용하고 있는 거라면 꼴불견이야.

교양? 그것에도 자신이 없겠지. 애당초 어느 것이 맛있고 어느 것이 맛없는지, 향기인지 악취인지 그것조차 구별하지 못하니까. 남들이 좋다고 평가하는 외국의 '문호' 혹은 '천재'를, 백 년이나 지난 뒤에 그저 또 좋다고 말할 뿐이니까.

우아함? 그것에도 자신이 없겠지. 애처로울 정도로 그것을 동경하지만, 정작 자네들에게 가능한 건 붉은 기와지붕 아래에서의 문화생활 정도일 것이다.

어학에는 물론 자신이 없을 테고.

그러나 자네들은 어쩐지 '계몽가' 같은 말투로, 시치미를 뚝 떼고 민중에게 설교를 하더군.

서양 유학.

의외로 이것 때문에 자네들과 민중 간의 서로 속이기가 가능한 것은 아닌가? 그럴 리가, 라고 말하지 말도록. 민중은 기이하게도 이 서양 유학이라는 것에 무서울 정도로 관심을 갖는다.

촌놈의 상경에 대해 생각해 보자. 이십 년 전에 우에노에서 무슨 무슨 박람회를 보고, 히로코지에서 쇠고기 전골을 먹었다고 말하는 것만으로도, 시골에 돌아가면 몸에 제법 관록이 붙는 법이다. 민중이 이것에 경의를 표하니, 응하지 않을 수 없을 것이다. 하물며 삼 년간 고학하여 법률 공부를 끝마친(그건 통신강의록으로도 끝마칠 수 있는 모양이지만) 경력이 있다면, 좋든 싫든 마을의 유력자 중 한 사람으로 떠오르게 될 것이다. 촌놈이 출세하는 지름길은 상경이다. 게다가 그 촌놈은 애매한 시점에 반드시 귀향한다. 그게 비결이다. 가족과 싸우고 쫓겨나듯 시골에서 나와, 박람회도, 니주바시도, 47인의 무덤도 본 적이 없는(혹은 보고 싶지도 않은) 그런 상경자는 우리의 동지라고 할 수 있는데, 과연 일본의 소위 '서양 유학자' 중에 일본에서 도망칠 생각으로 배에 올라탄 사람은 몇이나 될지.

외국에 가는 건 귀찮지만, 삼 년 참고 견디면 대학교수도 될 수 있고, 어머니를 기쁘게 할 수도 있다고 주위의 축복을 받으며 먼 길을 떠나는 것이 자네들 서양 유학자의 대부분이 아닌가. 그것이 서양 유학자의 전통이니, 제대로 된 학자가 나오지 않는 것도 무리는 아니다.

나는 도무지 이해하기 힘든 일인데, 소위 '서양 유학' 경험이 있는 학자의 소위 '서양 유학의 추억' 비슷한 글을 보면, 모두들 이상할 정도로 즐거워 보인다. 즐거울 리가 없다고, 나는 확신할 수 있다. 일본이라는 나라는 예부터 외국 민중의 관심 밖에 있었다(무모한 전쟁을 일으키고부터는 조금 유명해졌다. 그것도 악명이 높아진 쪽이다). 나는 전부터 시골 여중생들이 단체로 도쿄 관광을 하는 모습이 비참해 보인다고 생각해온 사람인데, 만약 내가 외국에 간다면 분명 그 모습과 똑같으리라고 생각한다.

추한 얼굴의 동양인. 인색한 고학생. 도시 구경 온 시골뜨기. 어이쿠, 깜짝이야. 더러운 치아. 일본에는 기차가 있나요? 송금 연착에 대한 끊이지 않는 불안. 그 우울과 굴욕과 고독, 어느 '서양 유학자'가 그런 이야기를 썼단 말인가.

결국 그저 즐거운 것이다. 우에노 박람회다. 히로코지의 쇠고기가 맛있었던 것이다. 무슨 발전이 있었겠는가.

묘하게도 자네들 '서양 유학자'는 자네들의 외국 생활 속 비참함을 숨기고 싶어 한다. 아니, 숨기는 게 아니라 깨닫지 못하는 것인가? 만약 그런 것이라면 말할 가치도 없다. L군, 교제는 사절이네.

내친김에 더 말해보자면, 자네들 '서양 유학자'는 묘하게 쉽사리 아부를 떨더군. 술자리 같은 곳에서, 아무렴 작가는(아무리 멍청한 작가라도) 그러지 않지만, 자네들은 내게 '아아, 다자이 씨로군요, 만나뵙고 싶었습니다. 당신이 쓴 XX라는 작품에는 정말 감탄했습니다, 악수합시다.' 따위의 말을 하는데, 그런가보다 생각하고 있다가, 얼마 후의 신문 시평이나 좌담회 등에서 그 동일 인물이 황당하리만치 내 작품을 깎아내리는 것을 간혹 보게 된다. 이것 또한 자네들이 서양에서 지내는 동안 몸에 익힌 무언가가 아닐까 싶다. 정중함과 복수. 찌부러진 문화 원숭이.

비참한 생활을 해왔을 테다. 그리고 지금도 비참한 인간인 것이다. 감추지 말라고.

이건 사적인 일인데, 생각나는 게 하나 있다. 내가 대학에 입학하던 해 봄에 형이 도쿄에 왔는데(아버지가 돌아가시고 어린 나이에 상당한 유산을 물려받은 형은, 그 유산의 사용처 중 하나로 소위 세계 여행을 결심한 모양이었다), 다카다노바바에 있는 하숙집 근처의 메밀국수 가게에서 내게 말했다.

"너도 같이 가지 않을래? 어때. 나는 한 바퀴 돌고 올 생각인데, 너는 도중에 프랑스 같은 곳에 머물면서 프랑스 문학을 연구하든 뭘 하든 그건 네 마음대로 해도 좋아. 대학 불문과를 나온 뒤에 프랑스에 가는 것과 프랑스에 다녀온 다음 대학에 들어가는 것 중에 어느 쪽이 공부에 더 좋으려나?"

나는 즉각 대답했다.

"그야 물론 대학에서 기초 공부를 한 다음이 낫지."

"그렇군."

형은 시무룩한 표정을 지었다. 형은 나를 통역할 사람으로 데려가고 싶었던 모양인데, 내가 거절하자 생각을 고쳐먹었는지 그 후로 다시는 외국 여행 이야기를 꺼내지 않았다.

사실 그때 나는 새빨간 거짓말을 한 것이다. 당시 내게는 좋아하는 여자가 있었다. 그녀와 떨어져 있기 싫어서, 적당한 구실을 만들어 서양 유학을 거절한 것이다. 이 여자 때문에 훗날 심한 고생을 했다.

그러나 나는 지금 그 일을 후회하지 않는다. 외국에 가는 것보다는 가난하고 어리석은 여자와 고생하는 편이, 인간의 사업으로서 어렵기도 하고 또 영광스러운 일이라고까지 생각하기 때문이다.

어찌 됐건 서양 유학자의 여행담만큼 공허한 울림을 느끼게 하는 것은 없다. 촌놈의 도쿄 여행담과 무척 흡사하다. 명승지 그림엽서. 거기에는 시민 생활의 냄새가 전혀 없다.

논문에 비유하자면, 여성지에 실리는 「신여성의 진로」라느니 하는 제목의, 아주 불쾌하고 내용도 없는 주제에 무언가 의미심장한 척하는 그런 논문 같은 것이라고 할 수 있겠다.

아무리 내 속이 텅 비었어도, 비열해도, 위선적이어도, 세상에는 그런 동지들이 얼마든지 많이 있으니, 굳이 고생스럽게 그것을 깨부수기 위해 듣기 싫은 말을 할 필요는 없지 않나, 출세를 하면 된다, 교수라는 직함을 얻으면 된다, 하고 속으로 생각하고 있으시다면, 나는 더 이상 할 말이 없다.

그런데 세간의 학자들이 요즘 묘하게 내 작품에 대해 이러쿵저러쿵 떠들기 시작했다. 그 녀석들은 어차피 바보고, 어느 시대건 꼭 그런 녀석들은 있기 마련이니 신경 쓸 것 없다고 말하는 사람도 있지만, 나는 그 불결한 멍청이들(악인이라고 해도 좋다)이 하는 말을 웃으며 들어줄 정도의 대인배도 아니며, 또 비평에 전혀 신경 쓰지 않는 탈속인(그런 사람은 고금동서를 통틀어 단 한 명도 없었다고 장담한다)도 아니다. 또 내 작품이 그 어떤 악평에도 절대 훼손되지 않을 만큼 대단하다는 자신도 없기 때문에, 전부터 아주 기분 나쁘게 여기고 있던 사람의 언동에 대해, 이 기회를 빌려 자기방어를 위한 항의를 시도하는 것이다.

어느 '외국 문학자'가 내가 쓴 「비용의 아내」[11]라는 소설의 소위 독후감을 모 문예지에 발표한 것을 봤는데, 그 멍청함에 어안이 벙벙해져서, 이 녀석은 축농증에 걸린 게 아닐까 하는 의심마저 들었다. 대학 교수라는 게 뭐 그리 대단한 것은 아니지만, 이런 놈이 대학에서 문학을 가르치다니 그 악질적인 범죄에 소름이 끼친다.

그 녀석이 말한다(프랑수아 비용은 이런 분이 아니라고 알고 있습니다만). 이 무슨 낡아빠진 허영이란 말인가. 이건 뭐 익살도 농담도 아니다. 불쾌하다는 생각조차 안 든다. 그들 대학교수는 이런 짓으로 남몰래 자위하고 있는데, 이건 소위 학자 무리가 공통적으로 지닌 가엾은 자존심의 표정인 듯하다. 또 그 얼간이 선생이 말하기를, (작가는 이 작품 뒤에서 이히히히히 웃고 있다). 일이 이 지경에 이르니, 펜을 쥔 손이 떨릴 정도로 우습고 한심하다는 생각이 든다. 이 무슨 빈약한 공상력인가. 이히히히히 웃고 있는 것은 선생 자신일 터다. 그 웃음소리는 그 선생과 무척 잘 어울린다.

그 작품의 독자가, 예를 들어 오천 명이 있다고 해도, 이히히히히 따위의 외설스러운 말을 떠올린 건 아마 그 '고상'한 교수 하나뿐이리라고 생각한다. 영광스러운 자여. 너는 오천 명 중 한 사람이다. 조금은 부끄러운 줄 알아라.

원래 작가와 평자와 독자의 관계는, 예컨대 정삼각형의 각 꼭짓점에 위치하는 것이라고 생각한다(△과 같은 위치에서 각각 바깥쪽을 보고 앉아 있다면 그건 말도 안 된다. 각각 안쪽을 바라보고 걸터앉아, 작가는 말하고, 독자는 듣고, 평자는 작가의 말에 맞장구를 치거나 의심스러운 것을 확인하고, 혹은 독자를 대신해서 멈추도록 요구한다). 요즘 얼간이

11_ 1947년 3월에 잡지 『전망』에 발표된 작품(전집 8권 수록).

교수들이 묘하게 어슬렁대며 걸어 나와, 예를 들어 직선상의 두 점을 두고 그것을 작가와 독자라고 한다면, 교수가 동일선상의, 그것도 정중앙에 끼어들어서는 뜬금없이 이히히히히 하는 것이다. 한창 이야기 중이던 작가와 독자는 정말이지 당황스럽고 난처할 뿐이다.

나 역시 이런 말까지 하고 싶지는 않지만, 나는 작품을 쓰면서 죽도록 고통스럽게 노력한 기억은 있어도, 이히히히히 웃은 기억은 이제껏 한 번도 없다. 아니, 이건 너무 당연한 일이지 않나. 이렇게 쓰는 지금도 네 녀석의 멍청함이 너무 혐오스러워서 펜 놀림이 더뎌지고 얼굴이 찌푸려진다.

첫 부분에 인용한 성서의 문장에도 있었듯이, 불행하여라, 너희 위선자 율법 학자들아. 너희가 예언자들의 무덤을 만들고 의인들의 묘를 꾸미면서, '우리가 조상들 시대에 살았더라면 예언자들을 죽이는 일에 가담하지 않았을 것이다.' 하고 말하기 때문이다.

백 년, 이백 년, 혹은 삼백 년 전의, 소위 레테르가 붙은 문호의 글이라면 불평 없이 삼배구배하며 선전하고자 애쓰면서, 자네 바로 근처에 있는 작가의 작품은 이히히히히라고 밖에 해석하지 못하다니, 자네가 모처럼 한 문학 공부도 의심스럽다고 할 수밖에 없다. 예수도 어이없어하셨다는군.

또 다른 외국 문학자가 나의 「아버지」라는 단편에 대해, (정말 재미있게 읽었지만, 다음 날 아침이 되니 남는 게 아무것도 없었다)라고 평했다고 한다. 이 사람이 원하는 것은 숙취다. 그 순간 재미있게 읽는 것, 그것이 바로 행복감이다. 그 행복감이 다음 날 아침까지 유지되지 않으면 견딜 수 없어 하는 탐욕, 음란, 완력가, 이 녀석 또한 얼간이 선생들 중 하나다(만약을 위해 말해두겠다. 자네들은 누군가에게, 특히 나처럼 모종의 딱지가 붙은 자에게 이런 말을 들으면 고상한 척 쓴웃음을 지으며, 다자이 선생의 말씀에 의하면 나는 탐욕스럽고 음란한 완력가, 얼간이 선생들 중 하나라고 합니다만, 따위의 말로 가볍게 얼버무리는 하찮은 버릇이 있는 듯한데, 그런 짓은 하지 말도록. 나는 진지하게 말하는 것이다. 정말이지 아주 조금만 더 진지해지도록 해. 나를 미워하고, 생각하라고). 숙취 없이는 만족하지 못하는 상태, 그것이야말로 진정한 '불건전함'이다. 자네들은 어째서 그렇게 염치도 체면도 없이 그저 무언가를 탐하기만 하는 것인가.

문학에서 가장 중요한 건 '정성'이라는 것이다. '정성'이라고 말해도 자네들은 이해하지 못할지도 모른다. 그러나 '친절'이라고 말하면 너무 노골적이다. 마음씨. 마음가짐. 마음 씀씀이. 그렇게 말해도 딱 들어맞지 않는다. 즉 '정성'인 것이다. 작가의 그 '정성'이 독자에게 통했을 때, 문학의 영원성 혹은 문학에 대한 감사함, 기쁨 같은 것들이 비로소 성립된다고 생각한다.

요리는 먹고 배부른 것으로 끝이 아니라고 지난달에도 말한 듯한데, 더 나아가 요리의 진정한 기쁨은 양의 많고 적음에 의해 좌우되는 것은 물론 아니고, 또 심지어 맛에 의해 좌우되는 것도 아니다. 요리를 만든 사람의 '정성', 그게 기쁜 것이다. 마음이 깃든 요리, 짚이는 것이 있겠지. 맛있을 것이다. 그것만으로 충분하다. 숙취를 원하는 마음은 저속하다. 버리는 게 좋다. 자네가 좋아하는 서머싯 몸은 다소 숙취를 느끼게 만드는 작가이니, 아마 자네 입맛에 딱 맞겠지. 그렇지만 자네의 바로 옆에 있는 다자이라는 작가가 적어도 그 할아버지보다는 세련됐다는 것 정도는 알아두는 게 좋을 거야.

아무것도 모르는 주제에 이러쿵저러쿵 그럴싸해 보이는 말을 해대니까, 나도 무심코 이런 글을 쓰고 싶어지는 것이다. 번역만 하면 된다. 자네의 번역에는 나도 신세를 많이 졌다. 한심한 에세이만 써 갈겨대고, 요즘 자네도, 그리고 그 이히히히히 선생도 어학 공부를 소홀히 하고 있지 않은가? 어학 공부를 게을리하면 자네들은 자멸이야.

분수를 알라고. 거듭 말하지만, 자네들은 어학 교사에 지나지 않아. 소위 '사상가'조차도 못 된다고. 계몽가? 풉! 볼테르, 루소의 수난을 아는가? 효도나 열심히 하라고.

몸소 보들레르의 우울을, 프루스트의 앙뉘권태를 뒤집어쓴 이는, 적어도 자네들 주변에서는 나타나지 않을 거네.

(맞는 말이야. 다자이, 실컷 퍼부어줘. 그 교수들은 너무 시건방져. 아직 너무 봐주는 거 같은데. 나도 전부터 아니꼬웠어.)

등 뒤에서 그런 소리가 들린다. 나는 획 돌아보며 그 남자에게 대답한다.

"무슨 말을 지껄이는 거냐. 아무리 그래도 네 녀석보다야 그 선생들이 더 훌륭하다고. 네 녀석들은 애당초 '못 하지' 않나? '못 하는' 놈은, 이건 논외. 원한다면 다음 달쯤에 자네들에게 몇 마디 해줄 수도 있지만, 자네들은 추잡해서 말이야. 너무 심하게 무식해서, '문학' 외의 것을 가지고 사람을 공격하더군. 예를 들어, 검도 시합에서 맞춰야 하는 곳은 머리, 허리, 손목으로 정해져 있을 텐데, 네 녀석들은 시합과 생활을 한데 뒤섞어, 도구로 감싸지 않은 팔뚝이나 정강이를 힘껏 세게 내려치지. 그걸로 이겼다고 생각하고 있으니, 이거 원 추잡해서 말이야."

3

모반이라는 말이 있다. 또 관군, 반란군이라는 말도 있다. 외국에서는 이것과 딱 들어맞는 느낌의 말을 별로 쓰지 않는 듯하다. 배반, 쿠데타, 주로 그런 말을 쓰는 모양이다. '모반입니다. 모반입니다.' 하고 야단법석을 떠는 모습은 일본의 혼노지[12] 근처에서만 볼 수 있는 듯하다. 그리고 소위 관군은 소위 반란군을 보고 '모두 오합지졸이구나.' 하고 노래하면서 기세를 올린다. 모반은 악덕 중의 악덕, 반란군은 더없이 추잡스러운 것, 일본 사회는 그렇게 정해버린 것 같다. 모반인이나 반란군이 가령 승리한다 해도 이른바 삼일천하일 뿐이고, 결국에는 멸망한다고 우리는 배워왔다. 생각해 보면 이것이야말로 정말 참혹한 봉건사상이다.

예전에도 그런 짓을 한 녀석이 있었는데, 그건 권세나 인기를 얻기 위한 곡예일 뿐이니, 떠들도록 내버려 두고 잠자코 있으면 알아서 자멸하는 법이네, 다자이도 이제 이걸로 끝인가, 충고를 안 할 수가 없군, 하고 걱정해주시는 선배도 있는 모양이다. 하지만 예부터, 질 게 뻔해 보이는 모반인이 앞으로는 반드시 지지만은 않는다는 데에 민주 혁명의 의의가 있는 것은 아닐까.

민주주의의 본질, 그것은 사람에 따라 여러 가지로 말할 수 있겠지만, 나는 '인간은 인간에게 복종하지 않는다.' 혹은 '인간은 인간을 정복할 수 없다. 즉, 하인으로 만들 수 없다.'라는 것이 민주주의 발상發祥의 사상이라고 생각한다.

선배라는 것이 있다. 그리고 그 선배라는 것은 '영원히' 우리보다

12_ 本能寺. 교토시 나카교구에 위치한 불교 사원. 아케치 미쓰히데가 일으킨 혁명으로 오다 노부나가가 자결하기에 이른 혼노지의 변이 발생한 장소로 유명하다.

훌륭한 존재인 모양이다. 그들의 그 '선배'라고 하는 핸디캡은 거의 폭력에 가까울 정도로 거칠다. 예를 들어 내가 지금 이른바 선배라는 이들의 험담을 쓰는 것은, 히요도리 고갯길[13]을 달려 내려가는 것이 아니라, 히요도리 고갯길을 기어오르는 꼴이나 다름없다. 바위와 나무, 흙덩이에 매달려 혼자 기어오르는데, 선배들은 산 위에 모여앉아 담배를 피면서 나의 그런 비참한 모습을 보고 바보라 하고, 추잡스럽다 하고, 인기 끌기라 하고, 이성을 잃었다고 한다. 그리하여 내가 조금 위로 기어 올라가면, 아주 손쉽게 그들 발치의 돌멩이 하나를 이쪽으로 툭 찬다. 참을 수가 없다. 악 하는 꼴사나운 비명과 함께 나는 아래로 떨어진다. 산 위의 선배들은 와하하 웃고, 아니 웃는 건 그나마 양반이고, 발로 차 떨어트려 놓고는 모른 척 마작 테이블을 둘러싸고 앉아 있고는 한다.

우리가 아무리 목이 터져라 말해도 세상은 반신반의한다. 그러나 선배의 '저 녀석은 글러 먹었다.'라는 말 한마디에는 한때의 칙어勅語와 같은 효과가 있다. 그들은 실로 한심한 생활을 하고 있지만, 그건 소위 세상의 신용을 얻을 법한 생활방식이다. 그리고 그들은 빈틈없이 세상의 신뢰를 이용하고 있다.

우리는 영원히 그들보다도 못한 것이다. 우리가 최선을 다해서 쓴 작품도, 그들의 작품에 비하면 제대로 읽히지조차 못한다. 그들은 세상의 신뢰에 편승하여 저 녀석은 글러 먹었다 따위의 말을 하고, 세상 사람들 역시, 그렇군, 하고 쉽게 납득 한다. 소위 선배라는 자들이 마음만

13_ 히요도리고에鵯越. 효고현 고베시에 위치해 있으며 경사가 매우 급하고 험준하다. 헤이안시대 후기의 무장인 미나모토노 요시쓰네가 부하들을 이끌고 이 고개를 단숨에 내려가 적군 진영을 기습, 대승을 거둔 일화로 유명하다.

먹으면 우리를 정신 병원에 가둘 수도 있는 것이다.

노예근성.

의식적인지 무의식적인지는 모르겠지만, 그들은 그 노예근성에 최대한 기대고 있다.

그들의 에고이즘, 차가움, 자만심, 그것이 독자의 노예근성과 아주 잘 매치 되는 듯하다. 한 평론가는 어느 노대가의 작품에 머리를 조아리며 말하기를, '그 선생님은 서비스를 안 하기 때문에 대단하다. 다자이는 그저 독자가 재밌어할 법한 걸 쓸 뿐이고…….'

극도의 노예근성이라고 생각한다. 즉, 자기를 일절 상대해주지 않고 그저 수치스럽게 만들어주는 작가에게 감사하는 것이다. 평론가 중에는 이러한 '엉터리 잘난척쟁이'가 많기 때문에 화가 치밀어 오른다. 수묵화의 아름다움을 모르면 고상한 예술을 이해하지 못하는 것이라고 생각하는 건가? 고린[14]의 극채색은 고상한 예술이 아니라고 생각하는 것인가? 와타나베 가잔[15]의 그림도 결국 다 친절한 서비스가 아닌가.

완고함. 분노. 냉담함. 건강함. 자기중심. 그것을 훌륭한 예술가의 특질이라 여기며 감사히 생각하는 사람도 있는 모양이다. 그런 기질은 모두 매우 남성적인 것으로 받아들여지는 듯한데, 그것들은 오히려 여성의 본질이다. 남자는 여자처럼 쉽게 화내지 않고, 또 상냥하다. 완고함이라는 건, 교양 없는 요릿집 여주인에게서나 찾아볼 수 있는 매우 하등한 성질에 불과하다. 선배들은 약자 괴롭히기를 좀 그만두면 어떨까. 소위 말하는 '문명'과 가장 동떨어진 짓이다. 그것은 완력일

14_ 오가타 고린尾形光琳(1658~1716). 에도시대 중기에 활약한 화가. 장식성이 두드러진 그림을 그렸으며, 그의 대표작 중 하나인 <제비붓꽃>은 오천엔 권 화폐에 실리기도 했다.

15_ 渡辺華山(1793~1841). 에도시대 후기의 무사 겸 화가. 정밀한 사실 묘사의 초상화로 유명하다.

뿐이다. 요릿집 여주인들의 수다를 듣다 보면 무언가 깨닫는 바가 있을 것이다.

선배를 대하는 후배의 예의, 선생을 대하는 학생의 예의, 부모를 대하는 자식의 예의, 그것들에 대해서는 질릴 정도로 배워왔고, 또 어느 정도는 지켜가며 살아왔다. 그러나 후배를 대하는 선배의 예의, 학생을 대하는 선생의 예의, 자식을 대하는 부모의 예의, 그것들에 대해서 우리는 그 어떤 가르침도 받은 바 없다.

민주 혁명.

나는 그것의 필요성을 통감하고 있다. 유능한 청년과 여성을 난폭한 파괴 사상으로 내모는 것은, 민주 혁명에 무관심한 네 녀석들의 완고함이다.

젊은이들의 주장에 귀 기울여 달라! 그리고 생각해 달라! 내가 여시아문이니 뭐니 하는 이런 졸문을 쓰는 것은 미쳐서도 아니고, 우쭐대려는 것도 아니고, 다른 사람이 부추긴 것도 아니고, 하물며 인기를 얻기 위해서는 더더욱 아니다. 진심인 것이다. 예전에 아무개도 그런 짓을 했었지, 결국엔 똑같은 짓인 거야, 따위의 말로 가볍게 정리하지 말길 바란다. 예전에 있었으니 지금도 그와 같은 운명을 따를 자가 있으리라고 생각하는 식의 거만한 독단은 집어치우라고.

목숨을 걸고 일을 하는 것이 죄인가? 그리고 어물쩍 대충 넘어가며 안락한 가정생활을 목표 삼아서 일을 하는 것은 선인가? 네 녀석들은 우리의 고뇌에 대해 조금이라도 생각해 본 적이 있는가?

나의 이러한 수기는 결국 어리석은 행동으로 치부되고 마는 것일까. 내가 글을 팔기 시작한 지 벌써 십오 년이 흘렀다. 그러나 여전히 내 말에는 아무런 권위도 없는 듯하다. 제대로 된 대접을 받으려면 앞으로 이십 년은 더 걸릴 것이다. 이십 년. 대충 날려 쓴 작품이든 뭐든 개의치 않고 일단 야무지게 저널리즘에 매달려 이십 년 동안 선배들에게 예를 다하면서 얌전히 지내다 보면 가까스로 '신뢰'를 얻기에 이르는 모양이지만, 나는 도저히 그때까지 인내할 자신이 없다.

그 사람들에게는 고뇌가 전혀 없다. 내가 일본의 모든 선배들에게 가장 불만스러운 건, 고뇌라는 것에 대해 횡설수설한다는 점이다.

어디에 '암야暗野'[16]가 있다는 말인가. 자기가 누구를 용서하네, 못하네 하면서 오락가락하고 있을 뿐이지 않나. 용서하고 말고 하는 그런 가당찮은 권리가 자기에게 있다고 믿고 계신다. 그렇다면 자기 자신은 어떠한가? 남을 심판할 주제도 아닐 것이다.

시가 나오야라는 작가가 있다. 아마추어다. 6대학 리그전[17]이다. '만약 소설을 그림이라고 한다면, 그 사람이 발표하는 것은 글이다.'라고 말한 지인도 있다. 그 '훌륭함' 비슷한 것은 결국 그 사람의 자만에 불과하다. 완력에 대한 자신감에 지나지 않는다. 나는 그 사람의 작품에서 본질적인 '불량함' 혹은 '도락가'밖에 느끼지 못한다. 고귀함이란 약한 것이다. 갈팡질팡 허둥대며 쉽사리 얼굴을 붉히는 것이다. 결국 그 작자는 졸부에 지나지 않는다.

오케라[18]라는 것이 있다. 그 사람을 존경하고, 감싸주고, 그 사람에 대해 험담하는 자를 욕하고 때림으로써, 세상에서의 자기 지위를 어떻게

16_ 1921~1937년에 걸쳐 연재된 시가 나오야志賀直哉의 유일한 장편소설 『암야행로暗野行路』를 가리킴. 주인공 도키토 겐사쿠時任謙作는 할아버지와 어머니 사이에서 부정하게 출생한 인물로, 고통스러운 운명을 짊어지고서도 끊임없이 자아를 추구하다가 결국 용서와 화해에 이르게 된다.

17_ 도쿄에 소재하는 6개 대학(게이오, 도쿄, 릿쿄, 메이지, 와세다, 호세이 대학)으로 구성된 일본 현존 최고最古의 대학야구 리그.

18_ 빈털터리, 무일푼이라는 뜻으로 주로 도박으로 재산을 탕진한 사람을 일컫는다.

든 보존해보고자 아등바등 애쓰는 한 무리의 인간들을 일컫는 말이다. 가장 야비한 존재다. 그것을 남자다운 '정의'라고 믿으며 자기만족에 빠진 녀석들이 대부분이다. 구니사다 주지[19] 영화의 영향인지도 모른다.

진정한 정의는, 두목도 부하도 없고, 자기 자신 역시 나약해서 어딘가에 수용되고 마는 모습 속에서 찾아볼 수 있다. 거듭 말하지만, 예술에는 두목도, 부하도, 또 친구조차 없다고 생각한다.

자세한 내막까지 낱낱이 다 밝힐 생각으로 쓰고 있는데, 내가 이 여시아문이라는, 세간에서 봤을 때 명백히 어리석은 내용인 글을 써서 발표하는 것은 '개인'을 공격하기 위함이 아니다. 반크리스트적인 것들과 싸우기 위해서다.

그들은 크리스트라고 하면 곧바로 경멸 섞인 쓴웃음을 지으며 뭐야, 야소예수의 음역어로군, 하며 안도감 비슷한 것을 느끼는 모양인데, 내가 가진 거의 모든 고뇌가 그 예수라는 사람이 말한 '네 이웃을 네 몸과 같이 사랑하라'라는 난제 하나에 걸려 있다고 해도 좋다.

한마디로 말하겠다. 네 녀석들에게는 고뇌하는 능력이 없는 만큼 사랑하는 능력 또한 완벽히 결여되어 있다. 네 녀석들은 애무는 할지언정, 사랑하지는 않는다.

네 녀석들이 가지고 있는 도덕은 모두 네 녀석들 자신이나 네 녀석들 가족의 보전, 거기서 단 한 발짝도 벗어나지 않는다.

거듭 묻겠다. 세상에서 추방당해도 좋다는 각오로 목숨을 걸고 행동하는 것이 죄가 되는가?

나는 스스로의 이익을 위해 글을 쓰는 게 아니다. 믿을 수 없겠지만

19_ 國定忠治(1810~1850). 에도시대 후기에 활약한 협객으로, 야쿠자의 전형으로 여겨지기도 한다. 도박꾼으로 유명했으며, 후에 도박 · 살인 · 살인교사 등의 죄목으로 처형당했다.

말이지.

마지막으로 묻겠다. 나약함, 고뇌는 죄인가?

이 글을 다 쓰고 나서, 나는 우연히 어느 잡지 좌담회의 속기록을 읽었다. 그것에 의하면, 시가 나오야라는 사람이 '이삼일 전에 다자이 군의 『범인』[20]인지 뭔지 하는 것을 읽었는데, 정말 시시하더군. 처음부터 너무 뻔한 얘기라서 끝까지 읽지 않아도 결말은 눈에 다 보이고…….'라고 말씀하셨, 아니 말했던데(하지만 좌담회의 속기록이나 인터뷰에는 본인도 기억하지 못하는 말이 많은 법이다. 엉터리가 많으니 그것을 문제 삼기는 좀 그렇지만, 나는 시가라는 개인에 대해서가 아니라 그러한 말에 대해 항변하고 싶은 것이다), 작품의 마지막 한 줄로 독자를 골탕 먹이는 게 그리 좋은 느낌은 아닐 것이다. 소위 '결말'을 꽁꽁 숨기고 숨기다가 불쑥 들이미는 것, 그것을 범상치 않은 재능이라 여기는 선배는 딱하기 그지없다. 예술은 시합이 아니다. 봉사다. 읽는 이를 상처 입히지 않고자 하는 봉사인 것이다. 그렇지만 상처를 입고 기뻐하는 변태들도 많기 때문에 참을 수가 없다. 그 좌담회의 속기록이 시가 나오야라는 사람이 한 말 그대로가 아닐지라도, 만약 그와 비슷한 말을 했다면 그건 그 노인의 자기 파산이다. 우쭐거리긴. 자기 얼굴만 잘나 보이는 거울이 네 녀석 집에도 있는 모양이로군. '결말'을 피하면서, 그러나 그것에 대한 암시와 흥분으로 글을 써온 것은 네 녀석 아니던가?

또한 그 노인에게 아첨꾼처럼 딱 달라붙어 알랑거리며 '지당하신 말씀입니다. 대중 소설 같네요.'라고 말하는 비열하고 초라한 속물 작가,

20_ 1948년 1월에 잡지 『중앙공론』에 발표된 단편소설(전집 9권 수록).

이 녀석들은 논외.

4

어느 잡지 좌담회의 속기록을 읽다가 시가 나오야라는 자가 묘하게 내 험담을 한 것을 보고 발끈해서, 이 잡지의 지난달 호의 소론에 부기附記처럼 덧붙여서 나도 아주 거칠게 반박했는데, 그것만으로는 아직 부족한 기분이 들었다. 도대체 그 녀석의 말투는 어째서 그렇게 거만한 것인가. 보통 소설을 장기라고 한다면, 그 녀석이 쓰는 글 따위는 박보장기[21]다. 장군, 장군, 하면서 외통수로 몰아가는 장기다. 심심풀이로 익힌 재주의 전형이다. 승패의 전율 같은 것은 눈곱만큼도 없다. 거기다 그 밋밋함이 자랑거리인 듯하니, 아주 어처구니가 없다.

애당초 이 작가는 생각이 조잡하고, 교양은 없고, 그저 난폭할 뿐이다. 문단 한구석에서 일부 별난 사람들에게 사랑받는 정도가 고작인 주제에 혼자 득의양양해서는, 봉당을 빌려줬더니 어느새 안방을 꿰차고 들어앉아 거장이라도 되는 양 굴고 있으니 실소를 금할 길이 없다.

이번 달에는 이 남자에 대해 인정사정없이 폭로해보려고 한다.

고고함이라든가 절조, 결벽과 같은 찬사의 말을 듣는 작가는 조심해야 한다. 대부분 남을 속이려는 습성을 가지고 있는 작자들이다. 결벽하다는 건 그저 제멋대로에, 완고하고, 거기다 빈틈이 없는, 혼자 우쭐대고 있는 꼴을 말한다. 비겁해도 상관없으니 그저 이기고 싶은 것이다.

21_ 생각해내기 힘든 수로 방어자를 궁지에 몰아넣는 내기 장기.

인간을 하인 삼고자 하는 파쇼적 정신이랄까.

이러한 작가는 이른바 군인 정신 같은 것으로 가득 차 있는 듯하다. 인정사정없이 쓰겠다고 방금 말했는데, 차마 이 작가가 쓴 「싱가포르 함락」의 전문을 여기에 게재하지는 못하겠다. 바보가 쓴 글이다. 하물며 도조[22]도 이렇게 무신경한 글은 쓰지 않을 것이다. 정말 기괴한 말들만 늘어놓았다. 아무래도 이즈음부터 이 작가는 글러 먹은 듯하다.

할 말은 얼마든지 있다.

이 자는 인간의 나약함을 경멸한다. 돈이 많은 것을 과시한다. 「어린 사환의 신」이라는 단편이 있는데, 그게 그 가난한 자에게 얼마나 가혹한 것인지 본인은 깨닫고나 있을까. 남에게 먹을 것을 준다는 건, 전차에서 자리를 양보하는 것 이상으로 고통스러운 일이다. 뭐가 신이라는 거야. 꼭 신흥 졸부 같은 정신이지 않은가.

또 어느 좌담회에서(네 녀석은 왜 그렇게까지 내게 신경을 쓰나? 꼴사납군) 다자이 군의 『사양』이라는 걸 읽고는 정말 질렸네 어쩌네 하는 말을 한 모양인데, '질렸다' 따위의 비굴한 말투에는 나도 질렸다.

그걸 보고 할 말을 잃었다, 질렸다, 하는 식의 말투는 히스테릭하고 무식한, 그리고 쓸데없이 거만한 도락가나 쓰는 것이다. 어느 좌담회 속기에서 그 머리 나쁜 작가가 나에 대해 '좀 더 진지하게 임하면 좋겠다는 생각이 드는군.'이라고 말한 것을 보고 정말 어처구니가 없었다. 네 녀석이야말로, 좀 더 어떻게 안 되겠나?

또 그 좌담회에서, 귀족 집 딸이 시골 출신 여종업원의 말투를 쓴다,

22_ 도조 히데키東條英機(1884~1948). 군인 · 정치가. 1938년에 육군차관, 1941년에 수상 자리에 올랐고, 진주만의 미국 함대 기지를 기습 공격함으로써 태평양전쟁을 일으켰다. 종전 후 A급 전범으로 극동 국제 군사재판에 회부되어 교수형에 처해졌다.

라는 말을 했더군. 네 녀석이 쓴 「토끼」에는 '아버지는 토끼 같은 걸 죽이실 수 있으세요?'라는 말이 나오던데, 정말이지 기이한 느낌을 받았다. '죽이시다'라니, 좋은 말이로군. 부끄럽지도 않나?

너는 스스로를 귀족이라고 생각하는가? 부르주아조차도 못 되지 않나. 네 녀석이 남동생에게 어떤 태도를 취했는지, 좋든 나쁘든 전혀 못 쓰지 않나. 가족들이 유행성 감기에 걸린 것을 중대사라도 되는 양 쓰고서, 그것이 작가의 바른길이라 믿어 의심치 않는 네 녀석의 그 말 같은 면상이 꼴사납다.

강하다는 것, 자신감이 있다는 것, 그것은 작가가 갖춰야 할 중요한 조건이 아니다.

나는 예전에 그 작가가 고등학생 시절 즈음에 벚꽃나무 처마 옆에서 심하게 포즈를 취하고 찍은 사진을 본 적이 있다. 정말 꼴 보기 싫은 학생이라고 생각했다. 거기에는 예술가의 나약함이 전혀 없었다. 그저 무신경하게 포즈를 잡고 있을 뿐이었다. 옅은 화장을 한 스포츠맨. 약자를 괴롭히는 자. 에고이스트. 힘은 세 보인다. 나이 든 후의 사진을 봤더니, 별 볼 일 없는 정원사 아저씨였다. 앞치마 작업복이 아주 잘 어울리겠더군.

내가 쓴 「범인」이라는 소설에 대해, '그건 읽었다. 정말 심하더군. 처음부터 결말이 뻔히 보여. 읽는 사람은 이미 알고 있는데, 작가는 모를 거라고 생각하고 열심히 쓴 거지.'라고 말했던데, 그 소설은 결말이고 나발이고 없다. 처음부터 누구나 다 알고 있는 건데 그걸 자기의 혜안만이 꿰뚫어 보고 있는 것처럼 말하다니, 망령이 난 게 아닐까 싶다. 그건 탐정소설이 아니다. 오히려 네 녀석이 쓴 「청개구리」의 '결말'이 훨씬 유치하지 않나?

도대체 왜 그렇게 혼자 우쭐대고 있는 것인가. 나도 이제 틀려먹은 게 아닌가, 하고 반성해본 적도 없나? 허세 좀 그만 떠세요. 인상이 나빠 보이잖아.

또 이 작가에 대한 험담을 하겠는데, 이 사람의 최근 걸작인지 뭔지라고 평가받는 작품 속 한 줄을, 나는 도무지 이해할 수 없었다.

'지붕이 없는 도쿄역 플랫폼에 서 있으니, 바람은 불지 않았지만 쌀쌀해서 입고 온 홑겹 외투가 딱 좋았다.' 터무니없다. 쌀쌀해서 떨고 있는 것인가 했는데, 입고 온 홑겹 외투가 딱 좋았다니 이게 무슨 소린가? 정말 엉망진창이다. 애당초 이 소설에는 이 소년공에 대한 동정심이 전혀 드러나지 않는다. 모질게 버려둠으로써 애정을 느끼게 만드는, 예부터의 그 속된 수법을 구사한 모양인데, 그건 실패했다. 게다가 마지막 한 줄, 쇼와 20년1945년 10월 16일의 일이다, 에 이르러서는 웃음을 참을 수가 없었다. 더 이상 속임수가 통하지 않게 되었다.

내가 아직도 우스워 견딜 수가 없는 것은, 그 「싱가포르 함락」의 필자가(기탄없이 말하지. 네 녀석은 '일억일심[23]이 뜻밖에 실현되었다. 지금의 일본에 친영미 사상 따위는 있을 수 없다. 우리의 마음은 아주 밝고 차분해졌다.'라는 등의 말을 했었지.) 전후에는 돌연 우치무라 간조[24] 선생의 이름을 입에 담더니, 어느 잡지 인터뷰에서 자기가 지금까지 군국주의에 물들지 않고 절조를 지켜올 수 있었던 것은 전적으로 은사 우치무라 간조의 교훈 덕분이었다는 식의 말을 한 것이다. 인터뷰는 믿을 게 못 되지만, 그 절반만이 사실이라고 해도 그 경박함에는 웃을

23_ 전 국민이 한마음이 되었음을 뜻하는 말로, 일본 제국주의를 뒷받침하던 대표적 슬로건 중 하나이다.

24_ 103쪽의 각주 24 참조.

수밖에 없다.

이 작가는 유독 존경받는 듯한데, 도대체 다들 왜 그렇게 존경하는지 전혀 이해할 수가 없다. 어떤 일을 해온 것일까. 그저 활자가 큰 책을 만들어왔다고밖에 생각할 수 없다. 「반레키아카에万暦赤絵」인지 뭔지 하는 것도 읽었지만, 한심한 것이었다. 으스대는 느낌이었다. 자기가 방귀를 뀐 일을 써서 그것이 커다란 활자로 찍혀 나오고, 독자들이 그것을 읽고 옷매무시를 가다듬었다고 하는 그런 난센스와 조금도 다를 바가 없다. 작가도 제정신이 아니지만, 독자도 제정신이 아니다.

결국 봉당을 빌려주니 안방까지 내놓으라는 격이다. 아무것도 없다. 지금 여기에 그 작가의 선집이라도 있다면 하나하나 지적할 수 있겠지만, 아내와 함께 책장 구석구석을 뒤져봐도 이상하게 한 권도 없었다. 연이 없는 거겠지, 라고 나는 말했다. 이미 밤늦은 시간이었지만, 지인의 집에 찾아가 뭐든 좋으니 시가 나오야의 책을 빌려달라고 해서 「이른 봄」과 「암야행로」, 그리고 「잿빛달」이 실린 잡지를 빌려올 수 있었다.

「암야행로」.

제목 한번 요란하다. 그는 종종 남의 작품에 대해 허세니 뭐니 하는 모양인데, 자기 허세를 알아야 할 것이다. 그 작품의 대부분이 허세다. 박보장기란 바로 이런 걸 말하는 것이다. 도대체 이 작품 속 어디에 암야가 있다는 말인가. 그저 어마어마한 자기 긍정뿐이다.

어디가 훌륭하다는 건지? 그냥 자만심에 빠져 있을 뿐이지 않나. 감기나 중이염에 걸리는 것, 그런 것이 암야인가? 정말로 이해하기 힘들었다. 마치 이것은 예의 작문 교실에서나 쓸 법한 소년 문학이나 다름없지 않나. 그것이 어느새, 봉당을 빌려주니 대뜸 안방에, 배운 것도 없는 주제에 부끄러운 줄도 모르고 천연덕스럽게 떡 버티고 앉아 있다.

그런데 이렇게 시가 나오야 따위에 대한 글을 쓰다 보니 무척 울적해졌다. 그는 소위 좋은 가장에 재산도 적당히 있을 것이고, 곁에는 좋은 아내가 있고, 자식들은 건강한 데다 분명 아버지를 존경할 것이다. 경치 좋은 곳에 살고, 전쟁 피해를 입었다는 얘기도 들어본 적이 없으니 고급 수제 명주옷 같은 것을 입을 테고, 더불어 폐병인지 뭔지 하는 불길한 병에도 걸리지 않았을 것이다. 방문객들은 모두 품위가 있어 선생님, 선생님, 하면서 그의 말 한마디 한 구절에 감복하며 화기애애한 분위기로 가득하고, 요즘 다자이라는 건방진 녀석이 선생님께 이상한 소리를 하는 모양이던데, 추잡한 놈이니 상대하지 마세요, 라고 하면서 떠들썩하게 웃을 것이다. 그런데도 그 추잡한(나오야 왈, 아무래도 나는 좋은 점을 못 찾겠더군) 마흔 살 먹은 작가는, 과장이 아니라 정말 피를 토해가면서 진짜 소설을 쓰고자 애쓰다가 그 노력으로 인해 오히려 모두에게 미움을 사서, 허약한 어린 자식 셋을 끌어안고, 부부는 진심으로 웃은 적이 없고, 장지문 살도, 미닫이문 심지도 부서진 월세 오십 엔짜리 집에 살고, 전쟁 피해를 두 번이나 입은 탓에, 원래는 좋은 옷을 입고 싶어 하는 남자가 짤막한 바지에 게다 차림을 하고서, 아이를 돌보느라 바쁜 아내를 대신해 반찬거리를 사러 나가는 것이다. 그리고 시가 나오야 따위에게 항의한 덕분에 이제껏 알고 지내 온 선배나 지인들과 전부 어색해졌다. 그래도 나는 말해야만 한다. 가짜 너구리인지 여우인지 모를 놈이 내가 힘들여 쓴 작품을 보고 '질렸다' 따위의 말을 하고 만족스러워하고 있기 때문이다.

시가 나오야의 작품은 엄격하네 어쩌네 하는 평가를 받는 모양인데 그건 거짓말이고, 안이한 가정생활, 주인공의 주제넘은 어리광과 버릇없음, 요컨대 그 안이하고 즐거워 보이는 생활이 매력인 듯하다. 도쿄에서 태어나 도쿄에서 자란(도쿄에서 나고 자랐다는 사실에 대한 그 프라이드는 우리 눈에는 아주 난센스에 우스꽝스러워 보이지만, 그들이 촌놈이라는 말을 할 때 그 속에 얼마나 깊은 경멸감이 담겨 있는지, 그건 아마 독자 여러분의 상상 이상일 것이다) 도락가, 아니 조금 불량스럽고, 골격이 단단하고, 얼굴이 크며 눈썹이 진하고, 자진해서 벌거벗고 스모를 하고, 힘이 센 것이 자랑거리에 뭐든 이기면 그만이라고 큰소리를 치는 자가, '불쾌했다'라느니 어쩌니 마치 자기가 전지전능한 사람이라도 되는 양 건방진 말을 하면, 시골 출신의 가난한 이는 어쨌든 일단은 간담이 서늘해지는 것이다. 그가 방귀를 뀌는 것과 시골 출신의 하찮은 인간이 방귀를 뀌는 것은 의미가 전혀 다르다고 한다. 그는 '사람에 따라 다르다'고 말한다. 머리가 나쁘고, 감수성이 무디고, 자나 깨나 내가, 내가, 라는 말만 해대면서 최고가 되고 싶은 것일 뿐이다. (게다가 봉당을 빌려주니 안방을 내놓으라고 하는 식으로). 목적을 위해 수단을 가리지 않는 것은 그들 완력가의 특징이다. 짜증스럽게 소변을 참아가며 엉거주춤한 자세로 앉아서 엉망진창으로 원고를 휘갈겨 쓰고는, 그것을 주변 사람에게 깨끗이 옮겨 쓰게 한다. 그것이 그의 글 스타일에 여실히 드러나 있다. 잔인한 작가다. 몇 번이고 반복해서 말하고 싶다. 그는 낡아빠지고 난폭한 작가다. 낡아빠진 문학관을 고수하며 한 발짝도 움직이려 들지 않는다. 완고함. 그는 그것을 미덕이라고 생각하는 모양이다. 교활한 생각이다. 운만 따라준다면, 하고 생각하는 것에 지나지 않는다. 이런저런 계산도 하고 있겠지. 그래서 싫다. 넘어뜨려야 한다고 생각한다. 집에 완고한 아버지가 하나 있으면 그 가족들은 모두 불행의 한숨을 쏟아내게 된다. 거만 떨지 마. 나에 대해 '불쾌한 포즈가 있어서,

도무지 좋은 점을 발견할 수가 없다.'라고 말하는데, 그것은 이미 석고 깁스처럼 굳어버린 네 녀석의 멍청한 포즈 탓이다.

좀 더 약해져라. 문학자라면 약해지라고. 유연해지도록 해. 네 녀석의 방식 이외의 것들을, 아니 그 괴로움을 이해하려고 노력하도록. 도저히 이해할 수 없다면 잠자코 있으라고. 함부로 좌담회 같은 곳에 나가서 창피를 당하지 말도록. 학문은 쥐뿔도 모르는 주제에 직감이네 뭐네 하는 의심스러운 것 따위에만 매달려, 십 년을 하루처럼 남 험담이나 하고, 웃고, 우쭐해하는 녀석들에게는 나도 '질렸다.' 이기기 위해 매우 비열한 수단을 쓴다. 그리하여 세상 사람들에게 '그 사람은 좋은 사람이야. 결벽하고 훌륭한 사람이야.'라는 평가를 듣는 데 성공했다. 거의 악인이다.

자네들이 얻은 것은(소위 문단 생활 몇 년차인지는 모르겠지만) 세간에서의 신뢰뿐이다. 시가 나오야를 애독한다고 말하면, 그게 차분하고 좋은 취향을 가진 사람의 증거라도 되는 것처럼 여겨지는 모양인데, 부끄럽지도 않은가? 생전의 '미풍양속'과 잘 매치 되는 작가가 어떤 종류의 작가인지는 잘 알고 있겠지.

너는 국회의원 선거에라도 출마했다면 참 좋았을 텐데. 그 뻔뻔스러움, 자기 긍정, 국회의원이 안성맞춤이다. 너는 그 「싱가포르 함락」이라는 졸문(그 졸문마저 모르는 척 대충 얼버무리려고 하니, 정말 가공할 만한 양심가다)에서 아주 뜬금없고 당돌하게 '겸양'이라는 단어를 사용했는데, 그것이 바로 너에게 가장 부족한 덕목이다. 너의 보기 흉한 머릿속에 들어차 있는 건 오로지 거만함뿐이다. 이 『문예』라는 잡지의 좌담회 기사를 읽어보니, 너는 젊은이들 앞에서 심하게 우쭐거리며 거만하게 굴고, 또 젊은이들은 묘한 말만 늘어놓으며 아첨을 하던데,

하지만 나는 젊은이들 험담은 쓰지 않을 생각이다. 내게 한 소리를 듣는 건, 그 사람들의 필사적인 행로를 쓸데없이 곤혹스럽게 만들 뿐이라는 것을 알기 때문이다.

'나는 다자이보다 나이가 많으니까'라는 너의 말은, 나이가 많기 때문에 험담할 권리가 있다는 의미로 들리는데, 내 경우에는 그것과 반대로 '내 나이가 더 많으니까' 젊은 사람들의 험담은 삼가고 싶다. 그리고 또, 그 좌담회 기사 중에 '평판이 좋은 사람의 험담을 하는 느낌이라 좀 그렇지만'이라는 부분을 보고, 어쩌면 이렇게 추하고 비열할 수 있을까 하는 생각이 들었다. 이 사람은 의외로 '평판'에 예민한 것이 아닌가? 그렇다면 이렇게 말하는 게 좋을 것이다. '최근에 평판이 좋은 듯하니, 유익한 충고를 조금 드리고 싶은데.' 적어도 이런 말투라면 애정이 느껴진다. 그의 말은 그저 낡아빠진 허세로 가득하고, 애정이 전혀 없다. 보라, 자기가 쓴 「구니코」와 「아기를 훔치는 이야기」 같은 작품을 전혀 쑥스러워하지도 않고 자랑하면서, 그 장점과 뛰어난 점을 설명한다. 망령이라도 난 듯한 그 모습에는 웃음을 터뜨리지 않을 수 없다. 작가도 이쯤 되면 다 틀려먹었다.

'모조품', '모조품' 하고 떠들어대는 모양인데, 그것이야말로 이십 년이 하루 같은, 곰팡내 나는 문학론이다. 그 모조품을 쓰는 게 일상생활의 일기 같은 소설을 쓰는 것보다 훨씬 더 힘들다는 것, 그리고 그 고생에 비해 평론가라는 사람들에게 좋은 평가를 받지 못한다는 것을, 너도 「클라우디우스의 일기」라는 작품을 통해 절감했을 것이다. 그리고 게으르고 교활한 녀석, 즉 자신의 일상생활을 자부하는 녀석만이 예의 그 일기 비슷한 글을 쓰는 것이다. 이 상태로는 독자에게 송구스럽다는 마음으로 허구를 고안해내는 것, 거기에 작가의 진정한 고통이 존재하는 것은 아닐까. 어차피 네 녀석들은 게으름뱅이인 데다, 교활한 속임수를 쓰고 있을 뿐이야. 그래서 목숨 걸고 글을 쓰는 작가의 험담을 하고, 그야말로 목매단 사람의 다리를 잡아당기는 것 같은 짓을 하는 것이다. 항상 그렇지만, 쓸데없이 나를 괴롭히는 건 네 녀석들뿐이다. 네 녀석에게 진절머리 나는 점이 하나 더 있다. 그건 바로 아쿠타가와의 고뇌를 전혀 이해하지 못하는 점이다.

은둔자의 고뇌.

나약함.

성서.

생활의 공포.

패자의 기도.

네 녀석들은 아무것도 모르는 주제에, 모르는 자신을 자랑스러워하기까지 한다. 그런 예술가가 세상천지 어디에 있는가. 아는 것이라곤 처세술뿐이고, 사상이고 뭐고 다 횡설수설. 입이 다물어지지 않는다는 건 바로 이런 것이다. 네 문학에는 전통이 전혀 없다. 체호프? 웃기지 마. 아무것도 안 읽은 주제에. 책을 안 읽는다는 건 그 사람이 고독하지 않다는 증거야. 은둔자인 척하고 있지만, 매일같이 주위가 떠들썩한 게 아니라면 다행이다. 그 문학은 전통을 깼다고 할 수도 없다. 즉, 어린애들이나 읽을 법한 글을 나잇살이나 먹고 으스대며 쓰고는 우쭐대고 있는 사람이라는 생각까지 든다. 그러나 안데르센의 「미운 오리 새끼」 정도 되는 '천재적인 작품'은 하나도 없다. 그러고는 그저 으스대는 것이다. 힘만 센 골목대장, 잘난 척 대장, 노기 대장.

귀족이 어쩌고저쩌고하던데(귀족이라고 하면 이상하게 모두 흥분하는 것이 이해 불가), 어느 신문 좌담회에서 황족 한 분이 '『사양』을 즐겨 읽고 있다. 내 일처럼 마음에 와닿기 때문이다.'라고 말씀하신 적이 있다. 그걸로 된 것 아닌가? 네 녀석들 같은 졸부 놈들은 내 알 바 아니다. 질투. 나잇살이나 먹고서 창피해라. 다자이 따위를 죽이시려는 겁니까? 오는 말이 고와야 가는 말도 고운 법, 얼마든지 쓸 테다.

다자이 오사무와 「여시아문」, 남겨진 뒷이야기

김재원

1

다자이는 죽음에 이르기 약 삼 개월 전인 1948년 2월 27일, 연인 야마자키 도미에의 방에서 「여시아문」의 집필을 시작한다. 「여시아문」은 출판사의 강요로 쓰게 된 것이라는 당시 세간의 소문과 달리 사실 다자이의 강력한 의지에 의해 기획된 글로, 다자이가 구술한 것을 잡지 『신조』의 편집자 노히라 겐이치가 기록하는 식으로 집필되었다. 다자이는 단어와 문장부호를 하나하나 꼼꼼히 지시했고, 노히라는 그것을 그대로 받아 적었다. 노히라의 회상에 의하면, 집필을 시작한 날 다자이의 곁에는 도미에가 함께 있었다. 다자이는 쉽사리 첫 문장을 내뱉지 못하고 한참을 망설였다. 다자이의 첫 마디를 기다리고 있는 노히라에게, 다자이는 가볍게 웃으며 말했다. "그래, 맞아, 자네가 상상하는 그대로야. 조금만 더 기다리게." 그리고 마침내 다자이가 첫 마디를 뱉어내려던 순간, 옆에서 다자이를 지켜보던 도미에가 이를 가로막으며 말했다. "노히라 씨, 선생님을 가엾게 여기신다면 그냥 포기하세요. 죽을지도 몰라요." 결국 곧바로 일을 시작하지는 못했다. 다자이는 도미에에게 일부러 심부름을 시켜 다른 곳으로 보냈고, 그런 다음 둘만 남은 상태에서 집필에 착수했다. “결국 선생님은 쓰고 싶었던 것이다. 쓰지 않고서는 견딜 수 없었던 것이다.”라고, 노히라는 회상한다. 「여시아문」 집필 당시, 다자이는 과도한 음주와 결핵으로 건강이 악화된 데다, 1월 초부터 2월 말에 걸쳐 「미남과 담배」, 「비잔」, 「앵두」를 포함한 총 여섯 편의 단편을 연이어 집필한 탓에 심신이 쇠약해진 상태였다. 하루 종일 바닥에 누워서만 지내는 날들이 이어졌다. 그럼에도 「여시아문」을 쓰기 시작한 날에는 그 어느 때보다 “비장한 얼굴”(야마자키 도미에의 일기 중에서)을 하고 있었다. 「여시아문」이라는 글이 불러올 것으로 예상되는 반향은 그만큼 막대한 것이었다. 당시 일본 문단에서 가장 존경받는 작가, 가장 힘 있는 작가였던 시가 나오야를 공개적으로 비난하는 것은, 문단에서의 철저한 고립을 자초하는 자살행위나 다름없었다. 다자이가 운을 떼기를 망설인 것은 어쩌면 지극히 당연한 일이었다.

2. 다자이 오사무와 시가 나오야志賀直哉

시가 나오야는 1908년에 「어느 아침」이라는 작품으로 문단에 데뷔했다. 그는 이상주의와 인도주의를 지향하는 시라카바파白樺派를 대표하는 작가로, 군더더기 없이 예리하고 간결한 시가 특유의 문체는 젊은 작가들에게 경외의 대상이었다. 아쿠타가와 류노스케, 고바야시 다키지 등, 그의 영향을 받은 작가는 셀 수 없이 많다. 특히 다자이가 존경해 마지않았던 아쿠타가와가 시가에게 강렬한 동경심을 품고 있었던 것은 이미 잘 알려져 있는 사실이다. 아쿠타가와는 「나쓰메 선생님」이라는 글

속에서 시가에 대해 다음과 같이 언급한 바 있다.

> 어느 날, 나는 '시가 씨 같은 문장은 쓰고 싶어도 쓸 수가 없다'고 말했다. 그리고 '어떻게 하면 그런 문장을 쓸 수 있는 걸까요.' 하고 선생님께 묻자 선생님은 '문장을 쓰려고 하지 않고, 생각하는 것을 그대로 쓰기 때문에 그런 식으로 쓸 수 있는 거겠지.'라고 하셨다. 그리고 '나도 그런 건 못 쓰네.'라고 말씀하셨다.

문단에서 늘 화려하게 조명받았던 인기 작가 아쿠타가와도, 일본의 국민 작가라 불리는 나쓰메 소세키도 감히 흉내 낼 수 없는 무언가가, 시가에게는 있었다. 젊은 작가들은 그 무언가를 터득해보고자 애썼고, 그런 이유로 시가의 글은 종종 젊은 작가들과 작가 지망생들에게 모사의 대상이 되기도 했다. 이 정도 사실만 살펴보아도 시가가 당시 문단에서 어떤 위치에 있었는지 충분히 짐작할 수 있다. 그렇다면 다자이는 어떠했을까.

전후 다자이는 매우 안정적인 작품 활동을 펼치며 인기 작가의 반열에 올라 있었다. 특히 1947년에 간행된 『사양』은 '사양족(세계 제2차 대전으로 인한 시류의 급변으로 몰락한 귀족 계급을 칭하는 단어)'이라는 신조어를 낳으며 공전의 히트를 쳤고, 이에 힘입어 작가로서의 다자이의 인기, 특히 젊은 세대들 사이에서의 인기는 절정에 달했다. 그렇다면 이미 최고의 인기를 구가하며 전후를 대표하는 작가로 손꼽히기 시작한 다자이가 그토록 '비장'하게, 문단에서의 철저한 고립을 감수하면서까지 시가를 공격해야 했던 이유는 무엇일까.

이 점에 대해서는 일본의 연구자들 사이에서도 의견이 분분하다.

첫째로, 다자이가 사실은 학창 시절부터 줄곧 시가를 무척 존경했으며, 존경하는 작가에게 부정적인 평가를 받은 것에 큰 상처를 입고 충동적으로 비난의 글을 썼다는 것. 이는 일반적으로 가장 많이 알려진 속설이기도 하고, 여러 근거를 들어 이 설을 지지하는 연구자도 적지 않다. 반면 연구자 스기모리 히사히데杉森久英는 "처음부터 시가의 문학을 부정해왔는데, 시가 역시 자신의 문학을 부정하자 욱한 것"이라고 지적하기도 한다. 어느 쪽이 진실인지는 물론 다자이만이 알고 있을 것이다. 그러나 다자이가 작품 속에서 언급하고 있는, 좌담회에서의 시가의 발언이라는 단편적인 사실만으로 두 사람의 관계를 다 설명할 수 없는 것은 분명하다.

다자이와 시가의 결정적인 접점은 「여시아문」이지만, 그 이전에도 다자이는 소설과 수필 속에서 시가에 대해 여러 차례 언급한 바 있다. 실명을 언급한 것과, 이름은 밝히지 않았지만 시가일 것으로 추정되는 것을 더하면 소설에서 네 번, 수필에서 세 번, 그리고 좌담회에서의 발언이 한 번 있었다. 주요한 것을 살펴보면, 먼저 다자이는 1935년에 발표한 수필 「감사의 문학」 속에서 시가의 이름과 작품명을 언급한다.

> 예술의 기량은 일정 레벨에 도달하면 결코 더 이상 늘지도, 또 그다지 줄지도 않는 듯하다. 의심스러운 이들은 시가 나오야나 사토 하루오 등등을 생각해 보도록. (중략)
>
> 나는 어느 쪽도 심판할 수 없지만, 이것만은 말할 수 있다. 창이 열리다. 사람 좋은 부부. 출세. 귤. 봄. 결혼까지. 잉어. 나한백나무 등등. 살아 있는 것에 감사하는 마음으로 가득 찬 소설이야말로 불멸의 힘을 지닌다.

이 글에서 언급하고 있는 「사람 좋은 부부」는 시가가 1917년에 잡지 『신조』에 발표한 단편소설이다. 다자이는 이 작품을, 자신이 가장 존경하는 작가들, 예컨대 아쿠타가와 류노스케(「귤」)나 스승 이부세 마스지(「잉어」)의 작품과 나란히 나열해 두고, "불멸의 힘을 지닌" 작품으로 평가하고 있다. 스승 사토 하루오와 더불어 시가를 "일정 레벨에 도달"한 작가로 평가하고 있는 점도 눈에 띈다.

또한 1940년에 발표한 단편 「아무도 모른다」 속에서, 다자이는 또 한 번 시가의 실명을 언급한다.

> 지금 다시 읽어본다면 또 다른 느낌을 받을지도 모르지만, 그 아리시마라고 하는 분의 책에는 허울 좋은 논의만 가득해서 전혀 재밌지가 않더군요. 분명 제가 속물인 것이겠지요. 그 당시 무샤노코지나 시가, 다니자키 준이치로, 기쿠치 간, 아쿠타가와와 같은 신인 작가들이 많았는데, 저는 그중에서는 시가 나오야와 기쿠치 간의 단편소설을 좋아했습니다. 그 때문에 또 세리카와에게 사상이 빈약하다는 핀잔을 듣고 비웃음을 사기도 했지만, 저는 이런저런 억지 이론만 가득한 작품은 읽을 수 없었습니다.

이는 물론 어디까지나 소설 속 설정으로, 다자이의 취향과 완벽하게 일치한다고 할 수는 없다. 좋아하는 작품으로 아쿠타가와의 것을 들지 않은 점은 특히 그렇다. 그러나 연구자 쓰루야 겐조鶴谷憲三가 지적하듯이, 사상이나 억지 이론을 부정하고 그 대표적인 작가로 아리시마 다케오를 언급, 다소 저평가하고 있는 점은 평소 다자이의 취향과 부합하는 부분이 있다. 따라서 어느 정도까지는 다자이 본인의 취향이 반영된 것이라고 보아도 무방할 것이다. 물론 이 몇몇 자료를 근거로 '다자이가 사실은 시가를 무척 존경했다'고 결론지을 수는 없다. 그러나 적어도 1940년까지는, 최소한 '그렇게까지 부정적이지는 않았다'는 점은 확인할 수 있다. 다자이의 가까운 지인인 오자키 가즈오와 단 가즈오의 회고 역시, 위 같은 사실에 힘을 실어준다.

> 다자이 군은 시가 나오야를 존경했었다. 이는 오래전부터 그를 아는 사람들은 모두 알고 있었다.
>
> —오자키 가즈오, 「시가 문학과 다자이 문학」

> 그리고 또 한 장, 고등학생 시절의 사진인 듯한데, 다자이는 그 사진을 가리키며 "시가 씨와 닮지 않았나?"라고 쑥스러워하며 말했다. (중략) 이 일이 있었기 때문에, 나는 다자이가 적어도 어느 시기까지는 시가 나오야 씨에 대한 예사롭지 않은 경외의 마음을 품고 있었을 것이라고 상상할 수 있었다.
>
> —단 가즈오, 「소설 다자이 오사무」

이처럼 "적어도 어느 시기까지는" 시가를 긍정했던 다자이가 태도의 변화를 보인 것은 1944년에 발표된 『쓰가루』에 이르러서라고 할 수 있다. 다자이는 실명을 밝히지 않은 어느 한 작가, '신'이라는 묘한 호칭으로 불리며 '귀족적'이라는 평가를 받기도 하는 어느 작가에 대해 다음과 같이 언급한다.

> 최근에 그 작가가 쓴 대부분의 작품을 다시 읽어봤는데, 잘 쓴다는

생각은 들었지만, 딱히 고상하다는 느낌은 없었다. 오히려 적나라하고 뻔뻔하다는 것이 이 작가의 장점이 아닐까 싶을 정도다. 작품에 그려진 내용도 허세만 부려대는 구두쇠 소시민의 별 의미 없는 일희일비를 담은 것들이다. 작품의 주인공은 자신의 삶의 방식에 대해서 때때로 '양심적'인 반성을 하는데, 그런 부분은 특히나 더 고루해서 이렇게 불쾌감을 주는 반성이라면 차라리 안 하는 편이 좋겠다 싶을 정도였고, '문학적'인 미숙함에서 벗어나려다가 오히려 그것에 발목을 잡힌 듯한 쩨쩨함이 느껴졌다.

여기서 말하는 '그 작가'가 시가라는 점에는 이론의 여지가 없어 보인다. 글을 "잘 쓴다."라고 일정 부분 긍정적으로 평가하고 있는 부분을 제외하면, 위 인용문은 흡사 조금 완곡한 느낌의 「여시아문」처럼 보이기도 한다. 실명을 언급하지 않았을 뿐, 이는 명백히 시가에게 던진 일종의 도전장이나 다름없었다. 그렇다면 다자이가 이 같은 과감한 발언을 한 이유는 무엇이며, 시가에 대한 태도의 변화는 어떻게 설명할 수 있을까. 추측건대, 다자이가 『신햄릿』을 발표했던 1941년 즈음 시가가 다자이에 대해 "거만한 구석이 있다"고 평가했던 일이 다소 영향을 미친 것으로 보인다. 시가의 제자이자 다자이의 가까운 지인이었던 오자키 가즈오가 "최근에 새로운 사람은 없나?"라는 스승의 물음에 다자이의 이름을 대자, 시가가 이같이 일축하고, 다자이의 라이벌이었던 나카무라 지헤이中村地平를 칭찬한 것이다. 언뜻 보면 사소한 일 같지만, "도쿄의 문단에서도 모두에게 불쾌감을 주고, 사람들은 나를 너저분한 바보로 여기며 멀리한다."(『쓰가루』)고 생각하며, 스스로를 문단에서 고립된 이단아로 치부하던 다자이에게 있어, 모두의 존경의 대상이던

'소설의 신' 시가의 차가운 한 마디는 뼈아픈 것이었을 것이다. 다자이는 후에 오자키 가즈오에게 이렇게 말한다. "다음에 시가 나오야를 만나면, 거만하다는 게 무슨 뜻인지 꼭 물어봐 줘. 아아, 도대체 왜, 시가 나오야." 다자이는 시가의 그 한 마디를 쉽게 흘려버릴 수 없었던 것이다. 이후 좌담회에서 시가가 한 발언은 이처럼 복잡하게 뒤얽힌 다자이의 감정에 불을 붙였다. 잡지 『문예』에 실린 「작가의 태도」라는 타이틀의 좌담회에서, 그는 『사양』에 대해서는 비판적 입장을 취하고, 「범인」은 거의 전면 부정했다. 두 작품에 대한 시가의 평가는 "할 말을 잃었다."와 "그건 너무 심하더군."이라는 두 마디로 요약할 수 있다. 시가는 다자이의 작품뿐 아니라, 다자이의 작가로서의 태도에 대해서도 다소 쌀쌀맞은 발언을 한다.

> 그 작가의 포즈가 거슬리더군. 어딘지 의뭉스러운 듯한. 그 사람보다 젊은 사람들은 별로 신경 쓰지 않을지도 모르지만, 나는 연장자니까 말이야. 조금 더 진지하게 임하면 좋겠다는 생각이 드는군. 그 포즈는 어떤 약함이라고 할까, 나약함에서 비롯된, 쑥스러움을 감추기 위한 포즈니까 말이야.

'약함'은 다자이의 작품 전체를 아우르는 커다란 주제이자, 다자이의 인생을 논하는 데 있어 절대 빼놓을 수 없는 가장 핵심적인 키워드라고 할 수 있다. 다자이는 어린 시절부터 숙명처럼 짊어져온 스스로의 '약함'을 자각하고 이로 인해 끊임없이 고뇌했으며, 한평생 이것에 집착하면서 살았다. 스스로의 '약함'을 고백하고 긍정함으로써, 작품 집필을 계속해 나갈 원동력을 얻었다고 해도 과언이 아닐 것이다.

"그렇다면 대체." 하고 Y군은 한층 더 목소리를 높여, "자네가 가장 쓰고 싶은 건 뭔가? 자네는 열정을 어디에 두고 있는 거지? 그것부터 먼저 결정하자고."라며 저를 다그쳤습니다. 저는 조금 생각한 후,

"그건 바로 나약함이지."

—「요즈음」

이처럼 스스로의 문학적 열정을 '나약함'과 동일시하는 다자이는 늘 약한 것, 결손 된 것, 힘없는 것들에게 애정 어린 따뜻한 시선을 보내곤 했다. 결국 시가는 다자이의 가장 소중하고 예민한 부분을 건드리고, 이를 '진지하지 못한 태도'라고 일축해버린 셈이다. 시가의 이러한 발언에 상처를 받고, 격분하고, 결국 「여시아문」이라는 거친 반박의 글을 써야만 했던 것, 이것 역시 다자이의 '약함'에서 비롯되었다고 할 수 있을 것이다. 시가를 향한 다자이의 분노 속에 시가를 존경하는 마음과 인정받고 싶은 마음이 혼재했던 것은 부정하기 힘든 사실로 보인다. 그러나 과거의 두 사람의 관계는 차치하고서라도, 스스로의 문학적 열정이자 원동력이나 다름없는 '약함'을, '거슬리는 포즈', 혹은 '진지하지 못한 태도'라는 말로 간단히 부정당한 것만으로도, 「여시아문」을 쓸 이유는 충분했을지도 모른다. 조금 과장해서 말하자면, 앞서 말했듯이 그것이야말로 다자이만의 '약함'이자 '열정'인 것이다. 그리하여 다자이는 시가에게 "나약함, 고뇌는 죄인가?"(「여시아문」)라고, 피를 토해내는 심정으로 묻고 있는 것이다.

「여시아문」으로 돌아가서, 다자이가 이 글을 통해 말하고자 하는 바는 아주 명확하다. 시가 나오야로 대표되는 기성 문단, 즉 소위 문단을

주름잡는 외국 학자들과 선배들에 대한 비판이 바로 그것이다. 여기서 주목하고 싶은 것은 그러한 비판에 설득력과 구체성이 다소 떨어지는 점이다. 문단에서 인정받는 중견 작가의 글이라고는 생각하기 힘든 앞뒤 없는 문장은, 후반부에 이르러서는 거의 횡설수설에 가까워진다.

> 그걸 보고 할 말을 잃었다, 질렸다, 하는 식의 말투는 히스테릭하고 무식한, 그리고 쓸데없이 거만한 도락가나 쓰는 것이다. 어느 좌담회 속기에서 그 머리 나쁜 작가가 나에 대해 '좀 더 진지하게 임하면 좋겠다는 생각이 드는군.'이라고 말한 것을 보고 정말 어처구니가 없었다. 네 녀석이야말로, 좀 더 어떻게 안 되겠나? (중략)
>
> 네 녀석들 같은 졸부 놈들은 내 알 바 아니다. 질투. 나잇살이나 먹고서 창피해라. 다자이 따위를 **죽이시려는** 겁니까? 오는 말이 고와야 가는 말도 고운 법, 얼마든지 쓸 테다.

위의 인용문처럼, 공격하고자 하는 대상은 명확하나 생각보다 말이 앞선 듯한 문장이 군데군데에서 눈에 띈다. 어떤 부분은 비판이 아니라 단순한 비난처럼 보이기도 하고, 심지어 인신공격조차 서슴지 않는다. 이 글을 읽은 문단 관계자들, 심지어 다자이의 지인조차도 다자이가 제정신이 아니라고 생각할 정도였다. 다자이의 스승인 이부세 마스지는 직접 다자이를 찾아와 연재를 중단할 것을 강력히 권유하기도 했다. 그러나 다자이는 완고했다. 다자이는 시가를 비롯한 기성 문단을 향한 불만만으로는 설명하기 힘든 격렬한 분노와 좌절감으로 가득 차 있었다.

그렇다면 다자이를 그토록 궁지로 내몬 것은 과연 무엇이었을까.

3. 다자이 오사무와 이부세 마스지井伏鱒二

이부세 씨는 악인입니다.

다자이의 짧은 유서 속에는 위와 같은 말이 남겨져 있었다. 스승이자, 은인이자, 존경하는 작가인 이부세 마스지에게 다자이가 남긴 마지막 말이었다. 이부세는 다자이의 문학적 재능을 누구보다 높이 샀다. 평생에 걸친 조력자이자, 든든한 지원자이기도 했다. 다자이가 파비날 중독으로 고통스러워하고 있을 때 입원을 결심하게 만들어 준 것도 이부세였다. "부탁이니 입원해주게. 이게 내 처음이자 마지막 부탁이네."라는 이부세의 한 마디는 조금 수정되어 「HUMAN LOST」에 그대로 등장하기도 한다. 다자이의 수필 속에 가장 자주 언급되는 이름 역시 이부세이다.

> 제가 교제를 청하고 있는 선배는 이부세 마스지 씨가 유일하다고 해도 좋을 것입니다. (중략) 그리고 이부세 씨는 지금의 아내를 중매해주셨을 만큼 저와 돈독하게 지내주십니다.
>
> 이부세 씨에 대해서라면, 초기의 『심야와 매화』라는 책에 실린 모든 작품은 거의 보석을 나열해 놓은 듯한 인상을 받았습니다.
>
> —「나의 반생을 말하다」

위 인용문의 소제목은 '선배 · 좋아하는 사람들'이다. 제목 그대로, 다자이는 이부세를, 작가로서 그리고 인간으로서 좋아하고 존경했다.

"이부세 씨는 악인"이라는 다자이의 유언이 당시 세간의 화제를 모은 것은 당연한 일이었다. 다자이가 자살한 해 6월 17일자 <시사신보>에 이와 관련된 이부세와의 담화가 실렸다. 이부세는 "나를 악인이라고 했다고 하는데, 전혀 짚이는 것이 없다"고 하면서, 다음과 같이 말했다. "다자이 군은 가장 사랑하는 것을 가장 미운 것이라고 역설적으로 표현하는 성격이니, 아마 그런 느낌으로 한 말이겠지요." 소위 '이부세 악인설'에 대한 세간의 평가, 그리고 연구자들의 해석도 대개 이부세의 발언과 궤를 같이하는 것이었다. 즉, 이는 어디까지나 다자이의 '어리광'에 지나지 않는다는 것이다. 그 결정적 근거로 자주 언급되는 것은 『이부세 마스지 선집』이다. 다자이는 1948년, 49년에 걸쳐 간행된 이 선집의 기획과 편집에 적극적으로 참여했고, 제1권부터 4권까지의 「후기」를 직접 집필하기도 했다. 다자이는 이 글에서 이부세와 관련된 일화를 짤막짤막하게 소개하면서, 이부세와 이부세의 작품에 대한 애정을 가감 없이 드러내고 있다. 다자이가 이부세를 진심으로 미워했다면, 이토록 애정 어린 글을 쓰는 것은 불가능했으리라는 게 여러 연구자들의 주장이다. 그렇다면 '악인'이라는 단어는 정말로 다자이의 삐뚤어진 애정 표현에 불과했던 것일까.

여기서 잠시, 누구보다 다자이를 깊이 이해하고 따랐던 다자이의 제자 다나카 히데미쓰田中英光가 남긴 말에 주목해보고 싶다. 다나카는 다자이의 자살 이유로 세 가지를 들고 있는데, 세금 문제, 쇠약해진 육체, 그리고 문단적인 괴롭힘이 바로 그것이다. 다자이가 당시 자신이 문단에서 고립되었다는, 다시 말해 '소외당하고 있다'는 생각으로 괴로워했던 것은 잘 알려져 있는 사실이다. 남부럽지 않은 인기를 구가하는 중견 작가 다자이를 이러한 상황으로 밀어 넣은 것은, 아이러니하게도 바로 다자이의 그 '인기'였다. 갑작스럽게 얻은 인기에 사람들의 시기와 질투가 따르는 것은 당연한 일이지만, 다자이가 견디기 힘들었던 것은 그 무리 속에 이부세'마저' 포함되어 있다는 사실이었다.

1947년 11월과 12월에 걸쳐, 다자이는 제자 쓰쓰미 시게히사堤重久에게 연이어 몇 통의 엽서를 보낸다. 당시 교토에 머물고 있던 쓰쓰미에게, 하루라도 빨리 자신을 만나러 도쿄에 와달라고 간절하게 부탁하는 내용이었다. 자신은 요즘 "살아 있는지 죽어 있는지 알 수 없는" 생활을 하고 있으며, 하고 싶은 이야기가 산더미처럼 많으니 무리를 해서라도 와달라는 것이었다. 엽서에서 다자이의 급박함과 간절함을 느낀 쓰쓰미는 12월 20일에 상경해 다자이가 살고 있는 미타카로 향한다. 쓰쓰미의 기록에 의하면, 다자이가 힘겹게 털어놓은 이야기는 다음과 같은 것이었다.

> 자네한테만 하는 이야긴데 말야, 올해 정초에 가메이와 야마기시 무리들과 이부세 씨 집에 인사를 갔었어. 늘 그렇듯이 나는 엉망으로 취했고, 곧 졸리더군. 옆방에 가서 잠들었지. 얼마나 잤는지 그건 잘 모르겠지만, 어쨌든 불현듯 눈을 떠보니 장지문 너머로 웃음소리가 들리더군. 모두 합심해 내 험담을 하면서 웃고 있는 거야. 내가 피에로 같다더군. 혼자 우쭐대고 있지만, 결국 피에로에 지나지 않는다는 거야. 그 순간 나는 지옥에 내동댕이쳐진 기분이었네. 머리칼이 거꾸로 선다는 건 바로 이런 걸 말하는 거지. 떠올리기만 해도 온몸이 부들부들 떨릴 정도야.

다자이가 말하는 '올해'는 1948년을 가리키는 것이고, 쓰쓰미가 상경한 것은 1947년 겨울이니 시간상으로 앞뒤가 맞지 않는다. 연구자들이 이미 지적한 바 있듯이, 이러한 시간상의 오류는 쓰쓰미가 후에 편지를 통해 들은 이야기를 만나서 들은 것처럼 기록한 것에서 발생한 것으로 추정된다. 어쨌든 다자이에게 있어 이 사건이 무척 충격적인 것이었음에는 변함이 없다. '피에로'라는 말 자체도 그러했겠지만, 무엇보다 충격적인 것은 가장 믿고 의지했던 사람들이 자신을 웃음거리로 삼았다는 사실일 것이다. 또한, 그 사람들 속에 이부세가 섞여 있었다는 것은, 더할 나위 없는 충격으로 다가왔을 것이다.

소설가이자 평론가인 오사베 히데오長部日出雄는 다자이가 이렇게 가까운 지인들에게까지 미움을 샀던 이유로 두 가지를 들고 있다. 첫 번째는 당시의 종이 부족을 비롯한 열악한 문단 사정, 두 번째는 바로 다자이의 전집 출간이다. 그즈음 일본은 전시와 패전 직후보다 훨씬 더 극심한 종이 부족 사태에 시달리고 있었다. 잡지에 배당되는 종이의 양은 한정되어 있었고, 당연한 결과로 작가에게 돌아가는 페이지의 양도 줄어들었다. 물론 단행본 발간도 어려운 상태였기 때문에, 신간 한 권이 나오기 위해서는 출판 담당자의 필사적인 노력이 필요했다. 그러나 다자이의 책만은 예외였다. 『사양』은 열악한 환경 속에서도 재판을 거듭하며 그 인기를 과시했고, 다자이는 재판과 재록으로 얻은 수익의 대부분을 술을 마시는 데 쏟아부었다. 출판사 편집자가 봉투에 넣어온 묵직한 돈을 그대로 술집에 들고 가 탕진하는 것이 그즈음 다자이의 일상이었다. 열악한 출판 사정으로 빈곤하고 무력한 생활을 계속해야 했던 작가들이 다자이를 곱지 않은 시선으로 바라봤던 것은 어쩌면 당연한 일이었을지도 모른다. 그러한 상황에 불을 지핀 것은 1947년 가을부터 추진된 다자이의 전집 발간 문제였다. 본래 전집은 그 작가의 사후에 발간되는 것이 일반적인 원칙으로, 생전에 발간되는 경우는, 모두에게 그 문학적 업적을 인정받은 '노대가'를 제외하면 아주 드물었다. 이제 막 중견 작가의 대열에 들어선 다자이가 전집을 발간한다는 소식은 금세 문단으로 퍼져나갔을 것이고, 이 '건방진' 기획에 대한 문단 사람들의 반응은 대체로 싸늘했을 것이다. 그러나 다자이는 이 기획을 포기하지 않았다. "요 근래 다자이 오사무는 정말이지 정상이 아니다. (중략) 정말 죽을 결심이라도 한 걸까"라는 지인의 발언만 보아도 충분히 짐작할 수 있듯이, 다자이는 그즈음 무척 아슬아슬한 상태였다. 스스로도 죽음이 가까이 왔음을 예감했던 것일까. 다자이는 곱지 않은 시선을 감수하면서까지 전집 발간에 매달렸다. 그러나 그런 다자이도 자신의 스승보다 먼저 전집을 발간하는 일만은 마음에 걸렸을 것이다. 오사베 히데오가 지적하듯이, 다자이가 당시 다소 관계가 소원해졌던 이부세의 선집 발간 기획을 적극적으로 추진하고, 또 참여했던 것은 이부세를 향한 다자이의 애정이나 존경 때문만은 아니었을지도 모른다. 이는 단순히 스승보다 먼저 전집을 내는 일에 대한 세간의 눈초리를 의식해서일 수도 있고, 제자로서 최소한의 도리를 지키고 싶었던 마음에서 비롯된 것일 수도 있다. 전자이든 후자이든, 『이부세 마스지 선집』과 『다자이 오사무 전집』이 민감한 관계로 엮여 있었던 것만은 분명해 보인다.

결국, 너무 갑작스럽게 얻은 폭발적인 인기와 지나치게 이른 전집 출간, 그리고 매일매일 술에 절어 지내는 흥청망청한 생활은 다자이의 가장 가까운 지인들마저 등을 돌리게 만드는 결정적 요인이 되었다. 다자이는 늘 자신이 사람들에게 미움을 받고 있다는, 일종의 과대망상에 시달려왔다. 다른 누구도 아닌 바로 '이부세 마스지'까지 자신에게 등을 돌렸다는 생각은, 다자이를 궁지에 몰아넣기에 충분했을 것이다. 아내

미치코 씨의 회상에 의하면, 다자이는 이부세의 집에서 충격적인 일을 겪은 그날, 집으로 돌아와 바닥에 앉아 훌쩍훌쩍 울었다. "모두가 떼를 지어 몰려들어 나를 괴롭힌다"고 중얼거리면서, 꼭 "밖에서 골목대장에게 괴롭힘을 당하고 돌아온 도련님"처럼 울었다고 한다.

다자이는 열네 살 때 처음으로 이부세의 작품을 읽었다. 「산초어山椒魚」라는 짧은 단편이었다. 형들이 여름방학마다 도쿄에서 이런저런 문학잡지를 가져오면, 다자이는 늘 가장 먼저 이부세의 작품을 찾아 읽었고, 읽을 때마다 감탄을 금치 못했다. 고등학교에 들어간 후에 이부세에게 처음으로 편지를 보냈고, 이부세로부터 답장을 받았을 때는 하늘을 날 듯이 기뻐했다. 대학생이 되어 상경하자마자 가장 먼저 이부세를 찾았다. 문학을 배우고, 인생도 배웠다. 다자이는 늘 말썽이 많은 제자였지만, 이부세는 묵묵히 다자이의 곁을 지켰다. 그런 이부세와의 심정적인 결별은 쉽게 견디기 힘든 일이었을 것이다.

> 아아, 저는 어리광을 부리는 것과 때리는 것, 이 두 가지 삶의 방식밖에 모르는 남자입니다.
>
> —「스승 세 사람」

한 글자 한 글자 진심을 담아 써 내려갔을 유서에 이부세를 '악인'이라고 적어 넣은 것이, 과연 다자이의 삶의 방식 중 어느 쪽에 해당하는 것이었을지는 정확히 알 수 없다. "다자이 군은 가장 사랑하는 것을 가장 미운 것이라고 역설적으로 표현하는 성격"이라는 이부세의 말도 설득력이 있고, 『이부세 마스지 선집』에 다자이가 쓴 애정 어린 「후기」 역시 완벽한 거짓처럼 느껴지지는 않는다. 그러나 위의 상황들을 모두

감안해볼 때, 다자이가 이부세에게 남긴 '악인'이라는 마지막 말이 단순한 '어리광'에 지나지 않았다고 단정 짓는 것에는 다소 의문이 남는다.

어쩌면 다자이는 단지 마지막까지 어리광을 부리기 위해 "가장 사랑하는 것을 가장 미운 것이라고 역설적으로 표현"한 것이 아니라, 진심으로 가장 사랑하는 사람이었기 때문에, 진심으로 가장 미워했던 것은 아닐까. 어디까지나 다자이의 입장에서 이기적인 결론을 내리자면, 끊임없이 자신을 좀먹는 고뇌와 나약함을, 시가는 이해하지 못해도 이부세는 이해해주고 알아주기를, 다자이는 마지막 순간까지 간절하게 바랐던 것일지도 모른다.

4

자신의 유일한 해방구라고 생각했던 연인 오타 시즈코의 임신. 날로 악화되는 건강. 감당하기 힘들 만큼 불어나는 막대한 세금과 이로 인해 불거지는 심각한 법적 문제들. 전혀 호전되지 않는 아들 쓰시마 마사키의 다운증후군. 모두에게 괴롭힘을 당하고 있다는 끔찍한 생각에 더해, 이부세와의 심정적인 결별까지. 사면초가였다. 그리고 모두에게 찬양받는, 그리고 아마 다자이 스스로도 '어느 시점까지는' 무척 존경했을 시가에게, 마지막 남은 생명줄과도 같았던 문학마저 차갑게 부정당했다. 다자이는 막다른 골목에 다다라 있었다. 그리고 더 이상 잃을 것이 없다고 생각했기 때문에, 모두의 만류를 뿌리치고 그토록 '비장'한 각오로 「여시아문」 집필에 임할 수 있었던 것인지도 모른다.

이미 수차례의 자살 미수 사건을 일으킨 다자이는, 늘 죽고 싶다는 말을 입에 달고 살았다. “자살은 인간의 처세술이자 특권이야. (중략) 죽는 건 비겁한 짓이 아니야.”(야마기시 가이시, 「인간 다자이 오사무」) 라는 것이 다자이의 자살론이었다. 「여시아문」을 집필할 당시, 다자이는 코앞까지 와 있는 자신의 죽음을 이미 예상하고 있었던 것처럼 보인다. ‘죽고 싶다’는 말은 ‘죽는다’, ‘정말 죽게 될 것 같다’는 말로 바뀌었다. 「여시아문」은 그런 다자이의, 피를 토하는 마지막 외침과도 같은 글이었던 것이다.

다자이가 죽은 후, 셀 수 없이 많은 추도문과 회고록이 쏟아졌다. 시가에게 비난의 화살을 돌리는 이도 있었다. 침묵을 지키던 시가는 그해 10월 잡지 『문예』에 「다자이 오사무의 죽음」이라는 짤막한 글을 발표했다.

> 이때(옮긴이 주: 『중앙공론』의 좌담회에서 『사양』과 「범인」에 대해 언급했을 때) 나의 말투는 담담한 것이 아니었다. 나는 다자이 군이 나에게 반감을 가지고 있다는 것을 알고 있었기 때문에, 자연스럽게 다소 악의를 가진 말투가 되었다.
>
> 불행하게도 나는 다자이 군의 작품 중에서도 썩 훌륭하지 못한 것만 읽은 모양이었다. 다자이 군이 죽고 나서 『전망』에 실린 「인간 실격」 2회분을 읽었는데, 이 작품은 전혀 싫다는 생각이 들지 않았다. (중략)
>
> 『문예』의 좌담회에서 다자이 군에 대해서 한 발언에 대해서는, 다자이 군이 그렇게까지 심신이 쇠약해져 있는 사람이라는 것을 알았더라면 조금 다르게 말할 수 있지 않았을까, 지금은 조금 안타깝게 생각한다.

이 글은 추도문이 아닌, 세간에 떠도는 소문에 대한 시가 자신의 해명 글이다. "안타깝게 생각한다"는 것이 시가가 유일하게 남긴 추도의 문장이었다. 시가는 다자이의 죽음에 책임을 느끼게 되는 것이 스스로에게 위험한 일임을 잘 알고 있었던 것이다. 만약 시가가 "조금 다르게" 말했더라면, 다자이는 죽지 않았을까. 그것은 아무도 알 수 없다. 그러나 확실한 것은, 다자이를 죽인 것은 결코 시가도, 이부세도 아니라는 것이다. 그게 무엇인지 알고 있는 사람은 오직 다자이 한 사람뿐일 것이다. 어쩌면 다자이는 그것의 정체를 스스로도 정확히 알 수 없었기 때문에 자살이라는 극단적인 '처세술'을 선택해야 했던 것인지도 모른다.

다자이의 죽음 뒤에는 아직도 남은 뒷이야기가 많다. 그러나 그 모든 이야기를 속속들이 다 안다고 해도, 다자이의 자살에 대해 결론내릴 수 있는 것은 아무것도 없다. "죽은 사람은 말이 없기 때문에"(「오가타 씨를 죽인 자」) 추도문이 싫다고 다자이 스스로가 말했던 것처럼, 다자이는 말없이 고요하게 잠들어 있기 때문이다.

* 참고 문헌 *

· 『人間太宰治』, 山岸外史, 筑摩書房, 1962. 10.
· 「<特集>評伝 太宰治」, 『国文学: 解釈と鑑賞』, 1993. 6.
· 『太宰治全集 12』 <書簡>, 筑摩書房, 1999. 4.
· 「如是我聞と太宰治」, 野平健一, 『新潮』, 1948. 6.
· 「太宰治における志賀直哉の位置―作品にあらわれた志賀直哉を手がかりとして―」, 鶴谷憲三, 『太宰治論集』, 第2期 第7巻, 1994. 7.
· 『桜桃とキリスト―もう一つの太宰治伝―』, 長部日出雄, 文藝春秋, 2005. 3.
· 『回想の太宰治』, 津島美知子, 講談社, 2008. 3.

옮긴이 후기

10권에 실린 수필들은 짤막짤막하고 신변잡기적인 것들이 대부분이지만, 다자이의 맨얼굴을 가장 가까이에서 볼 수 있다는 면에서는 다른 소설 작품에 뒤지지 않는 큰 매력이 있다. 다자이가 스스로 말했듯, "수필은 소설과 달리 작가의 말도 '날것'이기 때문"(「작가상」)이다. 약에 취해 나락에 떨어진 다자이, 다시 일어서 스타트 라인에 서기 위해 눈물겨운 노력을 하는 다자이, 영화를 보고 펑펑 우는 다자이, 전쟁이라는 어둡고 긴 터널을 지나는 다자이, 다자이가 들려주는 다자이의 반생 이야기. 다자이의 삶과 글에 대한 이야기가 이 수필집 구석구석에 '날것' 그대로 담겨져 있다. 우울과 퇴폐의 상징으로서의 다자이가 아닌, 따뜻하고 인간적인 다자이, 현관문을 열고 들어서면 늘 같은 자리에 앉아 반갑게 맞아주는 '친근한 옆집 아저씨' 같은 다자이를 발견할 수 있는 보석 같은 글들이라고 믿는다. 더불어 다자이의 작품들과 나란히 놓고서 읽는다면, 작품을 더 새롭고 깊이 이해할 수 있음은 물론이고, 작품 사이사이의 보이지 않는 간극도 메워질 것이다.

다자이의 삶과 죽음, 그리고 다자이의 작품에 대해서는 호불호가 아주 뚜렷하게 갈린다. 약해빠지고, 꼴사납고, 심지어 혼자서는 죽지도 못하는 비겁한 겁쟁이. 그야말로 '인간 실격'이라고 생각하는 사람들도 적지 않을 것이다. 그러나 반세기가 지난 지금까지 다자이가 사랑받는 이유 또한 바로 그것이다. 너무 약하고 보잘것없고 꼴사나워서 남들에게 절대 보이고 싶지 않은 부분을 다자이는 여과 없이 그대로 보여 주는 것이다. 아주 사소한 일에도 훌쩍훌쩍 어린아이처럼 우는 겁쟁이 다자이. 다자이를 좋아하지 않는 사람이라고 하더라도, 살면서 한 번쯤은 다자이의 글과 말이 가슴에 와닿는 순간이 반드시 있으리라고 믿는다. 그리고 이 전집이 누군가의 그런 순간과 함께 할 수 있게 된다면 더할 나위 없이 기쁠 것이다.

2011년에 번역을 시작했다. 번역한 것은 단 두 권이지만, 나의 이십대 후반을 다자이와 줄곧 함께 한 기분이다. 그래서 더 각별하고, 애정이 남는다. 번역을 하는 동안 힘들고 막막한 순간도 물론 많았지만, 그보다는 즐거움과 보람이 더 컸다. 특히 '다자이 오사무'라는 한 사람의 삶과 문학, 그리고 그 속의 소소한 일상들을 찬찬히 들여다보는 기분으로 10권을 번역하면서, 글로는 표현하기 힘든 소중한 것들을 많이 배우고 느꼈다. 난관에 부딪힐 때마다 항상 함께 고민해준 우리 번역팀, 다자이 오사무 전집을 끝까지 포기하지 않고 여기까지 진행해주신 도서출판 b의 모든 식구분들께 마지막으로 깊은 감사 인사를 전한다.

인간의 일생은 여행이다. (중략) 이 여행에는 여행을 잘하는 사람과 여행에 서툰 사람, 두 종류가 존재한다.

여행에 서툰 사람은, 여행 첫째 날에 이미 진절머리가 날 정도로 그 여행을 만끽한다. 둘째 날에는 경비가 거의 바닥난 것을 깨닫고, 여행지 풍경을 즐기기는커녕 속된 돈 걱정으로 기력이 다 빠져, 여행도 지옥이 된다. 그리하여 기듯이 아내가 있는 곳으로 돌아가서는, 아내에게 혼이 나는 것이다.

—다자이 오사무, 『이부세 마스지 선집』 후기 중에서

여기까지, 다자이 오사무의 짧고도 길었던 여행에 관한 이야기였다.

2014년 가을

김재원

다자이 오사무 연표

1909년 출생	• 6월 19일, 아오모리현 북쓰가루 군 가나기에서 아버지 쓰시마 겐에몬津島源右衛門과 어머니 다네タ子의 열 번째 아이이자, 여섯 번째 아들로 태어났다. 호적상 이름은 쓰시마 슈지津島修治.
1916년 7세	1월, 함께 살던 이모이자 숙모인 기에キエ 가족이 고쇼가와라로 이사하면서, 슈지도 2개월가량 그곳에서 함께 산다. 4월, 가나기 제1소학교에 입학한다.
1922년 13세	3월, 가나기 제1소학교 졸업. 4월, 메이지고등소학교 입학. 아버지가 귀족원의원에 당선된다.
1923년 14세	3월, 아버지 사망. 4월, 아오모리중학교 입학. 아쿠타가와 류노스케, 기쿠치 간 등의 소설을 탐독. 이부세 마스지井伏鱒二의 「도롱뇽」을 읽고, '가만히 앉아서 읽을 수 없을 만큼 흥분'한다.
1925년 16세	8월, 친구들과 함께 잡지 『성좌星座』를 창간하나 1호만 발행하고 폐간. 그해 「추억」의 등장인물인 미요의 모델이 된 미야기 도키宮城トキ가 쓰시마 집안에 하녀로 들어온다. 11월, 동인지 『신기루』 창간한다.
1926년 17세	9월, 동인지 『아온보青んぼ』를 창간하나 2호까지 발행하고 폐간. 도키에게 함께 도쿄로 가서 살자고 제안하지만 도키는 신분의 차이가 너무 많이 난다면서 쓰시마 집안을 떠난다.
1927년 18세	2월, 동인지 『신기루』 12호까지 발행하고 폐간. 3월, 아오모리중학교 졸업. 4월, 히로사키고등학교 문과 입학. 7월, 아쿠타가와 류노스케의 자살에 충격을 받는다.
1928년 19세	5월, 동인지 『세포문예』 창간, 9월, 4호까지 발행하고 폐간. 12월, 히로사키고교 신문잡지부 위원에 임명된다.
1929년 20세	• 창작 활동을 하는 한편, 게이샤 오야마 하쓰요小山初代를 만난다. 12월, 수면제 과다복용으로 의식불명 상태에 빠진다.

1930년 21세	3월, 히로사키고등학교 졸업. 4월, 도쿄제국대학교 불문과 입학. 5월, 이부세 마스지를 찾아가 이후 오랫동안 스승으로 삼는다. 적극적으로 사회주의 운동에 가담한다. 10월, 고향에서 하쓰요가 다자이를 만나기 위해 상경. 11월, 하쓰요의 일로 큰형 분지文治와 다투다가 호적에서 제적당한다. 11월 26일, 긴자의 술집 여종업원 다나베 시메코田部シメ子를 만나 이틀 동안 함께 지내다가, 28일 밤 가마쿠라 고유루기미사키小動岬 절벽에서 함께 자살을 시도한다. 시메코는 죽고 슈지는 요양원 게이후엔恵風園에서 치료를 받는다. 12월, 자살방조죄로 기소유예. 아오모리 이카리가세키碇ヶ関 온천에서 하쓰요와 혼례를 올린다.
1931년	12월, 동료의 하숙집에서 마르크스의 『자본론』 스터디를 시작한다.
1932년 23세	7월, 큰형과 함께 아오모리 경찰서에 출두하여 좌익운동에서 손을 뗄 것을 맹세한다. 창작에 전념하면서 낭독 모임을 갖는다.
1935년 26세	3월, 대학 졸업시험에 낙제. 미야코 신문사 입사시험에도 떨어진다. 가마쿠라에서 목을 매지만 자살미수에 그친다. 4월, 급성맹장염으로 입원, 진통제 파비날에 중독된다. 5월, 잡지 『일본낭만파』에 합류. 8월, 「역행」이 제1회 아쿠타가와상 후보에 오르나 차석에 그친다. 사토 하루오佐藤春夫를 찾아가 가르침을 받는다. 크리스트교 무교회파 학자 쓰카모토 도라지塚本虎二와 접촉, 잡지 『성서 지식』을 구독한다. 9월, 수업료 미납으로 학교에서 제적당한다.
1936년 27세	2월, 파비날 중독 치료를 위해 병원에 입원했다가 10일 후 퇴원. 6월, 첫 창작집 『만년』을 출간한다. 8월, 제3회 아쿠타가와상 낙선. 10월, 중독증세가 심해져 도쿄 무사시노병원에 입원했다가 한 달 뒤 퇴원한다.
1937년 28세	• 다자이와 사돈 관계이자 가족과 다름없이 지냈던 화가 고다테 젠시로小館善四郎와 부인 하쓰요의 간통 사실을 알고 분노. 3월, 다니가와다케谷川岳산에서 하쓰요와 둘이서 수면제를 먹고 동반자살을 시도하나 미수에 그친 후 이별한다. 6월, 작품집 『허구의 방황』, 7월, 단편집 『이십세기 기수』를 출간한다.

1938년 29세	9월, 후지산 근처에 있는 여관 덴카차야天下茶屋에서 창작 활동을 하던 중, 이부세 마스지의 소개로 이시하라 미치코石原美知子를 만난다.
1939년 30세	1월, 미치코와 혼례를 올린 후 안정적으로 작품 활동에 전념한다. 7월, 『여학생』을 출간한다.
1940년 31세	5월, 「달려라 메로스」 발표. 6월, 작품집 『여자의 결투』 출간. 12월, 『여학생』으로 기타무라 도코쿠 상 부상을 수상한다.
1941년 32세	5월, 『동경 팔경』 출간. 6월, 장녀 소노코園子가 태어난다. 8월, 10년 만에 쓰가루로 귀향한다.
1942년 33세	1월, 사비로 『유다의 고백』 출간. 6월, 『정의와 미소』 출간. 어머니가 위독하다는 소식에 귀향. 12월, 어머니 사망.
1943년	1월, 『후지산 백경』, 9월 『우대신 사네토모』를 출간한다.
1944년	5월, 고야마서방에서 소설 『쓰가루』를 의뢰하여 쓰가루 여행, 11월 출간한다.
1947년 38세	1월, 옛 연인이었던 작가 오타 시즈코太田静子를 찾아가 소설 『사양』의 소재가 될 일기장을 넘겨받는다. 4월, 큰형이 아오모리 지사로 당선. 12월, 『사양』 출간. 몰락한 귀족을 그린 이 작품이 패전 후 혼란에 빠진 젊은이들 사이에서 '사양족'이라는 유행어를 낳을 정도로 큰 호응을 얻으면서 인기 작가가 된다.
1948년 39세	6월 13일 밤, 연인인 야마자키 도미에山崎富栄와 함께 무사시노 다마가와 상수원玉川上水에 몸을 던진다. 6월 19일, 만 서른아홉 번째 생일에 사체가 발견된다. 7월, 『인간 실격』, 『앵두』 출간.
1949년	• 6월 19일, 다자이의 친구들이 그의 무덤을 찾아(미타카 젠린지禅林寺) 기일을 앵두기桜桃忌라고 이름 짓고 애도한다. 앵두기는 그를 사랑하는 독자들에 의해 현재까지 매년 행해지고 있다.

『다자이 오사무 전집』 한국어판 목록

제1권 만년

잎 | 추억 | 어복기 | 열차 | 지구도 | 원숭이 섬 | 참새새끼 | 어릿광대의 꽃 | 원숭이를 닮은 젊은이 | 역행 | 그는 예전의 그가 아니다 | 로마네스크 | 완구 | 도깨비불 | 장님 이야기 | 다스 게마이네 | 암컷에 대하여 | 허구의 봄 | 교겐의 신

제2권 사랑과 미에 대하여

창생기 | 갈채 | 이십세기 기수 | 한심한 사람들 | HUMAN LOST | 등롱 | 만원 | 오바스테 | I can speak | 후지산 백경 | 황금 풍경 | 여학생 | 게으름뱅이 카드놀이 | 추풍기 | 푸른 나무의 말 | 화촉 | 사랑과 미에 대하여 | 불새 | 벚나무 잎과 마술 휘파람

제3권 유다의 고백

팔십팔야 | 농담이 아니다 | 미소녀 | 개 이야기 | 아, 가을 | 데카당 항의 | 멋쟁이 어린이 | 피부와 마음 | 봄의 도적 | 세속의 천사 | 형 | 갈매기 | 여인 훈계 | 여자의 결투 | 유다의 고백 | 늙은 하이델베르크 | 아무도 모른다 | 젠조를 그리며 | 달려라 메로스 | 고전풍 | 거지 학생 | 실패한 정원 | 등불 하나 | 리즈

제4권 신햄릿

귀뚜라미 | 낭만 등롱 | 동경 팔경 | 부엉이 통신 | 사도 | 청빈담 | 복장에 대하여 | 은어 아가씨 | 치요조 | 신햄릿 | 바람의 소식 | 누구

제5권 정의와 미소

부끄러움 | 신랑 | 12월 8일 | 리쓰코와 사다코 | 기다리다 | 수선화 | 정의와 미소 | 작은 앨범 | 불꽃놀이 | 귀거래 | 고향 | 금주의 마음 | 오손 선생 언행록 | 꽃보라 | 수상한 암자

제6권 쓰가루

작가수첩 | 길일 | 산화 | 눈 내리던 밤 | 동경 소식 | 쓰가루 | 지쿠세이 | 석별 | 맹인독소

제7권 판도라의 상자

판도라의 상자 | 동틀 녘 | 사람을 찾습니다 | 뜰 | 부모라는 두 글자 | 거짓말 | 화폐 | 이를 어쩌나 | 15년간 | 아직 돌아오지 않은 친구에게 | 참새 | 겨울의 불꽃놀이 | 봄의 낙엽 | 옛날이야기

제8권 사양

남녀평등 | 친한 친구 | 타앙탕탕 | 메리 크리스마스 | 비용의 아내 | 어머니 | 아버지 | 여신 | 포스포레센스 | 아침 | 사양 | 새로 읽는 전국 이야기

제9권 인간 실격

오상 | 범인 | 접대 부인 | 술의 추억 | 미남과 담배 | 비잔 | 여류 | 철새 | 앵두 | 인간 실격 | 굿바이 | 가정의 행복 | 철면피 | 진심 | 우대신 사네토모

제10권 생각하는 갈대

에세이

『다자이 오사무 전집』을 펴내며

한 작가를 온전히 이해하기 위해서는 대표작 몇 권을 읽는 것에 그치지 않고 전집을 읽는 것이 필요하다. 일본의 대문호 오에 겐자부로는 평생 2~3년마다 한 작가의 전집을 온전히 읽어왔다고 고백한 바 있는데, 이는 라블레 번역자로 유명한 스승 와타나베 가즈오의 충고 때문이었다고 한다. 한 작가가 쓴 모든 글을 읽는다는 것은 그 작가의 핵심을 들여다보는 작업으로, 이만큼 공부가 되는 것도 없다는 이유에서다.

하지만 이런 이야기는 어디까지나 외국의 이야기일 뿐, 우리는 그렇게 하고 싶어도 그렇게 할 수 있는 형편이 아니다. 우리의 경우 국내 유명작가들조차 변변한 전집을 가지고 있지 못하다. 사정이 이러하니 외국작가는 굳이 말할 필요도 없을 것이다. 물론 몇몇 외국작가의 경우 전집이 나와 있기는 하지만, 대부분 창작물만 싣고 있어서 엄밀한 의미에서 '전집'이라고 보기 어렵다.

이에 도서출판 b는 한 작가의 전모를 만날 수 있는 전집출판에 뛰어들면서 그 첫 결과물로 『다자이 오사무 전집』을 펴낸다. 이 전집은 작가가 쓴 모든 소설은 물론 100여 편에 달하는 주요 에세이까지 빼곡히 수록하여 그야말로 '전집'이라는 이름에 걸맞은 형태를 갖추고 있다.

다자이 오사무는 그동안 우울하고 염세적인 작가나 청춘의 작가 정도로만 알려져 왔다. 하지만 이 전집을 읽으면 때로는 유쾌하고 때로는 전투적인 작가의 모습을 발견할 수 있을 뿐만 아니라, 왜 그가 오늘날까지 그토록 많이 연구되는지, 작고한 지 60년이나 흐른 지금도 매년 독자들이 참여하는 앵두기桜桃忌라는 주모제가 열리는지 알 수 있다.

『다자이 오사무 전집』을 성서로까지 표현한 작가 유미리의 표현을 빌리자면, 이 전집을 읽는 독자들은 매일 작고 아름다운 기적과 만나게 될 것이다.

마지막으로 『다자이 오사무 전집』을 양장본으로 다시 펴내면서 기존의 부족한 점을 모두 수정·보완했음을 덧붙이고 싶다.

— <다자이 오사무 전집> 편집위원회

■ 다자이 오사무 太宰治
1909년 일본 아오모리현 북쓰가루에서 태어났다. 본명은 쓰시마 슈지(津島修治). 1936년 창작집 『만년』으로 문단에 등장하여 많은 주옥같은 작품을 남겼다. 특히 『사양』은 전후 사상적 공허함에 빠진 젊은이들 사이에서 '사양족'이라는 유행어를 낳을 만큼 화제를 모았다. 1948년 다자이 문학의 결정체라 할 수 있는 『인간 실격』을 완성하고, 그해 서른아홉의 나이에 연인과 함께 강에 뛰어들어 생을 마감했다. 일본에서는 지금도 그의 작품들이 베스트셀러에 오르거나 영화화되는 등 시간을 뛰어넘어 많은 사랑을 받고 있다.

■ 김재원
부산대학교 졸업, 일본 와세다대학교 대학원 문학연구과 석사과정을 졸업한 후 현재 번역가로 활동 중이다. 옮긴 책으로 다카하시 도시오의 『호러국가 일본』(공역), 다자이 오사무 전집 중 『유다의 고백』, 『생각하는 갈대』, 우치다 햣켄의 『당신이 나의 고양이를 만났기를』, 『나쓰메 소세키 서한집』 등이 있다.

다자이 오사무 전집 10

생각하는 갈대

초판 1쇄 발행 2014년 12월 24일
재판 1쇄 발행 2022년 06월 24일

지은이 다자이 오사무
옮긴이 김재원
펴낸이 조기조
인 쇄 주)상지사P&B
펴낸곳 도서출판 b | 등록 2003년 2월 24일 제2006-000054호
주 소 08772 서울특별시 관악구 난곡로 288 남진빌딩 302호
전 화 02-6293-7070(대) | 팩시밀리 02-6293-8080
이메일 bbooks@naver.com | 홈페이지 b-book.co.kr/

ISBN 979-11-87036-37-1(세트)
ISBN 979-11-87036-47-0 04830

값 22,000원